C0-AVZ-608

デビッド・シンプソン R. David Simpson
マイケル・トーマン Michael A. Toman
ロバート・エイヤーズ Robert U. Ayres 編著
植田和弘 Kazuhiro Ueta 監訳

# 資源環境経済学のフロンティア

## 新しい希少性と経済成長

Scarcity and Growth Revisited: Natural Resources and the Environment in the New Millennium.

日本評論社

*Original Title:*
*Scarcity and growth revisited:*
*natural resources and the environment in the new millennium*
R. David Simpson, Michael A. Toman, Robert U. Ayres, editors.
[ISBN 1-933115-10-6 (cloth) and ISBN 1-933115-11-4 (paper)]

Copyright © 2005 by Resources for the Future,
1616 P Street NW, Washington DC, 20036, U.S.A.

Japanese translation rights arranged with
Resources for the Future
through Japan UNI Agency, Inc., Tokyo.

# 献　辞

本書を執筆者の一人であるジェフリー・クラウトクラマー（1954～2004年）に捧げる．ジェフはワシントン州立大学教授・経済学教授，1989～1990年にはRFFのギルバート・ホワイト・フェロー，また，*Journal of Environmental Economics and Management* 誌の編集委員をはじめとして，数多くの専門的業務を歴任した．彼は，ワシントン州東部の大気汚染の改善のために尽力する市民活動家でもあった．資源の希少性と，経済成長と環境の相互作用に関する彼の学術的貢献は，環境資源経済学におけるトピックの中でも，とりわけ高く評価され，影響を与えた．さらに重要なこととして，彼は我々の友人であり，彼を知る経済専門家の誰にとっても友人であった．彼は，生活においても仕事においても，そして早すぎる死に立ち向かう上でも，善意と親切の見本のような人だった．彼と親交のあった多くの人々は，彼から感銘を受け，人生の豊かさを実感した．彼の死を深く悼む．

# 目　次

# 著者紹介

**Robert Ayres**（1章, 7章）

ロバート・エイヤーズは，国際応用システム分析研究所（IIASA）の研究員（institute scholar）であり，かつてノバルティス環境管理講座教授を務めていたINSEAD〔訳注：フランスとシンガポールにキャンパスを置くビジネススクール・大学院〕の名誉教授でもある．彼の研究の関心は，産業エコロジー，環境政策と技術評価，経済成長，そして環境規制にまで及ぶ．近著には*The Handbook of Industrial Ecology*がある．理論物理学を学び，かつてはカーネギーメロン大学の工学・公共政策学科の教授を務めたこともある．

**Christian Azar**（5章）

クリスティアン・アサールは，スウェーデン・チャルマース工科大学のエネルギー・環境学の教授である．気候変動の緩和戦略に焦点を当てた研究を行っている．いくつかの国際科学雑誌の編集委員を務め，また，気候変動に関する政府間パネルの報告書の執筆者の一人である．スウェーデン環境大臣やEU環境コミッショナーのアドバイザーも務めている．

**Jeroen C.J.M. Van den Bergh**（9章）

イェルン・C・J・M・ファンデンベルグは，アムステルダム自由大学経済・経営学部，環境研究所にて兼職〔訳注：2007年9月以降，バルセロナ自治大学ICREAリサーチ教授，アムステルダム自由大学環境資源経済学教授〕．彼の研究は環境経済学，空間経済学，進化経済学の内容をカバーする．近著に，*Spatial Ecological-Economic Analysis for Wetland Management, Economics of Industrial Ecology*がある．2002年，ロイヤル・シェル賞受賞．オランダエネルギー評議会委員〔訳注：2003～2007年〕．

**Sir Partha Dasgupta**（14章）

パーサ・ダスグプタ卿は，ケンブリッジ大学のフランク・ラムゼー経済学教授およびセント・ジョンズ・カレッジのフェローである．彼は，英国学士院フェロー，全米科学アカデミー外国準会員，未来資源研究所（RFF）の大学フェロー，および教皇社会科学アカデミーの会員でもある．2002年ボルボ環境賞を共同受賞．近著に，*Human Well-Being and the Natural Environment*（邦訳『サステイナビリティの経済学―人間の福祉と自然環境』）がある．

**John H. DeYoung, Jr.**（２章）

ジョン・デヤング・ジュニアは，米国地質調査所（USGS）鉱物情報チームの主席研究員である．米国地質調査所における彼の研究は，鉱物資源量を品位でみた累積分布や鉱物資源の物理的特性が金属供給において持つ影響など，鉱物資源についての広範囲なトピックを含んでいる．

**Sylvie Faucheux**（12章）

シルヴィー・フォシューはベルサイユ大学学長・経済学部教授である．同大学の環境と開発に関する経済学・倫理学研究所の前所長として，環境・経済・制度の評価と管理に関する大きな学際的プログラムの設立を指揮した．*International Journal of Sustainable Development* 誌の編集長である．最新の著作に，*L'économie face aux changements climatiques*（気候変動に直面する経済）がある．

**Jeffrey A. Krautkraemer**（３章）

ジェフリー・クラウトクラマーは，2004年12月の早すぎる死まで，ワシントン州立大学の経済学教授であった．クラウトクラマーは未来資源研究所（RFF）のギルバート・ホワイト・フェローと *Journal of Environmental Economics and Management* の編集委員でもあった．彼の主たる研究は，天然資源の経済学および経済成長と天然資源の関係についてであり，これらのトピックに関して多くの著作がある．

**Ramon López**（13章）

ラモン・ロペスは，メリーランド大学農業資源経済学部教授，ボン大学開発研究センター・シニア・フェロー．最近の研究では，公共政策，社会の衡平性，持続可能な発展の関係について取り組んでいる．2002年，アレクサンダー・フォン・フンボルト研究賞を受賞．著書に *Economic Development and Environmental Sustainability*〔訳注：本書以降に出版された〕，*Rural Poverty in Latin America, The Quality of Growth* がある．

**Molly K. Macauley**（11章）

モリー・K・マコーレーは，未来資源研究所（RFF）シニア・フェロー．研究分野は，商業宇宙輸送や宇宙リモート・センシングなど，新技術に対する規制の経済分析．多くの規制政策委員会の委員を務める．ウィリアム・アンド・メアリー大学トーマス・ジェファーソン公共政策プログラム・諮問委員会委員長．ジョンズ・ホプキンス大学にて客員教授も務めている．

**W. David Menzie**（2章）

デビッド・メンジーは，米国地質調査所（USGS）の国際鉱物部門の主任であり，ジョンズ・ホプキンス大学の環境科学と公共政策プログラムの非常勤教員である．鉱床モデリングや鉱物資源評価手法など鉱床学における多様なトピックについて研究を行ってきた．現在の研究の関心は，経済発展における鉱物の役割にある．

**David Pearce**（10章）

デビッド・ピアース〔訳注：2005年9月急逝〕は，ロンドン大学名誉教授（環境経済学）．最近まで取り組んでいた研究としては，OECD・英国気候変動税研究が挙げられる．現在は，環境と経済発展の教科書を執筆中．英国の環境政策の詳細な分析にも取り組んでいる．気候変動政策について英国上院議会の顧問を務めている．

**John C.V.（"Jack"）Pezzey**（6章）

ジョン・C.V.（ジャック）・ペズィーは，キャンベラにあるオーストラリア国立大学資源環境研究センターのシニア・フェローである．最近の共同編著 *The Economics of Sustainability* や，*Journal of Environmental Economics and Management* 誌，*Scandinavian Journal of Economics* 誌への学術論文を含め，彼の研究は経済全体で見た持続可能性を対象としている．さらに最近は，ヒューレット財団からの研究助成による汚染税や取引可能排出権に関する研究も行っている．

**Stephen Polasky**（4章）

スティーブン・ポラスキーは，ミネソタ大学の生態・環境経済学のフェスラー・ランパート講座教授である．米国大統領経済諮問委員会の環境資源分野の上級幹部経済学者と，*Journal of Environmental Economics and Management* 誌の編集委員を務めた．現在，米国環境保護庁の科学諮問委員を務めている．研究領域は，生物多様性保護，生態学と経済学の分析の統合である．

**David Simpson**（1章）

デビッド・シンプソンは，未来資源研究所（RFF）でシニア・フェローを歴任して，現在，米国環境保護庁の国立環境経済センターに属している．彼は資源評価，デポジットモデル，定量モデル，探査戦略などの論文を有する．1999年には地質経済学会から銀賞を，2005年には米国内務省から優秀サービス賞を，それぞれ受賞．

**Donald A. Singer**（2章）

ドナルド・A・シンガーは，米国地質調査所（USGS）の上席地質学者である．彼の研究は未発見鉱物資源の定量的評価の手法の開発に焦点をあててきた．出版された論文には，資源評価や鉱床モデル，定量化手法，探鉱戦略が網羅されている．彼の業績に，米国鉱床学会は1999年に銀メダルを，米国内務省は2005年に功労賞を授与している．

**Sjak Smulders**（8章）

シャック・スマルダースはティルブルク大学経済学部准教授である〔訳注：2006年にカルガリー大学経済学部教授に着任し，ティルブルク大学経済学部教授を兼任している〕．専門は経済成長と資源論であり，特に内生的技術変化と環境政策について研究している．*Environmental and Resource Economics* 誌の編集委員を務め，*Economic Journal, Journal of Public Economics, International Economic Review, Journal of Environmental Economics and Management* の各誌に論文を発表している．

**David Tilman**（4章）

デビッド・ティルマンは，ミネソタ大学理事であり，生態学領域マックナイト学長指名講座教授である．米国科学アカデミーと米国芸術科学アカデミーのメンバーを務めている．研究上の関心は，生物多様性，エコシステムの構成，安定性および生産性の制御，地球のエコシステムに人間が与える影響の社会的含意にある．著書に *Functional Consequences of Biodiversity: Empirical Progress and Theoretical Extensions* がある．

**Michael A. Toman**（1章および6章）

マイケル・A・トーマンは，かつて未来資源研究所（RFF）のシニア・フェローであった．彼は，ジョンズ・ホプキンス大学ニッツェ国際学スクールおよびカリフォルニア大学サンタバーバラ校ブレン環境学環境管理スクールの非常勤教員である〔訳注：現在は世界銀行開発研究グループ気候変動問題リードエコノミストおよびエネルギー環境チームの責任者である〕．現在は，経済発展，エネルギーおよび気候変動に関する分野で活躍している．最近の著作に，*India and Global Climate Change, The Economics of Sustainability* および *Climate Change Economics and Policy: An RFF Anthology* などがある．

第1章

# 「新しい希少性」という概念の導入

R. デビッド・シンプソン，マイケル A.・トーマン，ロバート U.・エイヤーズ

資源と人間の見通しについて，これまでに出版された書籍のなかで最も著名で影響力の大きな本のひとつが1963年に出版された．その本 *Scarcity and Growth*（『希少性と成長』）で，ハワード・J・バーネットとチャンドラー・モースは，同僚であるネール・ポッターと T.フランシス・クリスティ・ジュニアがもう一つの最も著名な業績である *Trends in Natural Resource Commodities*（『天然資源産品のトレンド』）（Potter and Chsisty, Jr. 1962）で収集した広範なデータの解釈を行った．バーネットとモースはこのデータを使って，資源の希少性によって経済成長が止まることはそれまでなかったし，おそらく近いうちにもなければ，将来も止まることはないと考えられるという，説得力のある主張を行った．

しかし，希少性と成長の相互作用に対する関心は，絶えることがなかった．バーネットとモースの著書が発表されてからたった10年後にはオイルショックが起こり，学識者，政治家，活動家が「エネルギー危機」の到来を告げた．バーネットとモースが記したような数十年間下落を続けてきた資源価格に慣れた消費者は，気付いてみれば，ガソリンを購入するために長蛇の列に並んで，急激に上がった額を払うことになった．学界の研究者は，ハロルド・ホテリング（Hotelling 1931）や M・キング・ハバート（Hubbert 1949）などの学者が書いた論文を取り出してきて，再び現れることになった希少性の原因と意味合いを見つけ出そうとした．

ほぼ同時期に，他のタイプの希少性が認識されるようになっていた．人類史上の大半において，大気や水や土地が廃棄物の処分に使われ，それがどういう結果をもたらすかについてはほとんど配慮されてこなかった．人口が少なく，利用されていない土地がたくさんあった時には，廃棄物を捨てても，その影響は管理できる範囲であった．こうした状況が変化するにつれて，汚染の影響が蓄積するようになった．1800年時点では10億人にも満たなかった人口は，1950年には25億人まで増大していた．1970年代に入る頃には，成長が続いた後に破局的な減少がすぐに起こるという，黙示録のような予測を出す者もいた（Ehrlich 1968）．人類は，気付いてみれば，

自分達自身が生み出したゴミとますます隣り合わせで暮らすようになっていたのである.

このようなゴミは，産業革命よりも前の時代に生きた我々の祖先が作ることのできた物と違い，魔女が作った強烈な毒薬のような代物だった．人間と動物が出す廃棄物は，濃縮されて常に病気の温床であったが，これまでにないほど増えていた人口が都市に密集することで，このリスクがますます大きくなっていた．しかも産業革命とともに，新たな有害物質がより広い範囲を動くようになっていた．「暗黒の悪魔工場」から出た煙は「イングランドの緑と喜びの土地」を汚し，1950年代初期には，石炭の煙による「殺人霧」でロンドンに住む数千人が死亡した．もう一つの化石燃料である石油は，さらなる問題を引き起こした．ロサンゼルスからアテネ，東京にいたるまで，都市は自動車の排ガスでますます窒息するようになっていた．製紙，金属加工，化学，その他の産業が，空気，水，土地を汚染まみれにした．

そこで，エネルギー資源の希少性に対する関心が再燃しただけでなく，1970年代初期には，本書で「新しい希少性」と呼ぶものへの，最初の幅広い関心表明があった．「新しい希少性」とは，人間が放出している，例を見ないほどの廃棄物の流れを吸収し無害化する環境容量の限界である．1970年4月22日最初の「アースデー」記念日から，1972年のストックホルムの国連人間環境会議，そして米国や他の国々における，多岐にわたる環境保護諸立法の制定に至るまで，市民は環境悪化への関心を表明し，政府はそれに応えたのである．

学者もこの流れに加わった．議論を巻き起こしたローマクラブによる1972年の『成長の限界』は，そのような限界が急速に近づいているのに，そのことを地球社会は気づかずに自らを危険にさらしている，と指摘した（Meadows et al. 1972）．『成長の限界』の分析の誤りを早々と指摘するものもあった（例：Nordhaus 1974）．また，天然資源の経済学と管理に関する新しい学識も生まれた（例：Dasgupta and Heal 1974，1979；Solow 1974；Stiglitz 1974；Clark 1976）．

1976年の秋，未来資源研究所（RFF）は再び，『希少性と成長』のトピックを検討する会議を開催した．会議での論文とコメントを収録した *Scarcity and Growth Reconsidered*（『続・希少性と成長』）（Smith 1979）は，多くの点で，その前著である『希少性と成長』の楽観論を反映したものとなっている．しかしながら，その楽観論は1970年代に起こったことの影響を受けて，いくらか弱まっていた．それだけでなく，異なる十数人が書いたものを合わせた本であることからもわかるように，『続・希少性と成長』が示した見通しは，前著ほど簡潔にはまとめられていなかった．続編の筆者には，バーネットとモースの比較的バラ色の見通しの正当性に疑問を投げかけた者がいただけでなく，希少性と成長を分析するツールとしての標準的な経済理論に限界があると問題を提起する者もいた．そして『続・希少性と成長』は，「標準理論」を使ったり作ったりする立場の人が，自分たちのモデルが実際にこの問題について何が言えるか模索した記録となったと言うべきであろう．利用可能なデータから長期的な見通しの見解を述べるのではなく，そのようなデータから希少性と成長についていったい何が言えるのかをはっきりさせることに重点を置いた章もあったのである．

『続・希少性と成長』の各章が書かれてから，四半世紀以上が過ぎた．その後，多くの学問分野で新しい分析方法が開発され，実証面での新たな知見が脚光を浴びるようになり，新たな疑問も浮上した．たとえ我々が，希少性と成長に関する疑問の最終的な解明にまったく近づいていないとしても，新たなツールと事実を使ってこうした疑問に取り組み，かつ，その疑問に答えるなかで触れるべきその意味合いを考える位置にいる．

こうした問題を検討するため，RFF では，ヴェラ・I・ハインツ財団の多大な支援を受け，オランダ環境省と欧州委員会とともに，著名な経済学者や自然科学者などからなるパネルを開催し，希少性と成長について議論を行った．2002年11月18日から19日にかけて，各章の執筆者は論文の草稿を持ち寄って発表し，他の参加者と討論を行った[1]．この議論を受け，各執筆者は原稿をさらに修正した．

各論文をレビューする前に，この事業の背景と動機についてもう少し，簡潔に述べておこう．

## 『希少性と成長』：長期の見方

古典となった『希少性と成長』を我々が再び検討する理由を詳述する前に，まずはこの古典からインスピレーションを感じ取り，希少性と成長への関心を呼び起こし続ける歴史的かつ今日的な諸問題について，広く概観を読者に提供したい．バーネットとモースは真の博識を見せたが，それは経済学の専門家が今日生み出すものの大半には残念ながら欠けている．『希少性と成長』を読んだ多くの人が，数値や図表を駆使した分析を記憶している．しかし，その最初の100ページ足らずは，希少性とそれが人間の福祉の継続に対してもたらす意味合いについて，それまでの偉大な思索家や多くの学問分野が主張してきたことを，幅広く，豊かな知識に基づいて魅力的に説明したものになっている．しかも，この主題でそれ以降書かれた多くのものと違って，難解な言い回しと数式を用いず，鮮やかに説明したのである．こうして，バーネットとモースが『希少性と成長』の残りの３分の２に進んで定量分析を行う頃には，読者はこのトピックに関する完璧な手ほどきを受けていた，というわけである.

我々には，バーネットとモースの手ほどきを真似ることはできない．読者には，その深い学識に触れ，この本が書かれた時代と変わらず重要で絶えることのない『希少性と成長』が提起した問題への入門として，一読を薦めたい．しかし同時に，以下の数ページを使って，本書の読者のために，バーネットとモースの導入部分を大胆に凝縮し，若干の更新を試みる[2].

『希少性と成長』が確立した最も重要な点は恐らく，世界に対する見方がそれまでの2世紀の間に，とりわけ経済学者の間で著しく変化したということであろう．トーマス・カーライルは，古典派経済学者の著作を評して「陰鬱な科学」という異名を経済学に与えた[3]．皮肉なことに，その経済学者が約200年後には，市場の見えざる手があらゆる問題を解決してくれるという「これまで通り」のシナリオを擁護する楽天的な人達と一部の人に見られるようになっている．しかし実際には，初期の経済学者の中には，我々の問題は解決不能と論じた者もいたのである.

もちろんいつの時代にも，悲観主義者もいれば楽観主義者もいた．世界は衰退しつつあると考えた最初の人がテルトゥリアヌスというわけではもちろんないが，彼は「我々は世界にとってやっかいものである.」「資源は，我々にとってとても十分にあるとは言い難い（中略）．真面目な話，ペスト，飢餓，戦争，洪水は，国家にとって，人類を間引いてくれる〔資源の問題への〕解決策として考えねばならない.」と紀元200年に記していた（Johnson 2000より引用）.[4]

もちろん，もっと明るい見通しを持つ者もおり，この見方の起源はさらに遡ると主張するであろう．旧約聖書の次の記述からすると，神自身，「資源に対する楽観主義者」であったといえるかもしれない.

> 神は言われた.「我々にかたどり，我々に似せて，人を造ろう．そして海の魚，空の鳥，家畜，地の獣，地を這うものすべてを支配させよう.」
> 神は彼らを祝福して言われた.「産めよ，増えよ，地に満ちて地を従わせよ．海の魚，空の鳥，地の上を這う生き物をすべて支配せよ.」（創世記1：26,28）
> 〔邦訳は『新共同訳聖書』（財団法人日本聖書協会）を参照．以下同様〕.

神はアブラハムに約束した.「わたしは，あなたをますます繁栄させ，諸国民の父とする．王となる者たちがあなたから出るであろう.（創世記17：6)」．また，この万能の造物主は，アブラハムの子孫のための地球上の資源制約について，心配した様子はなかった.「あなたを豊かに祝福し，あなたの子孫を天の星のように，海辺の砂のように増やそう.」(創世記22:17).

しかし，古典派経済学者による書き物の多くを支配していたのは，それとは全く異なる見方であった.『人口論』（1798年）の中で，イギリスの経済学者で牧師でもあるトーマス・マルサスは，人口は幾何級数的に増加するが，食料はせいぜい等差級数的にしか増加しないというよく知られた理論を提唱した．その結果人類がどうしても近づいていってしまうのが，ほぼ2世紀後に「成長の限界」と呼ばれるようになるものであり，たいていは破滅的な影響をもたらす，とされた．

初期の経済学者は皆，押しなべて陰鬱だった[5]．近代経済学の創始者であるアダム・スミスでさえ，「動物のどの種も，自然のなかでは食物の量に比例してしか増殖せず，それ以上の率で個体数を増やすことはできない」〔アダム・スミス『国富論』（山岡洋一訳）日本経済新聞社，2007年，p. 84，（第一編第八章労働の賃金）〕．マルサスと同時代を生きたデビッド・リカードは，レントの理論でその名を刻んだ経済学者である．資源の供給は十分でないため，立地や他の条件に恵まれた土地には高い価格が付き（「レント」），すぐに専有され開発される．そのため，経済活動に後から参入した者にはろくなものが残らないのである．ロバート・ハイルブローナーが指摘するように，「マルサスを読んでも今ひとつ気落ちしなかった読者は，デビッド・リカードを読めばそれで十分であった」(1967,86)．

皮肉なことに，経済分析にとっての基本的な洞察の一つがあったために，古典派経済学者達は「見当違いな」――あるいは，彼らに最大限有利な解釈をして今日の悲観主義者のように論争はまだ決着していないと考えれば「時期尚早な」――「陰鬱な」見解をとってしまった．その収穫逓減の法則は，経済学において極めて多くのことを説明することができる．何かあるものの存在は，多ければ多いほど，さらにそれが増えることで生産性は低下する．もし天然資源が限られているなら，それと一緒に使う人間の労働力と人工資本を増やせば良い．そうだとしても，それ以上の資源がなければ，他の生産要素をさらに投入することで得られる量は，段階的に小さくなっていくだろう．経済学で使われる限界分析の根底にあるのは収穫逓減の法則であり，また限界分析こそが，「価値の逆説」という経済学最大の謎を解決してくれる．水のように利用価値が高いものが安価なのに，一方でダイヤモンドのように利用価値がないものがなぜ高価なのか，という逆説だ．これは収穫逓減のためである．水は，ダイヤモンドと比較して大量にあるために，水が少しだけ増えても価値の増加，つまり限界価値はほとんどないのである．

こうして，収穫逓減の法則は経済学の核心となった．しかしそれが直接意味することは，一定量の土地や他の資源のストックに依存している経済は，良くてもせいぜい停滞に向かうだけ，ということである．最悪の場合，人口増加が，資源の浪費と将来見通しのなさとあいまって，人類の大多数が破滅する運命にあるということになろう．

多くの人が，一度はこれを信じた．初期の偉大な経済学者は，不正確な予言者であることがままあった．たとえば，限界分析を初めて定式化したウィリアム・スタンレー・ジェボンスは，石炭が枯渇した時に待ち受けている災難を予測したことで有名である．彼の悲惨な予測は，今となってはいささか滑稽な気がする．ジェボンスは，石炭が最終的になくなると見て，原稿用紙を大量にため込んでいたのである．

次の文章は，現代の環境保護論者が書いたようにも見える．

> 「世界は非常に狭く，過去30-40年間と同じペースで，豊富で新しい資源を今後何十年間も切り開く余地はない．新興国が，自国でとれる食糧や一次産品のほとんどを必要とするようになれば，その国からの輸送が改善してもほとんど意味がないだろう．」

この引用文は，最近まとめられた持続可能な発展の世界サミットの合意文書からとったものではない．実は，20世紀初頭に最も重要な功績を残したアルフレッド・マーシャル（Marshall 1907）の見解なのである．

しかしマーシャルは，資源に制約された袋小路からの抜け道についても指摘している．「収穫逓減の法則に反する力が生じるとしたら，生産のさらなる改善がある場合のみである．そして生産の改善それ自身も，次第に収穫逓減を示すはずである」．マーシャルは，彼の世代とマルサスやリカードの世代の間に生きた最も偉大な経済学者である，ジョン・スチュワート・ミルが詳しく説明した知見を適用したのである．Mill（1848）は，スミス，マルサス，リカードを修正し，収穫逓減の法則が「止まったり，一時的に抑制されたりするかもしれない．人間が自然を支配する一般的な力を増やしてくれるもの，とりわけ人類の知識が拡大することのおかげで」と述べている．

その後の世代は，収穫逓減の法則がもたらすものが実際に「人類の知識の拡大」によって「止まったり」，あるいは単に「一時的に抑制された」りしてきたかどうか，判断しきれていない．しかしながら経済学が進化するにつれて，知識が目覚しい率で蓄積していったことを示すように見える統計的証拠が揃えられてきた（後ほど，この証拠が本当にこのことを示しているかどうかを議論する）．第二次大戦後の世代をリードする経済学者の一人であるロバート・ソローは「残差」の研究で知られており，よく「ソロー残差」という言い方がされる．残差とは，産出の成長のうち，使われる投入要素の増大では説明しきれない部分のことである．

1950年～2000年の米国の国内総生産（GDP）は年平均約3.4%で成長してきた．ある年から次の年への産出の成長を，次のように要因分解することができる．労働時間の増加に伴う産出の成長率に，労働時間の変化分を乗じる．次に，使われた設備の増減に伴う産出の変化率に，使われた設備の変化分を乗じる．これと同じことを全ての投入要素に対して行ったものを足し合わせることで，産出の成長率が求まる．経済理論によれば，ある投入要素の変化に対して産出が変化する割合は，その投入要素の価格に比例する．そうすると，産出の変化を，構成要素に分解できる．つまり，労働が変化したことによる産出の変化分，資本設備が変化したことによる産出の変化分などを，各投入要素の価格で重み付けすればよいのである．ソローは，これらの変化を合計しても不足があることを指摘した．この不足が残差である．残差とは経済全体の成長率の観測値と，使われた投入要素の変化による変化の計測値との差である．先ほど述べた要因分解で説明すると，計測されない投入要素が変化したときに産出がそれに合わせて変化する率に，計測されない投入要素の比例的な変化を乗じたものに相当する項が欠けているのである．全要素生産性の増加率と一般的に言われるこの残差は，1950年～2000年の間に年当たり平均で約1.2％であった．

上で示した計算で残差が欠けているのは，もちろん，それを計測できないからである．モーゼス・アブラモビッツ（Abramowitz 1956）が，残差とは「我々の無知の測度」という名言を残している．残差とは，定義上，計測できる説明変数すべての効果を計算したときに残った部分である．このように根本的に不確実なものであるにもかかわらず，生産性の残差は，技術進歩の効果としばしば解釈される．しかしながら，後の議論を先取りして述べておくと，他の可能性にも触れておくべきである．残差が表す「行方不明の投入要素（missing input）」は，市場で取引されない資源（環境劣化もこの類に含まれるだろう）の消費が増大したのに，計測されていないということかもしれない．

生産性の成長とは何を意味するのか．もし，生産性の成長を無限の将来にわたって外挿できるというバラ色の世界観を持つなら，ほとんど心配する必要はないということになるだろう．マーティン・ワイツマンによる最近の研究によれば，過去の水準の生産性上昇が無限に継続すると仮定すると，通常の方法で計測される国民所得は，真の厚生を40％も過少評価していることになる（Weitzman 1997）．そうではなく，計測されていない資源の無駄遣いが残差に反映されているという見方に立てば，生産性の成長は，不気味に積みあがってゆくツケを表していることになる[6)]．

ここ数十年，経済学者の間では前者の見方が支配的であった．マルサスや，少なくとも20世紀の初頭にかけて彼の考えを継承した多くの者による不気味な予言以来，「陰鬱な科学」は方向転換をしてきた．収穫逓減の法則は未だに，経済学の基本原理の根本的な要素であるが，その長期的な含意はそれと同じくらい根本的なもう一つの基本要素により相殺されて余りあると多くの人が考えている．比較的短期間（年や月）でも，代替の可能性が資源枯渇を回避するというのが多数派の意見である．収穫逓減は，多くのミクロ経済的な現象（例えば，価格が上がると消費者が買い控えをする理由）を，理論的にしっかりと説明する．しかし，時間範囲を相当長くとれば，その間に，どんな特定の資源の希少性がもたらす意味も，潜在的代替物が豊富になることで回避される．潜在的代替物は，技術の進化と共にますます豊富になる．

もともとの『希少性と成長』において，バーネットとモースは，古典派経済学者による「一人あたりの収穫逓減のドクトリンは，厳密な定式化も分析研究も必要としない自明な事実として，経済理論に埋め込まれたのである」と述べている（1963, 51）．現代になって，この状況が逆転したのかもしれない．悲惨な予測が実際には起こっていないという事実が，今後も決して起こらないことの帰納的な証明にほぼなっていると見なす人もいるのである．

古典派経済学者が収穫逓減の法則を強調してきたことが見当違いかもしれない理由の一つが，上記のアルフレッド・マーシャルからの引用節に見られる．彼は，「生産の改善それ自体も次第に収穫逓減を示すはずである」と主張している．この点で，「知識は収穫逓減の制約を受けない唯一の生産手段である」（Clark 1923）という，もっとよく引用されるJ・M・クラークの主張とは明らかに対立している．

「知識」のような無形の観念を実際に測るものさしがない状態で，クラークの主張を確かめることは難しい[7]．しかし知識は，他のほとんどの経済的な財とは，一つの重要な面で異なっている．知識は**非競合的な**のである．自分がある知識を持っているからといって，その知識を他人が利用できなくなるという物理的な理由はない（知的財産法が特許や著作権の類を守っているという，**法的**理由はありえるかもしれないが）．この意味で，希少性の問題を究極的に解決するとしばしば賞賛される知識と，『希少性と成長』を再度検討する動機の多くを占める「新しい希少性」との間には，興味深い類似点がある．環境汚染や地球全体の生態学的資産の枯渇も，非競合的である．私の目にしみて肺を汚す煙は，あなたにも同じ影響をもたらすだろうし，大気への二酸化炭素の蓄積も，地球全体での生物多様性の減少も，世界中の人々に影響を与えるであろう．

市場は非競合財を効率的に配分しない．そのため，知識は過小にしか生産されないだろう．技術革新の主体はしばしば「スピルオーバー」を生み出し，他の人はそれを専有し，そこから便益を得ることができるからである[8]．また，汚染は過大に生産されるだろう．汚染者が生み出した廃棄物が，公共領域に「溢れ出る（スピルオーバー）」からである．そのため，希少性と成長の究極的な解決は，2つの政策課題の解決に依存しているといえる．一つは，汚染を通じて我々自身に降りかかる負のスピルオーバーを，地球社会として我々は十分制限できるだろうか．そしてもう一つは，知識の増大による正のスピルオーバーを生み出すイノベーションを十分促進することができるだろうか.

## 今日における希少性対成長

ますます多くの人がより高い生活水準を求めているのに，それに見合う資源が十分にあるかということについては，今や幅広い意見がある——そしてこれからも常にあるといって間違いない．一世代前には，『沈黙の春』（Carson 1964），『人口爆発』（Ehrlich 1968），『成長の限界』（Meadows et al. 1972）が，それぞれ農薬，過剰な人口，資源枯渇の脅威について警鐘を鳴らした．これらを引き継いだのが，気候変動（IPCC 2001）や生物多様性の減少（Wilson 1992）の証拠を詳しく述べた書物である．そして，故ジュリアン・サイモン（Simon 1981）が，少し前の時代の悲観論を批判したように，グレッグ・イースターブルックの *A Moment on the Earth*（Easterbrook 1995）や，ビョルン・ロンボルグの『環境危機をあおってはいけない』（2001）のように，事態はそんなに悪くなく，むしろ良くなっているという意見もある．

楽観主義者と悲観主義者の間の議論に特筆すべき傾向があるとするならば，どちらか一方が有力になりつつあるというよりもむしろ，議論の言葉遣いが悪くなっている．しかしそれでも，楽観主義者と悲観主義者の間の最近の議論で発せられた辛らつな言葉にも関わらず，我々の世代が親の世代から受け継いで子供に受け渡す地球の状態について，先代よりももっと懸念すべきか，あるいはそこまで懸念しなくてよいのか，証拠をレビューして言うことは困難である．

それは，半分入っているグラスを指して，半分も入っていると考えるか，それともまだ半分しか入っていないと考えるかという話の古典的な例であろう．経済統計を報告するところから始めよう．1800年における世界全体の経済生産は約7,000億ドルに満たないと推計されている．それが，一世紀後の1900年には2.5兆ドル，1950年には5.3兆ドル，21世紀の初頭には35兆ドルに迫っている（Maddison 2002）.

もちろん，この数字で人類の見通しについて何が言えるかを判断する前に，一人あたりだとこの数字がどうなるか，知りたいと思うだろう．世界人口も目まぐるしいペースで増加してきたからである．19世紀初頭になってはじめて，世界人口は10億人に達した．それから約120年後の第一次大戦後には20億人を超えた．それ以来，例外なく長くなった人の一生にあたる時間の間に，世界人口はその3倍になった．

しかし，経済のパフォーマンスはこの爆発的な人口成長と同じペースで成長し，経済成長率それ自体も増加してきた．2世紀前の地球上の人口一人あたり平均では，可能な限り最良の推定によれば，年間600～700ドルで生活することができた．それが，20世紀への変わり目には年間1,000ドルを優に超し，1950年では年間2,000ドル以上，現在は年間ほぼ6,000ドルに達している．

もちろん，電灯も電気で動く交通手段もなければ，最も基本的な医療さえない，あるいは，その他我々の多くが必需品と見なすようになったあらゆる便利なものがないという状態で暮らしていた人の所得を，現在のお金で解釈することは，大変困難である．一人あたり所得という計測は，一人の人が持てる生活水準の概念を伝えることを意図したものであり，我々の先祖と我々自身の，ここまで違う消費の可能性を比較することは難しい．

しかし中には，説得力のある思考実験を行ってきた学者もいる．経済発展のペースは（平均的には，と断っておくことが重要だが），最近の数十年間で著しく加速してきたことを示している．もっと短期間での比較については，同じような測度の問題の多くに悩まされることになるが，過去50年間については，一人あたり平均所得がおおよそ3倍になったと，もう少し自信を持って言えるだろう．この成長率をキリストの時代まで遡って外挿すると，一人あたり所得は1ペニーにも遠く及ばないことがわかる（小数点以下，最初の有効数字の前にゼロが15回出てくる）．〔一人あたり所得という〕測度を用いることの問題を考慮したとしても，こんな小額では人は生きていけない．人類が最初の百万年間の極貧時代を生き延びたという事実は，経済進歩のペースが〔最近の数十年においてのみ〕目覚しく上がったことを示している．

人口増加の数字にしばらく話を戻そう．過去50年間の人口増加率を将来に外挿すると，奇想天外な結果になることがすぐにわかる．仮に年率1.5％で今後2000年間人口増加が続くと仮定すると，人類全体が地球より重くなってしまうのだ！

もちろんこのようなことは物理的にはありえない．指数関数的な成長よりも速いペースで人口増加が続くことは，遅かれ早かれ――たぶん「早かれ」のほうだろう――壊滅的な崩壊に行き着くことは，人口学者やそれ以外の人々が昔から認識してきた．この結論に対してまともに異を唱えることはできない．しかし，常識的な人達の間で異論があるとすれば，どこまで人口が増えると崩壊が発生しそうか，そして，人類が自らの人口増大をどの程度規制するのが適当か，という点である．最初の点に関しては，「誰も確かなことはわからない」が唯一の解であろうが，多くの評者の答えは恐らく「今以上」で一致するように思える．『地球は何人を養えるのか』（1996）ということについて決定的な書物を著したジョエル・コーエンは〔邦題『新「人口論」―生態学的アプローチ』〕，地球が何人の人口を扶養できるかではなく，所与の人口規模に合った地球とはどのようなものかが問題だとしている．

実際のところ，人口増加率がペースを落としてきている証拠も出つつあるようだ．

過去10年間,〔過去50年とほぼ同じ〕年1.5％の平均増加率で人口は増加してきたが,国連の『世界人口の見通し』（UNPD 2002）では，2050年に約89億人になると予測している．現在の総人口よりも約30億人増えるということは，1950年時点での総人口以上の人口が増えることになるが，一方で，増加率は著しく低下するという予測でもある．つまり，今後の半世紀の年平均の人口増加率は，現在の人口増加率の半分以下となることを示している．この年間平均成長率は，長期のトレンドより大きい値になっている．というのもほとんどの専門家が，次かその次の世紀の，いつかの時点で，人口増加率は減速して停止する（すぐに人口が減少しなければの話だが）という意見で一致しているのである．

人口が（人口増加による崩壊と対比して）安定化するという予測自体，人間の創意工夫，あるいは自己規律についてのある種の楽観的な見方を反映している．こうした楽観的な見方は，主に，世界のより豊かな国々の経験から出てきている．国の富と人口増加率との関係に，不完全ではあるが明らかに相関がある．貧しい国は，乳幼児と全体の死亡率がぞっとするほど高いことが多いのに，人口増加率が高い．これとは対照的に，豊かな国では，高齢者が定年を迎えるとともに，彼らに取って代わる若年労働者が極めて少なく，潜在的な財政危機に直面している国もある．今日の富裕国で高齢化しつつある世代が現在の生活水準を維持するためには，移民を受け容れることが確実に必要であろう．

そこで以上をまとめると，世界全体での経済活動は向上してきており，この感触は一人あたりの数字に直してもやはり成り立ち，そして我々が増えすぎて地球をつぶしてしまうようなことはないと希望を持てる理由がある．しかしながら，こうした観察は必ずしもバラ色な見通しを提示するものではない．いま指摘した通り，より貧しい国々では人口増加率がより高い傾向にあり，貧しい人達の窮状は，いまだに心が張り裂けるような状況である．平均値で議論すると，所得分布がひどく歪んだままである事実が覆い隠されてしまう．10億を優に超す人々が，現在でも1日約1ドルの所得で精一杯，生計を立てている．この1日1ドルという値は，1800年時点での一人あたり所得の約半分であることを思い出して欲しい．

こうした貧しい人々の窮状を考えると，懸念される点が二つ出てくる．彼らが豊かになるかもしれないということと，そうではなく，貧しいままでいるかもしれないということである．世界の貧しい人々が豊かになれるというと素晴らしいことのように思えるかもしれないが，そのような見通しによって希少性と成長の論点が浮き彫りになる．10億人程度の豊かな人々が今，地球を空前の環境危機にさらしているというのに，その8倍の80億人もの人々が豊かな人の暮らしをするようになったら，この惑星は耐えられるのだろうか．

あるいは，イエス・キリストほどの人格者でさえ言ったと言われるように，「貧しい人々はいつもあなたがたと一緒にいる（マルコによる福音書14章7節）」のかもしれない．数千年前には，2～3千の豊かな貴族が，苦しい生活にもがく2～3百万の小作農よりも多くの物質的な富を享受していた．現在では，豊かな先進工業国に住む10億人余りが，その日暮らしをしている数十億人よりも，はるかに恵まれた健康や富や将来の見通しを享受している．哲学者は，今日の不衡平は，過去のものよりも問題が大きいと論じるかもしれないが，どちらかが理想状態であるということを言う人はいない．世界の貧しい人々が豊かな人々に追いつきつつあることを示す説得力のある証拠がほとんどないのは問題である（Pritchett 1997）．多くの人が何とか食っていける状態から逃れられないでいるとしたら，我々は「持続可能な」世界に生きていて満足できるだろうか．[9)]

こうした問いは，「経済成長」とは何を意味するかという，より大きな問題を提起する．経済成長が，必然的に地球への物理的な損傷を増やすことにつながるのならば，無限の経済成長は，望ましくないか，あるいは可能ですらないことは明白と思われる．貧困層の経済成長と言うとき，明日の貧しい人々が今日の豊かな人々の生産プロセスや消費の可能性をそっくりそのまま真似することを指すならば，そのような成長は幻想に過ぎないか，言葉の矛盾であろう．

しかし経済成長は，実際は定量的であると同時に定性的な現象でもあった．上述した，生産性が向上するという楽観的な見方の本質は，より少ない物理的投入量で，より多くの物理的産出量を得る能力を，毎年のように獲得するということである．それだけでなく，毎年異なる産出物を作る能力を獲得しているということである．自動車会社が車のデザインを洗練させて作った車は，環境保護主義者が欲しかったのとは違っていたかもしれないが，今の車は総じて，50年前75年前の車よりも軽く，強く，速く，安全で，効率性が高くなっている．定性的に違うものであるだけでなく，車を入手するために費やした金額当たり，あるいは働いた時間当たりの価値という基準で測れば，定性的に昔のものより確実によくなっている．同じことが，飛行機，通信手段，織物，電灯，オフィス用品など，我々が他に購入する財・サービスで思いつく，どんなものについても言えるだろう．

しかし「他に購入する財・サービス」に限定していることに，一つの問題が捉えられている．購入されない財・サービスについては，所得の上昇，人口の増加，計測される経済活動の増大に伴って，多くが質を低下させたのである．確かに，多くの環境汚染物質の生産と放出の制御については，進歩があったことに疑いの余地はない．また研究者は「環境クズネッツ曲線」を見出しており，これは，ある国での一人あたり富が増加するにつれて，ある汚染物質の排出が最初は増加するものの，次第に減少するというものである（Grossman and Krueger 1995）．大気中の浮遊物質，水中の有機廃棄物，他の「よくある」汚染物質は，所得が増加するにつれて制御されると期待する人もいるかもしれない．

しかし，こうした見方は，いくつかの点であまりに楽観的な予測であろう．第一に，所得と汚染の関係には「複合効果」があるかもしれない．複合効果とは，豊かな国ほど，ハイテク産業とサービス産業での経済活動に専念し，より汚い産業を発展途上の国々に追いやる，あるいは「輸出」すると言ってよいかもしれない効果である．それだけでなく，そのような複合効果は，世界全体の総排出量の経年変化よりも，所得水準が異なる国々で観測された産業と汚染のパターンの方がよりうまく説明できるかもしれない．あらゆる国が，経済を低排出型の製造業とサービス業に注力するという可能性は少ないだろう．汚染の制御がより困難な産業に特化する国が，どこかに必要だからである．

第二に，全ての汚染物質が環境クズネッツ曲線の「逆U字」の関係に従うと考えられるわけではない．現代の工業経済が化石燃料にどれだけ依存しているか正確には明らかではないが，一般に豊かな国ほど，化石燃料の消費も多いことは明白である．化石燃料は温室効果ガスの主たる排出要因であり，したがって地球の気候変動を引き起こす原因でもある．世界が全体として気候変動とは関係なくなっていくに過ぎないと仮定するのは，あまりに楽観的に思える．

第三に，温室効果ガスは，すぐには元に戻せないプロセスの一例であり，蓄積性の汚染である．最も重要な温室効果ガスである二酸化炭素（$CO_2$）の大気中濃度は，何千年間も280ppm（百万分の一）前後で安定していたとされている[10]．産業革命に伴って増大し始め，1957年には315ppm，現在は362ppm程度に達している（Vitousek et al. 1997）．たとえ明日にこれ以上の$CO_2$排出がすべて止まったとしても，大気中$CO_2$濃度が産業革命以前の水準に戻るには相当の時間がかかる．

大気中の化学変化を元に戻すには時間がかかるであろう．一方で生物多様性の損失は，どんな時間スケールであっても，完全に不可逆的である．地質学的な記録に現れたそれぞれの大量絶滅はすべて，その後に生物多様性が回復するのには何百万年という年月がかかっている（Wilson 1992）．それゆえ，化学物質汚染，乱獲，外来の害虫・捕食者・競合者・病害の移動，気候変動，そして最も重要なことには，我々と地球を共有している種を脅かしている固有種の生息域の破壊，などを人間社会が減らす方法を発見するのが10年後であろうが100年後であろうが1000年後であろうが，生物多様性の保護に役に立たないことには変わりがない．

地球上に今いくつの種が生存しているのか，確かなことは誰にもわからない．2～3百万から何千万まで，推定値には幅がある．新種が誕生するのは，地理的な分離と遺伝変異が組み合わさったときである．現存する種が絶滅するのは，生息地に適応できなかったり，既存の種や外来の競争相手との競争に勝てなかったりするときである．地質学の記録によれば，種が絶滅する〔自然状態での〕「バックグラウンド水準」は，年あたり百万種に一種であった．今日の絶滅の率は，バックグラウンド水準の1,000倍と考える生物学者もいる（Raven 2002）．

気候変動と生物多様性に話がそれたが，ここには「新しい希少性」の重要な側面がよく表れている．気候も生物多様性も，グローバルな公共財を提供するものである．地球上の誰しもが気候の変化に影響を受けるし，生物多様性と多様な自然の生態系が提供する生態サービスの変化の影響を受ける可能性がある．後で詳しく述べるように，問題が地球規模であることと影響時間が長いことが，政策にとって計り知れない難題となるのである．『希少性と成長』と『続・希少性と成長』では，効率的かつ持続的な方法で資源を配分するのに適しているのは市場メカニズムであるというのが全般的な基調であった．しかし，市場で取引されている資源，すなわち「古い希少性」への関心がほとんどであった．本書では，「新しい希少性」に対処するための，私達にとって適切な社会的メカニズムに関心の中心が大きく移っている．

それでは，各章の著者がこれらの問題にどのように迫っているか，見ていこう．

## 各章の内容

デビッド・メンジー，ドナルド・シンガーとジョン・デヤング Jr. は，『希少性と成長』について非常に重要な課題である，資源の物理的な利用可能性について述べた．この著者らは，以前からの研究者が出している結論と同様に，鉱物の供給自体は成長の限界ではないとの結論に達した．しかし，心配の種はなお残されている．多くの資源について豊富な量が残っているが，これらは次第により遠隔地に移行してきている．鉱物（や燃料，バイオ）資源のストックが，初期にはそれらが使用される近隣において，最も集中的に開発されたのは当然のことであった．需要が増加するにしたがって，探査とやがて採掘は，海を渡り，荒れた気候の地で行われ，鉱物と化石燃料は特に地中や海洋でますます深部化した．

これは，（少なくとも容易にアクセス可能な）資源の枯渇と，技術進歩による探査費用と採取費用の低減との間の古典的な緊張関係を復活させる．先端技術とサービス産業が支配的である経済の「脱物質化」の話にもかかわらず，多くの鉱物について先進諸国における一人あたり消費量は，比較的一定の水準を維持し続けてきた．低開発国がより豊かになると，これらの消費は，工業国に匹敵する水準にまで増加するようになるだろう．楽観的な見解では，資源の希少性が，より富裕で人口の多い世界での利用を減少させるにはまだ至っていないと言う．実際に裕福な国々で，（楽観主義者は多くあると言うであろう）ありふれた鉱産物資源による代替物への依存を，これまで強いられてこなかったという歴史的事実によって，楽観主義者はさらに励まされるかもしれない．より悲観的な見解によると，今後増大する人口の全てが，裕福な人々が習慣づいた生活水準によって，消費可能な量の埋蔵量を，十分には保有していないということになる．

探査努力における最近の傾向も同様に二分する見解を導くかもしれない．メンジー，シンガー，デヤングは，鉱物の探査予算，研究費，トレーニングの減少を懸念とともに指摘している．ここでの悲観的な見解によると，この準備不足は良く言っても見通しの足りなさ，悪く言うと，現状で枯渇しているために探査などの努力が無駄であるとの認識を反映していることになる．ところが，探査が行われなくなった理由は，既知のストックが十分であり，さらに必要に応じて新しいストックを発見できるという認識から出ているという正反対の見解を容易に取ることができる．

いずれにせよ明白に言えることは，社会が鉱物採取による市場外の費用を徐々に認識しつつあるということである．原始の景観が提供する特有のサービスに真価を認めるか，あるいは鉱山が相容れることのない居住用途と競合するという事実が認識されることによって，ますます多くの土地が採掘活動の禁止区域として指定されている．さらに，同じ懸念が採掘によって生じる残さについても考えられる．つまり，無制約の採取による汚染と荒廃を，社会は黙認することを望まない．

ここでもまた，楽観的・悲観的な見解のいずれも取りえる．悲観論者は，環境制約が増加することを，資源希少性が我々に課す制約の証拠としてとらえるかもしれない．つまり，鉱物および原始の生態系がともに希少になりつつあり，一方の希少性が他方に対してより一層の圧力をかけることになっているのである．そのように絡み合う制約に向き合う世界は，単純にこれまでのやり方を続けることはできない．楽観主義者は，実際に世界がその方法で継続してきたという事実をもってして，我々が環境を保全しつつも物質消費を継続する手段を持っていることを示すと返答するだろう．

しかし，異なる見解を持つ楽観主義者は別の考え方をするかもしれない．自然景観の保全と持続的な物理的消費あるいは精神的享受が両立可能性を証明できるか否かに関わらず，実際には何らかの形で自然景観の保全が行われてきた．有権者は投票し，立法者は法律を制定してきた．そして，メンジーとシンガー，デヤングが述べるように，非政府の環境関連団体は，環境危害を制限する活動を行ってきた．合理的な人々は，このような進展が過剰反応であるか，あるいは，少なすぎて遅すぎる実例を示すかどうかについて様々な意見を持つ．しかし，新しい希少性が議論され取り組まれてきたアイデアや政策の市場があることを，正にそれらの進展が示しているのである．

故ジェフリー・クラウトクラマーは，メンジー，シンガー，デヤングらと同じ領域について「希少性の経済学：議論の状況」で述べた．資源に関する広範囲な経済と物的なデータの整理も行っている．バーネットとモースによって示された多くの数値を更新することによって，彼はその約40年後の結果を広く確かめたところ，ほとんどの産品の実質価格は1960年以降低下していた．

しかし，クラウトクラマーの数字は，その他のいくつかの重要な発展に光を当てた．それは資源価格が全般的に1980年代に下落していたと研究者達が主張できていなかったということである．多くの鉱物と食料品の価格は，化石燃料とほぼ同じ時期にピークを示していた．論評者によって異なる意見を表明しているが，データは矛盾する結論を支持するようにも思える．すなわち，ある見方では，1970年代と1980年代の初期は，実質資源価格が下降する長期傾向のなかで，歴史上，異常であったと主張するかもしれない．別の見方では，最近の20年間が，一時的で，おそらく最後の，情け容赦のない希少性が現れる猶予期間として異常であると言う．

後者の結論に見られる悲観主義は，先物市場あるいは原資産価格に言及することによって反論できるかもしれない．時間とともに資源価格が上昇すると一般に感じられれば，合理的な投資者は，例えば油田のリースや鉱山の現在価格をせり上げるだろう．投資家が合理的であることへの信頼は，多くの経済学者の間では信念になっているけれども，他の学問分野から見ると異なる結論を導く．後者のケースは，他の資産市場の特徴となったように見える「根拠なき熱狂」による経済の最近の経験によって確かに支持されてきた．

市場経済で扱われてきた資産についての既存市場からの証拠は，一般的には肯定的だが，明らかに否定的なものも混ざっており，合理的な参加者の見通しを市場が反映するという経済学者共通の仮定を受け入れたくない人々の懐疑の対象となっている．クラウトクラマーは，市場で取引されない資源に関する物理的証拠についても調べた．空気や水，気候，生物多様性の状態に関して懸念する要因はより多く存在する．しかしながらここで再び問題となる点は，これらの市場外の資源の分配と保全を行うために最近登場した機関や法律が，新しい希少性に直面する持続可能な将来を確保する仕事にとって適切かどうかについてであり，それは未解決のままである．

この問題は，デビッド・ティルマンとスティーブン・ポラスキーにより極めて詳細に取り上げられている．「生態系の財・サービス，その限界―生物学的多様性と管理手法の役割」では，人間が地球に課している変化のうち，最も難解で最も理解が進んでいないであろう変化の一つの懸念について詳述している．古生物学者は地質学的記録において５つの大量絶滅の発生を突き止めた．いずれも火山の発生や天文学上の大変動によって引き起こされたようだ．最も時期が近いのはおよそ6500万年前に発生し，小惑星の衝突により地球は暗闇に陥り，あまりよく分かっていない多くの他の形態の生命と共に恐竜が絶滅した．

多くの自然科学者は「第六の絶滅の危機」に入りつつあると現在警告している．これは，最初の５回と違って，単一の種：ヒトの支配が増大することによって引き起こされると確信されている．人口と経済の成長率に関して前に引用した数字は，地球を共有する他の形態の生き物に我々が影響を与える，という暗い側面を持つ．ピーター・ヴィトウセックと共同研究者らによる，よく引用される論文では，我々は直接間接に地球上の純一次生産力の40％を専有していると推計している[11)]（Vitousek et al. 1997）．加速する種の絶滅を既に記したとおり，我々の与える影響の他の指標も等しく警告を発している．

生物多様性の損失は多くの原因から発生する．競争と捕食からの自然の脅威に加え，多くの人為的要因が他の種を脅かしている．狩猟によって絶滅したものもある（リョコウバト，ドードー）し，それに近いものもある（シロナガスクジラ，カワウソ）．特に島々においては，旅行者が持ち込んだ外来種との競争に負けたものや，犠牲になったものもある．化学的な汚染に脅かされるものもいる．気候変動が生物多様性に与える影響を予測するのは難しいが，潜在的には深刻であろう．しかしながら，生物多様性にとって今日の最大の脅威は，自然の生息地から人工的土地利用への転換であると，多くの生物学者は考えている．世界の原生林や大草原，湿地帯は，工場や住宅，農地のために伐採され，耕され，灌漑される．自然の生息地がなくなると，それに依存していた生物もまた居なくなる．

これにより我々に降りかかるコストはいくらであろうか．多くの人にとって，そのような問いは愚問に思えるか（どうやって生命に価格をつけるというのか！），あるいは，その答えは明白である（我々の魂に負担がかかる！）．しかし，この問題に対しては，もっと実用的な回答がある．経済学者も生態学者も，簡潔な金銭的解答を見出すことが未だに出来ていないなかで，ティルマンとポラスキーは，生物多様性の損失による効果の定量的評価を提供する努力を第一線で行い続けてきた．

経済学者や生態学者が重要と思ういかなる測度を持ち込んでも，多様性が低い土地では明らかに「生産性」が低い．ティルマンとポラスキーは，幾つかの実験結果を報告し，生き物の多様性が少ない場合は，バイオマスの生産量は少なく，栄養分が溶出し，自然の集合体が多様な場合と較べてパフォーマンスが悪い，ということを示してきた．著者らはまた，何故そのような効果が起こりうるのかを説明する幾つかの簡明な概念モデルを提示している．

人工的土地利用に改変するよりも，生き物が多様であることの方が，ある意味「より良い」という意見には，もちろん若干疑問が提起される．単純で管理されたどんな景観よりも，自然景観の方が良いと，もし誰しもが考えるならば，明らかに自然景観は他の土地利用に転換されることはないだろう．すると問題は，あまりにも多くの自然景観が転換されるか，過度に集約的に利用される時に起きる．すなわち，私的利益のために自然景観を人工的なものに改変する人が，追加的なコストや負担を他者に負わせると問題が生じる．

しかしこれがまさしく，生物多様性損失の問題であろう．生物多様性を保護している土地を開墾する人は，そうすることで私的便益を産み出すが，生物多様性損失の大部分のコストは，別の場所でのスピルオーバーを他者に生じるであろう．このことは水質浄化，病害虫や送粉作物を制御する微生物，土壌流出の保護，その他多くの「生態系サービス」にも当てはまる．

より一般的には，地球を共有している他の種が失われることで，世界中の誰しもがより精神的に貧しくさせられるかも知れない．ティルマンとポラスキーは，物理的・精神的両面の福祉にとって，我々と危機にさらされている動物との関係を見落としていると注意している．残念なことに，新しいタイプの希少性の生物学的側面が化学的側面からよりも取り組まれているという証拠は，恐らく少ない．

近年最も注目された新しいタイプの希少性の化学的側面は地球温暖化であろう．ノーベル化学受賞者であるスバンテ・アレニウスが1896年に，有機化合物の燃焼からの二酸化炭素の人為的な排出が，「温室効果」を通じて温暖化を引き起こすという仮説を提示した．一群のガスにそのような効果があることはわかっていたが，二酸化炭素がその中では最も重要である．その理由は人為的な放出の総量が最も多いことと，その放出される状況は至るところにあるからである．石油の蒸留物，石炭，天然ガスという化石燃料の燃焼により，$CO_2$が大気に放出される．森林を伐採してもそうなる．両方の活動が大規模に行われている．

クリスティアン・アサールは，「浮上する希少性問題：炭素制約下の世界におけるバイオエネルギーと食料との競合」において，気候変動に取り組む政策を考察している．彼は，可能性と懸念が表裏一体となる「新しい希少性」を，具体的課題例により説明している．まず一方の可能性という面では，気候変動問題に関して何らかの対策が可能であることは明らかである．なぜなら，新技術を開発して利用することが，大気中の温室効果ガス濃度に対して多大な影響をもたらすからである．

しかしながら，この「新しい希少性」の課題は難問である．まず，この問題の難しさを考えてみよう．米国の人々は，アフリカとアジア亜大陸の発展途上国の人々と比べて一人あたり約17倍の$CO_2$を排出している．大気中$CO_2$濃度安定化のためには，富裕国の一人あたり排出量を，世界の貧困国での現在の水準へと大規模かつ急激に削減する必要があろう．実際にはむしろこのまま進行すると，貧困国の排出量が富裕国の現在の水準にまで増加しそうに思われる．

アサールによると，$CO_2$を大幅に削減せねばならないという問題自体に対しては，必ずしも懸念するには及ばない．なぜなら，温室効果ガス濃度をこれ以上増加させずに，利用可能なエネルギーを同等量生産する代替技術は存在するからである．アサールが彼の章で懸念していることは，完全に無害な代替技術は存在しないということである．例えば，原子力に更に依存することを考えてみよう．これが表裏一体のもう一面である懸念を引き起こす．原子力は現世代が毒性の強い使用済み燃料を生成し，その安定管理が将来世代へと引き渡されるということで，ファウスト的な取引を意味するかもしれない．技術的解決がありうるかもしれないが，これは不当に楽観的に違いない．

さらに，原子力技術は，ほとんど未解明な面のある社会関係上厄介な問題を提起する．ハロルド・バーネットは1979年に彼の見通しを『続・希少性と成長』に寄稿するよう依頼されたが，ここでも先見の明があったのかもしれない．さまざまな報告の中で彼は次のように述べた．

> 原子力の悪夢は軍事的・政治的問題と暴力とに根付くものであり，経済発展に根付くものではない．社会的テロ，暴動，大量破壊行為や，関連する政治的課題……が脅威である．環境汚染に対する解決策は比較的簡単であって，利用可能である……これは核の脅威とは呼べない．

気候変動と生物多様性の損失が地球規模の問題を引き起こしている時代において，もし「環境汚染に対する解決策」が実際には「比較的簡単であって，利用可能」でないとすれば，「社会的テロ，暴動，大量破壊行為や，関連する政治的課題」の脅威についての彼の評価に異を唱えるのは困難である．1945年に世界の最富裕国である米国が世界初の核兵器を製造した．それから半世紀余り過ぎた後には，インドとパキスタンが核爆弾を爆破させ，その利用に関して険悪な関係に陥り，相互に脅威を与えることとなった．最近の種々の事件により，「平和的」原子力計画でさえも本当に平和的でいられるかどうか，世界を疑わせている．世界中の大統領や首相は，核兵器がテロリストの手に落ちることを心配しながら毎晩を過ごしている．

気候変動問題に対する，より有益な解決策と思われるのは，我々のエネルギー需要を再生可能で持続可能な方法で満たすことである．アサールは，エネルギーとしての利用価値のために栽培される作物であるバイオマスによって，世界が気候変動を防止するとした場合に何が要求されるかについて，概算を示している．これは実行可能か．おそらくは可能だ．その結果はどうなるか．恐らく，地球上の耕地面積が相当拡大し，それに伴って発展途上地域への食料価格が大幅に上昇するとともに，生物多様性を維持するのに保全されてきた比較的手付かずの生息地が更に縮小するだろう．

過去の数十年あるいは数世紀の「専門家たち」が彼らの子孫の運命に関して作成した予測に勝る，こじつけてきな話はおそらくないだろう．そのため，アサールの計算は，適度な謙遜をもって提示されている．しかしながら，彼の綿密な予測が実際のものとなるかどうかや，彼が示した選択肢が実際に他人に選好されるかどうかに関わらず，彼は一般的な原理を示している．「新しい希少性」は実際，相互に関連する希少性が複雑に絡み合ったものであり，一つの希少性だけを取り出して考察することはできない．地球温暖化を緩和しようとしても，温室効果ガスを吸収する大気の能力が実際には限られているなら，耕地や生物多様性，原子力計画の国際的管理などの各種の希少性に影響を与えるような代替手段に，我々は半永久的に目を向けざるを得ない．

このように述べてはきたものの，桃源郷を望むあまり，厳しい現実に常に失望する必要はないこともまた真実である．我々は，ずっと何世代も前の祖先たちが想像もつかなかった技術を用いており，われわれのずっと何世代も後の子孫も同じように我々の状況を原始的だと思うことだろう．しかしそれでも，アサールの章は私たちにさまざまなことを気付かせてくれる．第一には，単純に，目前に現れつつある重なり合う希少性にわれわれが直面していること．第二には，これらの希少性の解決への直接的な取り組みや，そのための技術的代替手段の開発に当たっては，社会政策に関する注意深い考察が要求されることである．

第三に，新技術の発明は，いろんな魔法のランプから魔神ジニーを解き放つ〔訳注：原爆についての短編ドキュメンタリー映画「Genie in a Bottle: Unleashed（解き放たれた魔法のランプのジニー）」にちなむ〕ことになるかもしれないことである．多分，原子力と核兵器が筆頭例であろうが，もう一つはバイオテクノロジーの出現である．遺伝子組換え技術は医療，農業および工業において画期的な進展をもたらしうるだろう．これは同時に，生態系崩壊の懸念を引き起こすと同時に，ひとたび狂人や不満分子が手にすれば，「貧者の核兵器」と戦略家たちが心配して呼ぶような，恐ろしい伝染病がばらまかれてしまうことになりかねない．新技術がご利益を常にもたらすわけではないことを，我々が肝に銘じておくのは有益であろう．

ここまで我々が言ってきたことの多くは，「持続可能性」の概念を何らかの形で含んでいる．この用語は1987年のブルントラント委員会報告書（WCED 1987）で一般的な用語となって以来，ますます頻繁に使用されつつある．しかし，ジョン・

ペズィーとマイケル・トーマンが「持続可能性とその経済学的解釈」において述べているように，この用語の魅力の一部は意味が明確でないことにある．本質的に「世代間の公正」を意味する概念に異議を唱えることは難しい．その概念を提唱する者が，「公正」の意味するところをはっきりさせなくてもよい場合には，特にそうである．

「公正」が，何人たりとも差別されるべきでないことを意味することには，我々全員が賛成するであろう．しかし，その一線を越えると我々はいくつもの哲学的難問に直面する．ペズィーとトーマンは「弱い」持続可能性と「強い」持続可能性を区別する．前者は，本質的には先行世代が後の世代よりも裕福とはならないことを意味する．後者は，後の世代が彼らの先祖達が享受した時よりも減少した一連の資産で間に合わせるといったことがないようにすることで，同じ結果を保証しようとするのである．

しかしながら，このような定義には多くの疑問が生じる．「強い持続可能性」は，もし極端に解するならば，議論が行き詰ってしまう．ある社会が，自然資産，技術資産および社会資産のすべての側面を後世に残すために取りうる最も強力な手段をとったとしても，その目的を文字通りに達成することは不可能であろう．ちょうど「まったく同じ川に二回入ることは出来ない」ように，自然のプロセス一つとっても，ある世代とその後の世代の間では，入手可能な一群の資産には何らかの違いが存在することは確かなのである．持続可能な世界を，「自然」のプロセスがその本来の姿で自由に機能するような世界と定義してしまうと，人間が「自然」プロセスに干渉するために，あるいは干渉しないために意識的な行動を起こそうとする際に，「自然」とは何なのか，という疑問を招く．

持続可能性をめぐる議論の多くは，資産の間の代替可能性と関連している．一般に，「強い」持続可能性の支持者は，多様な自然生態系や大気の気候緩和・汚染物質浄化機能に代表される自然資本と，人間が作り出すあらゆるものとの間の代替機会は，少なくとも現在の我々を取り巻く条件下では，極めて限られていると主張している．この場合，自然資本のさらなる減少は，その用途を代替するものがないために，破局を意味するであろう．

以上が，持続可能性の概念および基準をめぐって提起される扱いにくい問題のいくつかのタイプである．ペズィーとトーマンの章において，他に2つの主要な問題が提起される．最初の問題は，ある市場経済が持続可能であるのはどのような時かというものである．これは幾分奇妙な質問に聞こえるかも知れない．これから議論するいくつかの限定的な条件のもとでは，ある市場経済が特定の最適化条件を満たしていることを示すことができる．ある経済が「最適」ではあるが，「持続可能」

でないとは何を意味するのだろうか.

ペズィーとトーマンは，持続不可能な市場経済という逆説が，各個人の「消費者」および「市民」という二重の役割を想定することで解決されうると提唱する．私は，消費者としては経済的取引を行うことで個人的満足を最大化する，教科書的な経済人（ホモ・エコノミカス）として振舞うことができる．しかし市民としては，違った見解を持ち，異なった目的を追求するかも知れない．例えば私は，経済学者が想定し私的消費者がおそらく追求している「割引現在価値の最大化」に背くような，将来世代への懸念を表明するかも知れない．

市民として振舞うときとは異なった行動指針を消費者として振舞う際には追求する，という考え方は実はそれほど特異なことではなく，市場経済の持続可能性を議論するうえでの２つ目の主要課題につながる．市民として，少なくとも我々の中で民主的な社会に暮らす幸運に恵まれた者は，消費者および生産者としての行き過ぎを抑制する公共政策への選好を表すために，定期的に投票する．市場経済は，もし「外部性」が存在しなければ，いかなる規制的な中央集権システムにも頼ることなく，社会的に最適な資源の経時的配分を達成することができる．外部性とは，ある集団によって他の集団にもたらされる，支払いを伴わない費用または便益のことである．外部性は，新しい希少性のまさに核心である．外部性が存在するときには，経時的配分はもとより，ある期間における消費者間でさえ，自由市場によって財が最適配分される保証はない．その結果，我々の経済が社会的に望ましい帰結をもたらすのか，あるいは長期的な福祉を支えるのかと問うことは，必ずしも自己矛盾であるとは言えず，哲学的な非整合性をはらんでいるわけでもないのである．

これに続くいくつかの論文は技術革新が生み出され，それが適用されてきた過程を探っていく．ロバート・エイヤーズの視点は主に歴史的なものである．「資源，希少性，技術，成長」の中で彼は18世紀から20世紀にかけての重要な技術の発展の跡をたどっている．石炭蒸気機関，アルミニウム製錬の実用可能な技術の発展と，電化の台頭と普及の事例の中に，彼は共通のテーマを見いだしている．一つは，ある技術革新はもう一つの技術革新を生み出し，結局はフィードバックループに至る，と言うものである．蒸気機関の最初の用途の一つに，炭坑から水をくみ上げる，と言うものがあった．このことは，より深い場所での採炭を可能にし，石炭の採掘可能量はより大きなものとなった．その結果，この比較的小型なエネルギー源が，産業や輸送により幅広く適用されることとなった．鉄道は製鋼所へ石炭をもたらし，その石炭はさらに多くの線路や，より強大な蒸気エンジンを鍛造するための炉で燃やされた．同様の技術革新同士のフィードバックループによって，その他の産業の発展を特徴付けることができる．

これらの発展のサイクルは興味深い特質を持っている．まず一つ目の特質は，これらのサイクルはある資源の希少性が，他の技術革新との相乗効果や再結合などを通して，最終的にはそもそもの技術革新をもたらしたと思われる希少資源をはるかに多く消費するという「リバウンド効果」をしばしばもたらすというものである．蒸気機関はまずは石炭の回収を促進するために用いられた．ひとたび蒸気機関が開発され，輸送や産業に用いられるようになり，無数のその他の技術革新の創造を促すようになると，その発明以前に比べ多くの石炭が採掘され消費されるようになった．

エイヤーズは，技術革新は基本的に偶発的な性質を示すものだと信じている．蒸気機関の開発といった主要な技術革新は，歴史の記録においては離散的な出来事として現れる．そのようなブレークスルーによって可能性は大きく不連続に変化する．あるブレークスルーから次のブレークスルーまでは，長期間にわたって追加的な改善がなされる．しかしながら，そのブレークスルーの勢いは徐々に衰え，変化のペースは遅くなり，やがては別のブレークスルーによって，終止符が打たれるのである．

こうしたブレークスルーの多くはエネルギーの利用に関わりがある．このことは，エネルギーが，本質的に希少資源であることと，その環境負荷の両面により，その利用が制限される事実に鑑みると問題である．我々の時代は，非再生可能エネルギーに対する依存を減らし，その使用による環境負荷を軽減するようなブレークスルーを必要としている．そのようなブレークスルーに資金を与え，動機付けるために，公的な介入が求められているのかもしれない．

この最後の見解は，シャック・スマルダースの章「内生的技術変化，天然資源，成長」への導入部としてふさわしい．『続・希少性と成長』以降の経済学における最も重要な進展の一つは，イノベーション（技術革新）活動の決定要因と結果についての綿密な研究が行われてきたことである．上で述べたように，イノベーションと環境改善とは，一つの明確な特徴を共有している．それは即ち，このふたつはいずれも，それを担う者が「内部化」することが完全には出来ないような便益を，多くの場合もたらすのである．よって，公的介入が社会的に有益な改善を促すということには一応の正当な根拠がある．

スマルダースの章はこうしたテーマを取り上げている．彼は，技術変化と資源希少性に関連する多くの重要な点を論証している．まず最初に，技術的なイノベーションが資源希少性解決の万能薬だという結論には自動的に一足飛びに至るべきではない，ということである．技術進歩は希少資源からの代替の機会の創出はするだろう．しかしそれはまた，希少資源の，より急速な減少をもたらすかもしれない．例としては，多くの世界の漁業について何が起きてきたかを考えてみるだけでよい．実際には「より良い」技術が，むしろ漁業資源のストックの枯渇を速めてきたのである．

この例が，公的介入の重要性を強調している．漁業の場合，最初に漁獲することができた者が誰であっても，その者によって搾取されるがままだと漁業資源ストックという「コモンプール」に生じてしまう問題を低減するためには，段階を踏む必要がある．既に論じたように，イノベーションには，似てはいるが正反対の問題が生じる．それは，イノベーションの便益は，それを生み出す対価を支払っていない人々が専有しうるために，イノベーションは過小供給となりうる，ということである．このような見方は，公的介入が多くの場合は必要とされるということを再び明らかにする．それは第一に，資源の減少が新しい希少性の問題となっているところに，更なる過剰採掘を防ぐためである．第二に，こういった資源への圧力を減らすようなイノベーションを推進するためである．

スマルダースは，もう一つ重要な課題について述べている．もし我々が原材料資源の限界を克服出来ずに実際に直面するとしたら，人類の長期的な展望はどのようなものであるか．上述したように，これについて経済学者は，過去を何年にも遡ると相異なる見方をしてきたことになる．古典派経済学者は，資源量一定の仮定に収穫逓減の法則を結び付けたために，我々の長期展望は凋落ではないにしても停滞に向かうと結論付けた．その後の経済学者は，資源は全般的に減少してゆくとしても生産性は増加し続けているという証拠をもとに，もっと楽観的な結論に達している．

とは言え，技術イノベーションが天の恵みのように永続的に降ってくるとみなすのは，あまりにも楽観的であろう．イノベーションは，スマルダースが指摘するように，他と同じような経済活動なのである．イノベーション活動はインセンティブに反応する．経済分析において，一つの生産要素に対する収穫は他の要素の量に関する増加関数である．よって，天然資源の投入要素が制約条件である限り，更なるイノベーションへのインセンティブでさえ，いつかは低下していく．しかし，たとえ尽きることのないイノベーションの流れから我々が便益を得ないとしても，このような不幸な事態は避けられるかもしれない．知識はそれ自体が「資本ストック」たり得て，時とともに増大し，天然資源による制約を打ち消すであろう．このシナリオに従えば，経済は自律的に成長する．

スマルダースが研究するテーマは，現代の経済学研究のまさに最先端にあり，この分野における進歩は，経済に対する私たちの理解に深い影響を及ぼしてきた．とはいえこの分野は，昔ながらの伝統を持つ経済学的な考え方を大部分踏襲したものでもある．そこでは，将来を予見できる主体が経済的インセンティブに合理的に反応することが想定されているからである．これに対し，ファンデンベルグが「経済成長，環境の質，資源希少性の関係の進化的分析」において探究している見方は，これとは異なるものである．経済学者は，ある個体がとる行動として観察されるものは，その個体が厚生を最大化した結果として説明可能であると仮定することが多い．それに対して生物学者は，観察される行動は，生存・再生産されるよう自然に選択された個体がとった行動であると仮定することが多い．ファンデンベルグは，こうした経済学的なパラダイムと生物学的なパラダイムを統合することを探究している．

こうした統合を行うことは，自然なことでもあるが，同時に問題を孕んでもいる．自然なことであるという意味は，経済モデル上で「最適」行動が創発する説明をする際に，経済学者がよく置く仮定の信憑性が薄い可能性があるからである．人間の浅はかさを考えると，私たちにとって最適の利益やそれを実現するための機会をいつでもすぐに，かつ正確に把握できると考えるのは，妥当ではないだろう．

それでは，学習や模倣を通じて「最適」行動が創発することがあるのだろうか．もしそうであれば，生物学的なやり取りで創発するパターンだけではなく，社会的なやり取りで創発するパターンも，進化によって説明できるかもしれない．しかし，この類推は不完全である．生物学的進化のメカニズムは分子レベルでの遺伝子にまでさかのぼることができるが，経済学的進化を説明するための同様の継承メカニズムは何も提示されていない．成功によって追随者による模倣が生まれるという，追随者の選択として最も論理的なものでさえ，議論の余地がある．無作為に分布した変異体の集団の中から最も成功したものが最も多くの子孫を残すという機械的な過程と，自己拡大を目指した追随者が合理的な選択として模倣を行うという，より意図的な過程とを見分けることは難しい．

そうであれば，経済学的進化を生物学的進化に単純化することはできないし，生物学的進化とのアナロジーが厳密に成り立つわけでもない．しかし同じ理由で，社会問題を進化的視点から考えると啓発されるかもしれない．ファンデンベルグは本書収録の論文でこのことを主張しており，有機体の集団が周囲環境を形作ったり，逆に周囲環境が有機体の集団を形作ったりする仕組みを検討する際，とりわけ進化的視点が参考になるかもしれないと述べている．

こうした視点からは，経済学で一般的な概念のいくつかは，よりわかりにくく見える．市場のよさについては，個々の「最適化を行う主体」が「効率的な」結果を生み出せることを書いたものが多い．しかし進化的視点では，周囲の環境によって何が「最適」かが決まるのである．ある状況下では最適なものに向かって進化したものが，状況も進化してしまったために，結果として最適でなくなってしまうこともありうる．選択の結果である適応が長期的定常状態に収束するのは，進化を形作る自然環境が静的である場合だけである．社会システムと自然システムとが共進化する際に，社会の発展が自然システムにもたらす影響について必ずしもよくわからないにもかかわらず，社会システムにおける発展を「進歩」と呼べるかどうかは疑問である．

進化的視点によって，政策策定の見方も異なるものになるかもしれない．経済学では，社会計画者も一種の合理的な最適化主体，つまり何らかの社会的目的を最大化する主体（あるいはもっと現実的，もしくはシニカルなモデルでは，より個人的な満足を最大化する主体）であると仮定されるのが普通である．ランダムに生じる属性を持った主体が適応度（fitness）という外生的基準によって選択されていくモデルでは，合理的な指向の政策当事者の役割に意味があると仮に言えたとしても，そうした政策当事者が進化モデルで持つ役割は，伝統的なモデルでの役割とは異なるかもしれない．急速に変化する環境の中で適応するタイプが選択されることに備え，変異性（variability）を保つことが重要である．おそらく，政策当事者が持つべき目的は，「勝ち残る」アイデアを見極めるというよりは，「落伍者」を十分確保しておき，状況が変化した際に他のオプションを提供できるようにしておくことであろう．

自然環境資源の希少性を緩和する技術の能力については，通常，資源の技術的な代替可能性を中心に議論されることが多い．天然資源や環境への危害が，既存技術由来のものよりも新技術由来のものがより多いのではないかという検討まで拡張される場合もある．そういった議論の典型例は，農業での遺伝子組み換え作物の適用である．遺伝子組み換え作物に対してさまざまな考え方を持つ人々が，遺伝子組み換え作物が農業の生産性を持続的に向上する能力や化学物質の使用を減らす潜在的可能性と，他の生物に与える潜在的被害の比較を議論している．もう一つの例としては原子力がある．従来のような汚染物質や温室効果ガスの排出がない電源ではあるものの，管理が難しいのみならず，環境と人類にとって有毒な核廃棄物という負の遺産を生む．

さらに最近では，社会の進歩と安定性，リスク管理というより広い問題に関して，技術の利用についての関心が高まっている．たとえば，核も遺伝子組み換え技術もリスクをもたらす可能性があると見られているのは，意図しなかった環境負荷をもたらすというだけでなく，悪意を持って意図的に悪用される潜在的可能性があるためでもある．それだけでなく，技術はさらに複雑になっていくため，一般の人々が自身のリスクを理解して比較する能力や，さらにはさまざまなリスクと便益がそもそも比較可能なのかということについても疑問が持ち上がっている．とはいえ，希少性と成長に関する現代の文献のほとんどにおいては，技術は社会の生産可能性を拡張するための手段にすぎないとされているようである．技術と社会がもっと広い意味でどのように関係してくるか，について言われることは，一般にずっと少ない．

こうした話題を反映して，シルヴィー・フォシューは，欧州におけるエコロジー経済学のコミュニティーにおいて中心的なものになった，強い持続可能性に関する多くの概念を持ち込んでいる．技術のリスクと便益の評価はそれらが生じる社会的文脈から切り離して行うべきではなく，それゆえに評価と意思決定において，地域の実情に合わせた分析と公衆の参加がより一層必要となる，という点を彼女はとりわけ強く主張している．また，市民が複雑性の増加や，技術的およびその他のリスクに直面している状況を考えれば，すべてのリスクと恩恵は共通して比較することが可能であるという仮定に対する疑念がますます高まっているとも主張している．現代的で複雑なリスクに直面する個人は，複雑な自然システムの現状を大きく変えるかもしれないが，起こるかどうかは不確実であるような変化を避けることにプレミアムをつけるといった，ある種のリスク回避行動を示すと信じるに足る理由がある．このような議論によって，フォシューは環境資源経済学の主流，特に米国における主流と見解を異にしている．たとえ彼女のその他の結論を受け入れないとしても，貧困や不公平と言った，社会の不安定性を引き起こすような状況を解消していくことは，社会的投資のポートフォリオの中で技術的な容量を拡大することと同じくらい価値があるのかもしれない，という点に異を唱えることは難しい．

デビッド・ピアースとモリー・マコーレーは，完全に「標準的」とは言わないまでも，より一般的に受け入れられている見方で政策の選択について考察している．「持続可能性のためのツールとしての環境政策」の中で，ピアースは環境資源の新しい希少性を社会がどのように扱うべきかについて，議論を展開している．彼は新しいタイプと古いタイプの希少性の間の共通点と相違点を論じることから始めている．古い希少性にまつわる懸念は，鉱物資源，燃料，その他の資源のストックが十分な量あるか，を中心に展開されている．多くの論者は，それらの資源が市場で取引されていることを挙げて，そうした懸念を無用としている．そうした資源が希少になるにしたがって，それらの価格はその希少性を反映するように上昇するだろう，そして三つの反応が起きてくるだろう，というのである．その三つの反応とは，消費者が資源利用を効率的に行うようになること，代替財が見つかって活用されるようになること，そして利用をより効率的にし，より多くの代替財を導入するように新しい技術が開発されるようになること，である．

そこで，他の天然資源が取引されているような市場を模倣するような形に環境資源の新しい希少性を位置づけることは，とても自然なことであるように思えるだろう．実際，環境資産が希少になるなら，資産がさらに減少すると割り当てられた価格は上昇するだろうし，効率的な利用，代替財の採用，イノベーションへの投資というパターンとまったく同じものが起こってくると期待できるのである．

しかし，ピアースが指摘するように，そのようなシナリオは特定の前提条件が既に満たされていることを仮定している．環境経済学者らの決まり文句のごとく「正しい市場価格が得られる」と主張するには，環境資源が実際に希少になり，それに伴って，公的部門の関与が必要だと懸念されるレベルにまでこの希少性が高まっていることを社会が認識している，との前提に立つことである．こうした社会認識を形成してはじめて，いかにして環境政策を構築するかという各論に入ることができる．しかし多くの国々，特に貧しい発展途上の国々では，環境問題の解決に必要となる犠牲を払ってまでこの問題に取り組むべきであるとの社会的コンセンサスは未だ見受けられない．

発展途上国で最初に取り組まれるべき環境問題が何かを確定するのに，一種の地理的な階層性のようなものがあるということは驚くにあたらない．たとえば，水質汚染は多くの場合，衛生設備を改善するなどの比較的簡単な方策によって対処できる比較的ローカルな問題である．大気汚染はもっと複雑だろう．既に述べたように，温室効果ガスの排出と生物多様性の損失は地域的な活動から起こってくるが，その影響は地球規模である．そうした問題への対策のために必要な社会的コンセンサスを醸成することは，より地域的なレベルで環境問題に取り組むことよりも難しいだろうと予想されるし，事実はそれを裏付けているように思われる．

ピアースによれば，環境政策形成の道筋は単純な一本道ではないようである．もし環境資源の希少性を改善するための比較的低コストの方法を社会が認識しているならば，それ以前に，そのような希少性は危機的な規模に達していると社会は認識しているはずであろう．さらにはもしその社会が環境問題に対して市場経済という装置を使用することができたなら，環境問題以外では市場経済原理で運営されている社会は，環境問題により積極的に取り組んでいただろうと考えられる．

こうした見方はピアース論文が分析した根本的なパラドックスを強調することになる．そのパラドックスとは，「市場に基づく手段」（MBI）がいまだにめったに利用されることがないのは一体何故か，ということである．ピアースは注意深くこの問題について誇張を避けた言い方をしている．燃料税や排出税，大気汚染における取引可能な排出許可証のように，MBI の利用を環境政策における単なる「実験的」方法に留まらないものとして確立している例はたくさんある．それでも，経済学専門家（および，環境保護主義者達のなかで，大きくなりつつある一団）のなかに見られる MBI への熱意に鑑みると，MBI はあまり使われていないことの方が目に付くのである.

このようにMBIが利用されない理由は多種多様である. 第一に, そしておそらくもっとも明らかなことに, 多くの国々, 特に発展途上の国々は, 環境規制と呼べるようなものはほとんど持っていない. 一旦そうした規制をいくらか実施するよう社会的要請が十分に高まると, 緊急事態に対応する形で新たに権限を与えられた規制当局が作られる. そして, どんな経済的措置がどの物理的帰結を生むかを推測するような遠回しなことをするのではなく, 誰の目にも明らかで, 何かはっきりしたことをしないといけない状況になる. 特定の措置を実行することによって, それが確実に目に見える結果を生むということは, より柔軟なインセンティブを組み込むことによって得られる目には見えにくい便益よりも, しばしば好まれるようである.

一旦, 経済よりも技術的な懸念に力点をおいて環境のための行政組織が設立されると, その組織のカルチャーをひっくり返すのは難しいだろう. 官僚達が, 自分達の専門性への社会的要請を最大化するようなやり方で彼らの職務を遂行しようとするのは自然なことである. MBIの利点としてしばしば挙げられるものの一つは, その方法が, 遵守のための具体的な方法を民間に委ねてしまうことによって, 環境に関する意思決定を中央集権的ではない形にするということである. しかし官僚の観点から見ると, 官僚の持つ行政上の専門知識に対するニーズを消し去ってしまうということは, 利点とは言えないものになるようである.

環境問題に対する公共政策を決定するようなその他の要因は, さらに一層悪性のものかもしれない. 多くの環境政策は, 環境の利用効率を向上させるという意味で, 既に「良い」ものとなっている政策について, さらなる改善を目指すものとなっているが, 大きな進歩を望むなら, 明らかに「悪い」状態の政策を改革することも必要であろう. おかしな補助金, すなわち資源の浪費を推奨して資源のさらなる劣化を招くような交付金が存在し続けていることを, 多くの論者は嘆いている. それは確かに嘆かわしいが, おかしな補助金が存続していることはおそらく驚くに当らない. 規模の大きい経済主体は政治的な影響力を行使するものである. 環境悪化が問題であるのは, 概して社会の重要構成員が, 環境を悪化させる経済活動を行うことによって, より広範囲の公衆が損失を被るという犠牲にも関わらず私的な利得を手にするからである. そうした主要な経済主体が, 公的資金支援のもとで自身の経済活動を一括して引き受けるような方法を見つけているとしても, 驚くには当らない.

環境改善は富裕な人々の間で支持を得られやすい, というのが昔からの通説である. しかし, この支持の源泉は, 十分に経済分析を行った結果というよりは, 熱狂によって動機付けられている場合のほうがより多い. 効率性はそれ自体で一つの限定された支持基盤を持っている (Stroup 2003). ピアースは, 学識経験者は別にしても，MBI を支持する限定されたロビー活動もあることを挙げて，この見方に同調している．

環境政策が実行される際の形態それ自体は，環境政策がなんらかの形態であれ実施されるかされないかという問題に比べれば，新しい希少性への対応としてはそれほど重要な問題ではないだろう．しかし，ピアースによれば，経済活動をする人々は，経済的利益を伴うなんらかの恩恵にありついて初めて，その目標の達成を目指し始めるであろう．経済開発を行わないことは選択肢の一つですらない．それゆえある意味で，費用効率的な環境規制に対する抵抗に打ち勝つことは，環境規制全般に対する抵抗に打ち勝つことに等しい．

モリー・マコーレーの「公共政策：イノベーションへの投資の誘発」は，希少性の問題の解決を強く意図する公共政策のもう一つの側面を扱っている．それは，技術のイノベーションである．政府という政治形態が現れて以来，政府はイノベーションに対してインセンティブを与えてきた．そうしたインセンティブへの動機付けは，われわれがこれまで述べてきたイノベーションの性質の中に見つけられる．新しい知識は，（たとえば，重要な技術イノベーションが正のフィードバックに至る傾向があることを詳述したロバート・エイヤーズの章に見るように）しばしば，最初にイノベーションが起こった産業や部門をはるかに越えて拡大するようなスピルオーバーを生み出す．また，環境資源の新しい希少性に課される制約条件を，そうしたイノベーションが緩和するような場合，イノベーションを公共部門が引き受けるようなインセンティブは，より大きくなる．

しかしながら，広範囲に影響するスピルオーバーをもたらすイノベーションが持つ一般的な性質は，それが多方面で乱用される可能性を作り出すことになる．もし，どのようなイノベーションに対しても，その究極的な適用形態を予測することができないのであれば，社会はすべてのイノベーションに対して金銭的補助を行うべきなのだろうか．より重要なこととして，イノベーションというものを他の事柄から区別できるのであろうか．マコーレーは，イノベーション活動に対する公的な支援について典型的な事例を述べる一方で，この公的支援の原則を必要以上に推し進めることにも落とし穴があることを指摘している．公的資金支援を受けた研究は環境問題を緩和するかもしれない．しかし同時に，そうした公的資金の受給者間でのレント追求行動を誘発し，無駄な「利益供与」を生み出すことになるかもしれない．

マコーレーは，こうした結論を事例研究から引用してきた数多くの例で補強している．政府はエネルギー，資源，環境（もちろん，他の分野でもよりたくさんある）における研究投資を数多く実施しているが，その結果は明らかに様々である．成功したものもある．しかし米国合成燃料計画のように大失敗に終わったものもある．この事例から見て取れることは，民間産業は燃料の長期価格トレンドを政府よりも正確に予測していたということである．政府は，「エネルギー危機」に対抗するために向こう見ずな計画を主導したが，そのエネルギー危機は10年後におおかた消え去ってしまったのである．その他の「危機」がもっと深刻で永続的なものであることがわかるかどうか，今後を見ないとわからないが，合成燃料計画の事例は，巨額の公的資金が十分に練られていない事業に投下される時に起こる落とし穴をよく示している．

しかしながら，公共政策は他の形でもイノベーションを動機付けることがある．公的研究資金補助は「アメ」を与えることになるが，イノベーションは，規制，汚染への課税，およびそれに類するもののような「ムチ」によっても動機付けられる．昔から正しいとされる通説によると，MBI は汚染のコストを削減するにはどういう方法がベストであるかという問題を規制対象者に任せてしまうので，そのほかの規制の形態よりも優れている．もし，規制対象者が生産と排出管理のより良い方法を発明することによって，この削減目標をもっとも効率的に達成することができるとするなら，MBI はそれを後押しするのである．

このように見てくると，われわれは，ピアース論文の主題に戻ってくるのである．それは，MBI は以前よりもおそらく一般的になってきたけれども，まだ十分な基盤を築いていないという話である．マコーレーは，その理由についてのピアースの報告に対して，もう一つの重要な警告を付け足している．それは，市場の失敗が無い状態で「社会厚生を最大化する」ことを純粋に希求するような規制当局像は，経済学入門の教科書のなかにある完全市場と同じくらい，絵空事である，ということである．経済社会の理想化された描写は，人に教えを諭す方便として，また，実績を比較するためのベンチマークとして，有用である．同じことが，規制政策の理想化された描写についても言えるに違いない．マコーレーがわれわれに思い起こさせてくれることは，政策というものは，実際の経済状況と実際の規制当局の力量と性能の間の比較を基礎にして形成されなければいけないということである．理想形の比較はしばしば見当違いである．規制を受けない経済の実情と手に入れることのできない規制の理想形の間の比較は，人を惑わせるもので，逆効果になってしまう．

これまで見てきた各章の執筆者は，貧困国における環境資源の重要性について言及してはいるが，彼らの力点は主として，より豊かな国における経済，社会，物理的な制約に置かれている．しかし，環境劣化と資源希少性の影響をもっとも受けるのが貧しい人々であるということと，今の時代の最も大きな環境課題は，これ以上地球環境を劣化させることなく貧困層の中でも最も貧しい人々の生活水準を引き上げることであるということについては，広く合意がなされている．

最後の2つの章は，希少性と成長の分析を発展途上国の世界にまで拡張している．ラモン・ロペスは，「世代内衡平か世代間衡平か――南の国々からの見方」において，「持続可能性」というテーマについて考察を深めている．彼の疑問には，実に説得力のある論点が込められている．「現在世代のほとんど多数の厚生を構造的に省みないような政府が，まだ生まれない世代の利害関心を考慮するだろうか．」と言うのである．

ロペスの主張によると，持続可能性について行われている議論は二つの決定的な問題を無視しており，その両方が彼の疑問から汲み取れる．第一に，持続可能性とは，本質的には衡平性についての問題であり，世代間衡平についての関心があると言うのだったら，世代内衡平についても相応の関心を示さないと一貫性がない．今日の貧困層が置かれた苦境には，明日の貧困層の苦境と少なくとも同じ程度の関心を持つべきなのである．

ロペスの第二の指摘は，「大多数の人々の厚生をシステム的に省みないのは政府である」という点である（傍点は第1章の筆者による）．当然のことながら，経済学者は，持続可能な発展の見通しを分析する際，経済政策や経済的な力を重視する．ところが世界では，市場経済がうまく機能するための制度的土台がほとんどないところが大半である．市場の存在によって財・サービスの取引は円滑になるが，財・サービスの取引について主張される，効率性や厚生を高めるという性質は，財・サービスを専有したり横領したりすることから生じるものではない．多くの途上国における少数派エリートは，自分の国の資源を自分自身のために専有してしまう一方で，そこで得た私的な富を活用して，環境悪化の影響から自分の身を守っている．

よってロペスに言わせれば，持続可能な発展を推し進めるための効果的な政策介入とは，経済システムの中に留まって「正しい価格を付ける」努力をすることに限られるはずがない．まずは統治の諸制度を正さなければならないのである．このことをやるまでは，正しい価格を付ける努力をするインセンティブはほとんどないだろう．

パーサ・ダスグプタは，用語の意味を再検討し明確にすることから最終章を開始している．環境は，豊かな国々においては所得の増加につれて需要が増大する「アメニティ」あるいは「贅沢財」である．この考え方は先進国の側だけから見た政策の処方箋に結びつく．すなわち，より富裕な人々が清浄な環境を需要するのであるから，途上国の環境問題の解決策は経済成長の促進にある，というのである．

このような見解および処方箋はいくつかの点で問題がある．用語の意味として，ダスグプタは自然資源および環境の「アメニティ」は贅沢品ではなく，むしろ必需品であると主張する．貧しい人々は彼らの集落の汚い水と煤けた空気の代替品を持たないのである．また，環境悪化に対する防御手段として経済成長を処方する場合，「成長」を計測することについて十分な注意が必要である．

ダスグプタは章の題を「今日の貧困世界にとっての持続可能な経済発展」（強調は第1章の筆者による）とし，ペズィーとトーマンによる持続可能性に関する第6章で紹介された主題を取り上げている．適切な年間所得の測度とは，将来の見込みを損なうことなしに現在消費することが可能な量を反映したものである．理論上（Weitzman 1976）も実際上も，国民所得は消費の市場価値と純投資の市場価値を合計することで計算される[12)]．後者が著しく負であった，すなわち国民所得の計算対象である国が資本蓄積を取り崩している，あるいは資本を更新しないまま償却している，と仮定しよう．このような場合，所得を計算する上で，失われた資本ストックの価値を消費の価値から差し引く必要がある．

「消費の価値」と「投資の価値」を単純な計算で計測できる場合には，このように計算を修正することは容易である．消費の価値は，一般には生産されたすべての消費財をそれぞれの市場価格で重み付けして足し合わせたものとして記述される．投資の価値も，一般には投資量を価格で重み付けして合計するという，同じ方法で計算される[13)]．

問題が生じるのは，価格が存在しない場合に計算を行おうとする場合である．これは，その名の通り非市場財が含まれる状況である．実際の価格が存在しない場合，その他の市場または情報に基づき「影の」価格を推測しなければならない．ダスグプタは，そのような価格推定に対する数多くの実際的な障壁を認めたうえで，例証することを目的として大胆な仮定を用いて，途上国世界の現実の経済実績について粛然とさせる観点を与える数字を提示している．貧困からの脱却において目覚しい成果を挙げているように見える国々も，よく見ると自然資産を劣化させることによる架空の成長を遂げているにすぎないかも知れない．世界で最も貧しい地域のいくつかでは，将来の見通しは実際に陰鬱である．公的な経済統計は停滞を示している．そのような評価に環境悪化を反映するような拡張を行うならば，シナリオはさらに悪いものになる．

ダスグプタは，同じような懸念が生産性の推定値にもまとわりついていることを例証している．例えば，ある国が処女林をますます多く伐採することで，経済を動かしていると想像してみよう．もし木に対する公式な市場（林業専門用語で「立木価格」という）が存在しないならば，その経済は年々より少ないものからより多くのものを作り出すように見え，結局は木がなくなってしまうのである．このように公的な統計は，高い所得の成長率として計測されようと生産性の増大として計測されようと，経済の進歩ではなく，むしろ返済期限の来る手形がどれほど切迫しているかを示しているのである．

ダスグプタは，物理的プロセスにおける技術革新と同様に，制度的変化は進歩を引き起こすことができると指摘している．制度が進化し，資源利用のすべての費用を資源利用者が支払わねばならなくなれば，資源はより効率的に利用されるようになる．すべての費用とは，たとえば，現在の供給に対する私的費用や，もしその資源が利用不可能になった場合に将来世代が被る費用，さらに資源利用がもたらしかねない汚染や生物多様性の損失により，資源の利用者が社会の構成員に負わせるかも知れない費用などである．利用可能な資源をより効率的に利用できる社会というものが市民の長期的な利益により資することは明白ではあるが，短期的にはあまりよい成果を挙げていないように見えるかも知れない．これは，いくつかの資源に安すぎる値段がつけられているためである．資源の価格が上昇するにつれて，計測される生産費用も増加せざるを得ない．

こうして，社会が――あるいは複数の社会が――いつ，そしてどのように，新しい希少性を認識しそれを相殺するための手立てをとるか，という重大な問題に我々は立ち戻る．これが我々の主要な主題を総括するうえでの出発点となる．

## 21世紀の希少性と成長に関する結論

本書の執筆者は偏りなく多方面から参集したグループであり，多様な視点から一群の問題に取り組んでいる．それでも各人は，希少性が成長の見通しにいかに影響を与えるか，という本質的な問いに迫っている．

結論をまとめるために，希少性がどのように成長を制約しうるのか，そしてどのシナリオが最もありそうか，について考えてみよう．

・最悪ケースのシナリオでは，物理的容量の絶対的制約により，人類は停滞かそれより悪い事態に押しやられるかもしれない．もし必要不可欠な資源の利用可能な供給量が固定されているならば，やがて我々は滅亡することになる．
・若干好ましいシナリオは，必要不可欠な資源が，ペースが比較的遅くても再生可能である場合であろう．この場合，我々には「持続可能な」道筋が開けているかもしれないが，この必要不可欠な資源が私的所有されている経済は，持続可能な道筋をたどって発展することにはならないかもしれない．
・必要不可欠だが再生可能な資源が私的に所有されない場合，汚染と劣化の問題に取り組むよう公的な対応がとられない限り，災禍が起こりえる．
・いかなる資源も必要不可欠ではないか，必要不可欠だとしても十分な速さで再生産されるのであれば，公的部門による管理がなくても市場経済は持続可能な道筋をたどる．

いずれの執筆者も，最初と最後のシナリオに代表される極端な見方にはくみしていない．すなわち，人類が滅亡するとか，現在の人口規模では滅亡すると主張する執筆者もいないし，あらゆる資源配分に対する決定が私的部門に任されている自由放任政策が我々にバラ色の世界を保証出来ると主張する執筆者もいない．市場経済は「最適」だが「持続可能ではない」道筋をたどるかもしれない，という２つ目のシナリオに示される見通しを，ジョン・ペズィーとマイケル・トーマンは考慮しつつも，彼等と他の大多数の執筆者は３つ目のシナリオにもっぱら関心を示した．

端的に言えば，資源の希少性と成長に関する最も緊喫の問いは，非市場性の環境資源に関する新しい希少性に対して，どのような公的部門の行動が必要となるか，ということである．

その問いに対してよく挙げられる処方箋としては，——少なくとも経済学者の間では——市場を模擬することである．もし環境資源が希少になりつつあるなら，私的部門に排出課税や排出割り当てなどを行うことや，さもなくば存在しなかった「市場を創造する」ことによって，政府の行動は私的部門がこの希少性を彼らの意思決定に反映させるよう導くことができる．しかしデビッド・ピアースが示したように，市場に基づくインセンティブは比較的少ないままである．

その理由はなぜか．ピアースが彼の章で記した理由以外の点も考慮してみよう．経済制度はより一般的には統治制度の一部であることをラモン・ロペスは思い起こさせる．市場の「失敗」が失敗を永続させる統治エリートにとっては計り知れない「成功」を意味するならば，市場の「失敗」が観測されても驚くにあたらない．デビッド・ティルマンとスティーブン・ポラスキーによる生物多様性に関する研究によると，その他の点ではよく構成された社会においても，インセンティブを精巧に作るうえで複雑性が問題となることが明らかになった．世界中の種の保存のためには具体的に何に対して税や割り当てを課せば良いのか．あまりに巨大になってしまった地球社会において，様々な希少性が相互に絡み合っているという事実によって，ますます複雑性は増幅される．クリスティアン・アサールが指摘するように，十分高額な税を二酸化炭素の排出に課すことで農家が再生可能なエネルギー作物を植えるように誘導することができるかも知れないが，次にはその過程において耕作中の土地が増加し生物多様性が減少するために，世界の貧困者が直面する問題をさらに複雑にする．古い希少性の解決でさえ，新しい希少性に関わる問題をも引き起こす．デビッド・メンジー，ドナルド・シンガー，ジョン・デヤング・ジュニアは，環境制約への遵守は，近い将来の鉱業の業績にとって物理的な枯渇と同じくらい重要になるかもしれないと指摘する．同様のメッセージはジェフリー・クラウトクラマーの章にも出ている．つまり，石油や鉱物のような枯渇性資源の経時的な配分に，市場は常に適切であり続けてきたように見える．しかし，資源に対する所有権を確立することが困難であればあるほど，結果はますます満足の行かないものであった．魚自体が移動するため「所有すること」が本質的に困難であり，漁場は減少しつつある．多くの環境問題，とりわけ世界規模で起こっている問題は手に負えないままである．

新しい希少性に対する答えは，主要な技術的ブレークスルーをもたらすために思い切ったプログラムを打ち上げることであろうか．ロバート・エイヤーズの指摘によると，画期的な新技術がスピルオーバーとフィードバックループを通じて世界を変容させたいくつかの大きな出来事が，歴史的な記録には示されている．彼はエネルギーの希少性と，その利用に伴う環境影響を克服するために同様のブレークスルーを得るには，新たなブレークスルーが必要だと論じた．シャック・スマルダースは，環境と技術の問題の類似性を強調する影響力のある文献をレビューすることで，この考え方を概念的に支持した．どちらも，問題となる財の「非競合的な」面を相殺するために公的関与の機運を盛り上げることになるかもしれない．しかしモリー・マコーレーは，資源環境技術のブレークスルーの刺激を意図した多くの公共プログラムの実際の成果には，多くの課題が残されていると注意を喚起している．彼女が記すように，社会的に望ましい目標を達成する際に，実際の官僚は理想化されたモデルにおける官僚よりも大幅に非効率であるのかもしれない．

もちろん，新しく現れた希少性が現実に起こり，それに対処する政策に進化が起こるのは，気まぐれであろうということだけは予想される．市場で扱う天然資源の古い希少性に係わる問題を，多くの人は私的市場が解決できると信じているものの，金属，鉱物，燃料の市場の歴史は，破産，バブル，誤算だらけである．イェルン・ファンデンベルグによる原則を思い起こすことを意図して，この段落の冒頭にある「政策の進化」という言い回しをあえて選んだ．繁栄し，望むらくは，ますます衡平になりつつある経済が成長して，地球の有限な環境容量の制約に直面しつつ生き延びるには，そのための「適応」戦略を生存につながらない戦略から選別できるような何らかの実験がなされなければならない．シルヴィー・フォシューが指摘するように，我々が「適応度」を予測するための基準は，分析モデルで扱いやすい要素だけに限定するべきではない．経済学者らは，しばしば技術が外生的に成長するものと仮定したり，他と同様に経済活動の結果として扱うことができると仮定したりしているが，フォシューは，我々の長期の見通しは，社会とその創造物の間の，複雑で多元的な関係によって決められるものかもしれないと示唆している．

最後にパーサ・ダスグプタが観察した，自然に近いところで生活する人々の共同体の経験についてふれる．彼らにとって生き残りとは，彼らの環境制約を学ぶことであり，制約の中で生きることである．人類にとって自然な進歩が事実こうであったと知ることは励みになるかも知れない．しかし残念なことに，歴史の記録が示唆するところでは，これは必然的にそうだったのではない．現代まで生き残っている伝統的社会は，生態学的手段の範囲で生きる問題を解決した社会である，という意味で「自然淘汰のバイアス」が存在する．考古学的な人工物によってしか現在知られていない社会は，問題解決ができなかったのかもしれない．

世界は単一で統合された社会になりつつあるが，技術的，経済的，そしておそらく最も重要である社会的な手段を，新しい希少性の含意に向けて動員できるかどうか，という問題は残されたままである．我々は，人類全体としては，日頃売買している物の埋蔵量に関する制約には突き当たっていない．我々執筆者が合意した究極の問題は，今日まで市場経済の外部に大部分がとり残されてきたような資源の管理に成功するかどうかということである．「経済学的な」処方箋は，問題への解決策を示唆するだろうが，究極の決定要因には，我々が社会としての選択に持ち込めるような，知恵，思いやり，ビジョンが含まれるのではないかと思っている．

**注**

1）ワークショップの期間に知見を提供いただいた，カルター・クリーブランド，リンダ・コーエン，フランク・ディエツ，ファイエ・デューツィン，ロッド・エガート，チャールス・コルスタット，トニー・マレシュー，リチャード・ニューウェル，トーマス・スターナー，ティモシー・スワンソン，フランツ・ヴォレンブレック，ケース・ヴィタゲンに特に感謝したい．

2）このイントロダクションを作成するにあたり，バーネットとモースに多大な恩義を感じる．その大きさは，この節の著名な経済学者からの引用の大部分が，「希少性と成長」から持ってこられたという事実から理解されるであろう．

3）いくぶん驚くことに，対立概念が与える信憑性に鑑みて，カーライルは彼が論評を書く際にマルサスの人口論よりも，ジョン・スチュワート・ミルの人種的な見方にコメントをしていた．Dixon（出版年不明）およびLevy and Peart（出版年不明）を参照のこと．

4）D. Gale Johnson（2000）は，テルトゥリアヌスが「人口過剰が環境に与える影響に関する現代とほぼ全ての問題——すなわち，都市への人口集中のみならず，森林伐採，生物多様性の喪失，持続的ではない農業の土地利用，野生動物の自然の隠れ家の除去——を扱っている」と言及している．Joel Cohen（1996）は，アッシリア時代から現在までの人口過剰の災禍の見通しを解明するレビューを出している．

5）実際，ダーウィンは彼の進化論の基礎となる知見——「資源の希少性が適者生存につながる」——がマルサスにあると思っていたことは面白い．

6）しかしながら，この悲観的な見方には若干の論理的な限定があることに我々は留意すべきである．計測された生産性の増加は，天然資源の劣化のためであるとすることは，そのような劣化が年々継続することを必要とする．ある時点以降，十分に高まった生産性増加は，問題とする資源が完全に枯渇することを意味しなければならないために，その劣化が生産性を増加させるという信じがたいことになるであろう．

7）しかしながら，これは不可能ではない．経済成長論に関する最近の多くのアプローチは，Dixit-Stiglitz（1977）の区分された財のモデルを採用する．もし我々が「知識」を「我々が作り方を知っている製品の数」と定義するならば，実際，「知識」に関する規模の経済がありえる．

8）しかしながら，「コモンプール」効果が，逆の結果になることもありえる．一人の技術革新者の製品が別の製品を駆逐するならば，あるライバルの技術革新への投資が他の成功によって頓挫することになる．もし成功した技術革新者がこの効果を考慮に入れていないなら，新しくより良い製品を生み出すのにより多くの努力を傾けるだろう．

9）興味深い歴史的な問題が提起される．平均すると千年前よりもはるかに今の方が暮らし向きが良いことを数字は明白に示しているが，それでは誰の暮らし向きが良いのだろうか．エジプトのネファティティやフランスのルイ14世が，はるかに豪勢なライフスタイルを享受していたと，ジェニファー・ロペスやロマン・アブラモビッチは言っている．彼らの支配下にある一般の貧民は，より安価で労働集約的な財の歴史的な数字と考えられるのだ！　そのような比較は困難ではあるが，とてつもなく大きな違いは，平均寿命と医療サービスである．中世時代の平均寿命はたったの30年であった．もちろん，幼児死亡率や乳児死亡率は恐ろしいほど高かった．30歳に達した人でも，あと22年間生きれるのがせいぜいであった（Nofi and Dunningan 1997；数字は1300年の英国）．対照的に，今日の世界の平均寿命は67歳で，低開発諸国においては平均約60歳である（悲劇的なことには，それでも貧困と紛争，近年ではエイズが重なって，平均寿命は40歳を下回る）．豊かな国では，平均寿命は78歳を超える（UNDP2003）．30歳を迎えた米国男性は，さらに46年生きるとされる（NCHS2002）．いにしえでは死は富も身分も関係しないから，今日は平均でも，また最富者にも，恵まれた時代であると結論付けても妥当であろう．

10）南極氷床における，その濃度からも推察できる．1000年前に降った雪はその後の降雪によって大気から閉じ込められてきた．

11）純一次生産力（NPP）は植物中のバイオマスの堆積である．

12）この公式は，政府支出と純輸出を含めればさらに細かくできる．

13）毎年の価格水準の変動は，総和を価格指数で割ることで考慮に入れられるが，そうした指数を作ることに問題が生じることもある．

## 参考文献


Abramowitz, M. 1956. Resource and Output Trends in the United States since 1870. *American Economic Review* 46（May）：5-23.

Barnett, H. 1979. Scarcity and Growth Revisited. In *Scarcity and Growth Reconsidered*, edited by V.K. Smith. Baltimore: Johns Hopkins University Press for Resources for the Future, 163-217.

Barnett, H., and C. Morse. 1963. *Scarcity and Growth: The Economics of Natural Resource Availability*. Baltimore: Johns Hopkins University Press for Resources for the Future.

Carson, R. 1964. *Silent Spring*. Boston: Houghton Mifflin.〔レイチェル・カーソン『沈黙の春』（青樹簗一訳，新潮社，1987年）〕

Clark, C. 1976. *Mathematical Bioeconomics: The Optimal Management of Renewable Resources*. New York: John Wiley.〔C.W.クラーク『生物経済学：生きた資源の最適管理の数理』（竹内啓・柳田英二訳，啓明社，1983年）〕

Clark, J.M. 1923. Overhead Costs in Modern Industry. *Journal of Political Economy* 31（December）：606-636.

Cohen, J. 1996. *How Many People Can the Earth Support?* New York: W.W. Norton.〔ジョエル・コーエン『新「人口論」―生態学的アプローチ』（重定南奈子・高須夫悟・瀬野裕美訳，農山漁村文化協会，1998年）〕

Dasgupta, P., and G.M. Heal. 1974. The Optimal Depletion of Exhaustible Resources. *Review of Economic Studies* 42（Symposium）：3-28.

————. 1979. *Economic Theory and Exhaustible Resources*. Cambridge: Cambridge University Press.

Dixit, A. K., and J. Stiglitz. 1977. Monopolistic Competition and Optimum Product Diversity, *American Economic Review* 67（June）：297-308.

Dixon, R. n.d. The Origin of the Term "Dismal Science" to Describe Economics. http://www.economics.unimelb.edu.au/TLdevelopment/econochat/Dixonecon00.html (accessed August 14, 2003).

Easterbrook, G. 1995. *A Moment on the Earth*. New York: Viking.

Ehrlich, P.R. 1968. *The Population Bomb*. New York: Sierra Club-Ballantine Books.〔ポール・エーリック『人口爆弾』（宮川毅訳，河出書房新社，1974年）〕

Grossman, G.M., and A.B. Krueger. 1995. Economic Growth and the Environment. *Quarterly Journal of Economics* 110（May）：353-377.

Heilbroner, R. 1967. *The Worldly Philosophers*. 3rd edition. New York: Simon and Schuster.〔ロバート・L.・ハイルブローナー『入門経済思想史 世俗の思想家たち』（八木甫・浮田聡・堀岡治男・松原隆一郎・奥井智之訳，筑摩書房，2001年）〕

Hotelling, H. 1931. The Economics of Exhaustible Resources. *Journal of Political Economy* 39（April）：137-175.

Hubbert, M.K. 1949. Energy from Fossil Fuels. *Science* 109（4 February）：103-109.

IPCC（Intergovernmental Panel on Climate Change）. 2001. *Third Assessment Report: Climate change 2001.* New York: Cambridge University Press.

Johnson, D.G. 2000. Population, Food and Knowledge. *American Economic Review* 90（March）：1-14.

Levy, D.M., and S.J. Peart. n.d. The Secret History of the Dismal Science: Economics, Religion and Race in the 19th Century. http://www.econlib.org/library/Columns/LevyPeartdismal.html（accessed August 14, 2003）.

Lomborg, B. 2001. *The Skeptical Environmentalist.* Cambridge: Cambridge University Press.〔ビョルン・ロンボルグ『環境危機をあおってはいけない 地球環境のホントの実態』（山形浩生訳，文藝春秋，2003年）〕

Maddison, A. 2002. *The World Economy: A Millennial Perspective.* Paris: Organization for Economic Co-operation and Development.〔アンガス・マディソン『経済統計で見る世界経済2000年史』（金森久雄監訳・政治経済研究所訳，柏書房，2004年）〕

Malthus, T.R. 1798. *An Essay on the Principle of Population.* Library of Economics and Liberty. http://www.econlib.org/library/Malthus/malPopl .html（accessed December 10, 2004）.

Marshal, A. 1907. Social Possibilities of Economic Chivalry. *Economic Journal*（17）：65, 7-29.

Meadows, D.H., D.L. Meadows, J. Randers, and W.W. Behrens,III. 1972. *Limits to Growth: A Report for the Club of Rome's Project on the Predicament of Mankind.* New York: Potomac Associates.〔D・H・メドウズ，D・L・メドウズ，J・ランダース，WW・ベアランズ三世『成長の限界―ローマ・クラブ人類の危機レポート』（大来佐武郎監訳，ダイヤモンド社，1972年）〕

Mill, J.S. 1848. *Principles of Political Economy.* Library of Economics and Liberty. http://www. econlib.org/library/Mill/mlP12.html（accessed December 10, 2004）.〔J.S. ミル『経済学原理』（末永茂喜訳，岩波書店（岩波文庫），1959年）〕

NCHS（National Center for Health Statistics）. 2002. National Vital Statistics Reports. http://www.cdc.gov/nchs/fastats/pdf/nvsr51_03tl1.pdf（accessed June 4, 2004）.

Nofi, A.A., and J.F. Dunnigan. 1997. *Medieval Life and the Hundred Years War.* http://www.hyw.com/books/history/1_Help_C.htm（accessed June 4, 2004）.

Nordhaus, W.D. 1974. Resources as a Constraint on Growth. *American Economic Review* 64（May）：22-26.

Potter, N., and F. T. Christy Jr. 1962. *Trends in Natural Resource Commodities.* Baltimore: Johns Hopkins University Press for Resources for the Future.

Pritchett, L. 1997. Divergence, Big Time. *Journal of Economic Perspectives* 11（summer）：3-17.

Raven, P.H. 2002. Science, Sustainability, and the Human Prospect. *Science* 297：954-958.

Simon, J.L. 1981. *The Ultimate Resource*. Princeton: Princeton University Press.

Smith, A. 1776. *An Inquiry into the Nature and Causes of the Wealth of Nations*. Library of Economics and Liberty. http://www.econlib.org/library/Smith/smWN1.html (accessed December 10, 2004).

Smith, V.K. (ed.) 1979. *Scarcity and Growth Reconsidered*. Baltimore: Johns Hopkins University Press for Resources for the Future.

Solow, R.M. 1974. Intergenerational Equity and Exhaustible Resources. *Review of Economic Studies* 42 (symposium): 29–45.

Stiglitz, J.E. 1974. Growth with Exhaustible Natural Resources. *Review of Economic Studies* 42 (symposium): 122–152.

Stroup, R.L. 2003. *Economics: What Everyone Should Know about Economics and the Environment*. Washington, DC: Cato Institute.

UNDP (United Nations Development Programme). 2003. Human Development Indicators. http://www.undp.org/hdr2003/indicator/indic_1_1_1.html (accessed June4, 2004).

United Nations Population Division (UNPD). 2002. *World Population Prospects: The 2002 Revision Database*. http://esa.un.org/unpp/ (accessed June 4, 2004).〔国際連合経済社会情報・政策分析局『国際連合世界人口予測 2002年改訂版』(阿藤誠監訳, 原書房, 2005年)〕

Vitousek, P.M., H.A. Mooney, J. Lubchenco, and J.M. Melillo. 1997. Human Domination of Earth's Ecosystems. *Science* 277 (July 25): 494–499.

Weitzman, M.L. 1976. On the Welfare Significance of National Product in a Dynamic Economy, *Quarterly Journal of Economics* 90 (February): 156–162.

———. 1997. Sustainability and Technical Progress. *Scandinavian Journal of Economics* 99 (March): 1–13.

Wilson, E.O. 1992. *The Diversity of Life*. Cambridge, MA: Belknap Press of Harvard University Press.〔エドワード・O・ウィルソン『生命の多様性』(大貫昌子, 牧野俊一訳, 岩波書店, 1995年)〕

WCED (World Commission on Environment and Development). 1987. *Our Common Future*. http://www.are.admin.ch/are/en/nachhaltig/international_uno/unterseite02330/ (accessed June 4, 2004).〔環境と開発に関する世界委員会編『地球の未来を守るために』(大来佐武郎監修, 環境庁国際環境問題研究会訳, 福武書店, 1987年)〕

第2章

# 21世紀の鉱物資源と消費

W. デビッド・メンジー，ドナルド A. シンガー，ジョン H. デヤング Jr.

現代社会は，物質からなる製品はもちろんのこと，日常生活へのサービスを生産し届けるのにも，エネルギー・鉱物資源に大きく依存している．社会の化石燃料への依存は明らかであり，このことは大多数の人々に理解されている．しかし，数多くの非燃料の鉱物資源にも同じように依存していることを知っている人は少ない．この無知は，互いに関連する次の二つの事情によるものであろう．まず，非燃料鉱物の大半は，化石燃料とは対照的に製品の一部分として利用されるので，ほとんどの人は鉱物を直接認識できる形で利用していない．第2に，2002年のアメリカにおける非燃料鉱物の価値は，原料で380億ドル，加工されても3,970億ドルと，これらの素材を消費する産業が経済に貢献する額（1兆7,000億ドル）と比較して小さいことがあげられる．非燃料鉱物の投入は，建設，耐久財の生産，そして非耐久財の生産にも欠かすことができないが（USGS 2003），その価値は最終製品の価値と比較すると小さいのである．

それにもかかわらず，社会が鉱物資源に依存しているために，経済を支え続ける鉱物供給の十分性についての懸念が継続的に生じてきた．これは戦時中の鉱物不足や，個々の鉱床や鉱区の枯渇（Hewett 1929），国の工業化に伴う鉱物消費の急増といったさまざまな経験に起因するものである．このような経験によって，鉱物資源は豊富なのか希少なのかの議論が生じてきた．

そのような問題に取り組むことは特に難しい．なぜなら，鉱物資源の概念には地質的側面と経済的側面の双方が含まれ，また，地球と将来の経済に関する知見は限られているからである．鉱物の鉱床は地質プロセスの結果形成された物理的な存在なので，有限で枯渇するものである一方，将来生産される鉱産物の量は，今後の新しい鉱床の発見と製錬，使用済み材料のリサイクル，代替物の開発のそれぞれの費用に依存する（Tilton 1996）．鉱物の希少性について多くの議論がなされてきたが，それは議論の参加者が，鉱物資源の物理的な側面と経済的な側面の両面を正しく認識していなかったことによる．

将来の鉱物供給が十分であるかについて1970年代に持ち上がった議論は，こうした理解不足の表れである．20世紀は，地質ならびに経済情勢によって，それまでになく金属の利用可能性が高まった時代であった．オーストラリア，カナダ，アメリカ西部の開拓や，アフリカにおける19世紀後半の植民地時代の資源探査によって，20世紀を通じて豊富で質の高い鉱物を供給することになる多数の鉱床が発見された．加えて，ダニエル・ジャックリンが述べたように，低品位のポーフィリー（斑岩）銅鉱石が規模の経済により収益性をともなって採掘できるようになったイノベーションや，選鉱や冶金のイノベーションにより，金属の生産費用は削減された．その結果，採算の取れる非常に大規模な鉱床が埋蔵量に追加された．さらに，鉱物探査に用いられる地球物理や地球化学の手法，あるいは衛星画像処理や鉱床モデルなどの手法を広く適用した情報処理と探査技術の向上が，探鉱の効率を高めた．

しかし，20世紀は，鉱物の消費が加速された時代でもあった．北アメリカでは1950年代から資源の大量消費が始まり，ヨーロッパと日本ではその10年後，第二次世界大戦から復興してから消費社会が形成されたが（Rostow 1960），これらの国々で1960年代後半までに鉱物消費が急増したことで，継続する成長を維持するために十分な鉱物資源があるかどうかが疑問視されるようになった．アメリカの石油生産がピークを打ったことや，アラブの第一次石油禁輸，メドウズらによる『成長の限界』（Meadows et al. 1972）の出版も相まって，鉱物資源の希少性についての幅広い議論が開始された．ローマクラブレポートの著者たちは，人口や農業，工業，汚染，天然資源を動学的にモデル化したコンピュータプログラムを用いて，将来の世界状況を予測した．そこでは十分に探査され経済性のある資源の量を鉱物の利用可能量として用いたために，鉱物の存在量を過小評価しており，探査による鉱量増を考慮に入れていなかった．その結果，『成長の限界』の根拠となったコンピュータモデルは，資源不足によって工業文明が崩壊すると間違って予測した．

ゴードンら鉱物資源経済学者は，メドウズらのコンピュータ分析はマルサスから進歩していないと考え，資源を生み出すのは自然ではなく，人間によって制御されている連続的な過程だと指摘した（Gordon 1972）．ゴードンは，新技術やリサイクル，市場の力によって素材とエネルギーの不足が解消されるだろうとの考えを強調することで，物的福祉についての人々の態度を改めようという考えに疑問を唱え，「実際に起こるかどうか不確かな資源枯渇を防ぐために疑わしい政策をとること」に希少な資源を使用することに警告を発した．『成長の限界』の著者らが鉱物資源の経済的な側面を誤解しているとすれば，『成長の限界』への批判者の１人は資源の物理的な側面を誤解しており，「銅のような天然資源の将来の量は原理的にさえ算出できない」と言う．「なぜなら，銅の新しい鉱脈や採掘法，様々な品位があるからであり，銅は他の金属から作られうる（強調は引用者による）ものであって，海や他の惑星を含めて銅を発見できる場所の境界がはっきりしないためである（Simon 1980，1435）」．コンピュータモデルの欠陥が露呈し，すぐさま鉱物が不足するわけではないことが明らかになると，鉱物の希少性についての議論は下火になり，社会の関心はもっと急を要する問題へと移った．

そうした課題の一つとして，『成長の限界』のモデルでも取り上げられた産業活動による汚染の増加が自然システムを破壊するだろうという懸念が挙げられる．フロン使用によるオゾン層の破壊や化石燃料の燃焼による地球の気候変動への警告は，そのような懸念のおそらく最もよく知られた例である．20世紀の終わりまでに，公の議論における関心は，資源の希少性に関することから，鉱物生産物の利用の結果生じる廃棄物を地球システムが吸収する能力に取って代わった．物質からなる製品の生産と消費による自然環境への影響に対する意識が高まるにつれて，物質消費に制限を設けようという声が出てきた（During 1992）．先進国において物的財の消費水準と消費による環境への影響がどれほど減少し（Wernick et al. 1996），また減少させることができるかが（Ausubel 1996），将来の環境の質に影響を与える中心的課題になった．

新しい世紀に入った今の時期は，鉱物資源の希少性に関する古い問題と新しい問題の双方を再検討するのに良い機会である．21世紀が幕を開け，アジアでの急速な経済発展が鉱産物の消費を増加させている．鉱物生産はアジアの大国の急速な経済発展によるニーズを十分に満たせるのであろうか．同時に，鉱物の生産と利用がすでに地球規模の環境システムに影響を与えているとの不安が高まってきているが，鉱物生産の増加で生じる廃棄物を地球環境システムは吸収できるのだろうか．この廃棄物を，環境問題を避けられる程度にまで減らすことができるのであろうか．

本論文では，以下の作業により，鉱物の希少性および鉱物の生産・消費の環境影響から提起される課題を検討する．

- 次の数十年間において資源枯渇が鉱物生産に制約を課すことになるのかどうかを判断するために，鉱物資源の存在形態の物理的性質について検討する．
- 鉱物の利用可能性に影響するような社会的・技術的な制約に社会が直面するかを判断するために，鉱産物の生産システムの現状について検討する．
- 鉱物資源消費の増加がどの程度鉱物の利用可能性の制約になるかを判断するために，消費の新しい変化を検討する．
- 需要増加により，成長の制約要因となりうる環境影響がどの程度増加するのかを検討する．

非金属の鉱産物よりも金属の消費量の方が資源の希少性の影響をよりよく表現し

ていると考えられるため，本研究では銅を例として取り上げる．銅消費の伸びは経済発展の良い指標となっている．アルミニウム，セメント，銅，塩類の消費の成長を検討した最近の研究（DeYoung and Menzie 1999, Menzie et al. 2001）では，銅が発展途上国における鉱物消費の良い指標になることを示している．アルミニウムの消費量も経済発展とともに増加しているが，銅消費量の後を追うように伸びている．

## 鉱物資源の存在形態の物理的性質

地球には人類が利用するすべての金属が膨大な量存在していることは否定できない．地殻存在度〔訳注：地殻中の平均元素含有率〕による推定によれば，たとえその量を一桁下げたとしても，依然として莫大な量の金属が含有されている．金属利用はほとんどの場合において，金属の量は減少せず，再配置あるいは再構成されるだけである．どれほどの量の金属が人類にとって価値があるような濃縮度と形態で利用可能であるかという疑問に答えることは，非常に難しい．採掘費用が正である限り，人類は費用がより安くなる物理的特性をもった金属の濃度とその形態を探し求めるだろう（DeYoung and Singer 1981）．形態（もしくは鉱物）と濃度（もしくは品位）はどちらも検討する際に欠かせない．いずれも，採取と処理に過度の費用がかかることによって全金属量のうち部分的に獲得できなくなる要因を招くからである．現在の費用についての概念はたとえば，内部化されようがされまいが，環境費用の増加に関わる化学的性質を含むようになっており，従来の見方である直接生産費用を上回っている．

銅，亜鉛，鉛，ニッケルのように地球上にあまり多くない金属は，スキナーによれば，通常の岩石としてケイ酸塩鉱物中に均一に存在することが認められる（Skinner 1976）．スキナーが指摘するように，この形態での金属を，処理する量を減らすほど大きく濃縮することはできない．そして，必要な金属を他の原子から分離するために，全ての鉱物を化学的に分解しなければならない．通常の鉱物は化学的結合が強いため，この作業は複雑で，非常にエネルギー集約的な工程となる．したがって，これらの希少な金属の採掘は，その金属が硫黄や酸素などの元素との化合物として存在するような数少ない鉱床が対象とされる．そのような鉱床の金属は容易に採掘でき，非常に高い濃度あるいは品位で存在する（図2-1）．既発見の全鉱床が含有する銅，亜鉛，鉛，銀，金の合計は，大陸地殻の上部1㎞に含まれる全金属量の0.015％から0.002％に相当する（Singer 1995）．つまり，現在確認されている鉱床は金属の総量から見れば非常に少ない割合を占めるに過ぎないのである．

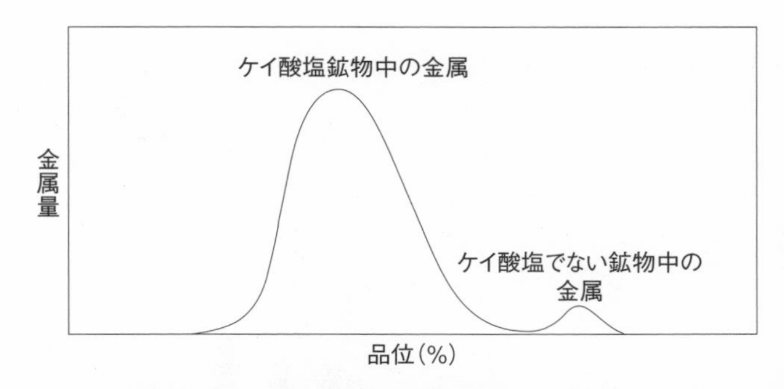


**図 2-1　地殻における地球化学的に希少な金属の確率分布（Skinner 1976による）**

何人かの研究者は，鉱床や鉱石中の金属量と，通常は地殻上部の岩石中の金属量との関係を表す図を作成している（McKelvey 1960, Erickson 1973, Brooks 1976, Barton 1983）．Barton（1983，6）によれば，確認された従来の金属鉱床に大量の金属がまだ算入されていないことは，これらの金属の未発見鉱床としての大きな機会の存在を示すものだと指摘している．これに類似する分析として，採掘を許容できる品位が低下するにしたがって，鉱物の利用可能量が増加するという観察される関係に基づく推測も提示されている（Lasky 1950）．このような外挿法の基礎として用いられた数学モデルからは，観察された鉱床品位の範囲外にある，物理的にあり得ない結果が出されている（DeYoung 1981）．平均地殻存在度よりも低い品位の鉱床から採掘されているチタンについて考えると，鉱山業者はすでに約束の地に到達しているように思える（Brooks 1976，149）．

採掘可能になるだろう未発見鉱床の総金属量を推定するのは，たいへん困難なことである．アメリカ科学アカデミー（COMRATE 1975）によれば，世界で最も鉱化度の高い地域の一つであるアメリカの南西部での銅の探査をもとにすると，アメリカで生産され得る品位0.1％以上の鉱石に含まれる銅量の上限は9億トンであると推定されている．より詳細な未発見資源量の確率的な評価では，アメリカには今までに発見された量とおおよそ同じ量が残されていると米国地質調査所が推定している（USGS Minerals Team 1996, USGS National Mineral Resource Assessment Team 1998）．アメリカの銅鉱床で発見された銅の総量は4億トンで，そのうち約4分の1が既に採掘されている．アメリカでの銅鉱床の総量に関するこれら別々の推定は大変よく一致しており，上限の推定値が9億トンであるのに対して，既知の鉱床に未発見鉱床の推計値を加えた推定量は8億トンである．したがって，鉱床の品位と規模が許容できるものであり，それらが発見可能だとすると，アメリカ国内

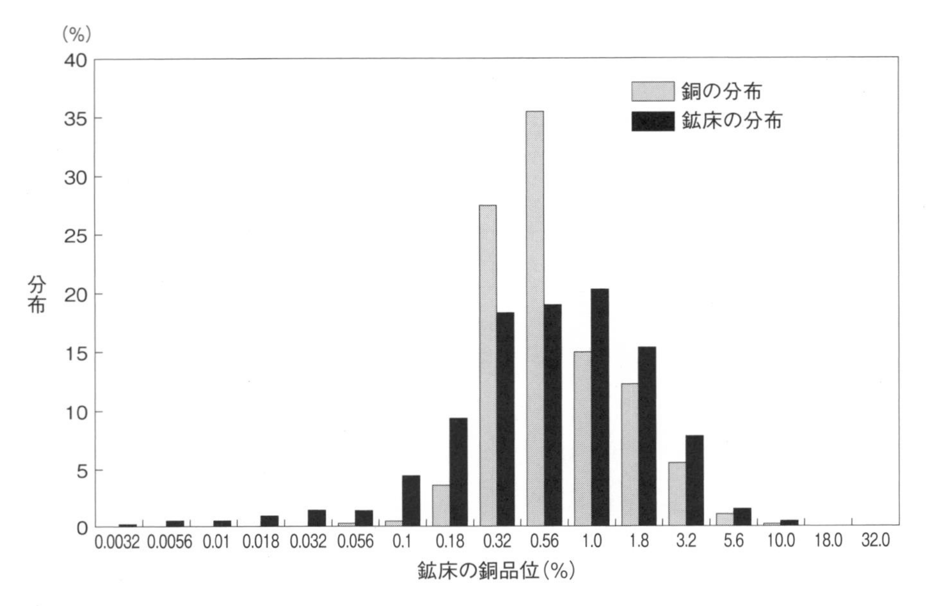


**図 2-2　鉱床の平均銅品位で見た2,265鉱床の分布と，銅鉱石の品位で見た21.6億トンの銅の分布**

における硫化物もしくは酸化物という望ましい形態での銅の総資源量のうち，およそ8分の7がまだ採掘できることになる．

しかし，これらの資源の鉱床品位は許容できるものであるのだろうか．世界的には発見された全ての金，銀，亜鉛，鉛の少なくとも74%が，それぞれの金属の鉱床品位の中央値を上回る品位の鉱床であり，銅の44%は全鉱床の品位中央値を上回る品位で存在する（Singer 1995）．金属品位が低いものから品位別のグループに分け（各グループの品位は，グループ内の鉱床の平均品位とする），金属量と鉱床数の率を比較すると，品位分布と，ある品位で濃縮する金属量の傾向の双方を検討することができる．民間・公的企業は経済的に採掘できると考える鉱床を掘さくするために資金を費やしてきたので，これらに関するデータは全て入手可能である（図2-2）．一般に誤解されているのとは異なり，低品位の鉱床ほど高品位の鉱床よりも多いという兆候や，低品位鉱床に多くの量の金属が存在しているという兆候はなく，証拠は逆のことを示している．おおざっぱに見ても，高品位鉱床と比べて低品位鉱床が特段多くの金属を有しているわけではない．

図2-3は，鉱床の規模の分布と，それぞれの規模の鉱床に金属量がどれほど濃縮している傾向があるかを示している．各規模に付けられた値は，その中の下限のト

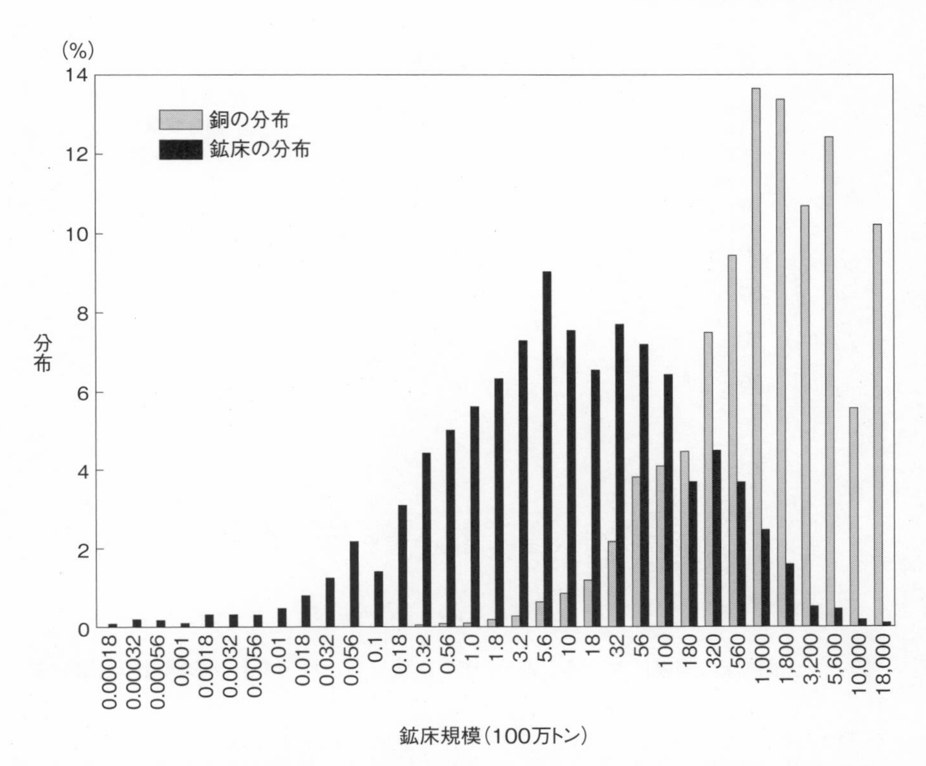


**図2-3　銅鉱床の規模（鉱石量）で見た2,265鉱床の分布と，金属量で見た21.6億トンの銅の分布**

ン数を表す．ただし，最小規模については，その値以下の規模のものを全て含み，最大規模については，その値以上のものを上限なしに全て含む．それぞれの規模において鉱床の数が数えられ，その規模の鉱床での銅量が積算されている．つまり，これらの値が全鉱床数もしくは全銅量に対する比率に変換されたことになる．銅のほとんどは，数少ないより大きい規模の鉱床に存在する．鉱床数と銅金属量を鉱床規模ごとに累積したグラフ（図2-4）によれば，銅が賦存する上位10%の大規模鉱床に，既知の全銅量の76%が含まれている．鉱床規模が含有金属量の優れた予測値となることになる．銅，亜鉛，鉛，銀，金の全量の96%以上が，鉱床規模の中央値よりも大きな鉱床に存在しており，これら全ての金属の47%から79%が，上位10%の大規模鉱床に存在している（Singer 1995）．大規模な鉱床だけが供給に重大な影響を与えることができるのである．これら大規模な鉱床は規模の経済を享受しやすい．地殻中の鉱床は希少であり，大規模な鉱床はめったに存在しない．将来の供給

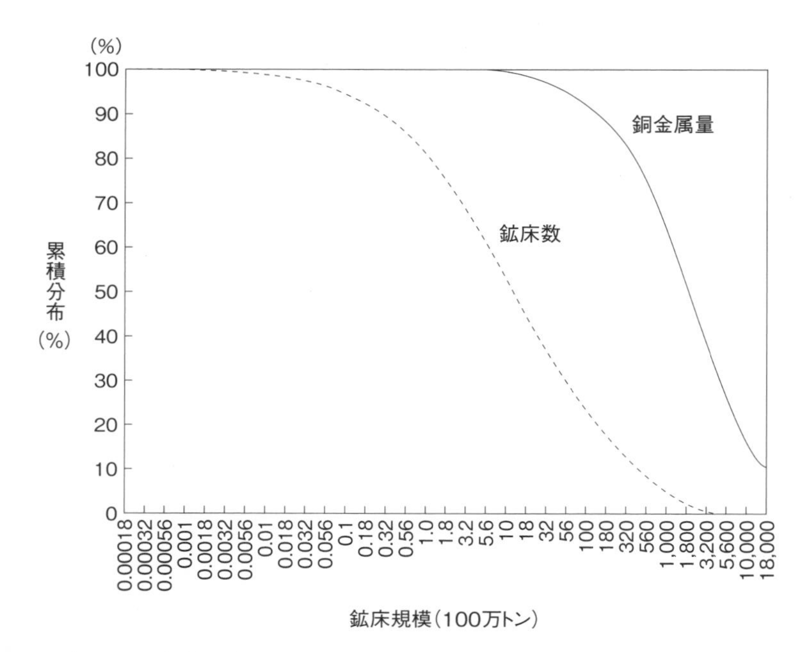


**図 2-4　銅鉱床の規模に対する2,265鉱床の累積分布と21.6億トンの銅量の累積分布**

を考える際に基本的な関心事は，発見できる大きな鉱床がどれだけ残っているか，そしてどこに存在しているのかという見積りである．

地表面の約50%は不毛な岩石と層を成さない堆積物に覆われている．アメリカのように良く探査された地域では，地表に露出している鉱床のほとんどは既に発見されていると考えられているので（USGS Minerals Team 1996, USGS National Mineral Resource Assessment Team 1998），それらの地表下にありうる鉱床の性状と深さが主要な関心事である．地表を覆っている岩石は開発の見込みと発見費用，採取費用に大きな影響を与える．

鉱山技術者は地表近くの鉱床の採掘・選鉱費用を低下させ続けてきた．鉱物の希少性を回避する，つまり現在の価格を維持するためには，探査方法の改良だけでなく，地中深くにある鉱床についてもそれに匹敵する低コスト化が求められるであろう．

銅について述べたように，ほとんどの鉱物資源について，おそらく数少ない最も規模の大きい鉱床にしか，社会が必要とする量を供給する能力はない．鉱物の「希少性」の時代の見通しは，これら数少ない鉱床が発見される時期と，それらが経済的に成り立つかどうかに依存する．

銅価格の長期傾向についての最近の分析では，新技術による生産費用の低下と銅の供給（特にチリから）の追加による銅全体の供給量の増加の方が，資源枯渇と環境規制を遵守することによる費用の増大による供給量の減少よりも速く進展してきたと Tilton（2002）は指摘している．このような銅の資源開発のパターンは，ほとんどの金属についても一般に当てはまる．向こう20年間，鉱物資源の物理的な利用可能性が鉱物生産の制約にはなりそうにない．アメリカを始め，よく探査され相当量の鉱物が生産されてきた地域でさえ，含有していると推定され容易に処理可能な金属のうち，ほんの一部を生産してきたに過ぎない．アメリカでなされた評価に相当するような世界的な鉱物資源の評価は存在しないが，少なくとも世界のどこかに同じような割合で資源が残されていると想定することは，当を得ているように思われる．確かに，銅資源は豊富である．

## 鉱物生産の状況

将来，「鉱物の希少性」という出来事が発生するなら，それは生産と消費の一時的な不均衡ということになるであろう．新しい鉱床の発見と開発にはかなりのリードタイムが要求されるので，消費の急増が生産を上回ることはありうる．また，鉱物の探査と製錬は効率的に機能するために研究開発を要する高度な技術分野である．最後に，鉱物の探査と生産は効率的に操業するために好適な社会的，法律的枠組みを必要とする．つまり，鉱物の探査と製錬の状況，鉱物生産を支える技術開発，そして，これらの活動が行われる社会的，法律的な環境が，社会で使われる鉱物のフローを維持するのに重要なのである．

## 探査

1980年代から1990年代にかけて，銅の新しい鉱床がチリとインドネシアで開発された．過去数十年にわたるこれらの鉱床の発見と開発は，近年の銅生産費用の低下を導いた要因の一つである（Tilton 2002，26）．しかし，これらの鉱床の多くは，アメリカ合衆国と南アメリカで銅の重点的な探査が行われた時期である1960年代と1970年代のグラスルーツ探鉱〔訳註：未踏査地域で一から始める探査〕の結果であった（Long, DeYoung, and Ludington 2000）（図 2-5）．1970年代始め以降の探査は，将来の消費を支えるのに必要な追加的な鉱床を提供するに十分な規模ではなかったようである．

近年では，報告される探査予算は主に金や白金族，ダイヤモンドといった貴金属

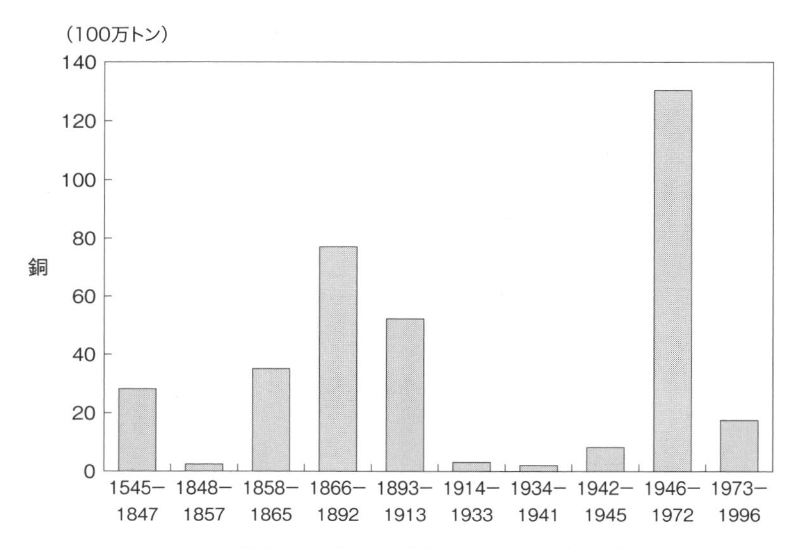


**図 2-5　アメリカ合衆国で過去の年代別に発見された重要な鉱床に含まれる銅量（生産量に残存資源量を加算）( Long, DeYoung, and Ludington 2000による）**

に割り当てられてきており，銅のようなベースメタルの比率は小さくなっている．鉱物の探査予算（図 2-6）は1997年から減少してきており（Wilburn 2002），資金の割合は地域によって様々だが，探鉱費はすべての地域で落ち込んだ．さらに，予想される需要を満たすに十分な鉱床のストックが確認されてきたかどうかという疑いが持ち上がってきている．最近，企業の地質学者が，2014年までに枯渇するであろう鉱床からの生産分を代替するためには五つの大規模ポーフィリー（斑岩）銅鉱床を開発しなければならないが，どの企業もその代替鉱床を確認できていない，と指摘しており（Smith 2001），しかもこの研究では，起こるはずの消費量の増加が考慮されていない．最後に，産業界での探査計画は再構築されているところである．鉱山会社の合併と探査方針の変化が，探鉱におけるジュニアカンパニー〔訳註：探鉱を専門とする小規模な探査企業〕の役割を増加させてきた．この変化の目的は，より小さくより効率的な探査チームを作ることである．しかし，このような変化によって，必要な新しい資源を発見するに十分な探査予算と十分な数のチームが設置されることになるかどうかは，未だ明確ではない．アメリカの多くの大学の地質や資源経済の講座は，減少する卒業生の需要に合わせて再構成され規模が縮小されてきた．このことにより，もし外国の大学がこの領域における講座を拡張しなければ，新しい探査チームに所属する新しく訓練された専門家たちの数が限られることにな

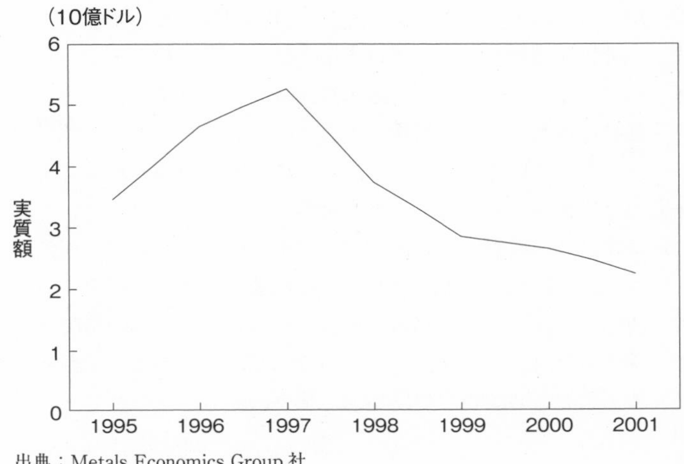


出典：Metals Economics Group 社

**図 2-6　世界の探査予算（Wilborn 2002より）**

る．

他の開発については，最近の探査努力について，もっと前向きの評価が示されている．従来からの探鉱技術（地質探査，地化学調査，リモートセンシング，その他の地球物理学的手法）を用いて，過去に探査が行われていない地域において地表面かそれに近いところで今でも鉱床は発見されてきている．インドネシア東部のバツ・ヒジャウ鉱床やアルゼンチンのバホ・デ・アルンブレラ鉱床は1990年代の始めに発見された鉱床で，最近生産が開始された．加えて，近年の探査はエクアドルやモンゴル，中国の西部で有望なポーフィリー銅の探査が行われている．

これまで探査が制限されていた地域に探査を地理的に広げていくと，新しい鉱床を地表か地表近くに発見することになるが，長期的には，残された資源の多くの部分は，特に広範囲に開発された地域では，より新しい岩盤に覆われた鉱床になるだろう．これらの資源は明らかに，発見することがより困難で，採掘にも費用がかかるものである．

### 技術開発

1980年代から90年代にかけて銅供給を増加させた第2の鍵は，銅鉱石の採掘と製錬により効率的で新しい技術が導入されたことであった（Tilton 2002）．多くの鉱業専門家は，技術によって探査，採掘，選鉱の効率が継続的に向上し続けることを期待している（Ward 1996）．おそらく最も明らかな新技術は，採掘機械，特に露天掘鉱山に用いる大型トラックであろう．より大規模になった露天掘の操業によって，品位が十分に高ければ，今まで坑内堀だけが操業可能だと考えられてきた鉱区の地表採掘ができるようになった．露天採掘は規模の経済を特に得やすいのである．しかし，採掘の環境影響がより綿密に調査されることや（新しい鉱床の）発見の多くが地下へと移行していく事実からは，多くの鉱床が規模の経済による利益が少ない坑内採掘法で操業されるだろうことを示唆している．

第２の効率化は，湿式製錬法の利用による鉱石の製錬である．銅鉱石と尾鉱の大規模リーチングは，巨大なストックパイルに堆積させる費用がかかるものの，銅の生産費用を劇的に下げた．硫化鉱の原位置リーチングや採掘の自動化などの新技術によって，将来の費用削減が期待されている．しかしながら，採掘と選鉱に関する研究への公的・私的な助成の減少は心配の種である．

### 社会的・法律的な環境

アメリカの過去40年間における社会の姿勢の変化によって，探鉱可能な土地の量は大幅に減少してきた．1964年の原生自然法（Wilderness Act）の通過に始まり，公用地の多くが原生自然地域，国立公園や国定史跡に指定された．探査可能な地域の制限によって，いくつかの大型鉱床が発見される可能性が著しく減少した（Singer and DeYoung 1980, Singer 1995, Allais 1957）．さらに，特に西部山岳地帯（アリゾナ，コロラド，アイダホ，モンタナ，ネバダ，ニューメキシコ，ユタ，ワイオミング州）での都市部の人口増加が，鉱山プロジェクトに対する精査の増加や生産方法の制限，生産者の許可費用が増大した時期に生じた．このことは，鉱山会社が海外での探鉱に対して予算の振り分けを増加させることとなった（Ward 1996）．しかし，アメリカ以外でも鉱山プロジェクトに対する厳しい精査が増加してきた．ペルーのタンボル・グランデ鉱床の採掘案件をめぐる議論から明らかなように，資源開発に反対する非政府組織の国際的な影響力が増してきている．

露天採掘と湿式製錬はともに景観を劇的に変えるため，大規模な景観の変更に対する社会的関心の高まりから，資源生産は著しい影響を受けている．ここ数十年にわたる生産費用の減少のほとんどが，金属生産におけるこれら二つの方法に関する技術開発によるものなので，景観変更の制限は，鉱物生産の費用を劇的に増加させるかもしれない．

さらに生産残さ，特に水銀やヒ素などの金属や，鉱産物や製品の使用についての社会的懸念は増してきている．これらの元素の環境への放出を減少させる技術も費用を増加させるだろう．

## 鉱物資源消費

鉱物の物理的な賦存状況や鉱物を生産する能力と意思は，鉱物がこれから豊富になるか希少になるかを部分的に決定するに過ぎず，鉱物が消費される水準も重要である．アジアにおける急速な経済発展は消費量を増加させ，鉱物生産が次の20年間の社会のニーズを十分に満たすかどうかという疑いが出てくる．この疑問に対する答えは，どれくらいの速さで発展途上国が消費を増やすかということと，先進国が消費を減らせるかどうかにかかってくるだろう．

理論的には，鉱物の消費は異なった利用段階で測ることができる．つまり，製錬業による原鉱石の利用，製錬された鉱物の産業による利用，消費者による最終財としての鉱物の利用である．一次金属製品の生産と貿易のデータは容易に得られることから，最も一般的には産業段階において消費量が測られる．最終財の鉱物消費を測るのは，最終製品を構成している材料別に分ける必要があるので，困難である．これには多くの時間を費やし，財構成比率についての強い仮定が必要とされよう．

### 産業消費のパターン

鉱物消費の展開の影響は，アルミニウム，セメント，銅，塩類の一人あたり見掛け消費量の変化に関する最近の研究で検討されてきている．ある研究では1965年から1995年の韓国，日本，アメリカを対象とし，他のものでは1970年から1995年における人口上位20ヶ国を対象とした研究がある（DeYoung and Menzie 1999, Menzie et al. 2001）．

前者の研究では，アメリカにおけるセメント，銅，塩類の一人あたり消費量は対象期間内で大きな変化を示さなかった．韓国においては，アルミニウム，セメント，銅の一人あたり消費量は劇的に増加したが，塩類の消費量は緩やかな伸びであった．日本では四つの産物すべての消費量が低率で伸びた．図2-7を参照されたい．最終期までに日本とアメリカは，一人あたりGDPの基準で測って同じくらいの発展水準となり，一人あたりのこれらの金属の消費も同じ水準となった（銅：10kg，アルミニウム：30kg）．しかし，建築材料と工業原料であるセメントと塩類それぞれの一人あたり消費量は2倍の差がついた．韓国における，成長が開始する順序は重要であろう．まずセメントの消費が増え，銅とアルミニウムが続いた．これは，まず基本的なインフラが開発され，次いでオフィスの建設と軽工業，そして重工業へと続いたことを反映している．

二つ目の研究は，先進国もしくは高所得国（ドイツ，イギリス，フランス）を加えたもので，アメリカや日本と同様に，比較的長期にわたってセメントと銅の一人

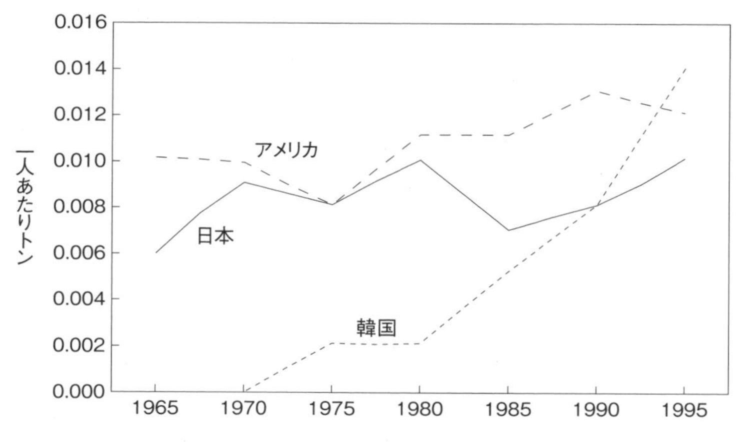


**図 2-7　日本，韓国，アメリカにおける一人あたりの銅消費量**

あたり消費量に目立った変化は見られなかった．しかし，アルミニウムの一人あたり消費量には増加が見られた．この研究は，韓国のように所得が増加する形で著しい経済発展が進行中で，アルミニウム，セメント，銅の一人あたり消費量が大幅に増加している国々も含んでいる．中国，タイ，トルコでは，これら三つすべての商品の一人あたり消費量がかなりの増加を示すが，タイの銅消費は2000年に若干減少し，セメント消費は1990年代後半のアジア経済危機に対する反応で明らかに減少した．他のいくつかの発展途上国――メキシコ（アルミニウムとセメント），エジプト（セメント），イラン（銅）――は一つか二つの産物で大幅な増加を示した．最後に，次の二つの追加的グループは，異なる消費パターンを示す．インドとインドネシアはいくつかの商品で一人あたり消費量の増加を示したが，これらの国では初期の消費水準が低いので，鉱物消費全体を大幅に増加させる成長の初期段階に過ぎない．もう一方のグループは，バングラディシュやナイジェリアなどであり，鉱産物の消費がほとんどみられない．

これら二つの研究を一緒にみると，所得の増加に対する一人あたり鉱物消費量について一致したパターンが示唆される．非常に低い所得水準では，消費は非常に低い水準にある．所得が伸びはじめた状態のときには，消費はゆっくりと増加する．所得がある閾値に達した後に，一人あたり消費量が急速に増加する．最後に，高い所得水準に国が到達したとき，一人あたり消費量は基本的に一定となる．これらの産物の利用パターンは，脱物質化の現象もしくは経済活動単位あたりの消費量の減少と一致する（Wernick et al. 1996）．しかしながら，このパターンは一人あたりの消費量の減少を意味しない．二つの研究の結果はまた，建設用材料と工業用鉱物の一人あたり消費は国ごとに異なるのに対して，先進国での一人あたり金属消費量の水準は似たものとなることを示唆している．所得の増加にしたがって一人あたりの鉱物消費が増加するパターンと，金属利用の絶対水準が似通っていることを合わせると，金属消費の将来予測についての基礎が形成される．

### 銅消費のモデル

このパターンは，ロジスティック関数によってモデル化される成長曲線として定まる．

$$C=\left(\frac{K}{1+e^{-r\log(i)}}\right)P$$

ここで，$C$はある産物の消費量，$K$はある経済における産物の一人あたり消費量の飽和水準を表す定数，$r$は定数，$i$は一人あたり所得もしくは一人あたりGDP，$P$は人口である．将来の消費量は，実質GDP成長から一人あたりGDPを調整することで計算される．

全ての高所得国での銅消費量がほぼ同じ水準で安定していたことから，銅を選択して，所得と人口を関数とした消費モデルを構築した．式からは，2020年における人口上位20ヶ国での将来の銅消費水準が推定される．モデルの予測では，20ヶ国の銅消費は2020年で1,900万トンになる．もしこの20ヶ国が2020年でも2000年時点において世界の銅に占めるのと同じ割合で消費するならば，2020年の世界の銅消費は2,400万トンになる．これは2000年の消費の1.8倍になり，世界の銅消費の平均成長率が3.1%になることを示す．つまり1980年から2000年の間の一人あたり銅消費の年成長率（2.8%）よりおよそ1割高い率となっている．

発展途上国は，世界の銅消費に占める比率を増加させてきた．1980年には，フランス，ドイツ，日本，イギリス，アメリカで世界の銅消費の68%を占めていた．2000年までに，これら5ヶ国は51%を占めるだけになった．モデルでは，2020年までにこれらの国の消費は世界全体の30%に過ぎなくなると予測している．モデルに示される変化の大きさを理解する一つの方法は，どの国が100万トン以上の銅を消費するかを見ることである．1980年では，ソ連が100万トン，日本が120万トン，アメリカが220万トン消費した．2000年には，ドイツと日本がそれぞれ130万トン，中国が200万トン，アメリカが300万トン消費した．モデルでは，2020年においてブラジルが120万トン，日本が140万トン，インドが160万トン，アメリカが350万トン，中国が560万トン消費すると推定している．このような推定は，韓国が20年間で達成した伸びを思い起こさなければ，異常だと思えるかもしれない．

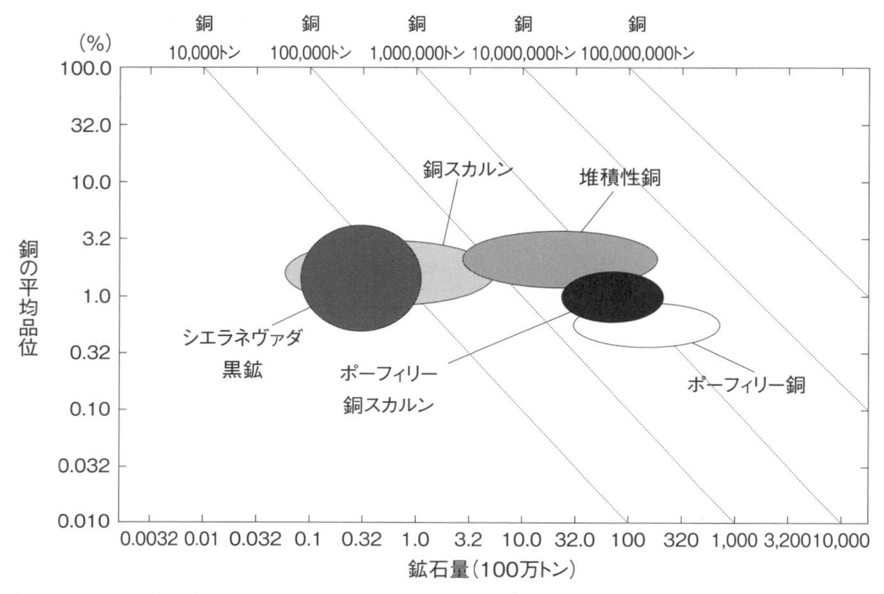


注：それぞれの円は鉱床の45％を表す.〔訳註：スカルン型鉱床とは，石灰岩など炭酸塩岩とマグマの交代作用によって形成された鉱床.〕

**図 2-8 鉱床タイプ別の銅の品位，量，含有金属量**

この消費成長予測は，銅や他の鉱物の新しい埋蔵量を開発するニーズについて重要な意味を持っている．米国地質調査所は2001年の世界の銅埋蔵量を３億4,000万トンと報告している（Edelstein 2002）．1995年の世界の銅消費は1,050万トンであった．銅の埋蔵量は1995年の消費水準で30年分の供給量とほぼ等しい．ロジスティックモデルは2020年までに年2,400万トン以上の世界消費量になると予測している．もし消費がこの水準に達し，消費量に対して埋蔵量がおよそ消費の30年分という比率で保たれるとすると，10％の消費が二次資源から来ると仮定して，埋蔵量の消耗を防ぐには，7億トン以上の銅が世界の埋蔵量に追加されなければならない．ポーフィリー銅と堆積性銅が，現在では世界の銅埋蔵量の大半を占める．上記の追加的な埋蔵量を開発できるかは，大規模なポーフィリー銅か堆積性銅の鉱床，あるいは新しい型の鉱床の新たな発見に依存することになる．平均的には，ポーフィリー銅鉱床が堆積性銅鉱床よりも多くの金属を含んでいる（図 2-8）．５大ポーフィリー銅鉱床は平均で6,800万トンの銅を有している．予測された消費の伸びを保ち30年分の埋蔵量を維持するには，2020年までに新しい銅鉱床11億トンを発見することが必要であろう．この多大な量から展望すると，100年間の探査で知られた5大ポーフィリー銅鉱床の平均と同じ大きさの鉱床が16個，発見され開発されることを意味する．

### 内包された消費量

高所得国において多くの鉱物の産業消費が安定していることは，高所得国では経済成長と物質消費とのリンクを切り離せるとの議論を支持しているようにみえる．しかし，Roberts（1987），Al-Rawahi and Rieber（1990）など最近の多数の研究では，多くの先進国は製品中に含まれた（内包された）金属をかなりの量輸入しているので，産業部門での金属消費は鉱物の最終消費についての良い指標にはならないと述べている．Al-Rawahi and Rieberは，1965年から1985年までの製品に内包された銅消費量を推定し，産業の消費の推定と国内の銅の総消費を比較した．彼らのデータは検討期間における消費の増加を考慮していないが，銅の国内総消費量は産業での消費よりも約16%高かったことを示している．

非金属鉱産物の内包された消費量は十分に分かっていない．特に充填物や増量材として使われる鉱物については，大量の内包された消費が容易に想像されるが，セメントのような鉱物材料の内包された消費はおそらく無視してよい．

内包された消費フローの伸び率からは，鉱物消費量は先進国で安定し，発展途上国で増加するとの結論に異議を唱えることになるかもしれない．発展途上国では代わりに製品として鉱物を先進国に輸出しているのである．先進国と途上国の素材消費の伸びを検討する一つの方法は，1,000人あたりの乗用車の台数を時系列で検討することである．このデータは，自家用車の消費が中国で急増しているとの最近の報告を裏付ける（Murphy and Lague 2002, *Washington Post* 2002）．クロスセクションデータは，一人あたりの乗用車は所得とともに増加することを示している．図2-9は1970年から1995年のアメリカ，日本，韓国における1,000人あたりの乗用車台数を示す．この期間において，1,000人あたりの乗用車台数はアメリカで年平均2.1%，日本で年6%，韓国で年18%増加した．これらの伸び率は，この間の3ヶ国の経済発展と一致する．韓国の乗用車の増加はアルミニウム消費の増加におよそ10年遅れ，銅消費の増加におよそ15年，セメント消費におよそ20年遅れて現れている．

これらのデータは粗いものであり，乗用車の重量や材料構成などの重要な情報を無視しているが，アメリカがまだ一人あたりの乗用車利用を増加させているという事実は，鉱物資源消費量が先進国で安定しているのかどうかという疑問に一定の根拠を与える．一人あたりの乗用車台数はフランスで平均2.1%，ドイツで2.3%，イギリスで2.3%の率で増加した．これらのデータは少なくともいくつかの利用にお

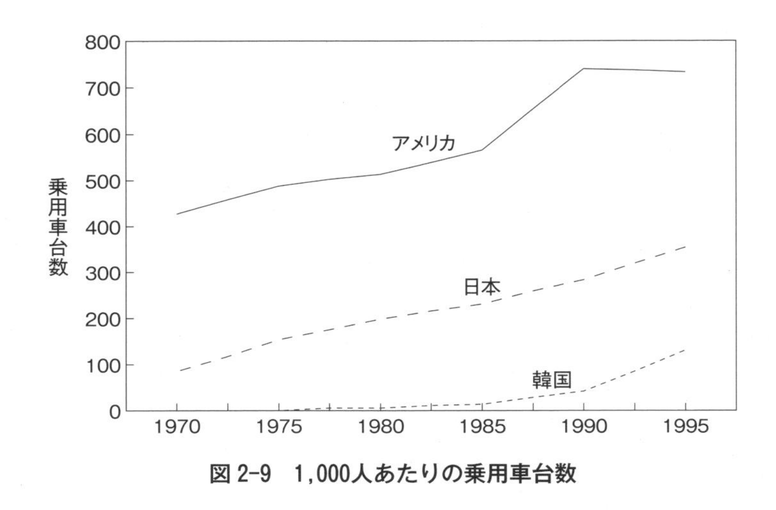


**図 2-9　1,000人あたりの乗用車台数**

いて，鉱物資源消費は先進国でまだ上昇している可能性があるとの印象を強くする．

## 環境への廃物

鉱物資源消費の急速な増加は一時的な希少性をもたらすかもしれないが，鉱物消費の増加によって引き起こされる環境問題は，もっと解決が困難かもしれない．このような問題としては，鉱物生産のための土地利用の増大や，採掘，選鉱，製品製造に関連する廃棄物の増加，使用済み製品の処分量の増加がある．現代経済における物質の生産と利用がもたらす環境影響についての関心から，産業経済部門間で生じる物質フローの研究が行われるようになり，またこれは経済の物質利用の効率の測度を開発するために，これらのフローを測る物的勘定システムを作る取り組みにつながった（Matthews et al. 2000）．このようなフロー体系の利点の一つは，ある国での鉱物生産サイクルの初期段階から発生する廃棄物と，それらの最終的な利用との関連付けであろう．世界的に考えると，鉱物の生産と消費は異なる国で行われるからである．

Matthews et al.（2000）は，産業経済から環境へ放出されるマテリアルフローを推定した．インフラや耐久財といった国のストックへの追加となる物質を測ることに加えて，彼らは二つのタイプの物質を定量化した．すなわち，生産工程における物質の利用と廃棄，および経済勘定では測れない「隠れたフロー」である（採掘時の剥土，農業やその他の人間の活動に関連する土壌の劣化など）．これらの量は，国境内での物質のアウトプットと物質移動の総量を表している．アメリカでは1996年に，国内直接排出物量（DPO）で一人あたり25トン以上，隠れたフローで一人あたり60トン以上が環境に戻された．発展途上経済における鉱産物消費が著しく増加するとの見通しと合わせて考えると，これらの移動した物質の追加的な量が，持続可能な発展を達成するという課題を更に複雑なものにする．採掘の剥土とズリとして一人あたり30トン以上発生しており，20トン以上の二酸化炭素排出が化石燃料の燃焼から発生している．

銅生産を増産することによって発生する廃棄物の量は莫大になるであろう．平均で約350トンのズリと147トンの尾鉱が，銅生産1トンにつき発生する（Kesler 1994, 211）．生産される鉱石の品位が変化しないとすると，これらのデータと銅消費のモデルの結果から，銅鉱石の採掘と粉砕からおよそ1,300億トンのズリと560億トンの尾鉱が，2000年から2020年の間に発生するということになる．銅金属は，銅硫化鉱の製錬，あるいは銅の酸化鉱と炭酸塩鉱の化学的なリーチングのいずれかによって作られるので，銅精鉱から銅金属への変換による廃棄物量の計算は少々難しい．製錬は，二酸化硫黄とヒ素を大気と水圏に排出する可能性がある．排出される量は，製錬される鉱石の銅とヒ素の割合と，製錬所で用いられている技術に依存する．鉱物生産サイクルの各段階からの廃棄物量の推定は，廃棄物を減少させる取り組みの認識と優先順位づけを可能にする．ある廃棄物はその性質上，減少させるのは困難であろう．例えば，銅鉱石が原位置でリーチングされない限りはズリと尾鉱の量は減少しそうになく，原位置リーチングを行えば他の環境面の課題が生じるだろう．ヒ素と二酸化硫黄の環境への放出の量は，新しい技術の適用による削減の可能性がより高い．現在の新しい銅製錬は，鉱石中の硫黄の99.99%を回収することができる．

マテリアルフローや産業エコロジー（Graedel 1996）などによる新しい廃棄物削減の方策によって，有毒物質を含む製品の使用を減らすことや，自動車のバッテリーのような有毒物質を含む製品のリサイクル義務化制度を定めることで，鉛などの有毒な元素（Socolow and Thomas 1997）の環境への排出を減少させてきたという成功が見られる．もし物質の生産や使用からの廃棄物が削減されることになるなら，セメント産業による環境への取組みや機会についての最近の研究（van Oss and Padovani 2003）のように，個別の産業におけるマテリアルフローのさらなる研究が必要になってくるであろう．このような研究により，ある産業からの廃棄物が他の産業の投入物になるといった産業間の共存関係の機会を確かめることができる．

物の生産による直接的な廃物のほかに，その物から成る財の使用と最終処分によって環境に出る廃物がある．鉄鋼やアルミニウム，道路建設からの骨材でさえも，その材料のリサイクルは最近とみに増加してきたが，研究ではリサイクル率がピークに近くなっているかどうかが問題となっている（Barrett 2000, Fialka 2002, Hamilton 2002, Logomasini 2002）．物質の再生と再利用は，物質消費を減少させるもう一つの機会を提供する．しかし，その実施には，法律と規制の変更が必要となるだろう．

リサイクル，再製造，再利用に関する障害の一つは，使用済みの製品の分解と構成部品の選別にかかる費用である．こういった障害は，製品の在庫をコントロールするために開発されているラジオチップを利用することによって将来的に減少するかもしれない．もしこの技術が構成部品に導入され，製品の分解が容易なように設計されるならば，再利用もしくは再製造，リサイクルのための使用済み部品の選別費用はかなり低下させることができるだろう．一次資源の費用上昇と発展途上国との競争は，上記の新しい方策を適用するとしたときに必要となる製品の再設計工学に着手するインセンティブを先進国の製造業に与えるだろう．

## 結論

アジアの急速な経済発展とそれに伴う鉱産物消費の増加は，資源の希少性に関する関心を復活させてきた．しかし，鉱物の生産と利用による世界の環境システムへの影響が，同じ程度に問題となっている．

未発見鉱物資源量の推定によれば，鉱物の供給それ自体は成長を制限するものではないことが示唆される．加えて，地表面もしくは地表近くに存在する鉱床は，いくつかの地域でまだ発見されている．しかし，次の20年間には，地表から深部まで厚く覆う岩石や堆積物の下に隠された鉱床が発見される未開発資源の割合が増えてきそうである．このような鉱床はより発見が困難であり，おそらく採掘にもより多くの費用がかかるであろう．

未発見の鉱物資源は豊富であるが，鉱物の消費の急増は一時的な供給問題を生じさせるかもしれない．1997年以降の探鉱予算の減少は，探鉱に従事している企業内，そして鉱床学や資源経済学を教える大学内での構造変化も考え合わせると，すぐに採掘できる鉱床のストックで発展途上国の成長に潜む資源消費の増加を満たせるのだろうかと疑問を持つ根拠になる．さらに，鉱山技術や選鉱の研究への政府や民間からの資金の減少は，大学の関連学科での職員削減も相まって，これまでの40年間で得てきたようにイノベーションが鉱物の生産費用を減少させ続けられるかどうかを不透明にしている．最後に，資源の採取に対する社会的支援は減りつづけている．アメリカでは，環境法と人口増加が探査を妨げてきた．同様の傾向は世界中で見られる．

鉱物資源の生産と利用の増加によって，土地の収用，採掘と製造からの廃棄物，使用済み製品の廃棄といった，すでに知られている問題が悪化し，新しい方策が必要となる．リサイクル率はその限界に達しつつあるようであり，脱物質化という話はされるものの，先進国における多くの鉱産物の一人あたり消費は，ここ30年間でおおよそ一定に留まっている．さらに，多くの人口を有するたくさんの発展途上国が，一人あたり鉱物消費が急増するであろう経済発展の水準に到達しつつある．

**参考文献**


Allais, M. 1957. Method of Appraising Economic Prospects of Mining Exploration over Large Territories. *Management Science* 3(4)：285-347.

Ausubel, J.H. 1996. Can Technology Spare the Earth? *American Scientist* 84(2)：166-178.

Barrett, R. 2000. Can Recycling Run Out of Steam? *Metal Bulletin Monthly* 351 (March)：12-17.

Barton, P.B., Jr. 1983. Unconventional Mineral Deposits - A Challenge to Geochemistry. In *Cameron Volume on Unconventional Mineral Deposits,* edited by W.C. Shanks III. New York: Society of Mining Engineers of the American Institute of Mining, Metallurgical, and Petroleum Engineers, 3-14.

Brooks, D.B. 1976. Mineral Supply as a Stock. In *Economics of the Mineral Industries,* 3rd edition, edited by W. A. Vogely. New York: American Institute of Mining, Metallurgical, and Petroleum Engineers, Inc., 127-207.

COMRATE. 1975. Resources of Copper. In *Mineral Resources and the Environment.* Washington, DC: National Academy of Sciences, 127-183.

DeYoung, J. H., Jr. 1981. The Lasky Cumulative Tonnage-Grade Relationship: A Re-Examination. *Economic Geology* 76(5)：1067-1080.

DeYoung, J.H., Jr., and W.D. Menzie. 1999. The Changing Uses of Minerals Information - A Government Perspective. In *Proceedings of the Workshop on the Sustainable Development of Non-Renewable Resources towards the 21st Century, New York, October 15-16, 1998,* edited by James Otto and Hyo-Sun Kim. New York: United Nations Development Programme, 111-127.

DeYoung, J.H., Jr., and D.A. Singer. 1981. Physical Factors That Could Restrict Mineral Supply, In *Economic Geology 75th Anniversary Volume, 1905-1980,* edited by B.J. Skinner. Lancaster, PA: Economic Geology Publishing Co., 939-954.

During, A. 1992. *How Much Is Enough*? New York: W.W. Norton.〔アラン・ダーニング『どれだけ消費すれば満足なのか―消費社会と地球の未来』（山藤泰訳，ダイヤモンド社，1996年）〕

Edelstein, D.L. 2002. Copper. In *Mineral Commodity Summaries 2002*. Washington, DC: Government Printing Office, 54-55.

Erickson, R. L. 1973. Crustal Abundance of Elements, and Mineral Reserves and Resources. In *United States Mineral Resources*. U.S. Geological Survey Professional Paper 820, edited by D.A. Brobst and W.P. Pratt. Washington, DC: Government Printing office, 21-25.

Fialka, J.J. 2002. Recycling Faces a Heap of Trouble. *Wall Street Journal,* July 9, A2.

Gordon, R.L. 1972. The Revival of Exhaustion of [sic] Malthus Rents a Computer. *Mining Engineering* 24(7) : 322.

Graedel, T.E. 1996. On the Concept of Industrial Ecology. *Annual Review of Energy and the Environment* 21 : 69-98.

Hamilton, M.M. 2002. Is Recycling Being Canned? Budget Constraints, Other Factors Slowing Progress. *Washington Post,* Sept. 22, Hl , H5.

Hewett, D. F. 1929. Cycles in Metal Production. *American Institute of Mining and Metallurgical Engineers Transactions* 85 : 65-93.

Kesler, S. E. 1994. *Mineral Resources, Economics and the Environment*. New York: Macmillan College Publishing Co.

Lasky, S. G. 1950. How Tonnage and Grade Relations Help Predict Ore Reserves. *Engineering and Mining Journal* 151(4) : 81-85.

Logomasini, A. 2002. Forced Recycling Is a Waste. *Wall Street Journal* Mar. 19, A22.

Long, K.R., J.H. DeYoung Jr., and S. Ludington. 2000. Significant Deposits of Gold, Silver, Copper, Lead, and Zinc in the United States. *Economic Geology* 95(3) : 629-644.

Matthews, E., C. Amann, S. Bringezu, M. Fischer-Kowalski, W. Huttler, R. Kleijn, Y. Moriguchi, C. Ottke, E. Rodenburg, D. Rogich, H. Schandl, H. Schütz, E. Van Der Voet, and H. Weisz. 2000. *The Weight of Nations-Material Outflows from Industrial Economies*. Washington, DC: World Resources Institute.

McKelvey,V.E. 1960. Relations of Reserves of the Elements to Their Crustal Abundance. *American Journal of Science* 258-A (Bradley volume) : 234-241.

Meadows, D.L., D.H. Meadows, J. Randers, and W.W. Behrens III. 1972. *The Limits to Growth: A Report for the Club of Rome's Project on the Predicament of Mankind*. New York: Signet Books. 〔D・H・メドウズ, D・L・メドウズ, J・ランダース, WW・ベアランズ三世『成長の限界――ローマ・クラブ人類の危機レポート』(大来佐武郎監訳, ダイヤモンド社, 1972年)〕

Menzie, W.D., J.H. DeYoung Jr., and W.G. Steblez. 2001. Some Implications of Changing Patterns of Mineral Consumption. Paper presented in the World Mining Policies session of World Mining Congress XVIII at MINExpo INTERNATIONAL 2000® October 9-12, 2000, Las Vegas, NV. Available online as U.S. Geological Survey Open-File Report 03-382 at http://pubs.usgs.gov/of/2003/of03-382.

Murphy, D., and D. Lague. 2002. As China's Car Market Takes Off, the Party Grows a Bit Crowded. *Wall Street Journal,* July 3,A9.

Al-Rawahi, K., and M. Rieber. 1990. Embodied Copper-Trade, Intensity of Use and Consumption Forecasts. *Resources Policy* 17(1) : 2-12.

Roberts, M.C. 1987. The Consumption of Metals and International Trade. *Materials and Society* 11(3) : 391-406.

Rostow, W.W. 1960. *The Stages of Economic Growth - A Non-Communist Manifesto.* Cambridge: Cambridge University Press. 〔ウォルト・ロストウ『経済成長の諸段階—— 1つの非共産主義宣言』(木村健康・久保まち子・村上泰亮訳, ダイヤモンド社, 1961年)〕

Simon, J.L. 1980. Resources, Population, Environment - An Oversupply of False Bad News. *Science* 208(4451) : 1431-1437.

Singer, D.A. 1995. World-Class Base and Precious Metal Deposits - A Quantitative Analysis. *Economic Geology* 90(1) : 88-104.

Singer, D.A., and J.H. DeYoung Jr. 1980. What Can Grade-Tonnage Relations Really Tell Us? In *Ressources Minerals - Mineral Resources.* Bureau de Recherches Géologiques et Minières Memoire 106, edited by Claude Guillemin and Philippe Lagny, 91-101.

Skinner, BJ. 1976. A Second Iron Age Ahead? *American Scientist* 64(3) : 258-269.

Smith, L.D. 2001. Informal Presentation by Manager, Project Evaluations, Billiton Base Metals, Toronto, from a 2000 Brook Hunt Study at a Resources for the Future Workshop on the Long-Run Availability of Minerals. April 23, Washington, DC.

Socolow, R.H., and V.M. Thomas. 1997. The Industrial Ecology of Lead and Electric Vehicles. *Journal of Industrial Ecology* 1(1) : 13-36.

Tilton, J.E. 1996. Exhaustible Resources and Sustainable Development - Two Different Paradigms. *Resources Policy* 22(1-2) : 91-97.

————. 2002. Long-Term Trends in Copper Prices. *Mining Engineering* 54(7) : 25-32.

USGS (U.S. Geological Survey). 2003. *Mineral Commodity Summaries 2003.* Washington, DC: Government Printing Office.

USGS (U. S. Geological Survey) Minerals Team. 1996. *Data Base for a National Mineral-Resource Assessment of Undiscovered Deposits of Gold, Silver, Copper, Lead, and Zinc in the Conterminous United States.* Open-File Report 96-96. Reston, VA: U.S. Geological Survey.

U. S. Geological Survey National Mineral Resource Assessment Team. 1998. *1998 Assessment of Undiscovered Deposits of Gold, Silver, Copper, Lead, and Zinc in the United States.* U.S. Geological Survey Circular 1178. Washington, DC: Government Printing Office.

van Oss, H.G., and A.C. Padovani. 2003. Cement Manufacture and the Environment, Part

II - Environmental Challenges and Opportunities. *Journal of Industrial Ecology* 7 (1) : 93-126.

Ward, M.H. 1996. Mining in the Twenty-First Century - Who, How and where? 5th Annual G.. Albert Shoemaker Lecture in Mineral Engineering. *Earth and Mineral Sciences.* University Park, PA: Pennsylvania State University. 65(2) : 14-18.

*Washington Post.* 2002. In China, a Rush to Get Behind the Wheel. June 6, A1, A24.

Wernick, I. K., R. Herman, S. Govind, and J. H. Ausubel. 1996. Materialization and Dematerialization - Measures and Trends. *Daedalus* (*Journal of the American Academy of Arts and Sciences*) 125(3) : 171-198.

Wilburn, D.R. 2002. Exploration-Annual Review 2001. *Mining Engineering* 54(5) : 26-36.

第3章

# 希少性の経済学
## 〜議論の状況〜

ジェフリー・A.・クラウトクラマー

有限な自然界のなかで経済成長が維持されうるか，これは経済学の文献において最も古くから問われ続けている問題の一つである．これは本質的には，技術進歩と資本の蓄積が，有限な天然資源によって限界収益が減少することを克服できるかどうかの問題である．この議論は経済学の誕生とともに一つの独立した分野として始まり，今日まで続いている．その知識の基礎はいまだに卓越した重要な役割を果たしている．それが未来資源研究所（RFF）から出版された「希少性と成長」についての前二著の主題であった．議論の一般的性質は変わらないが，議論の焦点と主題は進化してきている．

過去2世紀の間，世界のかなりの部分で人口と経済的な福祉に著しい成長が見られた．この成長は，同時に空前の天然資源の消費と環境影響をともなってきた．このことは，自然界の大部分を人間が利用できるように転換することも合わせて，世界の天然資源基盤はそのような成長を支えられるかという懸念を繰り返しかき立ててきた．ある意味で，この懸念は簡単な算数によって支えられている．つまり，有限な世界における幾何級数的な物的成長は，最後には不合理な結果を生みだす．例えば，どのような正の人口成長率であっても結局のところ，地球の表面を完全に覆う人口になり，その結果急速に宇宙へと拡張せざるを得なくなる．また石油消費がいかなる正の成長率であっても，いずれは地球の質量よりも大きい年間生産量に行きつく．

幾何級数的な成長は資源の希少性を増加させることになると予想されるが，この増加する希少性は人類の創造性によって改善できる．これまでも人間は，希少な天然資源の問題に答えを見出す達人であり続けてきた．たとえば，様々な天然資源に代わる豊富な代替物を発見したり，新しい埋蔵量の探査や発見，素材の回収やリサイクルを行ったりしてきた．そしておそらく最も重要なことは，希少な天然資源の浪費を避け，以前には経済的でなかった資源を利用できるような新技術の開発が行われたことであろう．

この作用は自動的に生じるものではなく，結果が必ずしも良好でないにしても，希少性が強まることのシグナルに対応するために行われた活動の結果である．このため，差し迫る希少性と技術進歩の関係には緊張感のある状態が続いていた．最近の数十年間は，人口と経済成長の環境影響に対する懸念が高まってきているように思われる．生態系サービスや「資源アメニティ」といった環境資源は，一般に市場で取引されないため，これらの資源の希少性のシグナルは不十分であることに加え，適切な政策の実施と管理は難しい．

本章は天然資源の経済的希少性についての広範な議論を再検討し，現状を評価する．最近の重要な変化は，生態系サービスや，自然環境によって生み出される資源アメニティがより重要視されるようになり，食料や木材，石炭，鉄，銅，石油から，大気や水の質，世界の気候，生態系の保全へと議論の焦点が移行してきた．

「資源産品」と「資源アメニティ」の区別は重要な事柄の一つである．天然資源の希少性に関する根本的問題に対する答えは，天然資源の財とサービスに関するこれら二つのタイプによって異なる．本章は，資源アメニティの性質と，それを管理するために重要となる取り組みについて議論する．その後，現在の実証的および理論的な成果を検証する．全体的な結論としては，技術進歩は天然資源産品の希少性を改善してきたが，資源アメニティはさらに希少となり，技術だけでは改善策になりそうにもない．

## 過去の議論の概略

希少性と成長の議論は，トーマス・マルサスによって，人類の増殖とそれに対して相対的に乏しい大自然の摂理を観察することから本格的に始まった（Malthus 1798）．限界収益の逓減は，古典派経済学の基礎であり，経済的改善の見込みが彼のような悲観的な見方となるのに重要な役割をはたした．この考えによると，一定面積の土地により多くの資本や労働を投入するにつれて，資本と労働を組み合わせて生産される限界生産物はやがて減少し，一人あたりの産出高が減少することになる．最良の農地はその時点ですでに生産に供せられているので，未開墾の土地に農業活動を広げることは解決にならなかった．生産性は技術進歩によって向上しうるが，マルサスたちの時代までの技術進歩のペースが遅かったために，マルサスや同時代の古典派経済学者は技術に重きを置かなかった．

マルサスのジレンマのもう半分は，人類の増殖傾向にあった．マルサスが主張するには，賃金が生存水準を超えるとき，家族のサイズが大きくなると言っている．限界収益逓減と人口成長が同時に起こると，賃金は生存水準かそれ以下にまで低下し，栄養失調や飢餓，晩婚化などによって人口成長は抑制される．農業生産量は等差級数的に増加するのに対し，人口は幾何級数的に増加する傾向があることから，食料に対する需要は食料生産の限界に関わらず必然的に増加し，最終的にはほとんどの人々の生活レベルは生存水準となる．

マルサスは社会が激変した時期に執筆した．英国の人口は急成長し，穀物の輸入制限によって基本食料品の価格高騰が続いていた．エンクロージャー運動が何千もの人々をそれまで暮らしてきた農地から都市へと移動させた．そこでは多くの人に仕事がなく，生活保護を受けて暮らしていた．このときマルサスは，世界の大半において彼の考える人口の罠を回避することを可能とした急速な技術進歩と出生率の低下を予想できなかった．これについては，ある者は人間社会が天賦の自然資本を食いつぶしてきたためであると議論し，他の者は資源制約への解を見つけた人類の創意工夫の勝利であると議論している．

19世紀から20世紀にかけて，経済成長を維持するのに十分な天然資源は無いという脅威が強調された．19世紀中頃のイギリス経済は，エネルギーを極度に石炭に依存しており，Stanley Jevons（1865）は，石炭の費用が上昇するにつれて経済活動は蝕まれるだろうと主張した．しかしすぐ後で，多くの用途で石油が石炭に置き換わった．

アメリカでは，19世紀後半から20世紀前半にかけて保全運動があり，鉱物や森林，土壌，漁業を含む広い範囲の天然資源を消耗させることに反対運動が起こった．その焦点にあったのは，私的利益は，現在の天然資源を最善に利用したり，将来の世代のために資源を保全したりすることはできない，という信念に基づいた技術的な意味での効率性だった．その代わりとして，公共の利益における科学的な観点からの管理が「最大多数の最大幸福」を達成するために必要であった．

第二次世界大戦に続くアメリカ経済の高度成長は，天然資源に対する関心，特に冷戦が始まるとともに，防衛目的のそれをさらに駆り立てた．未来資源研究所（RFF）が，1950～1952年の大統領の材料政策委員会の成果の一つとして設立された．

RFF の『希少性と成長』（Barnett and Morse 1963）は，歴史的傾向の最初の系統的な実証研究であり，様々な天然資源について1870～1958年にかけての希少性に関する仮説を分析した．後に詳細に述べるが，実証的なデータからは，森林を除いて，希少性が増加するよりもむしろ減少していることが支持された．

RFF の『希少性と成長』の続編である『*Scarcity and Growth Reconsidered*（続・希少性と成長）』（Smith 1979）は，天然資源と環境への懸念が高まった時期に発表された．天然資源価格，特にエネルギー価格が上昇し，空気や水の質の悪化などの環境問題から多数の環境法の制定に結びついた.（エネルギー）価格の上昇は1970年以前から始まり，石油禁輸およびOPEC（石油輸出国機構）の価格引き上げによって1970年代にさらに上昇した．ローマクラブは『成長の限界』（Meadows et al. 1972）を出版し，人口と経済成長が大幅に抑制されなければ，21世紀初頭までに悲惨な結果になると予測した．『続・希少性と成長』のトーンは全体として，少なくとも天然資源産品の利用可能性に関しては楽観的な見方が慎重に選ばれたが，『希少性と成長』ほど希望に満ちたものではなかった．環境アメニティや基本的な生命維持システムの価値が重要であると言及されてはいたものの，焦点があてられたのは生産に関する資源投入にとどまっていた.

天然資源の希少性に対する懸念の最も最近の再検討は，「持続可能性」あるいは「持続可能な発展」との題目のもと，1980年代中頃に始まった.「持続可能性」の正確な意味は明確に定義されていないにもかかわらず，この用語は強力な意味を持っている．今日では，現在と将来における人口と経済活動の両方を支える自然界の能力に関する議論のキャッチフレーズとなっている．この議論の再検討における一つの重要な要素は，自然環境によって提供される資源アメニティに非常に大きな焦点があてられたことである．現在の経済活動による基本的な生命維持システムへの影響は，今や天然資源産品の利用可能性よりずっと重要視されている.

## 生態系サービスと資源アメニティ

これまで物的な財とサービスの生産に用いられてきた天然資源産品は，自然界から提供される唯一の経済サービスではない．その他のサービスとしては，地球の基本的な生命維持システムを構成するもので，例えば，大気，淡水，炭素，窒素および栄養分のサイクル，我々が住み動植物が順応する気候，我々の生産と消費から出る廃棄物を埋め立てるシンク，そして，農業などの経済活動を支える生態系がある．自然界は，遺伝子情報の貯蔵庫として，また世界の多くの医薬品の供給源として役立っている．自然は，多くの人々が休養したり，しばしば驚嘆して眺めたりする「保養地」を提供する．これらの財とサービスは「資源アメニティ」という用語で知られている．基本的なサービスも含んでいるため，「アメニティ」が最良の名称でないかもしれないが，資源アメニティという用語は，経済的な財・サービスとして扱われることがより一般的である商品を生産する際に使われる天然資源とは区別することになる.

これらのアメニティ資源は，少なくともジョン・スチュアート・ミルの時代以降の経済成長の議論に，ある役割を果たしてきた．彼が述べるには，

> 自然の自発的活動のためにまったく余地が残されていない世界を想像することは，決して大きな満足を感じさせるものではない．人間のための食糧を栽培しうる土地は一段歩も捨てずに耕作されており，花の咲く未墾地や天然の牧場はすべてすき起こされ，人間が使用するために飼われている鳥や獣以外のそれは人間と食物を争う敵として根絶され，生垣や余分の樹木はすべて引き抜かれ，野生の潅木や野の花が農業改良の名において雑草として根絶されることなしに育ちうる土地がほとんど残されていない――このような世界を想像することは，決して大きな満足を与えるものではない．(Mill 1848)〔末永茂喜訳『経済学原理（四)』(岩波書店，1961年)〕

環境問題は『希少性と成長』と『続・希少性と成長』のどちらにおいても取り上げられたが，このことはどちらにおいても二次的な扱いであった．

ジョン・クルティラの独創性に富んだ論文のタイトル，『Conservation Reconsidered (Krutilla 1967)』は，保全の新しいテーマに焦点をあてている．資源アメニティに関する初期の研究は生態系サービスではなくレクリエーションや原生保護に集中したが，生態系サービスにも同様の分析枠組みを容易に適用できた．クルティラは，技術は資源アメニティの代替物を提供するよりも資源産品の代替物を提供することのほうがはるかに容易にできる，という強力な議論を展開した．その結果，資源アメニティの相対的な価値は，時間とともに増加することになる．これは読み替えると，特に将来の価値が不確かで，保護される環境の損失が不可逆である場合に，開発の決定に対して重要な意味合いを持つことになるだろう．

資源投入物の採取から廃棄物の排出に至るまで，多くの経済活動が資源アメニティに被害を与えている．ダムや分水路計画は農作物の潅漑に水を供給する．これは，農業生産を非常に高め，17%の潅漑された耕地から農作物の40%が生産されている(WRI 2000)．しかし，上流で潅漑用に水を引き込めば，下流での水利用の可能性を下げてしまい，潜在的には悲惨な影響を伴うことになる．おそらく最も極端な例として，アラル海がある．潅漑による引水の結果，アラル海は1990年代の前に急激に縮小した．湖にいた24種の魚のうち20種は，その結果消滅した（WRI 2000)．北極圏国立野生生物保護区の原始状態そのままにある荒野での石油採掘による潜在的な環境影響から，さらに一般的には，二酸化炭素排出の世界の気候への影響にいたるまで，どのような形でも天然資源アメニティに影響しないような天然資源の採取と利用の方法など想像すら困難である．

生態系と資源アメニティの供給の鍵となるのは，生態系の要素間の密接な関係である．天然資源産品の商業開発は，一般的には生態系のなかのせいぜい少数の要素を考慮するにすぎない．しかし，一つの要素の採取や過剰な量の追加は，生態系の全バランスを崩壊させることで予期せぬ結果を招く可能性もある．生態系についての我々の理解は不完全であり，異なる用途によって，あるいは資源アメニティを長期的に提供する能力によってどのような影響を受けるのかは不確実性が高い．この複雑さは，生態系の様々な要素の所有権をどのように割当てるか，また，商業開発による全ての外部性を前もって同定できないときにどのように内部化するか，という重要な問題を提起する．

資源アメニティは社会制度に対して管理の難題を突き付けている．これらのアメニティを提供する天然資源は多くの場合，オープン・アクセスな資源であり，その財とサービスの多くは公共財である．したがって，天然資源アメニティに対して人々は，天然資源産品と全く異なる成果を期待しているのである．天然資源産品と天然資源アメニティの相互依存関係は，天然資源・環境政策は個々の資源を単独に考えるのではなく，生態系をもれなく，まさに環境全体として見なければならないことを示唆している．

## 実証的な考察

有限な自然界における技術進歩と限界収益逓減との「レース」では，次世代における展望はどちらのトレンドがより速い速度で進んでいるかに依存している．問題の多くは突き詰めると，技術進歩が限界収益逓減を克服できるかどうかという単純な実証的問題に思える．技術に関する悲観論者とその反対の楽観論者は過去から存在しており，そのパターンは今日でも続いている．

現在までのところ，天然資源産品に関する実証的な証拠によると，技術進歩に大変有利に働いている．迫り来る破局についての多くの予想は，少なくとも今のところ現実になっていない．新しい埋蔵量の発見や開発，資本の代替，資源採取や産品の生産の技術進歩は，多くの天然資源産品について一般的に価格の低下傾向につながった．過去の将来予測に何らかの系統的なバイアスがかかっていたとすると，それは天然資源の希少性を克服する技術進歩の能力に対する過小評価である．例えば，石油供給の予測では，長年石油の将来価格は過大評価され，石油生産を過小評価してきた（Lynch 2002）．こうした状況は，自然環境に由来するアメニティの財・サービスについてはほとんど分かっていない．

### 資源産品

資源の希少性の指標として三つの経済的な基準が用いられてきた．すなわち，価格，採取費用，ユーザーコストである．これらの三つの指標は，最適な資源採取のための基礎的な一階の条件を通して次のように関連づけられる.

$$P = C_q + \lambda$$

ここで，$P$ は採取された資源の価格，$C_q$ は限界採取費用，$\lambda$ はユーザーコストを示す.

ユーザーコストは，現在の枯渇に伴い，再生可能資源の再生ができなくなったことおよび再生不能資源の将来利用ができなくなったことを含む採掘費用以外の経済的費用をとらえたものである．採取することで不可能となってしまう費用から構成されている．さらに，例えば，より豊富な資源ストックによって採掘や収穫の費用が減少する可能性といったような，採取の純便益に対する資源ストック自体のさまざまな寄与も含まれている.

Barnett and Morse（1963）は，主に採取費用に注目した．採取費用は，生産物を一単位産出するのに必要とされる労働と資本の量として計算される．この基準は，限界収益逓減と有限な天然資源のもとでは，需要が増加し資源枯渇が生じるにつれて天然資源を利用する費用が増加するはずであるとの古典派経済学の見解に基づいている．採取費用の増加傾向は技術進歩によって相殺される可能性がある.

1870年から1958年にかけてのアメリカにおける農業，鉱業，林業，商業的漁業についてのデータが検討された．この期間に人口は4倍に増加し，年間の産出高は20倍に，採取産業の産出高は約6倍に増加した．急速な人口増加と経済成長が起こったこの期間は，限界収益逓減と技術進歩の相対的な影響について試算するよい例となるだろう.

農業の産出高はこの期間で4倍に増加したが，資本と労働の両方を含めたときの単位あたり費用は2分の1に減少し，労働だけを考えた場合は3分の1になった．農業生産の費用は実際，1920年以降により急速に減少した．この期間に経済はより鉱物集約的になってきており，鉱物資源の利用は40倍に増加した．それでも，鉱物生産の単位あたり採取費用は著しく低下してきた．その低下率は1920年以降増大していた．商業的漁業でも採取費用が減少した．林業の単位あたり採取費用だけが上昇した．ただし，産出高と単位あたり費用のどちらも1920年以降は次第に横ばいになりつつあった．これらのことから，データからは資源の希少性が増加しているとの強い希少性の仮説は支持されないとの結論に至った（Barnett and Morse 1963）.

弱い希少性仮説では，経済全体の技術進歩があるため，天然資源産業における希少性の増加を認識することが困難であると考える．この弱い仮説は，資源部門における単位費用の動きについて非資源部門の単位費用と比較して検討を行うことで確かめられる．鉱物部門の単位費用は，非資源部門の減少率の1.5倍以上の率で低下したことが示されている．労働のみが投入の指標として使われた場合は，1929年か

**表3-1　単位あたり採取費用（1870～1958年）**

| | 1870–1899 | 1900 | 1910 | 1919 | 1929 | 1937 | 1948 | 1958 |
|---|---|---|---|---|---|---|---|---|
| **単位産出高あたり労働・資本費用** | | | | | | | | |
| 非採取部門GNP | 136 | 126 | 115 | 118 | 100 | 102 | 80 | 68 |
| 農業 | 132 | 118 | 121 | 114 | 100 | 93 | 73 | 66 |
| 鉱業 | 211 | 195 | 185 | 164 | 100 | 80 | 61 | 47 |
| GNPに対する農業の相対比 | 97 | 94 | 105 | 97 | 100 | 91 | 91 | 97 |
| GNPに対する鉱業の相対比 | 155 | 155 | 161 | 139 | 100 | 78 | 76 | 69 |
| **単位産出高あたり労働費用** | | | | | | | | |
| 非採取部門GNP | 162 | 137 | 121 | 126 | 100 | 103 | 83 | 69 |
| 農業 | 151 | 130 | 130 | 115 | 100 | 92 | 66 | 53 |
| 鉱業 | 285 | 234 | 195 | 168 | 100 | 96 | 65 | 45 |
| 林業 | 59 | 65 | 67 | 108 | 100 | 104 | 88 | 90 |
| GNPに対する農業の相対比 | 93 | 95 | 107 | 91 | 100 | 89 | 80 | 77 |
| GNPに対する鉱業の相対比 | 176 | 171 | 161 | 133 | 100 | 93 | 78 | 65 |
| GNPに対する林業の相対比 | 36 | 47 | 55 | 86 | 100 | 101 | 106 | 130 |

出典：Barnett and Morse（1963），表6,7,8

ら農業の費用は低下し，資本と労働をともに使った場合はおおむね一定である．もちろん林業では，依然として資源の希少性が増加していることを表している．表3-1に，Barnett and Morse（1963）が推定した単位費用の要約を示す．

天然資源産業の費用推定は，『続・希少性と成長』において1970年まで更新され，アメリカ以外の地域の結果も追加された（Barnett 1979）．結果は本質的に同じであった．つまり，農業，鉱業および採取部門は，採取単位あたりの労働が大きく低下し続けたことが示された．労働に資本を加えた値も減少したが，その速度は比較的遅かった．1970年代のアメリカにおける石炭と石油の採掘費用が統計的に著しく増加していることを見出した者もいたが，これは希少性の変化というよりも市場支配力の行使によるものだと考えられる（Hall and Hall 1984）．金属の採掘費用の低下は1970年代を通じて続いた（Hall and Hall 1984）．いくつかの天然資源価格は，1960～1970年の間に非資源産品の価格と比較して上昇したとの証拠は不十分である（Barnett 1979）．

バーネットはまた，『希少性と成長』が環境影響を資源産品の希少性の増加よりも重要な関心事としてとらえていることを見出した．汚染対策費用はその時点での生産額の約２％であり，これは比較的小さな値だと考えられた．2000年までに対策費用を生産額の３％にまで増加させると計画する，より積極的な削減政策では，予測年経済成長率が最大0.1％押し下げられるであろう（Barnett 1979）.

投入の指標として，労働もしくは労働と資本を用いることの欠点は，エネルギーや環境サービスを含む他の重要かもしれない投入を含んでいないことである．単位生産あたりの労働と資本の費用の低下のうちのいくらかは，エネルギーが資本と労働に代替したことによるものである．鉱業のエネルギー投入一単位あたりの生産額は，1919年から1950年代中頃まで増加し，その後ピーク時の２分の1まで減少した（Cleveland 1991）．農業では，単位エネルギー投入あたりの生産が1910年から1973年の間に減少し，エネルギー価格が上昇した1970年代中頃から1980年代初期にかけて増加した．同様のパターンが林業でも生じた．

『希少性と成長』と『続・希少性と成長』の間の期間，天然資源の利用のダイナミクスに関する重要な研究がなされた．この理論的進展によって，資源の希少性の指標として採取費用を用いることの欠点が指摘された．採取費用は本質的に静的な指標であり，天然資源の希少性を示すために重要な将来の影響を捕らえていない．さらに，採取費用は，市場の供給面だけの情報しかつかめない．採取費用が減少するよりも速く需要が増加している時には，採取費用は希少性が減少しているという誤った暗示を与えるだろう．その逆の可能性もあり，技術進歩によって特定の資源の用途をほぼ代替する物が開発されたとき，採取費用は増加するかもしれない．

価格とユーザーコストという上記以外の二つの資源希少性の経済的指標は，資源の需要についての情報と，将来の需要と利用可能性に関する期待とを少なくとも可能な範囲で組み込んでいる．このため，それらは一般に資源の希少性の指標として良く用いられている（Brown and Field 1979, Fisher 1979）．資源価格は，ユーザーコストと現在の採取費用の両方を捕らえているため，「一単位の資源を得るために支払われた，直接的・間接的犠牲をまとめたものになる」だろう（Fisher 1979）．ユーザーコストは未採取の資源の希少性の最も良い基準となるかもしれない．20世紀中ほとんど常に，天然資源産品価格は一般的に一定もしくは下降の傾向にあった．このことは，特に鉱物価格にあてはまった．鉱物資源は再生不能資源であるので，希少性が増加し，それに伴って価格が上昇するだろうと思われていた．ところが，20世紀中に鉱物価格は全般的に低下したのである（Sullivan et al. 2000）．図3-1から図3-4にかけて，銅，鉛，石油および天然ガスの長期価格曲線を示す．

再生不能資源の価格のこうした低下傾向の例外は，1945年から1980年代の初めまでの期間である．この期間の大部分で，銅，鉄，ニッケル，銀，錫，石炭，天然ガス，鉱物骨材など多くの再生不能資源の価格が，上昇傾向にあった（Slade 1982）．ほとんどすべての鉱物価格は，1970年代，特に1973年の石油禁輸後に上昇した．この傾向は，枯渇による価格の上昇圧力が技術進歩による低下圧力を十分に上回るこ

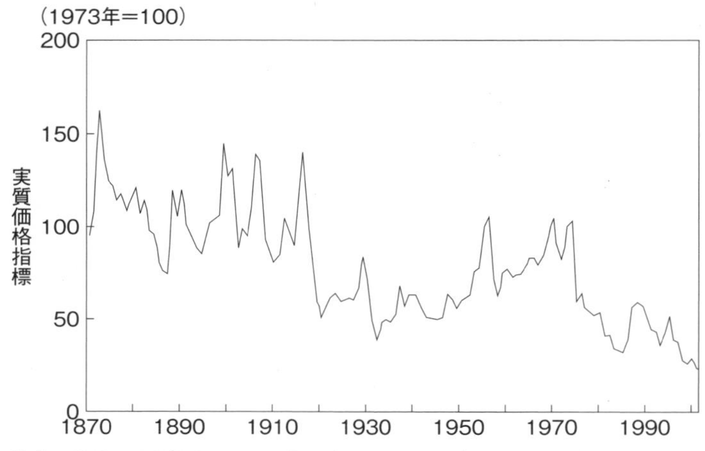


出典：1870～1973年は Manthy（1978），1967～2001年は U.S. Geological Survey, *Mineral Commodity Summaries*. 1967～1973年のデータはこれら二つの出典で若干異なるため，二つの平均を用いた．全般の傾向には影響しない．

**図 3-1　銅の実質価格（1870～2001年）**

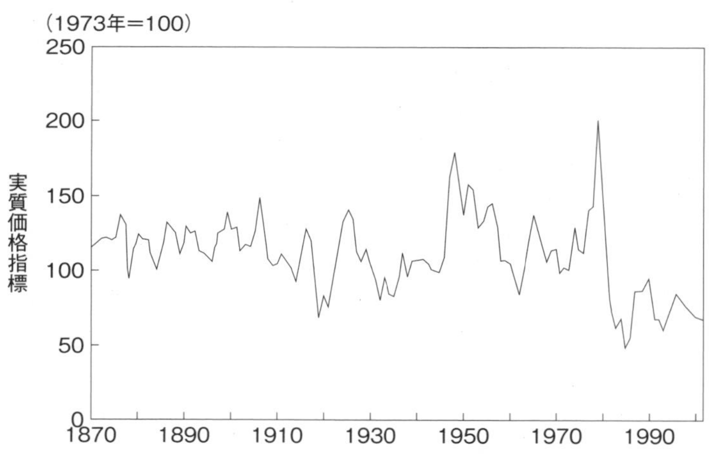


出典：1870～1973年は Manthy（1978），1967～2001年は U.S. Geological Survey, *Mineral Commodity Summaries*. 1967～1973年のデータはこれら二つの出典で若干異なるため，二つの平均を用いた．全般の傾向には影響しない．

**図 3-2　鉛の実質価格（1870～2001年）**

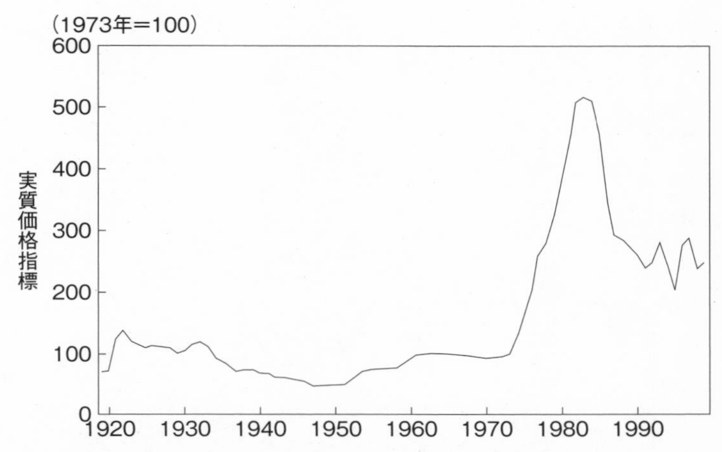


出典：1919〜1973年は Manthy (1978), 1968〜1999年は Energy Information Administration, Department of Energy, *Annual Energy Review*. 1968〜1973年のデータはこれら二つの出典で若干異なるため，二つの平均を用いた．全般の傾向には影響しない．

**図 3-3　天然ガスの実質価格（1919〜1999年）**

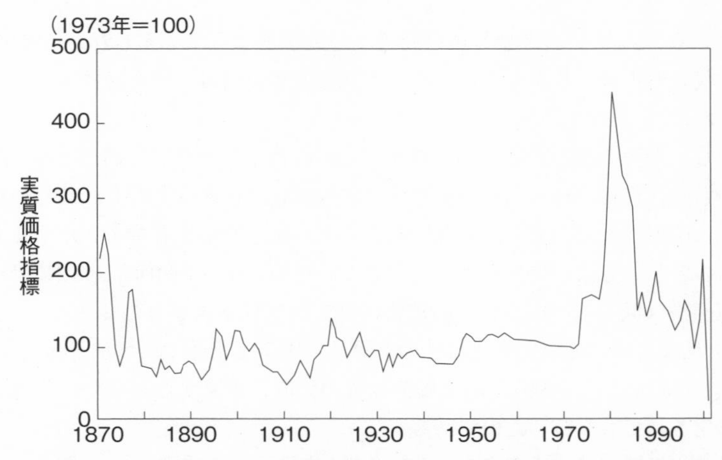


出典：1870〜1973年は Manthy (1978), 1949〜2000年は Energy Information Administration, Department of Energy, *Annual Energy Review*. 1949〜1973年のデータはこれら二つの出典で若干異なるため，二つの平均を用いた．全般の傾向には影響しない．

**図 3-4　石油の実質価格（1870〜2000年）**

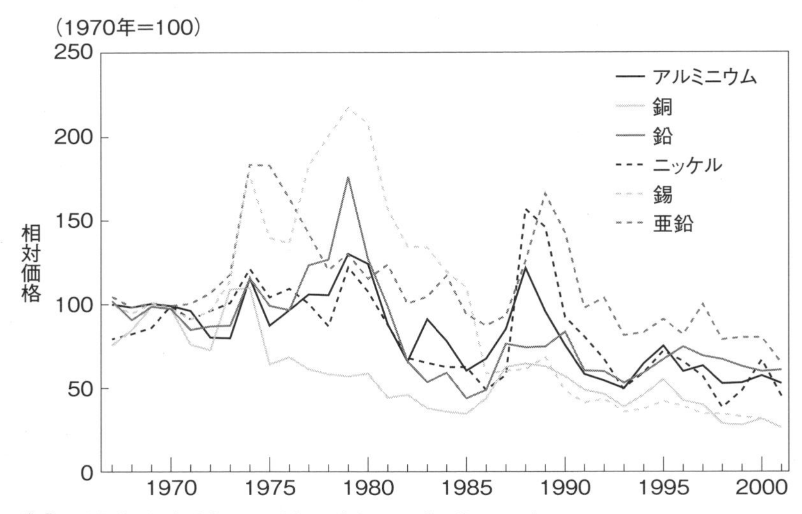


出典：U.S. Geological Survey, *Mineral Commodity Summaries*

**図 3-5　代表的な鉱物価格（1967～2001年）**

とで生じるであろうU字型の価格曲線と一致するように考えられた（Slade 1982）．この時代のあらゆる状況からは，再生不能資源の価格は上昇を続けるように思われたのである．

しかし，鉱物価格の上昇は続かなかった．経済は様々な形で価格上昇に反応した．すなわち，代替物が作られ，研究開発は省資源化技術を作りだし，新しい埋蔵量が発見され開発された．また，資源回収や，より低品位の埋蔵量を利用する費用低減のための新しい方法が発見されるなどした．その結果，1980年代初頭にはほとんどの鉱物価格は低下し，いくつかの鉱物の価格低下は相当なものであった（図3-5を参照）．鉱業における全要素生産性の上昇は，製造業全体での増加を超えた（Humphreys 2001, Parry 1999）．鉱物価格は資源採取に由来する環境の外部性がある程度内部化されても下落したのである．

1970年代半ば以降の総産出高における鉱物資源集約度の著しい下落は，費用がより高くなった投入を代替する能力を示す証拠である（Tilton 1989）．銅鉱石を製錬するための溶媒抽出電解採取（SX-EW）法の開発は，技術進歩の成果の一つの例である．このプロセスは溶練と精製プロセスを省くことで費用を大幅に削減し，以前の鉱山操業で取り残した鉱石も含めて，はるかに低品位な銅鉱石の利用を経済的なものとした．（Tilton and Landsberg 1999, Bunel 2001）．銅の価格は1980年代の

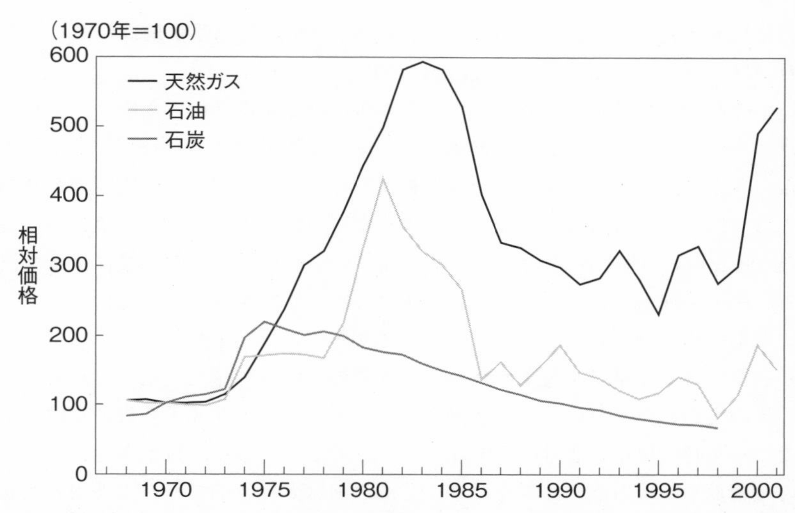


出典：Energy Information Administration, Department of Energy, *Annual Energy Review*

**図3-6　化石燃料価格（1968〜2001年）**

終わりに上昇したが，それ以降は，将来の銅の需要と採掘費用に関する以前の心配をよそに，1979年水準より大幅に低下した（Brobst 1979, Goeller 1979）．

化石燃料の実質価格も，1980年代初期のピークから下落した（図3-6を参照）．特に石油はそれを明確に示している．北アメリカとヨーロッパの消費量と一人あたりの消費量は，1979年の石油価格の急騰に続く1980年代の初めに低下した．原油の実質価格が低下するとともに1980年代中盤以降は徐々に消費量が増加したものの，アメリカとヨーロッパにおける一人あたりの消費量は1980年の水準以下にとどまった．現在の北アメリカの総消費量は，1978年のピークをわずかに上回っているが，ヨーロッパの総消費量は未だ1979年のピークには届いていない．先進諸国での消費の低下は，1990年代に特に中国において消費が倍増したことによってアジア太平洋地域の消費量が増加したことで相殺された．

コンピューター技術や傾斜掘の開発は，いずれも『続・希少性と成長』では予想されていなかったが，探査と開発の費用を大幅に下げ，既存の油田からの回収を増進させた．アメリカにおける発見と開発の費用は20年前の3分の1にまで下がった（*Economist* 2001）．世界の原油の確認埋蔵量は，1980年末の6,600億バレルから1990年末には1兆90億バレルに増加した．1991年から2000年までの消費量は約2,500億バレルあったが，2000年末の確認埋蔵量は1兆460億バレルになった．アメリカは1990年代に280億バレルの石油を生産したが，確認埋蔵量は41億バレル減少しただけであった（British Petroleum 2001）.

地中の石油の量は有限なので，生産を無限に増やすことはできない．つまり，いずれピークに達し，最終的にはゼロにまで減少するのである．ハバートは，生産技術から考えて，生産量と時間の関係は初期では正の指数関数的な成長率を持ち，そしてゼロにまで指数関数的に減少するようなベル型の曲線をたどるであろうと主張した（Hubbert 1969）．この曲線以下の面積は回収可能な石油の量によって決定される．Hubbert（1969）はこの考えと利用可能な総埋蔵量の推定値によって，アメリカ本土48州下での石油生産のピークが1970年付近だと予想した．

ピーク時の生産量は予想より高かったものの予測は的確だった．しかしながら，その後の実際の生産量の低下は予測より緩慢であった．2000年の生産量は，予想されたピーク時の生産の3分の1でなく約2分の1であった．技術開発によって，既存の埋蔵量からの石油の回収率は増加し，以前は非経済的であった油田の開発ができるようになった．世界全体の石油生産のピークは，埋蔵量推定の下限と上限のどちらが正しいとしても，1990年から2000年の間に生産のピークを迎えると予測された．実際の生産量はベル型曲線にはならずに，1979年に一時的なピークに達してから，1980年代の初頭に下落し，1980年代終わりから1990年代にかけてゆっくりと増加を始めた．アメリカの天然ガス生産にも同様のパターンが言え，1980年にピークに達するとハバートは予測した．このことは，生産は生産技術によって決まるわけではなく，市場の状況や技術革新によって変化することを示している（Cleveland and Kaufman 1991）.

他の主な天然資源部門では生産性が増加し，価格は低下した．マルサスの人口と食料供給についての予測は外れ，食料生産が人口成長を上回った．過去2世紀のほとんどにおいて食料生産の増加は，より多くの土地を開墾し，既存の農地をより集約的に利用した結果であった．農作業の役畜をトラクターの力に転換したことで，人が消費するための農産物をより多く生産することを可能にした．1920年代には，アメリカの穀物耕作地の約4分の1から得られる生産物が家畜に与えられていた（Johnson 2002）.

ハイブリッド・トウモロコシが導入された頃，1800年から1930年の1ヘクタールあたりのトウモロコシ収量（単収）は比較的一定だった．トウモロコシの単収は1950年までに1.5倍になり，1950年から1984年の間には3倍になった．1エーカーあたりのアメリカでの小麦収量は，1800年から1950年では比較的一定だったが，その後1950年から1984年の間に2倍以上になった（Johnson 2002）．1996年から1998年までのアメリカの穀物平均単収は，1986年から1988年に比べ22％高かった．世界

**表 3-2　実質産品価格（ドル，1960～1995年）**

| | 1960 | 1965 | 1970 | 1975 | 1980 | 1985 | 1990 | 1995 |
|---|---|---|---|---|---|---|---|---|
| **農産物** | | | | | | | | |
| トウモロコシ | 100 | 122 | 111 | 126 | 83 | 78 | 52 | 50 |
| 米 | 100 | 106 | 97 | 146 | 110 | 55 | 52 | 52 |
| モロコシ | 100 | 120 | 113 | 136 | 98 | 82 | 57 | 55 |
| 大豆 | 100 | 122 | 105 | 109 | 93 | 73 | 56 | 49 |
| 小麦（アメリカ） | 100 | 98 | 78 | 118 | 86 | 71 | 48 | 53 |
| 牛肉 | 100 | 115 | 146 | 83 | 108 | 88 | 72 | 45 |
| 魚粉 | 100 | 157 | 140 | 97 | 125 | 73 | 74 | 74 |
| **鉱物** | | | | | | | | |
| アルミニウム | 100 | 90 | 91 | 73 | 83 | 62 | 67 | 62 |
| 銅 | 100 | 183 | 172 | 84 | 93 | 63 | 81 | 75 |
| 金 | 100 | 94 | 83 | 207 | 491 | 269 | 223 | 187 |
| 鉄鉱石 | 100 | 86 | 71 | 69 | 71 | 70 | 56 | 41 |
| 鉛 | 100 | 153 | 126 | 96 | 131 | 59 | 84 | 55 |
| マンガン鉱 | 100 | 83 | 52 | 72 | 52 | 49 | 80 | 40 |
| ニッケル | 100 | 102 | 144 | 128 | 115 | 91 | 112 | 88 |
| 銀 | 100 | 136 | 160 | 221 | 648 | 202 | 109 | 99 |
| 錫 | 100 | 170 | 138 | 143 | 220 | 159 | 57 | 49 |
| 亜鉛 | 100 | 121 | 99 | 138 | 89 | 96 | 127 | 73 |
| **化石燃料** | | | | | | | | |
| 石炭 | 100 | 88 | 100 | 222 | 199 | 157 | 116 | 88 |
| 天然ガス | NA | NA | 100 | 187 | 440 | 532 | 298 | 232 |
| 石油 | NA | NA | 100 | 174 | 320 | 273 | 187 | 117 |
| **林産物** | | | | | | | | |
| マレーシア丸太 | 90 | 94 | 100 | 87 | 158 | 103 | 103 | 125 |
| 合板 | NA | NA | 100 | 65 | 92 | 75 | 86 | 119 |
| 挽立て材 | 103 | 104 | 100 | 71 | 79 | 64 | 76 | 89 |
| 木材パルプ | NA | NA | 100 | 138 | 105 | 86 | 115 | 101 |

注：データの入手可能性によって，価格は1960年か1970年価格に対するパーセントで表されている．
NA＝データなし
出典：食料，鉱物，林産製品のデータは WRI（1998），化石燃料のデータは，Energy Information Administration, Department of Energy, *Annual Energy Review*, www.eia.doe.gov.

の穀物単収の増加は少し低く，17％であった（WRI 2000）．このような農業の生産性の上昇によって，食料の入手し易さが増して価格が低下した．トウモロコシ，米，大豆，小麦および牛肉の価格は，1960年の水準の約2分の1となった（WRI 1998）．表 3-2と図 3-7を参照のこと．

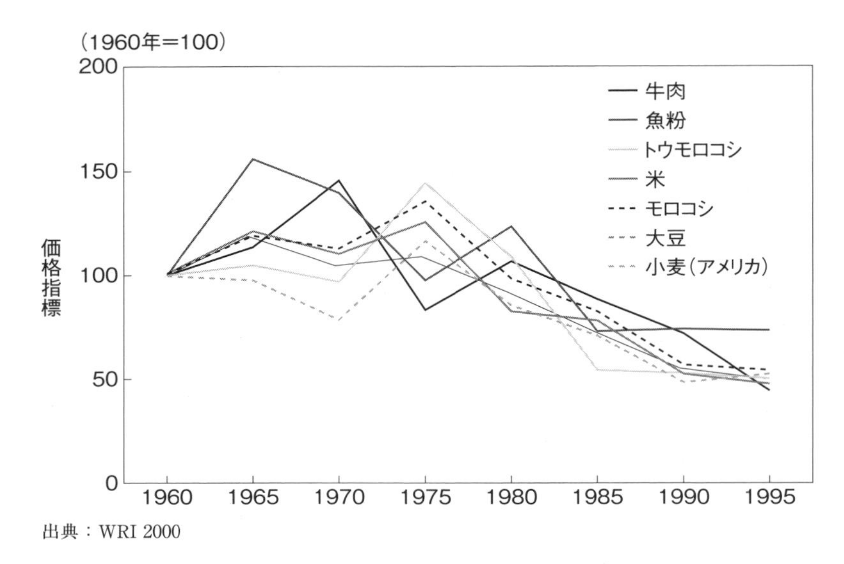


出典：WRI 2000

**図 3-7　代表的な食料品価格（1960～1995年）**

世界の森林からの繊維生産量は，1960年から50%増加した．北アメリカとヨーロッパでの木材生産は基本的に二次林からであり，実際，先進国における森林面積は過去20年間で実際には広がってきた（WRI 2000)．林産物は他と同様の一般的な価格下落の傾向を示してはいないが，明らかな上昇傾向もない．表 3-2と図 3-8を参照のこと．

水産養殖は漁獲量全体の20%以上に増加したが，海洋漁業の漁獲量は，あまり捕られていない海域まで漁場を広げたことが主な理由で1950年から 6 倍に増加した（WRI 2000)．しかし，多くの古い漁場では，魚の乱獲によって漁獲量はずっと少なく，漁場の75%が過剰に捕られていたと推定される．このことの一つの兆候として，高級魚の漁獲量が減少している一方で，価値の低い魚種の漁獲量が増加している点が挙げられる．既存の漁場での漁獲量増加の見通しは明るくない（WRI 2000)．供給源が天然から商業的生産に移り変わるにしたがって天然漁場からの漁獲量はピークに達し，養殖業からの生産量が伸びることで天然漁業の生産が脅かされている．

天然資源のユーザーコストまたはレントの価値は，存在している資源ストックの限界価値を適切に測る最も良い方法である．不幸なことに，ユーザーコストやレントの価値についての情報は一般には手に入れられない．多くの天然資源ストックは

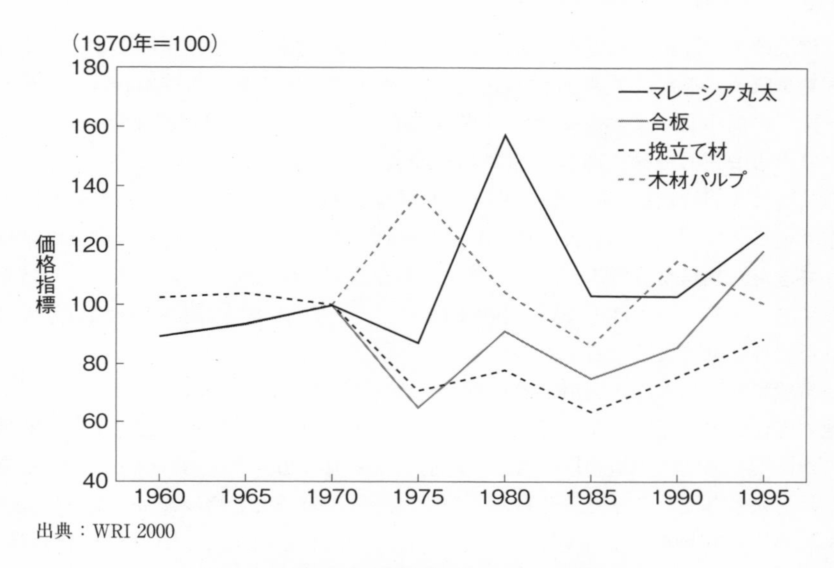


出典：WRI 2000

**図3-8　代表的な林産物価格（1960〜1995年）**

取引きされないか，されていても機会は少なく，取引されているものでも資源ストックとして正しく扱われることはほとんどない．それでも，ユーザーコストを時系列で把握する努力がなされており，再生不能資源価格の動向に関する最も実証的な分析では，ユーザーコストは時間とともに増加することなく下落したことが分かった（Krautkraemer 1998）．注目すべき例外としては1940年から1970年においてダグラスファー材用の立木価値は上昇した（Brown and Field 1979）．

### 資源アメニティ

天然資源アメニティの希少性を評価することはさらに困難である．これらの財とサービスは，一般的に市場で取引されておらず，そのため価格と費用のデータは入手できない．その代わりに希少性の物理的な指標を見るべきだが，そこでも天然資源産品のデータと比べてデータはたいへん乏しい．加えて，天然資源産品の物理的な指標は，鉛，銅，亜鉛が何百万トン，石油が何バレル，天然ガスが何兆立方フィートのように比較的均質な資源について得られるのに対して，同じことを天然資源アメニティに行うことはできない．アメリカ北東部の森林1ヘクタールは，アマゾン川流域やアラスカの温帯雨林の1ヘクタールとは同じではない．総計されたデータを使用していては，重要な地域的問題を隠してしまう．

環境政策は近年，特に先進国においてアメニティ価値を保護することにいくぶん成功を収めてきた．アメリカでは，基準となる大気汚染物質の排出を減少させており，その減少はいくつかのケースで大幅なものであった（WRI 2000）．また，アメリカとヨーロッパの水質は全般的に改善されてきている（WRI 2000）．これらの成功は人間の福祉に直接影響を与える環境要因に関わっており，質が落ちた生態系サービスの損失よりも目に見える形で現れやすい．なかにはより保護され維持されてきた自然環境もあるが，それでもなお注意を喚起しなければならない．技術的なイノベーションだけでない，制度的なイノベーションへの関与が環境資源の効率的な管理に不可欠となるであろう．

自然状態から人間が利用するための土地への転換，あるいは人間の利用による土地の劣化が主な原因となって，生態系サービスは損失を受ける．19世紀から20世紀にかけて，人間の土地利用が著しく増加し，土地の40％から50％が今日では転換または劣化されてしまった．さらに，人間は，海洋の一次生産の８％，温帯の大陸棚からの一次生産の35％をも専有する（Vitousek et al. 1997）．人間の土地利用による影響は，利用されている場所から遠く離れた場所にまで及ぶことがある．地表流水に含まれる肥料の窒素によって，メキシコ湾のミシシッピ河口で巨大な「デッドゾーン（酸欠海域）」が発生してきた．

上記の40～50％という転換率は，森林地のデータと一致している．現在の森林面積は，世界に元々あった原生林の半分をわずかに超えているにすぎない（1996年で53.4％）．未開拓森林（比較的乱されず手つかずの森林生態系）は，原生林のわずか21.7％にすぎず，未開拓森林の約40％が脅威にさらされており，これは人間活動によって生態系の健全性に著しい損失を招く可能性を示唆している（WRI 2000）．世界的にはおよそ6,000種の樹木が危険にさらされている．森林は様々な生態系サービスを提供している．また森林は，空気や水の汚染物をろ過し，地表流水の流れを調整して洪水を抑制し，土壌を保全し，川や海岸の泥を減少させる．炭素を吸収し，気温変化を緩和する．そして，多様な種に生息地を与える．森林が他の用途に転換されると，これらのサービスは失われることになる．

種の数が分からず，生物多様性を測る単一の指標がないので，その程度を測定することは難しいが，土地の転換は生物多様性を減らしてきた．実際には，種の損失の量は通常，生息地の損失の量から評価される．これらの推定では一般的に，自然に起こる100～1,000倍の速さで種が失われているとしている（Vitousek et al. 1997）．生息地の転換によって危険にさらされている特定の地域で生存する種を同定することは比較的容易である．こうした種には，アメリカ西部だけでも灰色グマやオオカミ，野生の太平洋サケ，キジオライチョウが該当する．

化石燃料消費や森林破壊に起因する二酸化炭素の大気中における蓄積によって生じた世界的な気候変動は，人間が生態系サービスに重大な影響を及ぼすことになるもう一つの道である．産業革命以降，二酸化炭素の大気中濃度は，1860年の286～288ppmから1998年の367ppmへと着実に増加している（WRI 2000）．現在の濃度は過去42万年で最高である．メタンの大気中濃度は，1750年から151％増加した（IPCC 2001）．世界の平均地表温度は，摂氏約0.6度（華氏1.1度）増加し，1990年代は観測史上最も暖かい10年であった．世界的な温度と気候は自然現象として変動するが，過去半世紀の温暖化のほとんどが温室効果ガスの増加によるものであるとの意見の一致は進んできた（IPCC 2001）．生態系が適応できるよりも速く気候変動が起これば，多くの生態系が損害を受けるだろう．143の研究についてメタ分析を行った例では，「地球温暖化の重大なインパクトは，動物と植物の数によって既に認識可能である」ことが分かった（Root et al. 2003）．

アラスカは，既に著しい変化を経験しているように考えられる．アラスカの大部分の平均気温が氷点に近いので，気温上昇は重大な影響を及ぼすことになる．永久凍土が溶けると建物や道がたわみ，海氷は著しく薄くなる．より暖かい気温によって，甲虫がトウヒ林を破壊するようになった（Egan 2002）．さらに，珊瑚礁は生存できる最高温度よりわずかに低い温度で成長するため，温度上昇に弱い．

国連開発計画，国連環境計画，世界銀行および世界資源研究所による最近の研究では，世界の主な生態系の状況を包括的にとらえる定性分析が試みられた．研究では，様々なサービスを提供するいくつかのタイプの生態系――農業，海岸，森林，真水，草地――の環境容量が評価された．具体的には，食料と繊維，水の量，水質，生物多様性，炭素貯蔵，海岸線保全，木質燃料，そしてレクリエーションが取り上げられた．それぞれの生態系で，これら様々な生態系サービスを提供する環境容量について，その状態と変化の方向性が評価された（WRI 2000）．

結果は，厳しくはないが不吉なものであった．5つのタイプの生態系と8つのタイプのサービスについて，それぞれの状態と容量変化に対して40の可能性があり，これらのうち24について評価することができた．この分類のうちの6つは良い状態にあり，まずまずの状態が12，不十分な状態が5，悪い状態が1つ（淡水の生態系の生物多様性）あることが分かった．さらに気がかりなことに，容量はこれらの24の分類のうちの18で減少し，3つは増減相半ばし，1つだけが増加した（2つは評価されなかった）．全体として，我々が依存する財とサービスの多くを生産し続ける生態系の容量は低下しているという兆候が少なからず見られた（WRI 2000）．

## 理論的な考察

天然資源産品の実証的なデータは，希少性が増加していることを示唆していない．しかしながら過去の成功は将来の成功までも保証しない．人口と経済の成長は，天然資源産品の需要を増加させ続けるであろうし，さらに重要なことには，自然環境へのストレスをさらに高めることになるだろう．天然資源産品の希少性が増加することによって，一般的に，希少性を改善する様々な対応が少なくともある程度まで引き起こされる．資源アメニティについては，その性質からして同じことは言えない．つまり，これらの財とサービスは一般に市場で取引されていないため，対応を引き出す価格のシグナルがないのである．それに関する問題を検知することははるかに困難であり，対応は集団の行動全体に左右される．人が資源産品の将来の利用に楽観的であっても，将来の資源アメニティの利用に悲観的であることはあり得るのである．

天然資源産品がさらに希少になっていこうとも，等しい水準の財とサービスを生産するために，より低い水準の資源投入で経済的な生産を維持することができるかもしれない．これは，技術進歩や，より豊富に存在する代替物の投入によって達成可能であろう．不可欠な再生不能資源に依存している経済を維持できるメカニズムとはどのようなものであるかという問題は，1970年代に高度に様式化された最適成長モデルで検討された．その結果は『続・希少性と成長』における重要なテーマとなっていた（Stiglitz 1979, Daly 1979）．

単純な枯渇モデルでは，技術進歩が所与の資源投入から得られる産出量を増加できるならば，それは資源ストックが増加することと同じである．技術進歩によって有効な資源ストックが増加するまで経済が十分に耐えられるのであれば，正の経済成長は持続する（Stiglitz 1974）．

資本蓄積の効果と資本・資源の代替の効果は似ている．単純な資本成長モデルでは，限界生産性が時間選好率よりも高いなら，資本は蓄積する．資本の限界生産性と性急さ（時間選好率）が釣り合うとき，経済は定常状態に移行する．資本と再生不能資源の両方を組み入れた成長モデルでは，資本の限界生産は再生不能資源の投入フローに依存する．資本が蓄積し，資源投入が減少するにしたがって資本生産性は低下する．より正確には，資本生産性がどうなるのかは，どれほど容易に天然資源の投入の代わりに資本サービスが代替できるかに依存する．ある投入のもう一つの投入への代替性を測る指標は代替弾力性である．代替弾力性は，二つの投入物の投入比率が変化するときの限界生産物の変化率を測ったもので，図式的には等生産量曲線の曲率によって表される（Stiglitz 1979）．

資本と天然資源の代替弾力性が1未満であるなら，資本が天然資源投入を代替する能力には相対的に限界がある．このとき，資源の平均生産物は上に有界であるので*，資源を消耗させることで得られる生産には限界がある．〔*訳注：資源の平均生産物は一定の値を超えることがないということ.〕つまり，産出高を持続することはできない．代替弾力性が1より大きいなら，代替の可能性は大きくなり，資源投入がゼロに近づくまで低下したとしても，経済成長を維持できる．しかし，資本の生産性が時間選好率を下回れば，その経済は下降するだろう．代替弾力性が1に等しいとき，資本の産出シェアが資源の産出シェアよりも大きい場合のみ，経済は持続することができる．この場合，資本生産性の行き着く下限はゼロであり，したがって，正の時間選好率を持つ経済は，資本蓄積によって成長を持続させるには性急すぎる（Dasgupta and Heal 1974）．

天然資源の代替として資本を用いる能力は，そのゆえ現在の希少性と成長の議論において重要な問題である．資本が天然資源利用の代替になる例を見つけることは比較的簡単である．例えば，断熱材と保熱ガラスは，室内温度を維持する必要なエネルギーを減らす．ミルクや飲料の容器のように，同じサービスがより少ない材料投入で得られる製品が再設計される場合は，プラスチックやアルミニウムの代替として人的資本サービスが用いられることが見られる．通信用の銅が光ファイバーに置き代わったように，新技術はある資源を他のより豊富な資源に置き換えることができる．その経済で生産された財の組合せは，資源集約度の大きい産品からより小さい産品に移行する可能性がある．アメリカでは1949年から2000年の間に人口が2倍に増え，一人あたりのGDPが増加するにつれてエネルギー総消費量は3倍に増加したが，国内総生産（GDP）を1ドル生み出すのに使われたエネルギーはおよそ2分の1にまで減少し，その減少のほとんどは1970年以降に達成された（Energy Information Administration 2002）．GDP 1ドルあたりの世界の一次エネルギー使用は1970年以降で25％以上減少し（Smith 2002），1990年代には年率1.7％で減少している（Darmstadter 2002）．単位GDPあたりの物質使用は1970年以降およそ3分の1減少している（Wernick et al. 1996）．

代替と技術進歩によって天然資源産品の制約を克服する能力は，生活水準を持続させるために必ずしも全ての生産的な資源産品を自然環境から採取する必要がないことを示唆する．資源産品と同等の代替物を利用する可能性が高いほど，自然環境を保護する機会費用は低くなる．確かに，資源アメニティ価値の損失を採取費用に含めると，この付加的な費用によって，代替物の利用や新技術の開発が早まることが保障されるかもしれない．継続的な経済福祉にとって石油が不可欠だとした場合と比べると，石油の代替物が容易に利用できれば，北極圏野生動物保護区を保全することのほうがより賢明となる．

天然資源の代替に資本を使う能力は，自然の物理的な法則の制約を受けている．物質投入量を永続的に減少させながら，物的産出水準を拡大し続けることは絶対に不可能である．資本と資源との代替，あるいは技術進歩では，その制約を克服できない．同じことはエネルギーにもあてはまり，得られる仕事量が投入されたエネルギー量よりも大きくはなりえない．耐久再生不能資源のリサイクルは，所与の資源ストックの利用年数を増加させはするものの，100％の回収や再利用は実際にはできないことであり，このプロセスが無限に続くことはない．したがって，経済の持続のためには，最終的には再生可能な天然資源の投入に依存しなければならないのである．資本の代替や技術進歩によって環境からのアメニティ財・サービスの損失を克服することのほうが，むしろ難しい．

時間選好率の重要さは，天然資源と環境を保全する主な動機として将来世代を衡平に扱うことを示すことである．正の社会的時間選好率は，社会厚生関数において現在世代と同じだけの重み付けを将来世代に与えないことを意味する．これは単に将来世代が将来に生きるというだけの理由で不当に扱うこととして解釈することができる．その経済の唯一の資産が有限な量の再生不能資源であるとき，これはとりわけ厳しいことになりうる．

しかしながら，時間が経過することで良いことが起こる可能性もある．正の時間選好率は，現在世代が将来世代より裕福であることを必ずしも含意しない．このことは，初期の資本ストックが比較的小さい場合の単純な資本成長モデルによって明らかである．その経済が資本を蓄積するにつれて，生産と消費は時間とともに増加する．時間選好率をゼロに，あるいは世代間に同じ重みづけをすることは，ただでさえ豊かさを享受することになる将来世代の福祉を増進させるために，（その効用が最も低い）第一世代にさらなる大きな犠牲を求めることになる．つまり，同じ現在の価値基準を当てはめると，技術の状況によっては，前の世代と後の世代とで相対的に扱いが大きく異なることになる．その結果，技術に対して悲観的な者と楽観的な者とでは，将来世代の倫理的扱いにおいて著しく意見が異なることになる．

社会的時間選好率の役割は，物的資本と自然資本の両方を考えた世界では，さらに複雑になる．低い割引率は天然資源の蓄積を増加させるという直接的な影響がある一方で，資源と環境の枯渇が早まるという間接的な影響がある．時間選好率が低ければ経済活動が刺激され，天然資源投入に対する需要が増加（Scott 1955），あるいは，土地保全を超える土地開発に対する需要が増加する（Rowthorn and Brown 1995）．多くの採取産業は資本集約的であるので，低い割引率によって，さらに速い資源採取を可能にするような採掘能力への投資を増加させてしまう

(Farzin 1984)．このことによって，特にオープン・アクセスな天然資源に関してそうだが，自然環境の永続的な維持がより難しくなってしまう可能性がある．

おそらく，将来のために天然資源と環境資産を残すのにより有効な方法は，これらの資産による経済的生産性への寄与をすべて考慮するよう保証することである．効率的な資産蓄積には，資産間で限界収益率が等しいことが必要である．ある資産の限界収益には，福祉に対するあらゆる貢献の限界価値が含まれている．環境資産は，効用関数や生産関数，生物学や生態学の成長関数に関連した形で，経済福祉を増進できる．例えば，保護された森林の限界収益には，水の濾過，浸食や堆積物の制御，炭素隔離，生息地，レクリエーションや美しい景色といったサービスの価値が含まれている．

環境資産の問題点は，全てではないにしても，ほとんどの生産上の貢献が市場を通じて計上されない社会的収益であることである．環境資産の収益が捕えられなければ，社会的時間選好率にかかわらず無視されることになる．この市場の失敗が修正されなければ，低い時間選好率によって，環境以外の資産へより多くの蓄積がなされることで，環境資産はより早く枯渇するかもしれない．個人としては，彼らの子供や孫のために，健康的な環境を含めたいろいろな資産に分散投資しようと望むかもしれない．しかし，彼ら個々人で環境資産を遺産として購入することはできない．環境がどのような状態にあるのかは，特定の個人の投資には左右されず，全ての人々の投資に依存しているからである．

この問題への適切な対応策としては，天然資源資産の全ての収益を考慮することを保証する政策であって，割引率を小さくすることでは必ずしもない．もちろん，適切な環境サービス会計を作ることは簡単なことではなく，環境の使用に数量制限を設けることは実用的な代案であろう．保安林，道路のない地域，農業土壌保全保留プログラム，鉱山の禁止区域，生息地保全地区，海岸線保全，開発保全区域といったことはすべて，効率性と世代間衡平性とに基づいて考えることによって初めてその意味を持つのである．このような保全地域も，技術進歩が天然資源産品の継続的な安定供給を可能にするという楽観論と矛盾しない．

## 要約と結論

実証的な証拠は，天然資源産品の希少性が顕著に増加してきたことを示さない．それどころかこれまでの証拠からは，人類の経済が，過去に未開発であった土地への拡張や技術進歩によってマルサスの罠を回避でき，人口と経済生産が大幅に増加したときでさえも，食料や森林，資源産品の安定供給を維持することを可能としてきた．

21世紀における人口と経済の成長は，天然資源産品の需要を大幅に増加させるだろう．たとえ人口成長が緩やかになったとしても，60億の人口が１％で増加することは30億人が２％で増加するのと同じ人数を加えることになる．発展途上国におけるより高い生活水準に対する願望は，技術進歩が天然資源産品の希少性の増加を防ぐべきという追加的な要求を生じさせる．これまで天然資源産品の需要増加に適応できたという歴史上の成功をもってして，将来の成功の保証には決してならない．農業生産を拡大するための耕作可能な土地は，ほとんど残っていない．その上，動物から機械動力への移行は今日までに終わっており，化石燃料からバイオ燃料への移行は，人が消費するための農作の生産に利用できる土地を減少させることになる．したがって，増加する食料生産の大半は，ヘクタールあたりの収量をさらに増加させることで補う必要があるだろう．穀物生産量についての我々の理解は，この数十年間で劇的に増加した．バイオテクノロジーによる新しい技術は，人類が破滅的な食料不足を回避し続けられるという楽観論を注意深く選び出す余裕を与える．

また，その他の天然資源産品の需要増加は，差し迫る資源希少性を克服し続けるような人類の創意を促すことだろう．前世紀と同じように，化石燃料の埋蔵量は消費量に比べて豊富であり，資源を発見し回収する技術は過去数十年間で大いに発展した．しかしながら，世界の石油供給は有限であり，永遠に供給を続けることはできない．次の10年，20年の間で世界の石油生産はピークを迎えるとする予想がいくつかある．石炭は石油よりも豊富であるが，一般に石炭エネルギーの環境上の弊害はより大きい．太陽熱・太陽電池，風力，地熱，バイオマスといった代替的な再生可能エネルギーには可能性がある．これらのエネルギー源が化石燃料と同じ生活水準を満たせるかは，今なお開発されている技術進歩に依存する．人は将来の可能性について楽観的にも悲観的にもなり得る．しかしながら，間近に重大な不足が待っているようには思えない．

同じことがほとんどの鉱物資源について言える．最も大きなジレンマは海洋漁業の状況であり，特に海洋の食物連鎖の一番上位に位置する種についてである．様々な制度の失敗によって，最も古い漁場の多くは乱獲され，そこでの生産性は今やピークをはるかに過ぎてしまっている．漁業は新しい漁場へと拡大したが，農業がそうであるように，既に拡張する余地はほとんど残されていない．より良い漁場管理だけが海洋漁業全体の生産性を改善するだろう．また特に，淡水の供給をより経済的で合理的な方法で管理しなければ，淡水の希少性はさらに多くの地域を脅かすことになる．

世界経済は，天然資源アメニティを保全するほどには成熟していない．天然資源アメニティの財とサービスは，その性質ゆえに市場と政府の様々な失敗の影響を受けることになる．これらの財とサービスの多くの便益は私的に利用できないため，天然資源産品の商業的開発の決定がなされるときに十分に考慮されることがない．その結果，世界の生態系の多くは荒廃してきた．天然資源アメニティの便益を私的に利用できないことは，自然生態系を保護したり回復させる技術開発に対するインセンティブを減少させる．さらに多くなる人口と経済成長によって，生態学的な圧力は増加するだろう．環境保護について大きな改善が行われないことには，将来の天然資源アメニティの利用可能性は危機的になる．

第一歩は，これらの財とサービスの過小評価につながる制度上の失敗を修正することである．この一歩は，持続可能性を効率性としてとらえても衡平性の問題として見たとしても必要になり，それ自身たいへんな仕事である．我々は，生態系がどのように機能しているのか全く分かっておらず，その多くの要素の相互依存関係から，単純な対処方法を設計することを困難にしている．

## 参考文献

Barnett, H. 1979. Scarcity and Growth Revisited. In *Scarcity and Growth Reconsidered,* edited by V. K. Smith. Baltimore: Johns Hopkins University Press for Resources for the Future, 163-217.

Barnett, H., and C. Morse. 1963. *Scarcity and Growth: The Economics of Natural Resource Availability*. Baltimore: Johns Hopkins University Press for Resources for the Future.

British Petroleum. 2001. *BP Statistical Review of World Energy*. London: British Petroleum.

Brobst, D.A. 1979. Fundamental Concepts for the Analysis of Resource Availability. In *Scarcity and Growth Reconsidered,* edited by V.K. Smith. Baltimore: Johns Hopkins University Press for Resources for the Future, 106-142.

Brown, G.M. , and B. Field. 1979.The Adequacy of Measures for Signaling the Scarcity of Natural Resources. In *Scarcity and Growth Reconsidered,* edited by V.K. Smith. Baltimore: Johns Hopkins University Press for Resources for the Future, 218-248.

Bunel, M. 2001. Estimating the Effects of Technology and Depletion on the Real Price of Copper in the U. S. Using a Cointegration Approach. Working Papers on Environment and Economics 2/2001. Madrid: Fundacion Biodiversidad.

Cleveland, C. J. 1991. Natural Resource Scarcity and Economic Growth Revisited: Economic and Biophysical Perspectives. In *Ecological Economics: The Science and Management of Sustainability,* edited by R. Costanza. New York ： Columbia University Press, 289-317.

Cleveland, C.J., and R.K. Kaufinann. 1991. Forecasting Ultimate Oil Recovery and Its Rate of Production: Incorporating Economic Forces into the Models of M. King Huppert. *The Energy Journal* 12(2) : 17-46.

Daly, H.E. 1979. Entropy, Growth, and the Political Economy of Scarcity. In *Scarcity and Growth Reconsidered,* edited by V.K. Smith. Baltimore: Johns Hopkins University Press for Resources for the Future, 67-94.

Dasgupta, P., and G.M. Heal. 1974. The Optimal Depletion of Exhaustible Resources. *Review of Economic Studies* 41 (Symposium on the Economics of Exhaustible Resources) : 3-28.

Darmstadter, J. 2002. A Global Energy Perspective: Sustainable Development Issue Backgrounder. Washington, DC: Resources for the Future.

*Economist.* 2001. Into Deeper Water. Dec. 8, U.S. edition, section TQ.

Egan,T. 2002.Alaska, No Longer So Frigid, Starts to Crack, Burn and Sag. *New York Times,* June 16, section 1, page 1.

Energy Information Administration. 2002. *Energy in the United States 1635-2000.* http://www.eia.doe.gov/emeu/aer/eh/frame.html (accessed May 3, 2004).

Farzin,Y.H. 1984. The Effect of the Discount Rate on Depletion of Exhaustible Resources. *Journal of Political Economy* 92(5) : 841-851.

Fisher, A. 1979. Measures of Natural Resource Scarcity. In *Scarcity and Growth Reconsidered,* edited by V.K. Smith. Baltimore: Johns Hopkins University Press for Resources for the Future, 249-275.

Goeller, H.E. 1979.The Age of Substitutability: A Scientific Appraisal of Natural Resource Adequacy. In *Scarcity and Growth Reconsidered,* edited by V.K. Smith. Baltimore: Johns Hopkins University Press for Resources for the Future, 143-159.

Hall, D.C., and J.V. Hall. 1984. Concepts and Measures of Natural Resource Scarcity with a Summary of Recent Trends. *Journal of Environmental Economics and Management* 11(4) : 363 -379.

Hubbert, M. K. 1969. Energy Resources. In *Resources and Man: A Study and Recommendations,* edited by the Committee on Resources and Man, National Academy of Sciences, National Research Council. San Francisco: W.H. Freeman and Company.

Humphreys, D. 2001. Sustainable Development: Can the Mining Industry Afford It? *Resources Policy* 27(1) : 1-7.

IPCC (Intergovernmental Panel on Climate Change). 2001. *Summary for Policymakers : A Report of Working Group I of the Intergovernmental Panel on Climate Change. In Climate Change 2001: The Scientific Basis.* http://www.ipcc.ch/pub/spm22-01.pdf (accessed May 3, 2004).

Jevons, W.S. 1865. *The Coal Question: An Inquiry concerning the Progress of the Nation, and the Probable Exhaustion of Our Coal-Mines,* edited by A.W. Flux. Reprinted 1965. New York ： Augustus M. Kelley.

Johnson, D. G. 2002. The Declining Importance of Natural Resources: Lessons from Agricultural Land. *Resource and Energy Economics* 24(1-2)：157-171.

Krautkraemer, J. A. 1998. Nonrenewable Resource Scarcity. *Journal of Economic Literature* 36(4)：2065-2107.

Krutilla, J. V. 1967. Conservation Reconsidered. *American Economic Review* 57(4)：777-786.

Lynch, M.C. 2002. Forecasting Oil Supply: Theory and Practice. *Quarterly Review of Economics and Finance* 42(2)：373-389.

Malthus, T. 1798. *An Essay on the Principle of Population.* Reprinted 1983. London: Penguin Books Ltd.〔マルサス『人口論』(永井義雄訳，中央公論新社（中公文庫)，1973年)〕，〔ロバート・マルサス『初版人口の原理』(高野岩三郎，大内兵衛訳，岩波書店（岩波文庫)，1935年)〕

Manthy, R. S. 1978. *Natural Resource Commodities-A Century of Statistics: Prices, Output, Consumption, Foreign Trade, and Employment in the United States, 1870-1973.* Baltimore: Johns Hopkins University Press for Resources for the Future.

Meadows, D.H., D.L. Meadows, J. Randers, and W.W. Behrens III. 1972. *The Limits to Growth: A Report for the Club of Rome's Project on the Predicament of Mankind.* New York: Universe Books.〔D・H・メドウズ，D・L・メドウズ，J・ランダース，WW・ベアランズ三世『成長の限界―ローマ・クラブ人類の危機レポート』(大来佐武郎監訳，ダイヤモンド社，1972年)〕

Mill, J.S. 1848. *Principles of Political Economy with Some of Their Applications to Social Philosophy,* edited by Sir W.J. Ashley. Reprinted 1965. New York: Augustus M. Kelley.〔J.S.ミル『経済学原理』(末永茂喜訳，岩波書店，1961年)〕

Parry, I. W. H. 1999. Productivity Trends in the Natural Resource Industries. In *Productivity in Natural Resource Industries: Improvement through Innovation,* edited by R.D. Simpson.. Washington, DC: Resources for the Future, 175-204.

Root, T.L., J.T. Price, K.R. Hall, S.H. Schneider, C. Rosenzweig, and J.A. Pounds. 2003. Fingerprints of Global Warming on Wild Animals and Plants. *Nature* 421（Jan. 2)：57-60.

Rowthorn, B., and G.M. Brown Jr. 1995. Biodiversity, Economic Growth and the Discount Rate. In *The Economics and Ecology of Biodiversity Decline: The Forces Driving Global Change,* edited by T.M. Swanson. Cambridge: Cambridge University Press.

Scott, A. D. 1955. *Natural Resources: The Economics of Conservation.* Toronto: University of Toronto Press.

Slade, M.E. 1982. Trends in Natural-Resource Commodity Prices: An Analysis of the Time Domain. *Journal of Environmental Economics and Management* 9(2)：

122–137.

Smith, J.L. 2002. Oil and the Economy: Introduction. *Quarterly Review of Economics and Finance* 42(2)：163–168.

Smith, V.K.（ed.）1979. *Scarcity and Growth Reconsidered.* Baltimore: Johns Hopkins University Press for Resources for the Future.

Stiglitz, J.E. 1974. Growth with Exhaustible Resources: Efficient and Optimal Growth paths. *Review of Economic Studies* 41（Symposium on the Economics of Exhaustible Resources）：123–138.

———. 1979. A Neoclassical Analysis of the Economics of Natural Resources. In *Scarcity and Growth Reconsidered,* edited by V.K. Smith. Baltimore: Johns Hopkins University Press for Resources for the Future, 36–66.

Sullivan, D.E., J.L. Sznopek, and L.A. Wagner. 2001. Twentieth Century U.S. Mineral Prices Decline in Constant Dollars. Open File Report 00–389. Washington, DC: U.S. Geological Survey.

Tilton, J. 1989. The New View of Minerals and Economic Growth. *Economic Record* 65（190）：265–278.

Tilton, J., and H. Landsberg. 1999. Innovation, Productivity Growth, and the Survival of the US Copper Industry. In *Productivity in Natural Resource Industries: Improvement through Innovation,* edited by R. D. Simpson. Washington, DC: Resources for the Future, 109–139.

Vitousek, P.M., H.A. Mooney, J. Lubchenco, and J.M. Melillo. 1997. Human Domination of Earth's Ecosystems. *Science* 277(5325)：494–499.

Wernick, I. K., R. Herman, S. Govind, and J. H. Ausubel. 1996. Materialization and Dematerialization: Measures and Trends. *Daedalus* 125(3)：171–198.

WRI（World Resources Institute）. 1998. *World Resources 1998 – 1999:A Guide to the Global Environment: Environmental Change and Human Health.* Oxford: Oxford University Press.

———. 2000. *World Resources 2000–2001: People and Ecosystems. The Fraying Web of Life.* Washington, DC: World Resources Institute.〔世界資源研究所，国連環境計画，国連開発計画，世界銀行（編）『世界の資源と環境　2000–2001／地球生態系と人類の未来』（沼田真，日高敏隆，新妻昭夫，中静透監修協力，日経 BP 社，2001 年)〕

第4章

# 生態系の財・サービス，その限界

## 生物学的多様性と管理手法の役割

デビッド・ティルマン，スティーブン・ポラスキー

人類は，管理された生態系からも，ありのままの生態系からも，生命維持に必要不可欠な財・サービスを享受している（例えばKrutilla 1967；Daily 1997）．そして，偶然にか故意にか，実質的に世界のあらゆる陸域生態系を管理するようになっている（Vitousek et al. 1994, 1997b, Carpenter et al. 1998, Tilman et al., 2001）．本章では，生態系の財・サービスのフローに影響を与えるメカニズムを検討し，これらの財・サービスのフローの純価値を最大化する政策によって得られる，より大きな社会的厚生について検討する〔訳注：純価値とは，便益から費用を除いた正味の価値を指す．〕．

生態系サービスの存在と重要性は，ずいぶん昔から，少なくとも暗黙には認識されてきた．1800年前のローマ帝国時代の〔神学者〕テルトゥリアヌスは，増大する巨大な人口がますます増えることで必要となる自然資本とサービスの供給が，次第に先細りしていく様子を嘆いている．

> 立派な農場が空き地を消してしまい，鍬を引いた土地が森林を征服し，砂まみれの土地には穀物が植えられ，石が据え付けられ，低湿地は灌漑される……（中略）……資源は我々にとって十分とはいいがたい．そして，もはや自然は我々を持続させてくれないために，我々のニーズが我々の生活を先細らせており，不満があらゆるところに渦巻いているのである（Johnson 2000より引用）．

農業システム，森林，漁業，原生地域の保全について書いてきたマルサス，リカード，ファウストマン，ソロー，そしてその後継者らも，生態系サービスの価値を認識していた．かなり近年まで，農業経済学や資源経済学の分野での研究の大半が，経済的な財を生産するための原材料を提供する貯蔵庫としての自然の役割を強調していた．それに比べると，環境質や原生地域の価値，他の生態系サービスはあまり検討されていなかった．Krutilla and Fisher（1975）は，*The Economics of Natural Environments: Studies in the valuation of Commodity and Amenity Resources*（『自然環境の経済学――資源産品とアメニティ資源の価値付けの研究』）において，自

然環境は経済価値を生み出さない「未開の地」として扱うのが当時の通例であったと述べている．それ以来経済学者は，自然システムの価値に対する見方を広げていったが，これは Clawson（1959），Krutilla（1967），Hammack and Brown（1974），Krutilla and Fisher（1975）など，未来資源研究所（RFF）に在籍していた経済学者の先駆的業績によるところが大きかった．その後の研究は，自然システムが生み出す無数の価値を明示化してきている．

生態系が価値を生み出す源であることは広く認識されているものの，そのほとんどが，価値付けの際には最も初歩的な試みが行われてきただけであった（Costanza et al. 1997, Daily 1997, Nordhaus and Kokkelenberg 1999, Daily et al 2000）．我々は，多くの生態系サービスを正確に定量化し価値付けするには至っていない．それをまさにやろうとした Costanza et al. 1997をめぐる論争を経て，信頼性と科学に裏付けられた推定が，いかに欠けているかが明白になった（例えば Ayres 1998, Bockstael et al. 2000, Toman 1998）．

生態系の財・サービスの価値付けをし，供給を確かなものにする際，三つの基本的な課題がある．一つは非市場価値を見積もることである．生態系の財の中には，食料や繊維，医薬品，エネルギーの燃焼源など，生産と市場での販売が行われているために，明示的に価格が付いているものがある．しかしながら，ほとんどの生態系サービスの場合，そうではなく，無料で提供されているかのように扱われている．これには，水の浄化，大気中の二酸化炭素の除去と貯留，廃棄物の無害化とリサイクル，肥沃な土壌作りとその再生，種と遺伝的な多様性両方の維持，穀物の授粉，農作物にとっての多くの害虫の制御，温和な気候，洪水の緩和，人間にとってのレクリエーションの機会（Wilson 1988, Daily 1997）などが含まれる．これらのサービスはすべて，他の手段を使って相対的な価値を決めねばならない．経済学者はこの課題を認識しており，非市場価値に関する徹底した研究が進められている（Freeman 1993, Simth 1997）．

第二の課題は，生態系サービスの供給をコントロールする諸要因，そして生態系サービスの供給と他の財・サービスの供給とのトレードオフを理解することである．生態系サービスにとって「生産関数」とは何か，そして，それは何によって決まるのだろうか？　生態系の機能に関する最近の研究によれば，生態系がこうしたサービスを供給する能力は，人為的な投入要素だけでなく，その生態系に生きる種の数と組み合わせによっても決まる（Hector et al. 1999, Tilman et al 1996, 2001, Loreau et al. 2001）．本論文では，生態系サービスの「生産関数」の性質を探求し，生態学と経済学を統合する初歩的な試みを行う．

第三の課題は，生態系サービスの供給に影響を与える意思決定を行う人に，その供給を維持させるインセンティブを考案することである．生態系サービスを維持するコストは，通常は土地所有者や地域の意思決定者が負担するのに対し，その便益はより広い範囲に帰属するのが普通である．もし農家が農場の運営を変えることで窒素の流出を削減したならば，低い農業生産性というコストを農家が負担することになり，便益は地下水や表層水を利用する，地域の他の人々が享受する．便益は河川流域を超えて拡大するかもしれない．ミシシッピー川盆地の窒素流入が減少すれば，メキシコ湾の低酸素症が減るだろう．外部便益を生み出す生態系サービスを提供する意思決定者に報いたり，そのようなサービスを劣化させる人を罰したりするメカニズムを見つける必要がある．

生態系サービスの供給に焦点をおくことは，人類が自然システムに対して広範で基本的な変化をもたらしている今のような時代には，とりわけ適切である．人口増加と一人あたり消費の増加の傾向が，生態系サービスの希少性を増す傾向にあり，これは将来の経済成長と厚生を抑制してしまうかもしれない．生態系の財や消費可能な生態系サービスの一人あたりの利用可能性に影響を与える全体的な力がいくつか存在する．たとえば世界人口は，20世紀には20億人未満から60億人に増加し，21世紀半ばまでには90億人に達すると一般には考えられている．この人口増加は，自然の複数種からなる生態系を，例えば条植え作物〔トウモロコシや綿のように条状に植える作物〕農業やモノカルチャー林業のように，高度に単純化され集約管理された生態系に転換したことと大きな関連がある（Wilson 1988，1992）．一人あたりの食糧生産は増加するが，一方でこの転換によって，高度に多様化した，自然・準自然の生態系の一人あたり利用可能量が――したがってこれら生態系からの財・サービスの一人あたりフローが――急速に減少する．この章では，自然の複数種の生態系が，単純化され管理された生態系に転換されることやその他の変化が，生態系サービスのフローにどのような影響を与えるのか，そしてそのことがなぜ，自然の生態系と管理された生態系で生産される財・サービスの両方の価値を計算する管理政策の必要性を意味するのか，議論する．

人間が生きてゆくのに必要不可欠な生態系の財・サービスのほとんどは，陸域の「利用可能」な土地で生産される．この土地の大まかな定義である86億ヘクタールの陸域地表面には，氷床や岩地（15億ヘクタール），砂漠（18億ヘクタール），ツンドラ（11億ヘクタール），亜寒帯（15億ヘクタール）は含まれない（Schlesinger 1997）．地球全体で利用可能な土地のうち，約15％は集約的に使われており，モノカルチャー耕作地も多い．約34％は準自然の複数種からなる草地で，家畜生産に利用される牧草地である．そして約30％は森林である（FAO 2001；Schlesinger 1997）．隣地の中には集約的に管理されているところもあり，条植え作物の集約的農業の生産手法を模倣したモノカルチャー生産手法を使っていることも多い．しかし森林生態系の大部分は準自然の複数種生態系である．従って，世界の土地利用データは継ぎはぎだらけではあるが，世界の利用可能な土地のうち半分を優に超える土地に，自然あるいは準自然の複数種の生態系がある可能性がかなり高いと考えられる．

市場で取引可能な財（食料，繊維，バイオマスエネルギーなど）と生態系サービスを生み出す陸域生態系は，大まかに分類すると，高度に単純化され，集約的に管理された，モノカルチャーであることも多い生態系か，あるいは，肥料，殺虫剤，種子などの投入がより少ない，あまり単純化されていない複数種の生態系のいずれかになろう．この章では，モノカルチャー，複数種生態系それぞれの基盤となる生態学について論じるとともに，この二つで，生態系の財・サービスの生産率と生産の安定性が異なることの含意を議論する．社会に価値のある財・サービスを生み出す土地の大部分は複数種の生態系であるか，またはそう見なせるのであり，また近年の研究によれば，生態系機能は生物学的な多様性と種の構成に大きく依存しているが，これらは管理方法に強い影響を受けるものである．

## 生態系の財・サービスの純価値の最大化

ある意味，生態系サービスは計り知れない価値を有している—あらゆる生態系サービスが完全に失われるとしたら，それは破局であろう．Michael Toman（1998）は，Costanza et al.（1997）が行った世界中のあらゆる生態系サービスの価値の推定結果に対してコメントし，「無限大の価値のものを極めて過小評価している」と，皮肉な意見を述べた．では，もっと漸進的で，そこまで黙示録的ではない，生態系の変化についてはどうであろうか．生態系の大規模な変更と単純化をもたらした，現代の人間活動による生態系サービスの生産には，どのようなことが起きると考えられるだろうか．生態系サービスの供給における変化は，人間の厚生にどのように影響を与えるであろうか．多様な生態系サービスの供給率を決める要因は何であろうか？　市場で取引される木材のような，生態系の財の経済的価値を最大化するために，管理された生態系を使うことと，洪水の制御，飲料水，下流の水系生態系の質のような，生態系サービスの経済的な価値を最大化することとの間に，トレードオフはあるのだろうか？　もしあるとすれば，そうした管理された生態系が生産する純便益の価値を最大化する管理手法とはどのようなもので，どんな政策をとればそのような方法が採用されるようになるだろうか．

同様の疑問は，自然・準自然の生態系に関しても浮かんでくる．これらのほとんどが，人間の行動に影響を受けているためで，予測されなかった影響であることも多い．人類は今や実質的にすべての地表面をコントロールしており，窒素やリンのように生態系にとって不可欠な有限資源の地球生物化学に影響を与えている．人間活動は，生態系の構成，多様性，投入要素，かく乱のレジームを変えており，レジームは何千年にもわたってこれらの生態系が経験してきた自然の変動の範囲外にある．これらの生態系が提供する財・サービスに，人間の活動はどのように影響を与えるであろうか．以下の仮説的なスケッチは，本章で詳しく述べる考え方をわかりやすく説明したものになっている．

ある森の生態系があって，これはすべての財・サービスの純現在価値を最大化するため，集中管理されると考えよう．分析を簡略にするために，あらゆる財・サービスの一定で持続的なフローを生態系が毎年提供するように管理されているとしよう．また，単一の生態系の財（市場で取引される木材）と単一の生態系サービス（飲料水か，大気中の二酸化炭素の隔離などだろう）が存在すると仮定しよう．さらに，多くの異なる種の木を植えることができると仮定しよう．伐採可能な木材から毎年得られる持続可能な収穫と生態系サービスの純価値は，植えた種によって決まるだろう．特定の種類の植樹や管理手法が環境質の低下につながると，生態系サービスの価値は負になりうることに留意されたい．モノカルチャーで栽培できる種それぞれから得られる生態系の財・サービスの純価値を評価することにより，どの一つの種を植えれば全体の価値が最大化されるかがわかる．管理コストを差し引いた正味の木材価値が最大になる木材種ではなく，別の種を植えたときに社会に対する総収益が最大になる可能性も明らかにある．木材としては価値が低いが，より価値のある生態系サービスを提供する種の樹木は，総価値が大きくなるだろう．

生態系による財・サービスの純価値は，管理手法にも依存する．施肥によって，持続可能な年間木材生産量が増えたり，木材の質に影響が出たり，生態系サービスの質と量が変わったりするかもしれない．施肥によって，飲料水の価値が下がってしまう可能性はあるが，炭素隔離量は増加するかもしれない．施肥には，肥料の購入・利用と土壌実験のコスト，施肥の適切な率とタイミングを決定するための人件費がかかる．一般に，穀物種と管理手法の両方が，潜在的には価値に影響を与える可能性がある．

代替作物と管理手法の費用と便益すべてを示すリストには，あらゆる生態系サービスの純価値が含まれるが，私的土地管理者が目にするリストは，それとは大抵違うものである．炭素貯留，飲料水やその他の社会的に価値のある生態系サービスには市場が存在せず，サービスの生産に対する政府の補助金も，サービスを低減させる活動に対する課税もなく，サービスに影響を与える活動として容認できるものやできないものを規制する法律も存在しないため，私的土地管理者は木材生産の純価値のみを認識することになる．合理的な私的土地管理者は，伐採した木材の合計純価値が最大になるような種と手法を適用するが，そうした選択は生態系サービスを害し，社会に対する総収益を減少させるだろう．例えば，土地の管理者は，木材生産にとっての肥料の限界便益が，限界費用にちょうど一致するまで，肥料を使い続けるであろう．もし肥料を使うことで生態系サービスの価値が減少してしまうとしたら，限界便益が逓減するという標準的な仮定のもとでは，私的土地管理者は社会にとって最適である以上に肥料を使ってしまうだろう．

この単純なケースは，農業生態系やモノカルチャー森林生態系のように，高度に管理された生態系にとって，最も関連が深いものである．次節では，複数種の生態系の場合について，これと似たような問題を検討する．

価値ある生態系サービスの供給に対する正の外部性を内部化することにより，私的土地管理者の費用と便益を示すバランスシートを社会のそれにより近づける方法は，少なくとも原理としては，よく知られている．生態系サービスの生産を高めるような手法をとる土地管理者には，補助金が支払われることがある．ほとんどの先進国の農業政策には，何らかの「グリーンな支払い」があるが，これは農家が環境に優しいとされている方法を適用したときに受け取れるものである（OECD 2001）．代替策として，環境に有害な活動に課税することもありうるが，「バッズ（負の財）」に課税することは，「グッズ（財）」に補助金を支払うよりも政治的にはずっと困難である．しかし原理的にはどちらのアプローチでも，生態系サービスの生産を促進する金銭的インセンティブを土地管理者に与えることができる．

別のアプローチとして，生態系サービスに対する明示的な市場を設立するというものがある．汚染に対するキャップ・アンド・トレード・システムは，ある環境財に対してそれまで存在しなかった市場を創設するという例である．キャップ・アンド・トレード・システムのもとで政府は，一定量の許可証を発行することで，排出できる総量に制約を設けるが，企業はその許可証を自由に売買できる．1990年の改正大気浄化法では，電力会社からの$SO_2$排出に対するキャップ・アンド・トレード・システムが制定されたが，当初の予想よりも遥かに低いコストで，$SO_2$の排出削減に成功したと広く認識されている（Ellerman et al. 2000）．気候変動に関する国際的交渉によって，二酸化炭素排出のキャップ・アンド・トレード・プログラムを制定する提案や，炭素隔離を行う土地所有者に対して支払いを行う提案がされるようになった（Sandor and Skees 1999）．

土地管理者に生態系サービス供給への見返りを与えるスキームを実施するに当たり，主に二つの問題が生じる．第一に，供給される生態系サービスの量を計測する，適度に正確で，費用がそれほどかからない何らかの方法がなければならない．これは，多くの生態系サービスにとって重大な問題である．例えば，様々な管理のしかたや種のミックスの下での森林と農業，とりわけ土壌中に隔離された炭素量については，最近の科学の進歩にもかかわらず，科学的な理解に大きな穴が開いている．第二に，生態系サービスにどれだけの価値を帰属させるべきかという問題がある．炭素隔離の価値は，将来の気候変動による社会影響が低減することで得られるものであり，この価値は，推測する以上のことは誰も出来ない．実際には，この二つの問題は互いに関連を持っており，生態系サービスの価値は，供給される生態系サービスの水準によって決まる．生態系の生産性が大規模に変化すると，人間の経済に基本構造を変える影響をもたらす可能性がある．生態系の構造と機能が大きく変化することの価値を十分に評価するには，一般均衡の生態経済モデルを用いるべきである．そのようなモデルは存在しないが，この方針で初歩的な研究がいくらか行われてきている（例えばBrock and Xepapadaes 2002；Tschirhart 2000）．

理想の，あるいは最適な政策にはこのような障害があるものの，正しい方向に動きだすのに十分な程度のことは，我々は既にわかっている．正確にはどれだけのインセンティブを与えるべきかはわからないし，供給される生態系サービスの水準を簡単に測ることもできないものの，環境にとって望ましいと考えられる手法に何らかのインセンティブを与えることは，好ましいと言ってほとんど間違いない．よりきれいな空気と水の正確な価値を知らなかったのに，米国では大気浄化法や水質浄化法が施行され，大幅な排出削減による便益はコストをかなり上回ったものと考えられるのだ（Freeman 1990, USEPA 1997）．

## 生物学的に多様な生態系における生態系サービスの生産

多様性が重要であることは，経済学の文献では見過ごされることが多いが，種を組み合わせることの価値は，もっとも高い価値を持つモノカルチャーで達成しうるよりもさらに大きなものになるかもしれない．この節では，多様性が生態系サービスの供給と価値にもたらす潜在的な効果に着目する．

既に，生態系の財・サービスのモノカルチャー生産のために管理された土地に関しては議論した．では，もっと多くの種が含まれる，その他の世界中の土地についてはどうだろうか．1ヘクタールの熱帯林には，1ヘクタールの放牧草地と同様，何百もの植物種が存在するだろう（Hubbell 2001）．この生物学的な多様性，つまり生物多様性は，生態系の機能にどのような影響を与えるだろうか．また，生態系が生産するあらゆる財・サービスから社会が享受する合計価値に，どう影響するだろうか．これに対する回答は単純で，森林あるいは草地に生息する異なる多くの種は互いに競合し，そしてそのためにそれぞれの種が，他の種の生産と様々な生態系サービスの生産に影響を与えるのである．このことは，生態系の財・サービスの生産は，その生態系に存在する種全体がどうであるかに依存することを意味する．有限のコモンプール資源を利用しようとして起こる競争は，興味深い特徴を示す．たとえば炭素隔離がこれに当てはまると思われるが，生態系サービスが生態系の生産性に比例する場合には，生態系が多様であるほど，生産される生態系サービスの水準も高くなる．それ以外の場合は，生態系の生産性から生態系サービスを単純に類推することはできない．

**実験による研究**

他の条件を全て同一とした場合，生態系機能の三つの側面が，生態系が社会に提供する様々なサービスの質や量に密接に関係しているはずである．第一は，純一次生産性であり，これは生態系が生産する植物バイオマスの年間純生産率である．利用可能な土地のうち34%が放牧家畜に利用されており，またこのような草地の大半に複数種の植物群集が存在するため，草地の純一次生産性は家畜のまぐさの生産を，したがって農業的価値を直接測る指標になる．同じことが，木材やパルプの生産において使われる森林生態系にも，おおむね当てはまる．

第二の生態系サービスは，大気中の二酸化炭素の除去と隔離である．化石燃料の燃焼，森林伐採，農業により，二酸化炭素濃度が増加し，地球全体の気候変動を引き起こしている（IPCC 2001）．従って，こうした炭素が生きたバイオマスの中で隔離されることは，社会にとり大きな潜在的価値をもたらすサービスである．

第三の生態系サービスは，地下水からの栄養素の除去である．施肥，化石燃料の燃焼，自然の分解はすべて，生物学的に利用可能な窒素とリンを土壌に大量に放出する．陸域植物によりこれらの栄養分が取り除かれるのは，これらの栄養分が地下水，湖沼，河川，海洋の生態系に漏れ出すことを防ぐことになるので，価値のあるサービスである．地下水の栄養分濃度が高いと，飲料水の源としての地下水の価値が減少する．水域生態系へ漏れ出す栄養分が上昇すると，富栄養化，漁業やレクリエーションへの被害，都市の飲料水源としての淡水の利用など，水質に関する他の多くの面での被害などが生じる．

**生産性**

いくつかのフィールド実験（Tilman et al. 1996, 1997a, 2001, Hector et al. 1999）や，関連する理論（Loreau 1998a, 1998b, 2000；Tilman et al. 1997a; Lehman and Tilman 2000）によると，純一次生産性は一つの生態系に生きる植物種の数の強い

増加関数である．ミネソタで行われた最初のフィールド実験は，168の牧草地の群集の中に1から16種の草地生物を植えて行った長期の研究であった．各実験区画を構成する種は，草地作物16種の中から，適切な数だけ無作為に抽出することで決定した．実験期間を通じて，一次生産性は植物の多様性に関する，有意な増加関数であった（図4-1A）．一次生産性が多様性によって決まる度合いは，実験の時間を重ねるにつれて増加した（Tilman et al 2001）．研究の7年目には，16種の草地生物を植えた実験区画では，モノカルチャーの区画と比較して，平均で2.7倍の純一次生産性を有していたのである．

欧州でも同様の生物多様性の実験が実施され，スウェーデン，ポルトガル，アイルランド，ギリシャにおいて，八つの別々のフィールドサイトで再現実験を行うという，より強力なものであった（Hector et al. 1999）．ヘクターの研究チームは，ミネソタでの実験で観察されたのと同様に，植物群集の生産性が植物種の多様性に大きく依存していることを見出した．いずれの研究も，植物群集の構成と，それに含まれる種の数とが，生態系の機能にとって同じくらい重要であることを示唆している．これは，生態系の管理者が，二つの属性のいずれも同じくらい気にかける必要があるということである．現在のところ，管理者が操作している主な変数は，多様性ではなく構成であることが多い〔訳注：多様性は，ここでは種の数として定義される．〕．

**炭素貯留**

牧草地では，地表のバイオマスは毎年枯れるが，地下のバイオマスは多年生で長寿命，しばしば地表の3～4倍の大きさに達する．したがって，大気から除去され，生きた植物バイオマスに固定されている二酸化炭素の直接の測度となるのは，地表だけでなく地下も加えたバイオマスの総量である．森林生態系の場合，貯留されている炭素の大部分は，地上の木に，したがって木材とパルプの潜在的な供給源にある．ミネソタの実験では，貯留されている炭素の総量も〔純一次生産性と同様に〕，植物の多様性の急激な増加関数であり，有意度も高かった（図4-1B）．実験の7年目には，16種の実験区画はモノカルチャー区画と比較して，平均で2.9倍の炭素を貯留していたのである（Tilman et al. 2001）．

これに加えて，土壌中にも炭素が貯留されている．それどころか，多くの陸域生態系では，生きた植物中よりも土壌に貯留されている炭素の方が多い（Schlesinger 1997）．しかし，今行われている実験では，土壌の炭素貯留はあまりにもペースが遅いため，土壌の炭素が植物の多様性や種の構成にどのように依存しているかはわからない．

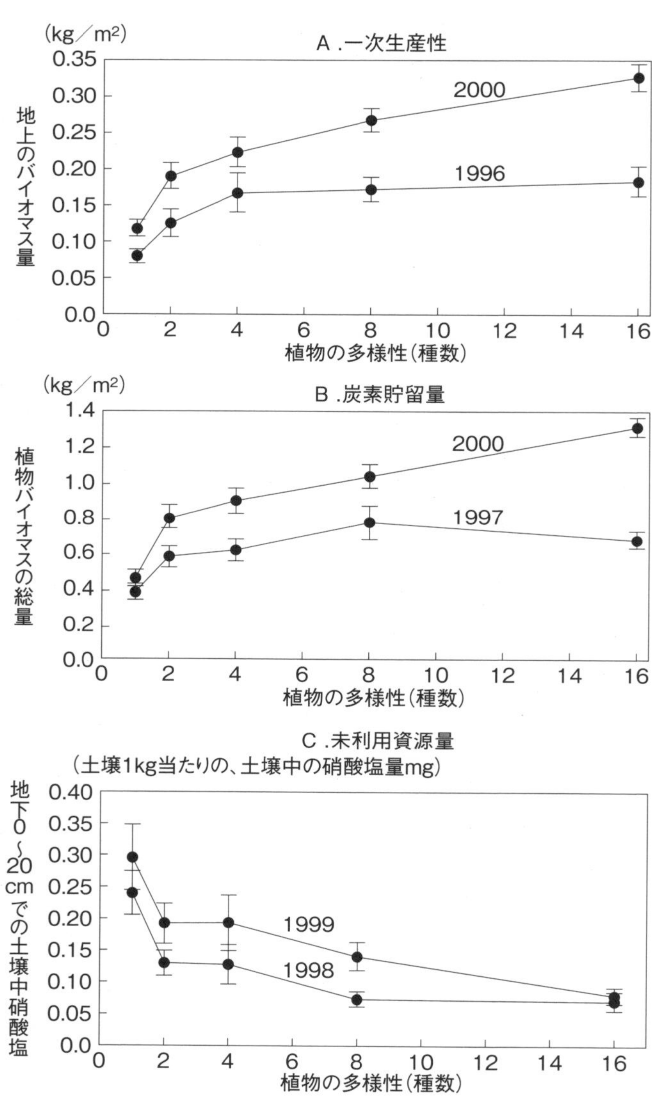


注：ミネソタ生物多様性実験における
(A)一次生産性
(B)生きているバイオマスでの炭素貯留量
(C)土壌中の硝酸塩（水質に反比例する）
への影響を示している．2000年はこの実験の第７期に相当する．
出典：Tilman et al, 2001

**図 4-1　ミネソタ生物多様性実験における植物多様性の効果**

**水質**

大部分の陸域植物群集にとって最も大きな制約要因となる栄養素が，土壌中の硝酸塩である．土壌中の水に含まれる硝酸塩濃度は，硝酸塩が土壌から地下水に達し，そこからさらに井戸，河川，湖沼に流入していく率に比例する．ミネソタの生物多様性実験では，土壌中の硝酸塩の観測水準は植物の多様性の有意な減少関数になっていた（図4-1C）．16種の実験区画における土壌中硝酸塩が，モノカルチャー区画と比較して1/3の低濃度であったことは，多様性が高くなると，植物や微生物による硝酸塩の吸収がより大きく，栄養分の利用がより効率的になることを意味している．また，多様性のより高い群集で硝酸塩の濃度が低いということは，硝酸塩の漏れ出しもより少なくなるということである（Tilman et al. 1996）．このように，多様性が高いほど地下水の水質が改善されることは，より高い多様性を持つ生態系が供給する価値のあるサービスであるといえよう．

ミネソタの研究は，種が一つ一つ増えることによる限界的な生産性の上昇は，少なくともこの範囲での増加については等しいことを示唆している．同様に，こうした草地の生態系が生産する水の質は，多様性の増加にほぼ比例して増加する．生産性と炭素貯留に対して多様性が驚くほど大きな効果をもたらすことは，草地では多様性を管理することが，著しい便益をもたらし得ることを示唆している．森林のような他のタイプの生態系では，効果の度合いは不確かである．

**安定性と信頼性**

最近の実験によると，多様性が大きいと，生態系サービスのフローの安定性や信頼性も高くなるのが普通である（Tilman and Downing 1994；Naeem and Li 1997；McGrady-Steed et al 1997）．草地で行ったある実験では，植物の多様性と群集の構成は，窒素が加わる率の影響を受けていたが，多様性がより小さい実験区画では，厳しい干ばつが起きると，一次生産性が他の区画よりもずっと大きく落ち込んだ．窒素の追加率や種の構成の違いなど，潜在的に影響をもたらす変数を制御した後でも，このパターンは変わらなかった（Tilman and Downing 1994）．この実験は長期間にわたったが，多様性が大きい実験区画ほど，一次生産性の毎年の変動は有意に低かった（Tilman 1996）．実験室で多様性を直接制御して行った微生物の群集に関する二つの研究でも，類似の結果が観察されている．どちらの研究でも，多様性が大きいと，再現性や信頼性も大きくなった．すなわち，多様性が大きいグループの反応は，多様性が小さいグループよりも，互いに似通ったものになっていたのである（Naeem and Li 1997；McGrady-Steed et al. 1997）．こうした研究によれば，多様性が大きければ，生態系サービス・フローは，量も多く，かつ安定したものになるかもしれない．

### 背景にある概念と理論

生態学では，多様性の潜在的な効果には，長いこと関心が払われ，議論を呼んできた．多様性が大きいと生産性も大きくなることを示唆した最初の生態学者は，おそらくDarwin（1859）であろう．Odum（1953）やMacArthur（1955），Elton（1958）は，多様性，生産性，安定性の三者の潜在的なつながりについて研究を拡張した．Garner and Ashby（1970）の業績に基づいて，May（1972）は，複数の種の間で起きる競争をモデル化した連立方程式を使って，多様性が増加すると，個々の種は平均的には安定性を失うことを示した．McNaughton（1977）は，この理論は自然に対しては意味を持たないと反論したが，Goodman（1975）は，圧倒的な証拠によって（といっても実験によるものは一つもないのだが），Elton（1958）による多様性と安定性の仮説は支持されないと結論付けた．この問題への関心は，しばらく沈静化していたが，Ehrlich and Ehrlich（1981），Wilson（1988），Schulze and Mooney（1993），そして最近の実験結果（Tilman and Downing 1994；Naeem et al. 1994；Tilman et al. 1996）が，多様性は生態系の生産性と安定性にやはり影響を与えるということを示すと，関心が再燃した．

最近の論文では，多様性が生態系の機能と安定性に影響を与える可能性のあるメカニズムを研究している．こうした理論は，サンプリング効果モデル，種の補完モデル（あるいはニッチモデル）のいずれかに分類される（Huston 1997；Tilman et al 1997b; Aarssen 1997；Loreau 1998a, 1998b, 2000；Loreau et al. 2001；Loreau and Hector 2001；Lehman and Tilman 2000）．いずれのタイプのモデルでも，生態系の種の構成は，潜在的な種の集まりの中から無作為に抽出して決まると仮定している．また，ある種，もしくは種の組み合わせが群集内に存在する確率は，その群集の多様性が大きくなると増加する．

サンプリング効果モデルの仮定では，生息地は単純で，空間的にも時間的にも同質で，単一の資源に制限されている．そのような生息地では，いずれは単一の種が，他のあらゆる種を競争により駆逐し，抑圧，あるいは追放してしまう．そのようなシステムでは，競争能力によって，種に単純なヒエラルキーやランクが生まれる．多様性が高い実験区画では卓抜した競争相手がいるために，区画の機能がより高い競争能力に関する特徴で決まってくる可能性が高い．それに対し，モノカルチャーのように多様性が小さい実験区画では，多くの異なる種が発生しうるので，多様性が小さい区画の機能は，種の集まり全体の平均的な特徴を反映することになるのが普通である．このように，多様性が高くなるにつれて，生態系の機能は，種の集まり全体の平均的な機能から，競争の中で最良の種の機能へと変化するはずである．もし，競争相手が生産的であれば，多様性が初期時点で大きいほど，生産性はより高くなるはずである（Huston 1997；Tilman et al. 1997b; Aarssen 1997）．反対に，競争相手の生産性が低ければ，生産性は多様性が高くなると減少する．このタイプのサンプリング効果を数学的に明示したモデルから，顕著な特徴が明らかになる．すなわち，多様性と共に平均生産性は増大するが，唯一最良のモノカルチャー区画は，非常に多くの種から始めた最良の区画と同程度の生産性を持つのである．

図4-2Aからわかる通り，このモデルは，最初に植えられた種の数が同じ区画で，生産性に大きなばらつきが出ることを予測している．このばらつきは，初期の種の構成がランダムに違っていることによるものである．ある一定水準の多様性について，生産性のばらつきが最も大きかったのは，多様性が最も小さい区画であり，多様性が増大するに連れて区画間のばらつき（McGrady-Steed et al. 1997での信頼性に相当）は低減していることに注意したい．

サンプリング効果のモデルは，例えば農業生態系のような，高度に単純化されていて投入要素が大きい生態系の条件に近いものを最もうまく表しているように思われる．このように管理されたシステムは，窒素，リン，その他の限られた栄養素，水を十分に受け取っており，唯一限られている資源は光であろう．殺虫剤を投入することで，潜在的な制約要因が取り除かれることがままある．単一の種，あるいは単一の遺伝子型であっても，生産性が最大になることもある．このような種や変種を植える管理者が得る収穫は，どんな種の組み合わせよりも高くなるだろう．よくあることだが，作物や変種の価値に違いがあるのであれば，既に示したように，管理者にとっての収益が最大化されるのは，私的純収益を最大化する作物の仲間や手法をとったときであり，また社会にとっての収益が最大化されるのは，すべての生態系の財・サービスの純収益を最大化する作物の仲間と手段をとったときである．このようなシステムで多様性に価値が出てくるのは，年，土壌のタイプ，気候，害虫からの圧力に対する反応などが違えば，収益を最大化する品種が異なる可能性があるためである．

種の補完モデルは，ニッチモデルとも呼ばれ，二つ以上の限られた資源や要素に空間的・時間的な変化があるような，管理された生態系，あるいは，準自然・自然の生態系に当てはまる．このような条件の下では，多くの種が安定的に共存できる．地球上の生命の多様性が持つ特徴は，種の間にトレードオフがあることだが，これは，ある制約要因の組み合わせに対応できる種が，他の組み合わせにはうまく対応できないことを意味する（Tilman 1988，1990）．こうしたトレードオフが意味するのは，それぞれの種が特有の資源を必要とするという意味で，種どうしが補完的な特徴を持っているということである．この補完性のお蔭で，種の組み合わせの多くが，同じ生息地において，相互安定的に共存可能となっている．

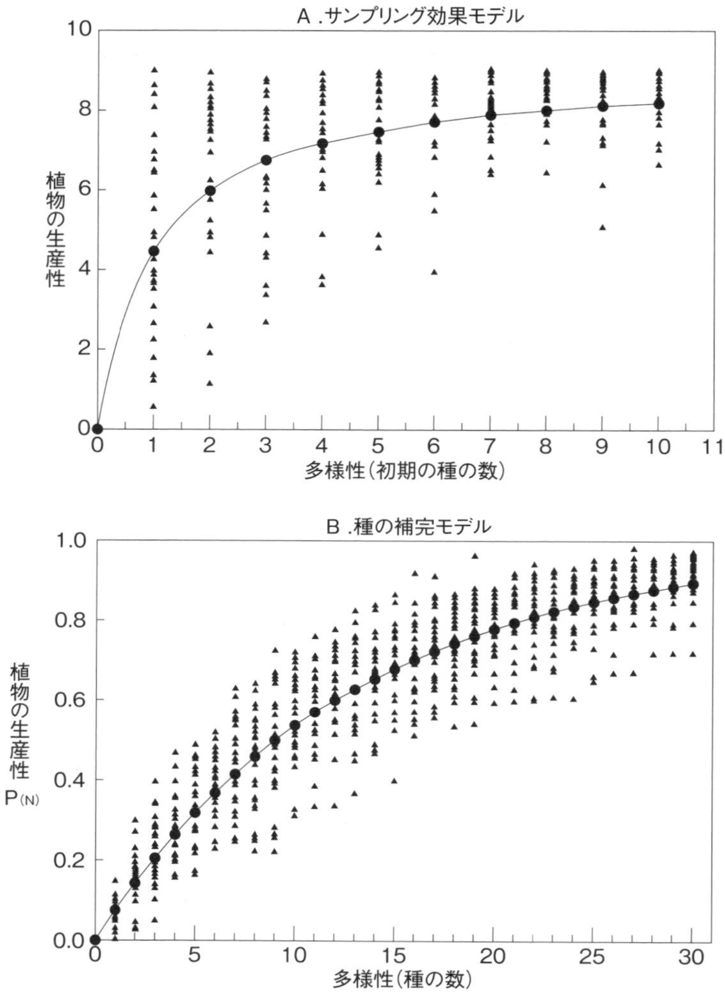


注：二つのモデルは，(A)サンプリング効果モデル，(B)種の補完モデル（ニッチモデル）である（$K=1$）．両グラフともに Tilman et al.（1997b）から改変．B の結果は図 4-3のモデルと4-1式から作成．

**図 4-2　異なる二つのモデルにより予測された，生産性の多様性への依存**

初期値として補完的な種をランダムに選び，様々な初期値を用いた群集の分析モデルは，整合的な結果を明らかにしている．初期の多様性が大きいシステムでは，平均生産性，炭素貯留，栄養素の利用効率，総生産の安定性がいずれも大きくなっている（Tilman et al. 1997b; Loreau 2000；Lehman and Tilman 2000）．さらに，構成要素によって決まるこうした生態系サービスの変動は，種の多様性が高くなると上限それ自体も高くなるという関係にある（図 4-2B）．補完性によって，多種の共存が可能となり，多様性が大きくなると生態系サービスのフローが増えるのは，種が多様に混ざれば，生息地の活用度合いを平均的には高めることができるからである．生産性と炭素貯留の変動の上限が増加するということは，これらのモデルでは，全ての値の N について，N 種の組み合わせが N-1種のどんな組み合わせよりも優れているということである．ミネソタでの長期にわたる生物多様性の実験では，上限が増加しており，自然界ではサンプリング効果ではなく補完性が支配的である，という仮説を支持するものとなっている（Tilman et al. 2001）．これは，欧州での生物多様性実験（Loreau and Hector 2001）の分析と同様である．

多様性の効果については，詳細で機械的なモデルが数多く提案されてきたが，ある単純なモデルでその本質を捉えることができる．このモデルでは，生息地は，気温（季節で変化する）と土壌中 pH という２つの要素において空間的に不均一であると仮定する．それぞれの種は，（例えば土壌中の窒素を得るべく）振る舞い，この２要素の１つの組み合わせ（つまり，図 4-3の平面のある１点）においてパフォーマンスは最適となり，この点から遠ざかるほどパフォーマンスは悪くなる．従って，それぞれの種が十分な個体数を維持できる領域は，図 4-3の閉じた曲線で表される（Tilman et al. 1997b）．この円は，この種の「ニッチ」と考えることができる．第一次近似として，一定水準の多様性を持つ群集の全生産性は，生息地の条件のうち，存在する種が「カバーしている」割合で決まる．図 4-3の黒色の領域は，存在しているどの種も利用できない条件を示している．このような領域は，生態系に存在する種全体による効果的な利用ができない資源をあらわしている．

このモデルを解析的に簡単に表現するため（Tilman et al. 1997b），種が半径 $r$ のニッチを持ち，生息地の不均一性の度合いは，ニッチ軸１に対しては $h_1$（0〜$rh_1$ の範囲で動く温度），ニッチ軸２に対しては $h_2$（0〜$rh_2$ の範囲で動く pH）である，と仮定しよう．$N$ をランダムに選んだ種の数とし，$N$ 種を含む群集の平均生産性を $P(N)$ とすると，次式が成立する．

$$P(N) = K\left[1-\left(1-\frac{\pi}{h_1h_2+2(h_1+h_2)+\pi}\right)^N\right] \tag{4-1}$$

ここで $K$ は，この生息地が完全にカバーされたときに実現する，生産性の最大値である．この式によって，図 4-2B の実線が与えられる．生息地の不均一性が大きくなればなるほど，予想通りに，多様性が生産性にもたらす効果も大きくなる．当

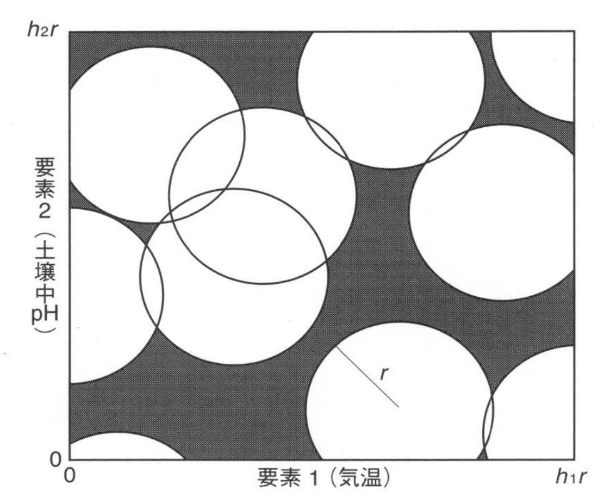


注：それぞれの種が生存できる生息域の条件は，円形のニッチに囲まれた範囲であり，二つのニッチの２次元である要素１と要素２において，空間的に不均一である．このモデルによるシミュレーション結果は図4-2の通り．解析的な解法については，式4-1を参照．

**図4-3　単純なニッチモデル（Tilman et al. 1997b より）**

然のことだが，生息地の不均一性がなければ（つまり $h_1 = h_2 = 0$ であれば），多様性が生産性にもたらす効果はない．このモデルは，単純ではあるが，ニッチの違い（種の補完性）と種の異種性のために種が共存するというメカニズムを表している．またこのモデルは，生息地の不均一性と多様性が結合して，生態系の生産性と資源利用の効率性に効果を持つことを，視覚的にも解析的にもうまく示している．

この理論的な結果から，自然・半自然の生態系と，大きな投入要素なしに管理される生態系では，多様性を維持することで生態系の財・サービスのフローが最大化される可能性があることがわかる．またこの結果から，多様性が低く空間的に均質な生息地では特に，パフォーマンスを決める重要な要因が種の構成であることもわかる．

**管理された生態系へのスケーリング（規模調整）**

それでは，100ヘクタール，あるいは1000ヘクタールの草地や森林や他の生態系サービスにおいて，生態系サービスを最大化するのにいくつの種が必要とされるのだろうか．一見すると，ここに示されている結果から，８種から16種であれば十分であるように思えるかもしれない．しかし，上記で要約した実験や理論上の結果は，個々の植物が相互作用する，すぐそばの範囲に当てはまるものである．そのような範囲は，草の生育地では1～10㎡，森林生態系では10～100㎡という程度の規模に過ぎない．これとは対照的に，多くの土地管理者が扱う土地は，10～10000ヘクタール以上と，1000～100万倍の規模になる．平均すると，より広い区域ほど，より不均一になる．生育地の規模が不均一性に与えるこうした効果は，古典的な閉鎖系生物・地理学で言われる種・面積間の関係に従って，比率が変わるものと考えられている（Rosenzweig 1995）．経験的に観察されている種・面積間の関係がもし成り立つなら，面積が10倍増えるごとに，不均一性も約1.5倍になることになる．つまり，その面積を「カバー」して，元の面積と同レベルの生態系機能を確保するには，約1.5倍の種が必要になるということである（Tilman 1999）．よって，1㎡区画の草地で最高に近い生態系サービスのフローを確保するために8種必要だとすると，100ヘクタールのフィールドならばおよそ11倍――約90種――が必要になる．このように，種の多様性がより大きくなる必要があるのは，生育地がより大きくなると平均的にはより広い範囲の条件が生まれるのだが，それを効率的に利用できるような特徴を種に与えるためである．しかし，こうした分析はまだ明らかに検討段階のものである．というのも，草地の生態系から他のタイプの生態系への外挿と，小規模からより大規模な生態系への外挿の両方が必要となるからである．

**政策的含意**

種の多様性が大きいシステムは，生態学的により生産的であり，価値のあるさまざまな生態系サービスをより多く提供するという，理論的および実証的な証拠をレビューしてきた．炭素隔離や地下からの栄養素の除去のようなこうしたサービスは，公共財である．すなわち社会にとっての便益は，私的な土地管理者にもたらされる便益を遥かに上回る（Balvanera et al. 2001）．炭素隔離は地球公共財の例であるが，一方で水質改善の便益は河川流域のなかで発生する（ミシシッピー川流域における窒素除去の事例のように，便益は私的な土地からかけ離れたところで発生するかもしれないが）．

他方で，私的な土地管理者は穀物や木材のような生態系の財を収穫するという便益を目一杯受け取っている．収穫の純便益を最大化するために，個人土地管理者は，単一種を生産的に成長させるために，生態系を単純化させて，条件を制御して一様なものにするかもしれない．このような生態系の単純化に向かう不均衡を是正して，最適な収穫を目指すために，きちんとした管理を行う私的な土地管理者に対しては，それ相応に報いる政策が必要である．前節で議論したように，生態系サービスの供給に対しては「グリーンな支払い」を行い，生態系サービスを損なうような行いに対しては「ブラウンな税」を課すのは，一つの将来有望な戦術である．

ここで直面している問題は，ほとんど全ての面で産業汚染の問題に類似している．

鉄鋼，自動車，石油化学は，穀物や木材のように，社会的に価値付けされている財である．工業生産も，大気汚染や水質汚濁のような副産物をもたらす．好ましくない副産物の生産を抑制するために，社会は様々な汚染削減政策を行ってきたが，その一方で，財そのものの生産を抑制することは必ずしも行っていない．同様のアプローチは，ここでも機能するだろう．多様性の保護と生態系サービスの生産を促進する政策や，これらの破壊を止めさせる政策によって，個人土地管理者による収穫可能な生態系の財の生産に対してのみ報いるという現在の不均衡を是正できるかもしれない．

## 土地の管理手法と生態系サービス

管理されている土地では，窒素やリンの肥料，灌漑，耕作，種の植え付け，除草剤などが人為的に投入され，望まれる生態系の財の生産や，生態系サービスの生産量や価値に影響を与える．また，多様性が大きい自然の生態系や管理されている生態系にもこうしたものが投入され，そのほとんどは偶然ではあるものの，生態系の財・サービスの生産率と価値に影響を与える．

地球上で利用可能な土地の半分以上は，社会にとって価値のある財・サービスを供給する，自然あるいは半自然の草地と森林生態系にあてがわれている．農産物や森林からの産物に対する需要が増えれば，利用可能な陸地のうち，人間が直接管理する割合が増えるだろう．多くの管理活動が，生態系サービスのフローを損なうことで，代替物を生産するコスト，またはそのサービスを断念するコストのいずれかが発生することになるかもしれない．さらに，縮小しつつある，残された手付かずの生態系からのサービスのフローを，増大しつつある人口で分け合うことになる．

最も集約的に使われている土地――耕作地と集約放牧の行われている牧草地――における管理方法は，生物学的に利用可能な著しい量の窒素とリンや様々な殺虫剤を，地球全体で見るとおびただしい量を他の生態系に放出している（Vitousek et al. 1997a; Carpenter et al., 1998； Tilman et al. 2001）．これらの物質は，これらの生態系や他の生態系が供給するサービスを著しく損なう可能性がある．リンと窒素は，飲料水も含む水の質を著しく落とすことになる．その理由は，これらは厄介者の藻類の成長を刺激し（リンは主に湖で，窒素はどちらかといえば海で），負荷率が高くなると，多くの魚種を殺す酸素欠乏状態を引き起こす可能性があるからである．人間が消費する地下水における高濃度の硝酸塩・亜硝酸塩も，人間の健康への深刻な脅威である．人間の活動によって固定される年間の窒素生産量は，自然の陸上のプロセスすべてで固定される量を超えている．この窒素のほとんどは，農業の施肥によるものである．同様に，人間は今や，主に農業を通じて，陸上のあらゆる自然プロセスが出すのと同じくらいの量の生物学的に利用可能なリンを，陸上の生息地に出している．窒素施肥の約半分は，耕作地から地下水，湖，小川，河川，そこから世界の海洋に漏れ出している（Howarth et al. 1996）．農業で使われる残りの窒素の多くは，穀物に含まれ，家畜や人間に摂取された上で，こうした消費者の排泄物の流れに乗って放出される．家畜の排泄物の窒素は肥料としてリサイクルされるが，人間の排泄物の大部分は下水処理では除去されずに水系の生息地に加わる．リンは窒素ほど簡単に漏れ出すわけではないが，それでも，漏れ出し，浸出，人間と動物の排泄物を通じた移動によって，肥料中のリンの多くを水域生態系に移動させ，水質悪化を招く．

窒素循環に人間が介入することで，農業以外の陸域生態系にも影響が出る．地球全体の窒素肥料の一部は，化石燃料の燃焼や他の人間活動で追加的に生まれる生物学的に活性化された窒素と同様に，他の陸域生態系の大気中に蓄積される．窒素はほとんどの陸域生態系を限定づける最も重要な資源であるため，窒素の供給がこのように増大すると，時間が経つにつれてこれらの生態系のサービス・フローが大きく減少するかもしれない（Vitousek et al. 1997a）．大気中の窒素の蓄積は，森林の減少や土壌中のカルシウムの過剰な損失との関連が指摘されており，このことで，森林の生産性が長期的に損なわれる可能性もある（Likens et al. 1998）．

人口と一人あたりの富が増加していることから，施肥のために窒素とリンを利用する率は，地球全体では50年間で2.5～3倍に増大するかもしれない（Tilman et al. 2001）．化石燃料の燃焼による窒素とリンの〔大気中への〕投入も，増大すると考えられる．農業用地は，明らかに，私的な土地管理者にとっての収益だけではなく，社会にとっての総収益を増加させるように管理すべきなのである．

## 結論

この論文では，公共政策の決定に次の二つのことを組み込むことの必要性を論じた．一つは生態系サービスの価値であり，特に農業と林業での管理手段が与える影響を考慮した上での価値である．もう一つは，生態系の多様性が，社会にとって価値のある生態系サービスの質とフローに与える効果である．土地管理者の政策と行動は，生態系が生産することのできる，潜在的に価値のあるサービスの範囲を反映したものでなければならない．

我々が論じたのは，ごくわずかの生態系サービスに過ぎないが，これらを選んだのは，多様性によって決まることが近年研究されているためである．他にも多くの追加的な生態系サービスは数多く存在し（Daily 1997），おそらく社会にとっての価値はずっと大きいかもしれないが，これまでの研究はずっと不完全である．そのサービスの一つである受粉は，多くの農作物にとって決定的に重要であり，ほとんどの場合，農場の周辺に生息する野生の受粉媒介者が提供するものである．他のサービスとして，農作物の疫病の制御があり，農地に隣接する自然・半自然の土地や，あるいは，適切な管理がなされた農地そのものに生息する，寄生虫や寄生動物やその他の主体が提供するものである（例えばSettle et al. 1996； Daily 1997）．

人間社会は，予想もつかないが，大規模かつ変化に富む地球の生物多様性の一部である，新薬，新種穀物，既存の穀物の遺伝子改変をもたらすサービスに大きく依存してきたし，これからも依存するであろう．地球全体の食糧供給は，主に米，トウモロコシ，小麦に依存しており，この三大穀物で60%がまかなわれている．たった一つの病原菌でも穀物（あるいは，ダグラスファーなどの主要な木材種）を事実上全滅させてしまうこともあるため，穀物内の遺伝子の多様性をできるだけ高水準に維持することと，代替となる穀物種一まとまりを維持することが必要不可欠である．こうした生物多様性の保険的価値は，定量化は容易ではないものの，莫大な価値があるように思われる．

生物多様性を含む生態系サービスの社会的な価値は，生産されるあらゆる財・サービスの価値を基準にして土地の管理の仕方を決めるプロセスに，さらなる妥当性を与えるはずである．このことは，生態系サービス全体に注目し，逆に単一の管理目的へ焦点を置くことからは離れるという，土地管理政策における大きなシフト，生態系管理へのシフトを必要とする．今日の経験では，生態系機能に関する知識の不完全さと，土地所有者に適切なインセンティブを与えることの難しさが，意味のある生態系管理を妨げている．我々は，今日市場で価格付けされているのが一部しかないような，生態系の財・サービス全体を同時に生産するために生態系を管理するよりも，穀物や木材の生産など，単一の市場目的のために生態系を管理する方に，はるかになじみがある．

多様性は非常に重要であるが，生態系に与える他の変化や圧力も，潜在的に重大な結果をもたらす．20世紀は，人間活動の規模と，それが地球上の生態系に与える影響が著しく増加した世紀であった．人間活動は，気候変動のために研究上大きな関心を惹いた地球全体の炭素循環だけでなく，窒素やリンの循環の点でも，地球化学循環に大きな変化をもたらした（Vitousek et al. 1997a; Carpenter et al. 1998）．21世紀に食糧生産への需要が増大すれば，窒素とリンの陸域生態系への流入は，過去の経験が続くとすると，約3倍にはね上がるであろう（Tilman et al. 2001）．その結果として，種の構成と生態系の機能変化が生じ，価値ある生態系サービスを危機に晒すであろう．窒素の使用を増やすと，水表面の富栄養化や，地下水への硝酸塩の浸出，他の植物種を犠牲にして藻類が広がることが指摘されている（Vitousek et al. 1997a）．農場の土壌からの窒素酸化物の排出は地上でのオゾンを増大させ，人間の健康と農業作物を徐々に衰えさせることになる（Delmas et al. 1997）．

生物地球化学の循環，気候，その他の変数が，将来に地球規模で変化することの正確な定式化，影響，コストは，変化に対して社会がどう調整するのが最善なのかということと同様，不確実である．将来の条件の不確実性に直面している場合，オプションを保持することに価値がある（Arrow and Fisher 1974；Henry 1974）．多様性を維持することは，オプションを保持するための重要な手段であり，生態系サービスのフローをよりうまく維持するための方法でもある．どの種や遺伝子物質が将来決定的に重要になるかを正確に知ることは困難であるが，多様性を失うことで，正しいオプションを利用できる確率を下げることになる．農業では，正しい胚原質を保全することが，新たな病原菌や病原体に耐性のある穀物を開発する上で，成功と失敗を分けることになる．小麦，米，トウモロコシが世界的に見て食事の中心を占めていることを考えれば，これらの穀物が，新たに進化した病原菌や病原体への耐性を持つことが決定的に重要である．そしてまた，管理されている生態系と自然の生態系両方からの生態系サービスのフローを増大する多様性の力にも，大きな潜在的価値が存在する．

**参考文献**


Aarssen, L. W. 1997. High productivity in Grassland Ecosystems: Effected by Species Diversity or Productive Species? *Oikos* 80：183-184.

Arrow, K., and A. C. Fisher. 1974. Environmental Preservation, Uncertainty, and Irreversibility. *Quarterly Journal of Economics* 88：312-319.

Ayres, R. 1998. The Price-Value Paradox. *Ecological Economics* 25(1)：17-19.

Balvanera, P., G.C. Daily, P.R. Ehrlich, T.H. Ricketts, S.-A. Bailey, S. Kark, C. Kremen, and H. Pereira. 2001. Conserving Biodiversity and Ecosystem Services. *Science* 291：2047.

Bockstael, N., A.M. Freeman, R.J. Kopp, P.R. Portney and V.K. Smith. 2000. On Measuring Economic Values for Nature. *Environmental Science and Technology* 34：1384-1389.

Brock, W., and A. Xepapdaes. 2002. Optimal Ecosystem Management When Species Compete for Limited Resources. *Journal of Environmental Economics and Management* 44：189-220.

Carpenter, S.R., N.F. Caraco, D.L. Correll, R. W. Howarth, A.N. Sharpley, and V.H. Smith.

1998. Nonpoint Pollution of Surface Waters with Phosphorus and Nitrogen. *Ecological Applications* 8：559-568.

Clawson, M. 1959. Methods of Measuring the Demand for andValue of Outdoor Recreation. Reprint no. 10.Washington, DC: Resources for the Future.

Costanza, R., R. d'Arge, R. de Groot, S. Farber, M. Grasso, B. Hannon, K. Limburg, S. Naeem, R.V O'Neill, J. Pareulo, R.G. Raskin, P. Sutton and M. van den Belt. 1997. The Value of the World's Ecosystem Services and Natural Capital. *Nature* 387：253-260.

Daily, G.（ed.）. 1997. *Nature's Services: Societal Dependence on Natural Ecosystems.* Washington, DC: Island Press.

Daily, G.C., T. Söderqvist, S. Aniyar, K. Arrow, P. Dasgupta, P.R. Ehrlich, C. Folke, A. Jansson, B. -O. Jansson, N. Kautsky, S. Levin, J. Lubchenco, K.-G. Mäler, D. Simpson, D. Starrett, D. Tilman and B.Walker. 2000. The Value of Nature and the Nature of Value. *Science* 289：395-396.

Darwin, C. 1859. *The Origin of Species by Means of Natural Selection.* Reprinted by The Modern Library, 1998. NewYork: Random House.〔ダーウィン，C.（1990）『種の起原』上下（八杉龍一訳），岩波文庫〕

Delmas, R., D. Serca, and C. Jambert. 1997. Global Inventory of $NO_x$ sources. *Nutrient Cyding in Agroecosystems* 48：51-60.

Ehrlich, P.R., and A.H. Ehrlich. 1981. *Extinction: The Causes and Consequences of the Disappearance of Species.* NewYork: Random House.

Ellerman, A.D., P.L. Joskow, R. Schmalensee, J.-P. Montero, and E.M. Bailey. 2000. *Markets for Clean Air: The US. Acid Rain Program.* Cambridge: Cambridge University Press.

Elton, C.S. 1958. *The Ecology of Invasions by Animals and Plants.* London: Methuen & Co. Ltd.

FAO（Food and Agriculture Organization of the United Nations）. 2001. http://apps.fao.org（accessed January 12, 2005）.

Freeman, A.M., III. 1990. Water Pollution Policy. In *Public policies for Environmental Protection,* edited by Paul R. Portney. Washington, DC: Resources for the Future.

————. 1993. *The Measurement of Environmental and Resource Values: Theory and Evidence.* Washington, DC: Resources for the Future.

Gardner, M.R., and W.R. Ashby. 1970. Connectance of Large Dynamic（Cybernetic）Systems: Critical Values for Stability. *Nature* 228：84.

Goodman, D. 1975. The Theory of Diversity-Stability Relationships in Ecology. *Quarterly Review of Biology* 50：237-266.

Hammack, J., and G.M. Brown Jr. 1974. *Waterfowl and Wetlands: Toward Bioeconomic Analysis.* Baltimore: Johns Hopkins University Press for Resources for the Future.

Hector, A., B. Schmid, C. Beierkuhnlein, M.C. Caldeira, M. Diemer, P.G. Dimitrakopoulos,

J. Finn, H. Freitas, P.S. Giler, J. Good, R. Harris, P. Högberg, K. Huss-Danell, J. Joshi, A. Jumpponen, C. Körner, P.W. Leadley, M. Loreau. A. Minns, C.P.H. Mulder, G. O' Donovan, S.J. Otway, J.S. Pereira, A. Prinz, DJ. Read, M. Scherer-Lorenzen, E.-D. Schulze, A.-S. D. Siamantziouras, E.M. Spehn, A.C. Terry, A.Y. Troumbis, F. I. Woodward, S. Yachi, and J.H. Lawton. 1999. Plant Diversity and Productivity Experiments in European Grasslands. *Science* 286：1123-1127.

Henry, C. 1974. Investment Decisions under Uncertainty: The "Irreversibility Effect." *American Economic Review* 64(6)：1006-1012.

Howarth, R.W., G. Billen, D. Swaney, A. Townsend, N. Jaworski, K. Lajtha, J.A. Downing, R. Elmgren, N. Caraco, T. Jordan, F. Berendse, J. Freney, V Kudeyarov, P. Murdoch, and Z.-L. Zhu. 1996. Riverine Inputs of Nitrogen to the North Atlantic Ocean: Fluxes and Human Influences. *Biogeochemistry* 35：75-139.

Hubbell, S.P. 2001. *The Unified Neutral Theory of Biodiversity and Biogeography*. Monographs in Population Biology, no. 32. Princeton: Princeton University Press.

Huston, M.A. 1997. Hidden Treatments in Ecological Experiments: Reevaluating the Ecosystem Function of Biodiversity. *Oecologia* 110：449-460.

IPCC（Intergovernmental Panel on Climate Change）. 2001. *Climate Change 2001: The Scientific Basis. Contribution of Working Group I to the Third Assessment Report of the Intergovernmental Panel on Climate Change,* edited by J.T. Houghton,Y. Ding, D. J. Griggs, M. Noguer, PJ. van der Linden, X. Da, K. Maskell, and C.A. Johnson. Cambridge: Cambridge University Press.

Johnson, D.G. 2000. Population, Food, and Knowledge. *American Economic Review* 90：1-14.

Krutilla, J.V. 1967. Conservation Reconsidered. *American Economic Review* 57：777-786.

Krutilla, J.V, and A.C. Fisher. 1975. *The Economics of Natural Environments: Studies in the Valuation of Commodity and Amenity Resources.* Baltimore: Johns Hopkins University Press for Resources for the Future.

Lehman, C. L., and D. Tilman. 2000. Biodiversity, Stability, and Productivity in Competitive Communities. *American Naturalist* 156：534-552.

Likens, G.E., C.T. Driscoll, D.C. Buso, T.G. Siccama, C.E. Johnson, G.M. Lovett, TJ. Fahey, W.A. Reiners, D.F. Ryan, C. W. Martin, and S.W. Bailey. 1998. The Biogeochemistry of Calcium at Hubbard Brook. *Biogeochemistry* 41：89-173.

Loreau, M. 1998a. Biodiversity and Ecosystem Functioning: A Mechanistic Model. *Proceedings of the National Academy of Science* 95：5632-5636.

————. 1998b. Separating Sampling and Other Effects in Biodiversity Experiments. *Oikos* 82： 600-602.

————. 2000. Biodiversisty and Ecosystem Functioning: Recent Theoretical Advances. *Oikos* 91：3-17.

Loreau, M., and A. Hector. 2001. Partitioning Selection and Complementarity in Biodiversity Experiments. *Nature* 412 : 72-76.

Loreau, M., S. Naeem, P. Inchausti, J. Bengtsson, J.P. Grime, A. Hector, D.U. Hooper, M.A. Huston, D. Raffaell, B. Schmid, D. Tilman, and D. A. Wardle. 2001. Biodiversity and Ecosystem Functioning: Current Knowledge and Future Challenges. *Science* 294 : 804-808.

MacArthur, R.H. 1955. Fluctuations of Animal Populations and a Measure of Community Stability. *Ecology* 36 : 533-536.

May, R.M. 1972.Will a Large Complex System Be Stable? *Nature* 238 : 413-414.

McGrady-Steed, J., P.M. Harris, and P.J. Morin. 1997. Biodiversity Regulates Ecosystem Predictability. *Nature* 390 : 162-165.

McNaughton, S.J. 1977. Diversity and Stability of Ecological Communities:A Comment on the Role of Empiricism in Ecology. *American Naturalist* 111 : 515-525.

Naeem, S., and S. Li. 1997. Biodiversity Enhances Ecosystem Reliability. *Nature* 390 : 507-509.

Naeem, S., L.J. Thompson, S.P. Lawler, J.H. Lawton, and R.M. Woodfin. 1994. Declining Biodiversity Can Alter the Performance of Ecosystems. *Nature* 368 : 734-737.

Nordhaus,W.D., and E.C. Kokkelenberg (eds.). 1999. *Nature's Numbers: Expanding the National Economic Accounts to Include the Environment.* Washington, DC: National Academy Press.

Odum, E.P. 1953. *Fundamentals of Ecology.* Philadelphia: Saunders.

OECD (Organisation of Economic Co-operation and Development). 2001. *Agricultural practices in OECD Countries.* Paris: OECD.

Rosenzweig, M.L. 1995. *Species Diversity in Space and Time.* NewYork: Cambridge University Press.

Sandor, R.L., and J.R. Skees. 1999. Creating a Market for Carbon: Opportunities for U.S. Farmers. *Choices* (spring).

Schlesinger, W.H. 1997. *Biogeochemistry: An Analysis of Global Change.* San Diego: Academic Press.

Schulze, E.D., and H.A. Mooney. 1993. *Biodiversity and Ecosystem Function.* Berlin: Springer Verlag.

Settle, W.H., H. Ariawan, E .D. Astuti, W Cahyana, A.L. Hakim, D. Hindayana, A.S. Lestari, Pajarningsih, and Sartanto. 1996. Managing Tropical Rice Pests through Conservation of Generalist Natural Enemies and Alternative Prey. *Ecology* 77 : 1975-1988.

Smith, VK. 1997. Pricing What Is Priceless: A Status Report on Nonmarket Valuation of Environmental Resources. In *International Yearbook of Environmental and Resource Economics 1997/1998,* edited by H. Folmer and T. Tietenberg.

Cheltenham, UK: Edward Elgar.

Tilman, D. 1988. *Plant Strategies and the Dynamics and Structure of Plant Communities.* Princeton: Princeton University Press.

———. 1990. Constraints and Tradeoffs: Toward a Predictive Theory of Competition and Successton. *Oikos* 58：3-15.

———. 1996. Biodiversity: Population versus Ecosystem Stability. *Ecology* 77 (3)：350-363.

———. 1999. Diversity and Production in European Grasslands. *Science* 286：1099-1100.

Tilman, D., and J.A. Downing. 1994. Biodiversity and Stability in Grasslands. *Nature* 367：363-365.

Tilman, D., D.Wedin, and J. Knops. 1996. Productivity and Sustainability Influenced by Biodiversity in Grassland Ecosystems. *Nature* 379：718-720.

Tilman, D., J. Knops, D. Wedin, P. Reich, M. Ritchie, and E. Siemann. 1997a. The Influence of Functional Diversity and Composition on Ecosystem Processes. *Science* 277：1300-1302.

Tilman, D., C.L. Lehman, and K.T. Thomson. 1997b. Plant Diversity and Ecosystem Productivity: Theoretical Considerations. *Proceedings of the National Academy of Science* 94：1857-1861.

Tilman, D., P.B. Reich, J. Knops, D. Wedin, T. Mielke, and C. Lehman. 2001. Diversity and Productivity in a Long-Term Grassland Experiment. *Science* 294：843-845.

Toman, M. 1998. Why Not to Calculate the Value of the World's Ecosystem Services and Natural Capital. *Ecological Economics* 25 (1)：57-60.

Tschirhart, J. 2000. General Equilibrium in an Ecosystem. *Journal of Theoretical Biology* 203：13 -32.

U.S. Environmental Protection Agency. 1997. *The Benefits and Costs of the Clean AirAct 1970-1990.* Washington, DC：EPA.

Vitousek, P.M., D.R. Turner, W.J. Parton, and R.L. Sanford. 1994. Litter Decomposition on the Mauna Loa Environmental Matrix, Hawaii: Patterns, Mechanisms, and Models. *Ecology* 75：418-429.

Vitousek, P.M., J.D. Aber, R.W. Howarth, G.E. Likens, P.A. Matson, D.W. Schindler, W.H. Schlesinger, and D.Tilman. 1997a. Human Alteration of the Global Nitrogen Cycle: Sources and Consequences. *Ecological Applications* 7：737-750.

Vitousek, P.M., H.A. Mooney, J. Lubchenco, and J.M. Melillo. 1997b. Human Domination of Earth's Ecosystems. *Science* 277：494-499.

Wilson, E.O. 1988. The Current State of Biological Diversity. In *Biodiversity,* edited by E. O. Wilson. Washington, DC: National Academy Press, 3-18.

——— 1992. *The Diversity of Life.* Cambridge, MA: Belknap Press of Harvard

University Press.

第5章

# 浮上する希少性問題

## 炭素制約下の世界におけるバイオエネルギーと食料との競合

クリスティアン・アサール

エネルギーは希少ではない．世界には，今後数世紀間のエネルギー需要に関して妥当と思われるいかなる予測に対しても十分な石炭が存在している．[1)]もし石炭が受け入れられない場合，地球社会は十分な供給量を持つ太陽エネルギーに頼るだろう．太陽が一年間に地球にもたらすエネルギー量は，人間が使用する化石燃料，原子力発電および水力発電を合計した現在の世界全体の年間エネルギー量の10,000倍ほどである（WEA 2000, 167）．太陽エネルギーは，電気や水素といったクリーンなエネルギーに変換することが可能であり，我々のエネルギーおよび輸送システムを事実上ゼロ排出にすることができる．

このように，「エネルギー問題」は，エネルギーそれ自体の物理的な希少性に関するものではない．むしろ，エネルギー問題，あるいは正確にはエネルギー問題群は，経済的，制度的，地政学的，そして環境的な要因に関連している．

エネルギーの物理的な希少性ではなく，貧困やその他の制度的な要因が，発展途上国において20億人が近代的なエネルギーにアクセスできない主な原因であり，その衛生面および環境面における帰結は甚大である．さらに石油の問題に関しては，地政学的希少性が存在する．すなわち，今後数十年のうちに在来型石油資源は希少となる可能性が高く，それが新たな石油危機と軍事衝突のリスクをもたらしている．石油は，液化石炭や太陽エネルギーで発生させる水素といった他の代替物よりも安価であり，そのために石油への関心は特に高いのである．最後に，化石燃料の燃焼により二酸化炭素（$CO_2$）が排出されることから，環境的希少性が生じている．二酸化硫黄（$SO_2$），窒素酸化物（$NO_X$）および粒子状物質といった局所的，地域的な汚染物は，地球上の数十億の人々に対して衛生面と環境面での危険を引き起こしている．[2)]

本章では，気候変動に焦点を当てるとともに，気候変動政策がいかにしてバイオマスと食料の間での土地をめぐる競合を増やすのかについても焦点を当てる．以下の四つの仮説が提唱されている．

・厳しい気候目標の達成は，技術的にも経済的にも可能である．
・気候変動緩和政策に応じて，土地に関する新たな希少性が現れるリスクが存在する．バイオエネルギーは比較的低コストの再生可能燃料なので，低$CO_2$排出への移行に際し主要な役割を果たすことが期待できる．しかし，バイオマスの供給ポテンシャルについて楽観的に見るか悲観的に見るかに関わらず，ゼロ炭素エネルギーの実現に必要とされる水準と比べて供給ポテンシャルは低い．よって，もし低$CO_2$排出目標を達成するならば，より高価なゼロ炭素のエネルギー源を利用しなければならなくなるだろう．
・より高価なゼロ炭素のエネルギーは，バイオエネルギー部門がより高い利益を得られるような水準へエネルギー価格を引き上げる可能性がある．エネルギー部門に劣らない利益が上がるようになるほど食料価格が上昇しない限り，このようなより高い利益は，農家にとってバイオエネルギーに転換することへのより強い経済的インセンティブになる．よって，土地と食料の価格は押し上げられるであろう．本章では，地価が一桁上昇し，食料価格が２～５倍に上昇すると推定している．
・土地および食料価格の上昇が世界の貧困層および栄養失調の人々に及ぼす社会経済的な影響は複雑で，正の影響にも負の影響にもなりうる．

結果の感じをつかむために，まず最初の三つの仮説を支持する議論を簡便な計算を用いながら展開し，その後，より詳細なエネルギー経済モデル分析を行う．他のモデル分析研究については，Walsh et al.（1996），Azar and Berndes（1999），Gielen et al.（2001），McCarl and Schneider（2001）および Johansson and Azar（2003）を参照のこと．さらに，土地競合仮説に対する実証的証拠をいくつか提供し，まさにこれが世界の飢餓パターンにどのように影響しうるかについて議論する．最終節で政策的結論を提示する．

## 厳しい気候目標を達成する

大気中の$CO_2$濃度は現在およそ375ppm である．これは工業化以前の濃度より約30パーセント高く，炭素抑制政策が導入されなければ今世紀末までに現在の濃度の２倍以上になる見通しである．このため，国連気候変動枠組条約（UNFCCC）（United Nations 1992）は，「気候系に対する危険な人為的干渉」を防ぐ水準に温室効果ガスを安定化することを求めている．

FCCC は，気候系に対する危険な人為的干渉の概念についての定義は行っていないが，欧州連合といった政府や，Rijsberman and Swart（1990），ドイツ連邦政府の気候変動に関する科学的諮問委員会（WBGU 1995），Alcamo and Kreileman (1996）や Azar and Rodhe（1997）といった科学者たちは，工業化以前からの全球年間平均表面温度の上昇を2℃あるいはその程度を上限として定めるよう論議してきている．Azar and Rodhe（1997）は，2℃目標は濃度を400 ppm 以下に維持することを必要とするであろうが，550 ppm といったより高い濃度でも許容できる確率も若干存在することを示している[3)]．

地球社会は，化石燃料の燃焼とセメント生産により1990年から1999年の間に平均で年間6.3 GtC（1 GtC は，$10^9$つまり10億 tC に相当する）を排出した．1980年代には，主に熱帯での森林破壊に見られる土地利用変化によって，大きな不確実性を伴う数字ではあるが，さらに年間1.7 GtC が放出された（IPCC 2001a，190）．いわゆる基準シナリオによれば，かなり幅のある数字ではあるが，地球社会は2100年までに年間約20 GtC を排出する可能性があるとしている（IPCC 1992，1999）．

2100年までに400 ppm 目標を達成するためには，総 $CO_2$排出量を年間約2 GtC まで削減する必要があろう．それより緩めの安定化目標を選択する場合，削減量はそれほど多くなくてもよいかもしれないが，それでもエネルギーシステムの抜本的な変革が必要となろう．450 ppm 目標および550 ppm 目標に対し，年間排出量をそれぞれ 4 GtC および 7 GtC に減らす必要があるだろう（Wigley et al. 1996）．しかし，これらの高めの濃度目標に対してさえ，最終的には年間排出量を 2 GtC 以下の水準まで削減する必要があるかもしれないと認識することは重要である（IPCC 2001a）．

これは気が遠くなるような数字である．一人あたりで考えると，このことがさらに明白になるかもしれない．2100年までに人口が100億人になる場合，400 ppm，450 ppm および550 ppm 目標に対し，一人あたり年間排出量をそれぞれ0.2 tC，0.4 tC および0.7 tC まで削減する必要がある．これを現在の排出量と比較しよう．

・米国の一人あたり年間排出量は 5 tC 以上
・日本，欧州連合および旧ソ連諸国では年間 2 ～ 3 tC の範囲
・中国やラテンアメリカといった発展途上国では年間約0.7 tC
・インドとアフリカは年間約0.3 tC

よって，世界の一人あたり排出量を最終的に現在のインドより低い水準まで減らす必要があるだろう．

### 簡単な計算に基づく世界エネルギーシナリオ

エネルギーシステムモデルは，透明で分かりやすいというより，詳細であることが一般的である．簡便な計算は，多くの低炭素排出シナリオの背後に存在する仮定をより分かりやすく描き出し，願わくは読者自身が結果をチェックすることを可能

にしてくれる．ここでは，2100年までに厳しい炭素目標を達成することの技術的実行可能性を実証するため，単純なシナリオを提示する．その後，400 ppm 目標に向けた世界エネルギーシナリオによって，そこまでの移行過程の全体像を描く．

2100年までに平均的な世界市民が現在の先進国とほぼ同等の物質的生活水準を享受できるくらいに所得が増加すると想定しよう．人口が100億人で，各人が典型的な OECD の市民と同じ年間200 GJ（GJ：1 GJ は$10^9$ J，すなわち10億 J）程度の一次エネルギーを利用すると想定する．このことは，総エネルギー供給量が年間2,000 EJ（EJ：1 EJ は$10^{18}$J，すなわち10億 GJ）となることを意味する．これは現在の世界の一次エネルギー供給量の5倍である．

より低い$CO_2$排出は，以下を組み合わせることで達成されうる．

・エネルギー効率の技術的な改善，生活スタイルの変化，人口成長の減速によるエネルギー利用の削減
・石炭と石油の代わりに，バイオマス，風力，太陽，水力を含む再生可能エネルギー，原子力や天然ガスの利用を拡大することによる，単位一次エネルギー供給あたりの$CO_2$排出量の削減
・化石燃料やバイオマスからの炭素隔離

これらの技術の詳細な評価を行うのは本章の範囲を超える．原子力，化石燃料および再生可能エネルギー技術に関して，詳細で信頼できる最近の分析結果に興味ある読者は，*World Energy Assessment*（WEA 2000）を参照されたい．

エネルギー効率を向上する政策（例えば，エネルギーの価格や基準を高めること）が導入された場合に限っての話ではあるが，エネルギー効率の改善により，上記のエネルギー需要を半分，一人あたりでは年間100 GJ にまで削減できるかもしれない．これは，エネルギー効率が年率0.7パーセントで上昇することに相当する．技術的手段としては，効率を50～80パーセントに向上できる発電向け燃料電池（現在の効率は石炭火力発電所で30～40パーセント，新型の天然ガス複合サイクル発電所で約50パーセント），効率を約2倍にできる自動車向け燃料電池，低温地域において暖房システムが不要となる高断熱住宅（このような住宅はスウェーデン，米国，その他に存在する）などがある．エネルギー効率に関する詳細は，Ayres（1994）および WEA（2000）を参照のこと．

つまり，年間100 GJ の一次エネルギー供給で，今日の一般的な OECD の市民が年間200 GJ を消費して享受しているエネルギーサービスと同等のサービスを提供しうることになる．2100年には，我々は一人あたり年間100 GJ，総量で年間1,000 EJ を世界に供給する必要があることになる（表 5-1参照）．

炭素排出目標が年間 2 GtC の場合，従来型の化石燃料の使用により獲得するエネ

**表 5-1　2100年までの一次エネルギーとネガワット（エネルギー削減量）[a]**

| エネルギー源 | 供給量（EJ/年） | 必要な土地（100万km²） |
|---|---|---|
| ネガワット：エネルギー効率改善[b] − 0.7%/年 | 1,000[b] | — |
| 在来型化石燃料 | 100 | — |
| 炭素隔離付き化石燃料 | 200 | — |
| バイオマスエネルギー | 200 | 5–10 |
| 太陽光および風力 | 500 | 1 |
| 合計 | 2,000 | — |

[a] 世界中の人々が，現在の平均的なOECDの国民と同じ量（一次エネルギー供給でおよそ一人あたり年間200 GJ）のエネルギーサービスを利用するようになると想定．技術的，組織的および行動的な変化により，現在提供されているエネルギーサービスを損なわずに，需要を一人あたり年間100 GJにまで削減できるとしている．これは，今世紀を通してエネルギー効率が年平均0.7パーセントずつ改善されることを必要とする．
[b] エネルギー効率はもちろんエネルギー源ではないが，このオプションが供給オプションに比して多大なポテンシャルがあることを明示するために含めている．

出典：WEA（2000）に基づき筆者推計．

ルギーは全世界で年間100 EJ ほどになるだろう[4)]．これは，全世界で年間900 EJを他のエネルギー源から見つけ出す必要があることを意味している．

水力発電による供給は年間10 EJ ほどである．水力発電を大規模に拡大するポテンシャルは限られており，供給が今後100年のうちに2倍になったとしても，ゼロ炭素エネルギーの需要全体の10パーセントにも満たないだろう．水力発電は低コストオプションとしてしばしば関心を集めるが，供給が2倍あるいはそれ以上に変化しても土地競合が激化する度合いには影響しないので，ここではこれについて詳しく述べる必要はない．

バイオマスすなわち農業や林業からの有機物質は，おそらく年間200 ± 100 EJ 程度を供給しうる有望な低コスト再生可能エネルギー源である．年間200 EJ というのは非常に大きなエネルギー量であることに注意すべきである[5)]．これは大まかに言って，現在の全世界の食料システムのサイズと同等であり，現在の商用木材（例えば紙や家具）生産の10倍に相当する．もっと多くの産出量，例えばおそらく上記の約2倍まで達成できるとする者もいる（他の研究のレビューについてはWEA 2000およびBerndes et al. 2003を参照）が，こういった推計は楽観的になる傾向がある．

問題は，年間200 EJ のバイオマスエネルギーを供給することが技術的に可能かどうかではない．これは，たとえその倍の量でさえ可能である．重要なのは，年間200 EJ の水準でさえ，社会面あるいは環境面で許容可能な方法で達成できる限界に達しかねないということである．

化石燃料，そしてバイオエネルギーの利用により排出される$CO_2$は，回収・貯留が可能である[6]．技術的には，回収貯留技術は商業的に利用可能で検証済みであるが，性能向上やコスト削減と同様に規模の拡大が求められている．炭素の回収貯留コストは，1 tC あたり数百米ドル以下になると期待されている（WEA 2002, Azar et al. 2004参照）．重要な課題の一つは，貯留ポテンシャルである．技術的には可能だが政治的に議論のあるオプションとして，廃油田・ガス田，深層石炭層および帯水層といった地中貯留層および海洋への貯留がある[7]．$CO_2$貯留のポテンシャルは，厳しい気候政策下で化石燃料が果たせる役割を決定付けることは明らかであるが，どれだけが貯留可能かは不明確である．海洋隔離が不可能となっても，廃油田・ガス田および構造性トラップのある帯水層は，数百 GtC の貯留が可能である（WEA 2000, Grimston et al. 2001）．もし構造性トラップが必要とみなされなければ，帯水層は数千 GtC 隔離できる．

最後に，許容できる漏出率について一言．2,000 GtC が隔離されたとして，漏出率が年率0.1パーセントであれば，数世紀にわたって年間約 2 GtC の放出が起こることになる．これは，本章で議論している大気中$CO_2$安定化水準とは両立できない．よって，何千 GtC もが貯留された場合には，漏出率を0.1パーセントよりずっと低くすべきとなる[8]．

この試算のためには，究極的に500 GtC が安全に貯留できると想定しよう．これは，100年間にわたり毎年約200 EJ のエネルギーを炭素排出なしに供給できることを意味する[9]．しかしその後は，炭素隔離を伴った化石燃料による寄与分を，再生可能エネルギーが代替する必要があるだろう．

原子力発電は現在行き詰まっているが，厳しい炭素抑制政策を導入すれば，おそらく電力価格は上昇し，原子力発電の経済的競争力が高まることを認識すべきである．政治家，企業の代表者や研究者の中には，原子力エネルギーに頼らずして$CO_2$を大幅に減らすことは不可能だと主張する者もいる（Sailor et al. 2000, Lake et al. 2002参照）．

炭素制約下の世界における原子力エネルギーの役割について本章では詳しく検討できないが，原子力エネルギーが本格的に寄与するためには，〔設備容量を〕一桁あげるくらいの大幅拡大が必要とされるだろう．100 EJ の電力あるいは水素（熱損失は計上しない）の供給には4,000基の原子炉が必要となる（1基あたり電力出力1,000メガワットで，設備利用率を80パーセントとする）．これは，世界の原子炉の数を10倍にすることに相当する．このような拡大は，とくに増殖炉への移行を伴う場合には，事故と核拡散のリスクを大幅に高めることになろう[10]．原子力の大規模な拡大に関する批判的な議論については，Abrahamson and Swahn（2000）を参照されたい．

風力および太陽エネルギーは，いずれも大量の電力，水素および熱を提供しうる．世界の年間の風力資源は年間5,800 EJ（土地の制約が無い場合）あるいは年間231 EJ（土地面積の4パーセント未満を利用する場合）と推計されている．地球に流入する太陽エネルギーの量は，妥当と考えられるいかなる水準のエネルギー需要をも供給するのに十分である．この流入量は一般に温暖な国において年間1平方メートルあたり7 GJ，北方の国ではだいたいその半分である．水素あるいは電力への変換効率を10パーセントと想定し，土地利用効率を50パーセントとすると，太陽エネルギーに割り当てられた土地1平方メートルあたりで年間350 メガジュール（MJ）を提供する．つまり，年間350 EJ の供給には100万㎢が必要となり，これは世界の極地を除く砂漠面積のだいたい3.6パーセントに相当する（IPCC 2001a, 192）．

これはもちろん広大な面積であるが，ほとんどの世界エネルギーシナリオで描かれるバイオマスエネルギー用プランテーションの面積と比べればずっと小さい．さらに重要なことに，緑に覆われた生物生産が可能な土地をターゲットとする必要がないのである．WEA（2000, 163）は，最小および最大の技術的太陽エネルギーポテンシャルを年間1,500～50,000 EJ と推計している．

結論として，2100年までに年間1,000 EJ という所定の一次エネルギー供給は，年間100 EJ の従来型化石燃料の利用，年間200 EJ の炭素回収・貯留を伴う化石燃料利用，年間200 EJ のバイオマスエネルギーと，年間約500 EJ の太陽エネルギーおよび風力エネルギーで賄えることになる．水力エネルギー，地熱エネルギー，原子力エネルギーおよび海洋のエネルギーフローからも相当の寄与が得られるだろうが，これらはこの分析では省略している．原子力エネルギーは重要となる可能性を有するが，核兵器の拡散，放射性廃棄物処理や事故に関する懸念によりその可能性は事実上打ち消されてしまうかもしれない．

言うまでもなくこれらの数字は正確なものではなく，可能性のある桁数の範囲を示すものとだけ考えるべきである．バイオマスの寄与は年間100 EJ くらい多いかもしれないし少ないかもしれず，炭素隔離を伴う化石燃料は，貯留オプションと政治的実行可能性によっては，はるかに重要ともなりうるし，あるいはほとんど重要ではないかもしれない．理解の上で重要なポイントは，バイオエネルギーからの寄与は，楽観的な数値を想定したとしても，ゼロ炭素のエネルギー源の需要全体から見ればそれほど多くなさそうだということである．

## 浮上する希少性問題—食料対燃料

$CO_2$排出削減を目指した政策は他の技術や物質の需要を増やし，それが例えば$CO_2$貯留容量，ウランや，太陽電池，燃料電池あるいは蓄電池用の金属といった新たな希少性をもたらすかもしれない（金属の場合については，Andersson and Råde 2002参照）．一つの問題を解決する過程において他の問題を生じないように注意せねばならない．

炭素排出抑制政策はバイオエネルギーの需要を増加させ，そのため土地を利用する他の部門，特に食料，紙および素材部門との競合を招く可能性がある．本章は食料に焦点を置くが，気候政策は，森林の耕作地や牧草地への転換といったそれ以外の土地利用の経済性や[11]，バイオマスを木質素材や紙の生産に用いることの収益性にも影響を与える．このような競合はスウェーデンで既に始まっており，政府はエネルギーを目的としたバイオマス利用に課税すべきという要求も出されている．

### バイオマスエネルギーの潜在的供給量

エネルギー用のバイオマスは，専用のプランテーションおよび残さ（例えば，林業，農業および家庭からの廃物）から得られる．プランテーションからの供給にはユーカリ，ポプラや草本類があり，収量や，利用可能な土地の量に依存する．プランテーションは，農地，牧草地および森林において行うことができ，その程度は，環境上の配慮（自然保全および生物多様性の保護）に加えて，社会的，生態学的（降水量，土壌の質など），経済的要因の組み合わせにより決定されることになる．

現在，世界の農耕地は約15億ヘクタールを占め，熱帯のサバンナと草地および温帯の主に牧草地に用いられる草地と灌木地は約35億から45億ヘクタールを占める．また，熱帯，温帯および亜寒帯の森林は42億ヘクタールを占める（IPCC 2001a, 192）．

世界の食料需要の分析によると，今後50年間の供給増加分の殆どは，単収の増加により賄われるとされるが（Dyson 1996），いくつかの研究は数億ヘクタールの耕作地拡大の必要性を示唆している（例えば，Tilman et al. 2001）．もともと森林であった土地で短期輪作プランテーションを行うことは，いくつかの理由から好ましくない[12]．そのため，生産力があまりない耕作地と牧草地，特に発展途上国における劣化した土地が，多くの人から見てプランテーションの第一の候補地である．

しかしながら，Berndes et al.（2003）は，世界のバイオエネルギーポテンシャルに関する文献をレビューした結果，「レビューした研究の中では，プランテーションを行うのに適していて利用可能である劣化した土地について独自の評価を提示しているものは一つもなく，代わりに他の研究を参照している．（中略）しかし，参照されている研究は，プランテーションを開くのに適した劣化した土地の利用可能性に焦点を当てていない」と結論づけている．さらに留意が必要なのは，「劣化した土地」とは曖昧な概念であり，いくらか質が悪化したようなすべての土地が含まれるが，そういった土地はかなりの場合，貧しい生計を立てている農家が居住し耕作しているという点である．

もしもゼロ炭素あるいは炭素ニュートラルのエネルギーに対する需要が非常に大きく，エネルギー価格が十分に高ければ，多くの土地をプランテーションに転換することが技術的にも経済的にも可能であることは明らかである．実際に転換される土地の量は，そのプランテーションの社会的・環境的な受容可能性に依存する．受容可能なバイオマスの潜在的供給量を推計するには社会的・環境的な反応について仮定を設けねばならないが，これはかなりの部分，アナリストの主観的視点を反映した当て推量となる．

プランテーションを強く支持する者もいる．例えばHall et al.（1993，644）は米国，欧州，ラテンアメリカおよびアフリカにおいてプランテーションの適地が豊富にあるとしている．しかし，アジアにおいては食料生産との競合が深刻になりうることを指摘している．彼らは，「プランテーション系バイオマスエネルギーにより，将来的に望ましい経済状態と環境的・社会的な便益を得ることができることを考えると，このようなプランテーションを世界中で開発するために集中的に努力するのは当然である」と主張する．

しかし，プランテーションが多くの土地を占めるようになれば，それに対する社会的な抵抗が予想されうる．バイオエネルギーへの依存が高いシナリオにおいて必要とされる量からすれば現在の短期輪作の森林面積はほんの少ない量に過ぎないが，この批判は既に始まっている（Carrere and Lohmann 1996）．

本章では，５億ヘクタールを社会的・環境的に受容できる条件下でプランテーションのために使えると想定する．これは，再生可能エネルギー重点シナリオと整合する（Johansson et al. 1993，Hall et al. 1993）．しかし，WEA（2000，158）が想定する12億ヘクタールよりずっと少ない．また５億ヘクタールはとても大きすぎると主張する者もいるだろう．

５億ヘクタールがプランテーションのために使えるという想定は，必ずしも筆者がこれだけ使うべきだと信じていることを意味しない．確固たる展望をもつには早すぎる．むしろこれは議論の開始点として理解されたい．世界は，多機能的な便益をもたらすプランテーション（Börjesson et al. 2002）を特に劣化した土地で試み，社会的・環境的な含意を注意深く観察すべきである．その上で地域的な意思決定が，結局のところバイオエネルギー用プランテーションでどのくらい生産するかを判断するであろう.

短期輪作の作物の年間生産量は, 生産システムや降水量などにより, 年間ヘクタールあたり乾量ベースで5トンから20トンの範囲である. 高い方の推計値は, 非常に良い条件 (ブラジルにおける良く管理された実験的プランテーションで, 年間降水量2,000ミリ) の場合である. 過去数百年でトウモロコシ, 小麦および米の収量が改善されたように, 研究と経験の成果としてこれから数百年にわたって改善が見込まれるかもしれない. しかし, この点について誇張すべきではない. 我々には既にパルプと材木向けの管理されたプランテーションの経験がある (ブラジル, インド, チリおよび他のいくつかの国において数百万ヘクタールのユーカリとマツがある). さらに, 今日の平均的な穀物収量は, 8億ヘクタールより若干少ない土地において年間ヘクタールあたり3トン弱である (FAO 2002, Dyson 1996). したがって, もしも非常に多くの土地が使われ, そのなかには降水量が少ないものもおそらくあるとするならば, 年間ヘクタールあたり平均収量10トンの想定は合理的だろう.

年間ヘクタールあたり10トンが, OECD 諸国における一人あたりの一次エネルギー供給量とほぼ等しい年間ヘクタールあたり200 GJ に相当することは興味深い. 北アメリカと欧州の人口は合わせて8億7600万人で, 作物向けの土地が4億ヘクタール, つまり一人あたりの耕作地は約0.5ヘクタールである. もし, これらの地域のすべての耕作地がバイオエネルギー用プランテーションに使われたとしても (単なる例証のための完全に非現実的な想定であるが), 収量は, 現在の彼らの一次エネルギー供給の半分に相当する量に過ぎないだろう.

廃物の量は, 食料と産業用の木材の需要により決まる. このことにより廃物からの供給可能量推計は不確実であるが, 年間20〜100 EJ くらいだろう (いくつかの異なる研究の文献調査については Berndes et al. 2003を, 世界の食料システムにおけるバイオマスフローの詳細な評価については Wirsenius 2000を参照)[13].

よって, 年間ヘクタールあたりの平均収量が10トンで, プランテーションに5億ヘクタールの面積が当てられると想定すると, 世界全体で50億トンのバイオマスが得られることになる. これは年間100 EJ に相当する. 廃物からの年間100 EJ とあわせると, 大まかにいって潜在的供給量は年間合計200 EJ で, すべての不確実性を考えると, これより年間100 EJ 多いか少ないかの範囲になるだろう.

### 食料と土地の価格への影響

気候変動と, それに対応するための政策は, いくつかの異なる経路で食料生産に影響を与える可能性がある．気候変動と大気中$CO_2$濃度の変化は，食料生産だけでなく，バイオマスの生産性一般に影響し（IPCC 2001b，第5章），温室効果ガスに対する課税は，農業活動の費用（燃料，電力，肥料といった投入要素と，畜牛や水田から発生するメタンなどの排出費用）を押し上げるのである．しかし炭素税によってエネルギー価格も上昇するので，バイオマスエネルギーのプランテーションの収益性が高まり，そのため土地の価格と，農業の経済的条件が影響を受ける．

前節の結論として，バイオマスの需要は供給ポテンシャルを上回りそうだと述べた．200 EJ/年という供給は，現在の世界の石油の利用量より多く，非常に大きな量であるが，それでも，今世紀末までの世界のゼロ炭素エネルギーの需要の3分の1以下に過ぎない．もっと費用のかかる他のエネルギー源が登場せねばならないという結論は避けられない．結局，そのエネルギー源によってエネルギーの限界費用が決まることになる．

$CO_2$排出からの移行が実現するとしたら，まず炭素税（またはキャップ・アンド・トレード・システム）が化石エネルギーの価格を押し上げ，その結果，バイオエネルギー部門での相当の利益が期待される．価格は，最終的にバックストップ技術（ここでは熱，電気，水素製造向けの太陽エネルギーを想定）の費用に落ち着くだろう．バイオエネルギー部門の利潤が高まることで，土地価格が上昇し，結果的に食料価格が高くなるだろう．このメカニズムは自由市場の条件下で働くが，望ましいと判断されれば，特定の政策によって修正することも当然可能である．

こうした考え方に沿った食料とバイオエネルギーとの相互作用の研究は，Walsh et al.（1998），Azar and Berndes（1999），Gielen et al.（2001），McCarl and Schneider（2001），Johansson and Azar（2003）によってなされてきた．また，Edmonds et al.（1996）も統合モデルでバイオエネルギーと食料について分析しているが，炭素削減政策は導入されていない．

### バイオマスに対する支払い意思額の簡単な計算

専用プランテーションからのバイオマスエネルギーは，バイオマス供給源として最大のものになる可能性があるが，費用は熱帯で2米ドル/GJ程度，欧州で3～4米ドル/GJ程度である（WEA 2000，226；Azar and Larson 2000；Börjesson et al. 2002）．バイオマスは，プロセス用の熱，電力，水素，あるいは，ほとんど全ての液体炭化水素（メタノール，エタノールなどを含む）にも変換可能である．バイオマスからの水素製造費用は（フィードストックの費用を2米ドル/GJと想定して），変換効率60%とすれば8米ドル/GJまで低下が期待できる（IPCC 1996，第19章；WEA 2000，226）．現時点では，例えばバイオマスのガス化技術などの技術的改善なしには，この費用水準には達し得ない．

バイオマスに対する支払い意思額を推計するためには，バイオマスから水素を作る費用と太陽エネルギーから水素を作る費用とを比較すると分かりやすい．経験が積まれ，さらに技術が改善し，大量生産が行われれば，後者の費用は20米ドル /GJ まで低下することも考えられるが（IPCC 1996，第19章），これは楽観的過ぎるかもしれない[14)]．

太陽エネルギーから生産する水素を，エネルギーの限界価格を決めるバックストップ技術と考えれば，バイオマスは，水素の生産者に１バイオマス GJ あたり９米ドルで販売できる．この価格で変換効率が60％の場合，水素生産のフィードストック費用は１水素 GJ あたり15米ドルとなる．資本と変換の費用は約５米ドル /GJ と想定され，総費用は20米ドル /GJ となって，太陽エネルギーから生産する水素の費用と一致する．もしバイオマスの価格が９米ドル /GJ までで済み，バイオマス生産費用が２米ドル /GJ であれば，利潤は７米ドル /GJ となる．単収の水準を年間200 GJ/ha とすれば，ヘクタールあたりの利益は年間1,400米ドル /ha になる．

これらのレントを現在の土地価格と比較してみると面白い[15)]．米国における土地代は年間50～300米ドル /ha の範囲で，平均価格は年間170米ドル /ha である（USDA 2002）．北ヨーロッパの土地代はだいたい年間100～300米ドル /ha の範囲に収まる（Jordbruksverket 2001）．よって，上記のような希少性費用が実際に発生すれば，土地のレントは５～10倍に上昇する．

これらの推計は，生物生産性の高い土地をめぐって，バイオエネルギーが食料生産と競合するようになる可能性があることを強く示唆する．小麦の生産を考えてみよう．成熟した生産システムを利用した好条件での生産の平均単収は，欧州連合では年間６穀物トン（乾量）/ha に近く，米国では年間約３トン /ha である．小麦の価格は概ね100～150米ドル / 穀物トンなので，総収入は米国の農家で年間300～450米ドル /ha，欧州連合で年間600～900米ドル /ha となる．これに農家の所得のかなりの部分を占める補助金が加わる．しかし補助金は国によって大きく異なり，この要因についてはここでは省略する．

年間小麦収量５t/ha の農場を考える．農家が市場の条件下で，エネルギー作物ではなく小麦を生産したとすると，小麦耕作の利潤は年間1,400米ドル /ha，つまり約280米ドル / 穀物トンまで上昇しなければならない（ここでもバイオエネルギーへの支払い意思額は９米ドル /GJ を想定）．小麦価格は約400米ドル / トンまで上昇しなければならず，これは３倍もの上昇である．このことが社会的・政治的に持つ意味は非常に大きい可能性があるが，まだよく理解されていない．

**感度解析**

ここに挙げている数値は，全世界が協力して$CO_2$排出量を削減する努力を行った場合に起こる可能性のある土地の価値上昇を示す目安であり，それ以上のものではないと理解すべきである．この結果にはいくつかの重要な仮定があり，以下でこれらの仮定に対する感度を評価する．断りのない限り，すべてのケースで，バイオマス供給には制約があり，太陽エネルギーはバックストップ技術であり，一定の限界価格（ここでは20米ドル /GJ と想定）で多量のエネルギーを供給できると想定する．

・バックストップのゼロ炭素エネルギーの費用．太陽エネルギーから生産する水素などのバックストップのエネルギー源の費用がもっと低ければ，バイオエネルギー部門の利潤は減少し，そのため土地価格の上昇はそれほど甚大とはならないだろう．逆に，その費用が高ければ，バイオマスの希少性レントは上昇する．バックストップエネルギー費用１米ドル /GJ の上昇に対して，バイオマスへの支払い意思額は約0.6米ドル /GJ 上昇する．

・バイオマスの供給ポテンシャル．年平均単収が10 t/ha より50パーセント高く，プランテーション専用土地面積が100パーセント広い（500 Mha ではなく1,000 Mha）と想定する．そうすると，全世界で専用プランテーションから300 EJ/ 年のバイオエネルギーの供給を得ることになる．それでも，これは世界全体のゼロ炭素エネルギー需要に占める割合は小さく，いずれにしてももっと費用のかかるエネルギー源が必要とされることになる．よって，専用プランテーションの単収をもっと多く，あるいはその面積をもっと広く想定しても，バイオマスエネルギーの潜在需要が供給可能量を上回るという基本的な構図は変わらない．

・作物とバイオエネルギーのいずれかまたは両方の単収が多い．食料およびバイオエネルギー部門で高い収益を得られれば，収量を増やすインセンティブとなる．穀物単収が高いと食料生産のための土地に対する需要が減少し，土地をバイオマスの耕作に使えることになる．さらに，土地のレントの高さは作物単収の多さに基づくので，このことによって食料価格の上昇が小さくなる．たとえば，最初の例のように土地のレントを年間1,400米ドル /ha と想定しよう．小麦の単収が高い，たとえば年間10 t/ha だとすると，小麦の価格は先に推計した280米ドル / トンではなくて140米ドル / トンになる．一方，もしもこうした高い作物単収が達成できるとしたら，バイオエネルギー生産システムについても高い単収が期待され，このことにより土地の価値がさらに上昇する．たとえば，単収が年間400 GJ/ha だと，土地のレントは2,800米ドル /ha に上昇する．

・劣化した土地におけるバイオエネルギー単収が低い．これは，食料価格に特段影響しないだろう．劣化した土地の価値が低下するだけであって，主要な農地でのバイオエネルギー生産の機会費用には影響しない．

・作物残さのエネルギー用途への販売．農作物残さには相当のエネルギー量が存在する（作物の乾量のうち人間が食べる分は，普通は50％くらいである）．残さの一部は土壌の質のために土壌に残しておかねばならないが，残りは，エネルギー価格が十分に上がれば，エネルギー量を有するということで販売することができる．このような販売を行えば，食料生産はより経済的になり，穀物価格の上昇はそこまで顕著ではなくなるだろう．年間で１ヘクタールあたり２トンの残さがあり，残さのエネルギー量は20 GJ/ トン，残さの価値は９米ドル /GJ，残さの収集費用は１米ドル /GJ と想定しよう．そうすると，残さの販売により年間320米ドル /ha，あるいは約60米ドル / 小麦トンを得ることになろう．そして穀物価格は（バイオエネルギー生産と同じだけの利益を得るのに）280米ドル / 穀物トンではなくて220米ドル / トンになる．上記の残さの回収可能性に関してもっと楽観的な想定をすれば，小麦の価格上昇幅はさらに小さくなる（Johansson and Azar 2003）．

・バイオマスの価値が最も高い場合．前のほうでバイオマスと太陽エネルギーから作る水素とを比較した．プロセス熱と蒸気製造まで考慮すると，費用の差はさらに大きくなる．20米ドル /GJ の費用がかかる太陽エネルギーからの水素が，２米ドル /GJ の費用しかかからないバイオマス（直接燃料）に代替されれば，バイオマスへの支払い意思額は20米ドル /GJ に達するかもしれない（熱プラントの費用は同じと仮定）．バイオマス価格が高いことの背景には，このことがあるのである．これについては，より詳細なモデルを後述する．

・バックストップ技術としての化石燃料からの炭素回収・貯留．これは，ゼロ炭素のエネルギーの費用がずっと低くなることを意味するが，もしもこのオプションが大規模に利用可能となったとしたら（貯留容量が大きく，回収・貯留技術が競争的になれば），この技術はバイオマス変換設備においても使える可能性がある．バイオマスエネルギーに炭素回収・貯留を合わせれば，熱，電力，水素といったゼロ炭素のエネルギーを作り出すと同時に，大気から炭素を除去できるようになる（Obersteiner et al. 2001）．これによって，バイオマスの競争力は一段と強まることになる．図5-1に，石炭，天然ガス，バイオマスによる各発電プラントの発電費用を，炭素回収ありとなしのケースについて示す．バイオマスに対する利潤マージンは，いずれのケースにおいても炭素税とともに線形的に増加する（Azar et al. 2004）．バイオマスに対する支払い意思額が多くなるのは，実際の生産費用のためではなく，この利潤マージンのためである．

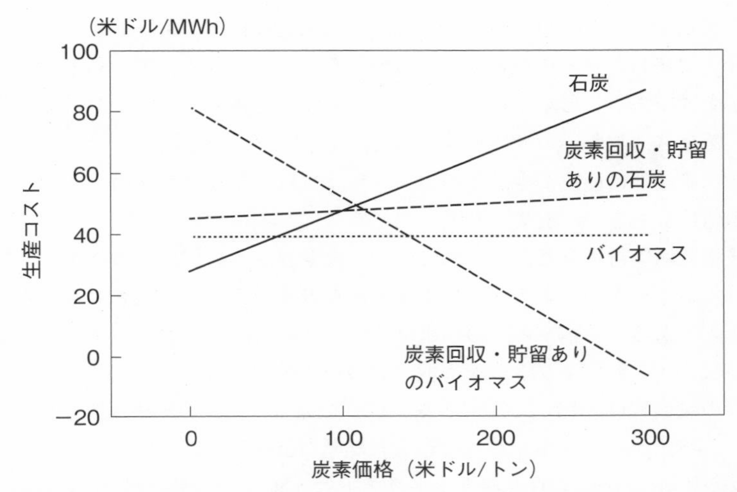


注：炭素回収がない場合とある場合の化石燃料およびバイオマスによる電力コストを，炭素税の関数として示す．輸送および貯留コストを含む．
出典：Azar et al. 2004.

**図5-1　化石燃料とバイオマスによる電力コスト**

## 食料と燃料の競合に関する，より詳細なモデル

世界のエネルギー需給と食料-燃料間のバイオマス競合については，目の子の計算を行うことで，大まかに何が問題になっているのかが，はっきりと見えるようになるかもしれない．しかし，低炭素という目標に向けた進展や，エネルギー，食料，土地の価格が時間とともにどう展開するのかについてはほとんどわからない．こうした問題を評価するには，より詳細な，それゆえ透明性には欠けるモデルが必要となる．

図5-2と図5-3は，アサールとリングレンが開発したGETモデルを用いて，この種のモデリングの検討を行った結果である（Azar et al. 2003, 2004）．厳しい気候目標に対応する詳細なエネルギーシナリオとしては，この他に，IPCC（1996, 第19章）のものや，IIASA/WEC（1995）のC1シナリオ，Azar et al.（2003）がある．このように低い排出量を達成することの経済的費用については，Azar and Schneider（2002）で議論されている[16]．

GETモデルは，税，排出制約，大気中安定化目標といった任意の所与の$CO_2$制約に対して，エネルギーと輸送費用の最小化を図るものである．電気，輸送燃料，

定置燃料利用のエネルギー需要水準は，IIASA/WECのいわゆるエコロジー優先シナリオに概ね一致している．これらのシナリオは，エネルギー効率改善に相当の努力が必要であることを示唆している．エネルギー供給オプションには，石炭，石油，天然ガス，太陽，バイオマス，風力，原子力，水力がある．太陽エネルギーは電力，水素，熱に変換でき，そのポテンシャルは，現在の世界の一次エネルギー供給量の何倍も大きい．石炭，石油，天然ガス，バイオマスについては炭素回収・貯留が技術的に実行可能と想定されている．炭素回収・貯留付きのバイオマスエネルギーは，エネルギーシステム全体を連続的な炭素吸収源へと転換する可能性をもたらすものである．エネルギーの利用可能性，技術費用のパラメータ，変換効率，および回収$CO_2$の貯留オプションの仮定については，Azar et al. 2005を参照のこと．

世界の炭素税は2010年で75米ドル/tCに設定し，2.5パーセント/年で増加するとした．バイオマスエネルギーの最大供給量は200 EJ/年とし，2060年までに最大ポテンシャルに到達する可能性があるとした．原子力発電と水力発電は，向こう100年にわたってだいたい現在の水準が続くと外生的に与えた．究極的に採掘可能な石油と天然ガスの資源量は現在の埋蔵量の2倍と想定した．これらは今世紀中に枯渇すると考える．

図5-2は，炭素税が徐々に高くなっていく中での最小費用シナリオを示している．熱，電気，水素を作るのに，まずバイオマス，続いて炭素回収付きの化石燃料とバイオマス，そして最後には太陽および風力エネルギーがしだいに重要性を増してくる．今世紀末に近づくにつれ炭素排出量は年間1 GtC未満にまで減少し，大気中の$CO_2$濃度は今世紀を通して425 ppm未満に維持され，2100年までには400 ppmにまで低下する．

太陽エネルギーと炭素回収付きの化石燃料の費用がより高いということは，バイオエネルギーの価格，したがってこの部門の利潤が増えるということである．バイオマスのシャドープライスはモデルから算出される（図5-3参照）．バイオマス価格がより高いということは，土地の価値が上がるということであり，結果として食料価格が上昇することを意味する．土地の価格は，バイオマスの価格にヘクタールあたり収量を掛けたものから生産費用（土地以外の投入要素として1米ドル/GJがかかると仮定）を引いて計算される．

小麦価格は，小麦生産がバイオマス生産（年間5 t/haの単収と土地以外にかかる425米ドル/haの生産費用）と同じだけの利益が得られるのに必要な価格として計算される．現在の小麦価格は125米ドル/トン，バイオマス価格は2米ドル/GJと設定し，土地のレントはいずれも年間200米ドル/haとする．

McCarl and Schneider（2001）は，米国の農業・林業分野の温室効果ガス抑制オ

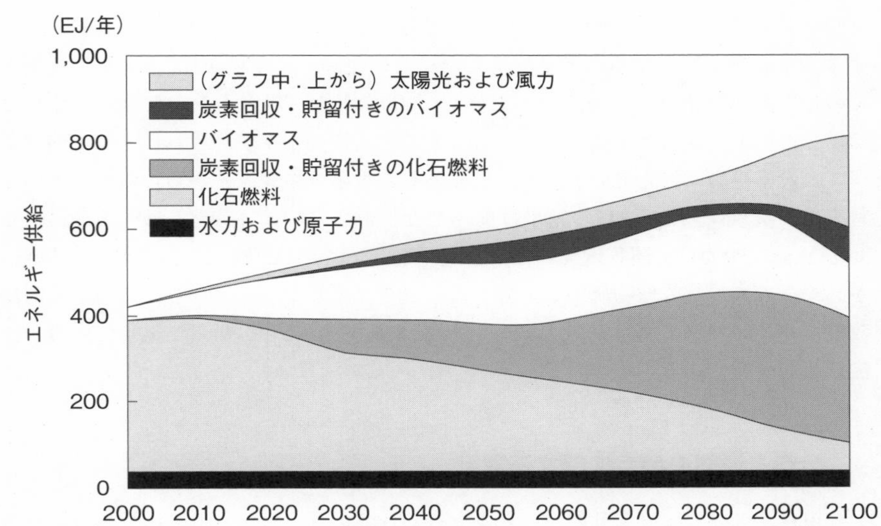


注：2100年までに400 ppm の濃度目標を達成するための世界の一次エネルギー供給．GET モデルにより計算（このモデルの詳細は，Azar et al. 2005参照）．1 EJ（エクサジュール）は$10^{18}$ J で，これは277 TWh に相当する．

**図 5-2　世界の一次エネルギー供給**

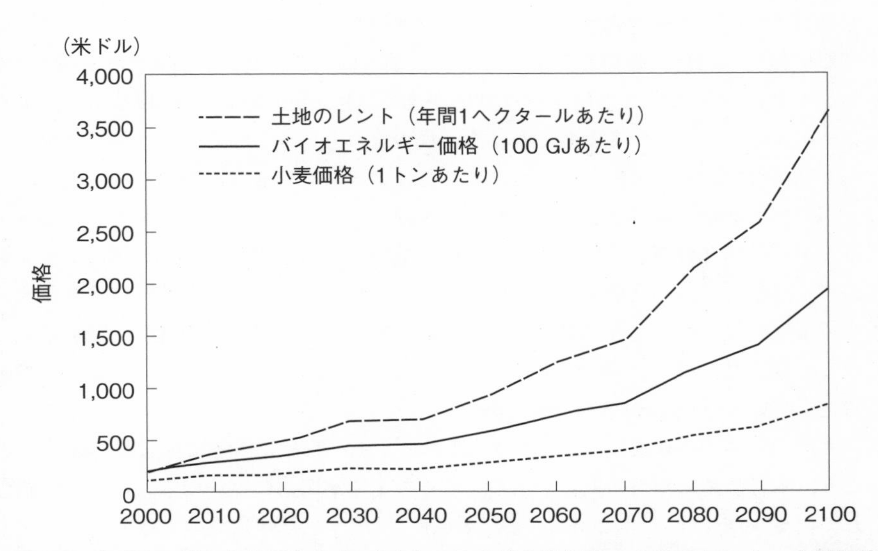


**図 5-3　GET モデルから得られたバイオマスの希少性価格，土地のレント，食料価格（このモデルの詳細は，Azar et al. 2005参照）**

プションをモデル化する研究を行い，中でも，土地をめぐって吸収源，食料，バイオエネルギーが競合することを分析した．その結果，炭素税が100米ドル／炭素トンのとき穀物価格は30パーセント上昇し，500米ドル／炭素トンのとき穀物価格はほぼ3倍に上昇すると結論付けた（ここまで炭素税の水準が高ければ，基本的にすべての炭素排出は消えていき，よって先述した太陽エネルギーから作る水素という将来像が実現する）．彼らの結果は前述した推計よりいくぶん低いが，Johansson and Azar（2003）と同程度である．また Walsh et al.（1996）は，バイオマス価格が高くなるにつれて作物価格が上昇することを見出したが，より控えめな炭素削減政策（バイオマスに対する支払い意思額を3米ドル/GJとモデル化している）に注目した研究である．

## 食料と燃料の競合に関する実証

今現在，世界では炭素削減がほとんど行われていないので，以下の分析は単なる理論上のもののように見られるかもしれない．しかし，実世界においてバイオエネルギー，パルプ用材，食料の間で競合がみられるケースがいくつか存在する．

実際に炭素税を実施している数少ない国の一つが，スウェーデンである．この税は家庭，地域暖房，輸送部門に対して約400米ドル／炭素トンで課されているため，原材料の様々な最終消費者間でいくらかの競合をすでに引き起こしている．農家は一般に住宅の暖房に穀類を利用しており（個人的インタビュー，2002年10月），穀類をもとにバイオガス生産を行う計画がある（Köhler 2002）．穀物は現在，エタノールに転換されているが，これは炭素税のためというよりも，基本的にはエタノール利用者に対する大幅な減税があることによるものである．

パーティクル・ボードを使って家具を生産している業者は，原材料をめぐってエネルギー部門との競合が増えているため，破産に直面している．またスウェーデンのパルプ生産者は，高い炭素税があるために，エネルギー会社が製紙に必要な木材を買えば利益が出るようになってしまっており，それがパルプ用材の高騰を招いていると訴えている[17]．スウェーデン政府は，この状況について調査する予定であるとしている（*Dagens Nyheter* 2003）．

欧州の森林関連産業は，EUのバイオエネルギー目標によって原材料の競合が起こり，木材産業に相当の損失が生じ，多くの工場が閉鎖に追いやられるなどと懸念している（Dielen et al. 2000）．また製紙産業は，（京都議定書の文脈での）炭素吸収源〔としての森林をめぐる〕競合に関して，同様の懸念を表明している．吸収源を最大化するということは，伐採を減らすということであり，ひいては木材価格が上昇することを意味する．

スウェーデン環境保護庁主催のCSR（企業の社会的責任）に関する会議において，紙・パルプ大手の環境部長は，自社の製品は再生可能であり，究極的には炭素を排出せずにエネルギー目的として利用できると指摘した．この会議の座長だった筆者は，高い環境税に賛成するという意味かと彼に質問した．彼は，それによりエネルギー部門との競合が起こり原材料費の上昇を招くことを会社として懸念していると答えた．

その一方で彼は，もしすべての国が同じ税を課したとしたら（食料価格が上昇するという予想と同じように）紙の価格が上昇するので，さほど大きな問題にはならないだろうと述べた．もし税がスウェーデンにおいてのみ課されれば，スウェーデンの製紙企業は国際市場において不利な立場に立たされるだろう．

ブラジルでは砂糖がエタノールに転換されている．これは気候問題を考えて行われているわけではないが，サトウキビからエタノールを製造するための補助金によって，農業製品利用からの大規模な転換を引き起こせることを示している．現在では，ブラジルのサトウキビ由来のエタノールはガソリンとほぼ互角であると言われているし（Moreira and Goldemberg 1999），たとえばオランダや日本など炭素排出に削減目標のある附属書Ｉ国には，エタノールや熱帯国の短伐期林木材を輸入する可能性を検討している国もある（Faaij et al. 2002）．スウェーデンのエタノール生産者は，もしブラジルからのエタノールが国内エタノールと同じように課税されれば，操業停止せざるを得ないだろうと主張している．ブラジル産エタノールを使うのが，輸送部門におけるバイオ燃料のシェア増加を規定するEUバイオ燃料指令を達成するのに最も合理的な方法であると目されている．

大規模なバイオマス貿易はパルプ部門において既に行われており，森林の多いフィンランドでさえウルグアイからユーカリ丸太を輸入している．ユーカリは，以前に牧草地として使われていた土地に植林されている．

## 農村と都市における貧困層への社会経済的影響

土地の価格と食料の価格が高くなることの社会経済的影響は複雑である．楽観的な見方では，食料価格が高くなり，生産性の低い土地でのバイオエネルギー生産に対する需要が増えることで，世界中の農村共同体に追加所得がもたらされることになる．食料価格が高くなると，ヘクタールあたりの食料生産高を増やすインセンティブにもなる．こうして所得が増加すると，農家が肥料やその他生産性向上のための器具を購入できるようになり，収量と収入がさらに高くなるという正のフィードバック・ループが生まれる．世界の貧困層のほとんどは農村地域に住んでいるので，食料と土地の価格が高いことは農村貧困層に恩恵をもたらすのである．

このことは，豊かな世界で農業補助金を段階的に廃止すべきという現在の議論と同じである．そうした段階的廃止を行えば，貧しい国で作られた農作物の価格が上がることになるが，これはほとんどの人が有益と考えていることである．それどころか，バイオエネルギーの需要が増えることでOECD諸国の農家が所得の減少から免れれば，先進国の補助金の段階的廃止が政治的に実行可能となる可能性がある．

しかし，こうした魅力的な見通しがあるからといって，潜在的な負の影響から目をそらしてはならない．現在，世界ではすべての人々に十分なほどの食料を生産しているのに，約8億人の人々が慢性的な飢えと栄養不良の状態にある[18)]．これは主に，所得（と権利一般）が著しく偏っているためである[19)]．食料価格が上昇すれば，飢える人が増える可能性があり，特に都市部がそうであるが，農村部の土地をもたない人々も含まれる．土地価格が高くなることの影響は，人が豊かか貧しいか，住んでいるのが都市部か農村部か，社会保障と法体系がどれだけ有効に機能しているかということによって決まるだろう．ここでは，農村の貧困層への影響だけを考えることにする．

一見，農村貧困層の土地所有者は恩恵を受けるだろうと思うかもしれないが，状況は複雑である．土地価格が高くなると，大規模土地所有者が持つ土地の魅力が増し，貧困層は次のような様々なメカニズムを通じ，自分の土地を失うことになるかもしれない．

・土地は誰かが買ってくれるかもしれないが，十分な情報のない農家は，あまりにも安い価格で売ってしまうかもしれない．
・多大な借金を抱えている農家は，交渉上の立場が弱くなるだろう．
・貧しい農家は，自分の土地について法的拘束力のある契約を有しないかもしれず——多くの国ではこれは例外というよりむしろ一般的なのである（発展途上国における財産権についての詳しい説明は，de Soto 2000を参照）——，追い出されてしまうかもしれない．

土地を持たない農村貧困層にとっては，土地の価格が上がり，作物生産の利潤が増えると，給与が増えることになるかもしれないが，それまで自給自足的な農業を行っていた土地で農業の近代化や樹木プランテーションの拡大が行われると，ヘクタールあたりの労働需要が減ることになる．樹木のプランテーションは一般に，農業よりも労働集約度がずっと低いのである．

ブラジルのエタノール計画は，ここで検討するに値する．計画の支持者は，農村貧困層の雇用を創出したと主張するが，支持しない者は，地方の自給自足農民を自分たちの土地から追い出したので，「流出（エクソダス）」だと言う．筆者はブラジル北東部のサトウキビ栽培地域を旅行し，そこで目にしたのは農村貧困層とその家族の極度な飢餓であった．筆者がインタビューした農村の労働者によれば，この砂糖ベルト地帯の砂糖生産のみならず事実上すべての経済取引を砂糖の豪商が支配しているので，この地域は他地域よりも食料価格が高いということであった．

これと似たような例が，ブラジル（の中でも，世界で最も生物多様性に恵まれた生態系であるセラード）で生産量が伸びている大豆であり，貧しい農家がアマゾン地域への移動を余儀なくされている（Fearnside 2001）．ブラジル政府によれば，アマゾン地域では現代の奴隷制度（多大な負債を抱えた農村労働者が地域の土地所有者のために働かされる）のようなケースが後を絶たないとのことである（Rohter 2002）．

紙・パルプ生産向けに熱帯全体でユーカリのプランテーションが拡大していることを分析すれば，エネルギー用ユーカリの大規模な拡大によりどのような社会的・環境的な影響が生じる可能性があるかを実証できる．世界全体でユーカリが植えられている面積は小さいが，Carrere and Lohman（1996）には，アジアとラテンアメリカの広い範囲においてプランテーションへの反対が報告されている．ブラジルのエスピリト・サント州は，ブラジルの巨大パルプ企業アラクルズ社に対し，これ以上のプランテーションを設置することを禁止した．

土地をめぐって競合が激化することの意味合いは，とりわけそれが発展のプロセス全体に密接に関わるだけに，複雑で評価が難しい．法体系が機能し，経済発展がすべての人に恩恵をもたらすなら，土地をめぐる競合はそこまで問題にはならない．

## いくつかの政策的結論

本章では，気候変動，局所的・地域的な環境汚染，および枯渇性資源の利用の結果として起こる資源の希少性を扱えると論じてきた．新たなエネルギー供給技術，特に太陽エネルギーや，社会のいろいろなレベルにおけるさまざまな代替や効率性改善によって，$CO_2$排出が非常に低い状態への移行が容易になるとことを示そうとしたつもりである．しかし，このような移行はただ待っていても起きるものではない．新たな政策が必要であり，もし技術的解決策の利用可能性については楽観的になれたとしても，必要な政策が，少なくとも十分に速いペースで実行されるかというと，その点についてはあまり楽観的にはなれない．

新たな技術への道をひらくために必要とされる政府の政策としては，例えば炭素税やキャップ・アンド・トレード・システムにより$CO_2$排出費用の負担を導入し継続的に増やしていくことが考えられる．しかし，（京都議定書のような）短期的な目標を達成するのに必要な税や排出許可証への支払い額は，長期的な目標を達成するのに必要な，より先進的な技術（太陽電池，燃料電池など）を開発し商業化する経済的なインセンティブを与えるには低すぎる．このことは，不確実性の低減，効率改善，将来技術の費用の削減のために，炭素価格と補完的に公的R&Dやニッチ市場の開拓といった政策が今日必要とされていることを意味する（Sandén and Azar 2005）．

二つ目の重要な点は，政府が介入し$CO_2$価格を上昇させた場合，バイオエネルギーと土地の価格は上昇すると見込まれ，このことで今世紀中に穀物価格が2倍から3倍上昇するかもしれないことである．このように土地をめぐる競合が起こると，社会と環境に対して良い結果と悪い結果の両方をもたらす．土地の価値が高いと，劣化した土地の質を改善するインセンティブが与えられ，農村貧困層に所得をもたらすかもしれない．一方で，より生物生産性の高い土地で家畜を営むことに対する需要が高まることで，生物多様性の豊かな生態系が単一耕作向けに転換されるようになり，貧しい人々が自分の土地から追われるかもしれない．好影響を促進し悪影響を減らすような政策が求められる．政府が少なくとも行うべきことは以下の通りである．

・農村貧困層が耕す土地に対する彼らの法的権利を強化する．
・過度に急速な伐採は土壌の質と長期の生産性を脅かす可能性があるため，農業と林業の残さを利用する規則を導入する．
・価値のある生態系の健全性と生物多様性を保護する．
・植物相の炭素固定量に価値を付ける．
・場所によっては（例えば傷つきやすい土壌の侵食を防ぐために），多面的機能を持つバイオエネルギーシステムと農林業を推進する．
・土地と食料価格が高くなることの社会への影響を慎重に監視する．
・必需食料品の高価格化に直面する可能性のある途上国の都市と農村の貧困層への影響を減らす埋め合わせ策を考慮する．
・バイオマスエネルギーに対する需要が非常に大きくなったときに課税できるよう準備する．

## 謝辞

本論文は，ギョラン・ベルンデス，ダニエル・ヨハンソン，エリック・ラーソン，クリスティア・リングレンとの貴重な協働に基づいている．さらに，本稿に対して詳細なコメントを寄せてくれたディーン・アブラハムソン，フェイ・ドゥチン，ドルフ・ギーレン，ブルース・マカールや，一部について議論をしてくれたシュテファン・ヴィルセニウスとヤンヌ・ヴァレニウスに感謝する．また，スウェーデンエネルギー庁，スウェーデン環境・農業・地域計画研究会議，スウェーデンイノベーションシステム庁からの資金助成に感謝する．

**注**

1）石炭の埋蔵量は20,000 EJ にのぼり，資源量ベースでは200,000 EJ と推定される．対して，年間利用量は90 EJ であり，世界の一次エネルギー供給は約400 EJ/ 年である（WEA 2000, 166）．

2）地域的大気汚染は大幅に削減されうる．これは既に，殆どとはいかないまでも多くの OECD 諸国において起きている．多くの発展途上国においても改善をみることができる．エネルギー需要や輸送量は増加しているものの，政策的規制の結果としての燃焼技術の改善，触媒式排気ガス浄化装置，ガソリンに添加している鉛の除去および燃料の質の改善（例えば硫黄除去）によって，こういった改善がもたらされている．

3）欧州連合も $CO_2$換算で最高550 ppm の目標を採用したが，550 ppm の濃度では温度上昇が5～6℃になりうることを意味しかねない．そのため，EU の交渉上の立場とエネルギー政策において，（他のガスの影響や気候感度が不明の状況では）400 ppm という厳しい濃度目標まで下げる必要があるかもしれないことを認識するべきである．

4）石炭，石油および天然ガスの排出係数は，それぞれ25 gC/MJ，20 gC/MJ および14 gC/MJ である．よって，これらの化石燃料を均等に混合すれば，エネルギー供給100 EJ あたり 2 GtC が排出される．

5）世界の食料摂取量は17 EJ/ 年（新陳代謝されるエネルギー）であり，食料生産向けの総エネルギーバイオマス生産量（耕作地での残さや牧草地で動物が消費しない草を含む）は約220 EJ/ 年である（Wirsenius 2000）．専用のプランテーションからのバイオマス150 EJ/ 年は木材150億㎥ / 年に相当する．現在の丸太の商業生産量は約15億㎥ / 年である．

6）持続的に育成されているバイオマスの燃焼から発生する $CO_2$が回収・貯留されれば，このシステムはゼロ炭素のエネルギー（例えば電力）を供給すると同時に，大気から $CO_2$を除去することになる（Obersteiner et al. 2001）．

7）海洋への貯留は政治的に微妙な問題であり，ハワイ沖の海底深部にわずか20トンの液化 $CO_2$を注入する研究プロジェクトが，最近，地元の反対により開始前に中止された（GECR 2002）．このプロジェクトはノルウェーに誘致されたが，グリーンピースと世界自然保護基金の反対により，政府はノルウェー国家汚染管理局による認可を取り消すに至った（Giles 2002）．

8）相殺手段として炭素回収・貯留付きのバイオマスエネルギーが利用されるのであれば，この漏洩率は許容されよう．2 GtC/ 年の漏洩はバイオエネルギーによる 2 GtC/ 年の吸収で補償される．他方，このことは，数百あるいは数千年にわたって（貯留層からの漏洩を相殺するために）バイオエネルギーにより炭素を吸収し貯留し続けることが社会に求められるが，2 GtC/ 年というのが年平均単収10 t/ha として400 Mha のバイオエネルギープランテーションでの炭素フローに相当するという事実に着目すれば，このような大規模な地球工学プロジェクトを将来世代にゆだねることには非常に懐疑的にならざるを得ない．

9）ここでは，平均的な炭素「排出」係数として25 gC/MJ を用いた．これは石炭の排出係数に相当する．実際には，有効エネルギーの単位あたり排出係数は，（炭素隔離のエネルギーコストによる）エネルギー効率損失の結果としてもっと高くなるか，あるいは，炭素集約度の低い化石燃料も利用されると期待されるのでもっと低くなる可能性がある．

10）原子力エネルギーの大規模な拡大はウランの希少性をもたらすかもしれない．世界の天然ウランの埋蔵量は現在390万トンと推計されており（130米ドル /kg 未満の費用での可採資源量，NEA 2002），現在の採掘量でいけば今後100年以上消費できる（36,000トン・ウラン / 年が原子炉の所要量の56%を占め，残りは，再処理使用済み核燃料といった二次的供給で賄われる）．これは，ここで想定している大規模な拡大には不十分である．しかしながら，現在の原子炉は天然ウランの利用可能エネルギーの一部しか使っていない（天然ウランは0.7パーセントのウラン235と99.3パーセントのウラン238からなり，現在の原子炉は殆どウラン235だけに依存している）．しかし，増殖炉では天然ウラン中のウラン238を利用できる．この炉は，ウラン238の中性子吸収（と，続いて起こる二つの$\beta$崩壊）によるプルトニウム生成を通じて，消費したのと同じだけの燃料を生産する．問題は，このプルトニウムが炉から回収される，つまり炉から取り出して新しい燃料として分離されなければならないことである．このことにより，民生用プルトニウムが国民国家あるいは準国家的集団へと拡散するリスクが非常に大きくなる．発電出力1 GW の軽水炉は年間約200～300 kg，増殖炉は約 1 トンのプルトニウムを生産する．1 GW の増殖炉が4,000基あれば，世界経済に毎年4,000トンのプルトニウムが供給されることになる．原子爆弾 1 発の製造には 6 kg ほども必要ない．プルトニウム管理オプションの包括的分析については NAS（1994）を参照のこと．依然として原子力エネルギーが拡大している中で，このようなプルトニウム集約的シナリオを避けるための一つの方法は，海水からのウランに頼ることであろう．現在は海水からウランを「採掘」するのは高コスト過ぎると考えられるが，資源量は45億トンと莫大であり，技術の進展によりコストは，0.004米ドル /kWh の電力に対応する300米ドル / トンまで低下するかもしれない（WEA 2000, 316）．

11）厳しい気候目標を達成するのに必要な炭素価格（おそらく数百米ドル）は，炭素吸収源としての森林造成や，森林破壊に関わる排出を回避するための現森林維持の利益性に相当の影響を与えるだろう．例えば，200米ドル / トンの炭素価格は，熱帯における森林破壊（約200炭素トン /ha を放出）が40,000米ドル /ha のコストになることを意味する．これは，先進諸国の質の高い農耕地の価値よりも桁違いに高く，森林地を牧草地や農耕地に転換するのは非経済的となる．よって，世界の気候管理制度が森林破壊による炭素排出や森林での炭素吸収を考慮に入れるようになれば，各国の森林管理方法に多大な影響をもたらすだろう．もちろん，生物圏の炭素ストックの問題はバイオエネルギープランテーションと密接にリンクしているが，炭素吸収に関する更なる煩雑さを避けるためと，紙幅の関係上，このことについては別の論文で述べる（Hedenus and Azar 2003a).

12）プランテーションは一般に単一栽培なので，これは生物多様性の相当な損失を意味する．しかし，より管理を強化した森林は興味の対象となりうる．Börjesson et al.（1997）は，スウェーデンにおける，ある管理森林において収量を年間2～5 m³ /ha から年間30 m³ /ha ほどに増加させる施肥について好意的に議論している．

13）これらの値について説明するため，世界の平均的な市民が年間500 kg の穀物を消費すると想定しよう（直接および間接消費)．北アメリカと欧州が一人あたり600～800 kg/ 年であるのに対し，アフリカは150 kg，南アジアは237 kg 消費しており，現在の世界平均は363 kg/ 年である（Dyson 1996)．穀物1キログラムは1キログラム弱ほどの残さ（例えば，ワラ）を発生させる．この残さ量の3分の1がエネルギー用に回収できると仮定しよう．さらに，各人は年間に400 kg の紙や木製品を消費するとしよう．リサイクリングにより，一人あたり投入需要は，だいたい200 kg/ 年にまで低下する．この全てが燃焼されるわけではないが，生産，収穫，および原料処理での損失もあるので，一人あたり200 kg/ 年がエネルギー向けにすることができると想定する．（世界で紙消費量の多い上位20パーセントが一人あたり約200 kg/ 年消費し，下位20パーセントが約1 kg/ 年消費している；Hedenus and Azar 2003b 参照)．合計で一人あたり約350 kg つまり7 GJ/ 年となり，世界人口100億人なら70 EJ/ 年になる．この数値は，現在の発展途上諸国における非商業的バイオマス利用量である約33～55 EJ/ 年（WEA 2000，156）に匹敵する．

14）この水素は，太陽エネルギー発電による電解から生産すると仮定しよう．発電コスト0.05米ドル /kWh は，エネルギーコストで16米ドル /GJ に対応する（電力から水素への変換効率を85％と想定)．さらに，資本，運転維持，輸送のコストを加える必要がある．現時点では，太陽からの電気の生産コストは少なくとも3倍かかる．

15）耕作地の価値は，（少なくとも OECD 諸国では）年間数百米ドル /ha にのぼると言われる補助金によって歪められているので，これと比較するのは難しい．

16）これらは，大気安定化コストについての悲観的な研究でさえも，そのコストは世界の所得水準の大幅な増加を達成するのが「たったの」2，3年遅れることに相当するに過ぎないことを認めていることを示す．例えば，350 ppm 目標は世界の GDP が10倍に増えるのが，2100年1月ではなくて2102年4月であることを示唆する．このことは，コストが小さいと言っているのではない．実際この推計値は，正味現在価値で1兆米ドル程度の費用になるのである．しかしこのように違う形で費用を表すと，政策決定者や一般大衆の興味を引くに値する見方となる．

17）米ドル /GJ 基準ではパルプ材は食料より安いので，この部門での競合は食料部門よりも早く生じることも考えられる．そのため，この点を記した．

18）耕作地では，一人あたり15,000 kcal/日のバイオマスが生産され，そのうち3,000 kcal/日は牧草バイオマスと動物飼料作物である．残りの12,000 kcal/日のうち5,000 kcal/日が食用の産物であって，これは必要とされる食料の2倍にあたる（Wirsenius 2000）．しかしながら，食品加工での転換ロスと，より重要なこととして，穀物が動物の栄養素に転換されることで，この量は2,000 kcal/日未満に減少する．この他に動物性食料が約270 kcal/日ある．よって，動物性食料を生産するために穀物を利用するということがなければ，全ての人に十分な食料が存在するはずなのである．但し，穀物を飼料として使わないと決めたとしても，穀物生産量が低くなるだけかもしれないので，必ずしもこの状況を打開するとは限らない．（食料利用可能量に関する統計では，一般に一人あたり2,700 kcal/日が可能としている．FAO 2002あるいはDyson 1996参照．しかし，この値は全販売量レベルでの利用可能量を表しており，実際の摂取量ではない．）民主国家では，独裁体制と比べて飢餓に苦しむ人がずっと少なく，飢饉もまれであるのは，主に，民主政府は再選されるために自国民の支持を必要とするからである，とされる（Sen 1981）．一方で，ブラジルやインドなどを考えれば明らかなように，たとえ民主政府であっても飢餓を撲滅できてきたわけではない．

19）この考察は時に，所得（あるいは土地，資本，労働機会）の再分配が飢餓の終焉の達成に向けての重要なステップであるという主張として捉えられることがあった．しかし，もっと効果的なのは，〔所得等の再分配だけでなく〕食料生産の増加も行うというアプローチだろう．食料生産全体の増加につながらないような所得，土地，資本の再分配は考えにくい．

## 参考文献


Abrahamson, D., and J. Swahn. 2000. The Political Atom. *Bulletin of the Atomic Scientists* 56：39-44.

Alcamo, J., and E. Kreileman. 1996. Emission Scenarios and Global Climate Protection. *Global Environmental Change* 6：305-334.

Andersson, B.A., and I. Råde. 2002. Material Constraints on Technology Evolution-The Case of Scarce Metals and Emerging Energy Technologies. In *Handbook of Industrial Ecology*, edited by R. Ayres and L. Ayres. Cheltenham, UK: Edward Elgar, 391-404.

Ayres, R.U. 1994. On Economic Disequilibrium and Free Lunch. *Environmental and Resource Economics* 4：434-454.

Azar, C., and E. Larson. 2000. Bioenergy and Land-Use Competition in the Northeast of Brazil: A Case Study in the Northeast of Brazil. *Energy for Sustainable Development* IV(3)：64-72.

Azar, C., and G. Berndes. 1999. The Implication of $CO_2$-Abatement Policies on Food Prices. In *Sustainable Agriculture and Environment: Globalisation and Trade Liberalisation Impacts*, edited by A. Dragun and C. Tisdell. Cheltenham, UK:

Edward Elgar.〔C. アサール，G. ベルンデス「食料価格に対する二酸化炭素軽減政策の意味合い」A. ドラーゲン，C. ティスデル編『持続可能な農業と環境―グローバリゼーションと貿易自由化の影響』（井上嘉丸・紙谷貢・逸見謙三・柳澤和夫訳，財団法人食料・農業政策研究センター，2001年）〕

Azar, C., and H. Rodhe. 1997. Targets for Stabilization of Atmospheric $CO_2$. *Science* 276：1818–1819.

Azar, C., and S. H. Schneider. 2002. Are the Economic Costs of Stabilizing the Atmosphere Prohibitive? *Ecological Economics* 42：73–80.

Azar, C., K. Lindgren, and B. Andersson. 2003. Global Energy Scenarios Meeting Stringent $CO_2$ Constraints—Cost-Effective Fuel Choices in the Transportation Sector. *Energy Policy* 31：961–976.

Azar, C., K. Lindgren, E. Larson, and K. Möllersten. 2005. Carbon Capture and Storage from Fossil Fuels and Biomass: Costs and Potential Role in Stabilizing the Atmosphere. *Climatic Change*. In press.

Berndes, G. 2002. Bioenergy and Water-the Implications of Large Scale Bioenergy Production for Water Use and Supply. *Global Environmental Change* 12：253–271.

Börjesson, P., L. Gustavsson, L. Christersson, and S. Linder. 1997. Future Production and Utilisation of Biomass in Sweden: Potentials and $CO_2$ Mitigation. *Biomass and Bioenergy* 13：399–412.

Börjesson, P., G. Berndes, F. Fredriksson, and T. Kåberger. 2002. *Multifunctional Bioenergy Plantations-Final Report to the Swedish Energy Agency* (Multifunktionella bioenergiodlingar. Slutrapport till Energimyndigheten). Eskiilstuna: Swedish Energy Agency.

Carrere, R., and L. Lohmann. 1996. *Pulping the South*. London: Zed Books.

*Dagens Nyheter*. 2003. Paper Industry Battles with Politicians (Pappersindustrin i kamp med politiker). June 12.

de Soto, H. 2000. *The Mystery of Capital-Why Capitalism Triumphs in the West and Fails Everywhere*. London: Black Swan.

Dielen, L.M.M., Guegan, Lacour, Mäki, Rytkönen, and Stolp. 2000. *EU Energy Policy Impacts on the Forest-Based Industries: Modeling Analysis of the Influence of the EC White Paper on Renewable Energy Sources on the Wood Supply to the European Forest-Based Industries*. Summary Report. Wageningen: Afocel. Nangis.

Dyson, T. 1996. *Population and Food-Global Trends and Future Prospects*. London: Routledge.

Edmonds, J.A., M.A. Wise, R.D. Sands, R.A. Brown, and H. Khesghi. 1996. *Agriculture, Land Use and Commercial Biomass Energy*. Washington, DC: Pacific Northwest National Laboratory.

Faaij, A., B. Schlamadinger, Y. Solantausta, and M. Wagner. 2002. Large-Scale

International Bioenergy Trade. Paper presented for the 12th European Conference and Technology Exhibition on Biomass for Energy, Industry, and Climate Protection. June 17-21, Amsterdam, the Netherlands.

FAO (Food and Agriculture Organization of the United Nations). 2002. FAO Database. http://www.fao.org.

Fearnside, P.M. 2001. Soybean Cultivation as a Threat to the Environment in Brazil. *Environmental Conservation* 28 : 23-38.

GECR (Greenpeace and the World Wide Fund for Nature). 2002. *Global Environmental Change Report.* July 26.

Gielen, D.J., M.A.P.C. de Feber, A.J.M. Bos, and T. Gerlagh. 2001. Biomass for Energy or Materials? A Western European Systems Engineering Perspective. *Energy Policy* 29 : 291-302.

Giles, J. 2002. Norway Sinks Ocean Carbon Study. *Nature* 419 : 6.

Grimston, M.C., V. Karakoussis, R. Fouquet, P. Van der Vorst, M. Pearson, and Leach. 2001. The European and Global Potential of Carbon Dioxide Sequestration in Tackling Climate Change. *Climate Policy* 1 : 155-177.

Hall, D., F. Rosillo-Calle, R. Williams, and J. Woods. 1993. Biomass for Energy: Supply Prospects. In *Renewable Energy: Sources for Fuel and Electricity*, edited by T.B. Johansson et al. Washington, DC: Island Press.

Hedenus, F., and C. Azar. 2003a. Carbon Sinks versus Bioenergy-Physical and Economic Perspectives. Work in progress.

———. 2003b. World Income and Resource Inequality Trends. *Ecological Economics.* In press.

IIASA/WEC, 1995. *Global Energy Perspectives to 2050 and Beyond*, London: World Energy Council.

IPCC (Intergovernmental Panel on Climate Change). 1992. *Climate Change 1992: The Supplementary Report to the IPCC Scientific Assessment,* edited by J.T. Houghton, B. A. Callander, and S.K. Varney. Cambridge: Cambridge University Press.

———. 1996. *Impacts, Adaptation and Mitigation Options.* IPCC Working Group II. Cambridge: Cambridge University Press.

———. 1999. *Special Report on Emission Scenarios,* edited by N. Nakicenovic. Cambridge: Cambridge University Press.

———. 2001a. *Climate Change 2001: The Scientific Basis.* Contribution of Working Group I to the Second Assessment Report of the Intergovernmental Panel on Climate Change, edited by Houghton et al. Cambridge: Cambridge University Press.

———. 2001b. *Climate Change 2001: Impacts, Adaptation, and Vulnerability.* Contribution of Working Group II to the Second Assessment Report of the Intergovernmental Panel on Climate Change, edited by J.J. McCarthy, O.F. Canziani,

N.A. Leary, D. Dokken, and K.S. White. Cambridge: Cambridge University Press.

Johansson, D.J.A., and C. Azar. 2003. Analysis of Land Competition between Food and Bioenergy. *World Resources Review* 15：165-175.

Johansson, T.B., H. Kelly, A.K.N. Reddy, and R.H. Williams. 1993. *Renewable Energy: Sources for Fuel and Electricity*. Washington, DC: Island Press.

Jordbruksverket. 2001. Utveckling av arrende, mark och fastighetspriser i Sverige (Trends in agricultural rents, land prices and real estate prices, report in Swedish with English summary). Swedish Board of Agriculture Report no. 2001：8. http://www.jordbruksverket.se.

Köhler, N. 2002. Fermented Cereal Grain Can Produce Inexpensive Biogas without Government Subsidies (in Swedish). *Ny Teknik* 35：5.

Lake, J.A., R.G. Bennett, and J.F. Kotek. 2002. Next Generation Nuclear Power. *Scientific American* 286(1)：70-79.

McCarl, B.A., and U.A. Schneider. 2001. Greenhouse Gas Mitigation in US Agriculture and Forestry. *Science* 294：2481-2482.

Moreira, J.R., and J. Goldemberg. 1999. The Alcohol Program. *Energy Policy* 27：229-245.

NAS (National Academy of Sciences). 1994. *Management and Disposition of Excess Weapons Plutonium*. Washington, DC: National Academy Press.

NEA (Nuclear Energy Agency). 2002. *Uranium 2001: Resources, Production, and Demand*. Paris: Nuclear Energy Agency.

Obersteiner, M., C. Azar, P. Kauppi, K. Mollersten, J. Moreira, S. Nilsson, P. Read, K. Riahi, B. Schlamadinger, Y. Yamagata, J. Yan, and J.P. van Ypersele. 2001. Managing Climate Risk. *Science* 294：786-787.

Rijsberman, F.R., and R.J. Swart (eds.). 1990. *Targets and Indicators of Climatic Change*. Stockholm: Stockholm Environment Institute.

Rohter, L. 2002. Trapped Like Slaves on Brazilian Ranches—Forced Labor Clears Forest for Cattle. *International Herald Tribune,* March 26.

Sailor, W.C., D. Bodansky, C. Braun, S. Fetter, and B. van der Zwaan. 2000. Nuclear Power—A Nuclear Solution to Climate Change? *Science* 288：1177-1178.

Sandén, B.A., and C. Azar. 2005. Near-Term Technology Policies for Long-Term Climate Targets. *Energy Policy* 33：1557-1576.

Sen, A. 1981. *Poverty and Famines—An Essay on Entitlement and Deprivation*. Oxford: Clarendon Press.〔A. セン『貧困と飢饉』(黒崎卓・山崎幸治訳，岩波書店，2000年)〕

STEM, 2001. Energiläget 2001 (Energy situation in Sweden 2001). Eskilstuna: Swedish Energy Agency. www.stem.se.

Tilman, D., J. Fargione, and B. Wolff. 2001. Forecasting Agriculturally Driven Global

Environmental Change. *Science* 292 : 281-284.

USDA (U.S. Department of Agriculture). 2002. Pasture Rents Up Slightly in Wyoming. http://www.nass.usda.gov/wy/cashrent.htm.

United Nations. 1992. Framework Convention on Climate Change. http://www.unfccc.ch.

Walsh, M., R.L. Graham, D. de la Torre Uguarte, S. Slinsky, D. Ray, and H. Shapouri. 1998, Economic Analysis of Energy Crop Production in the US—Location, Quantities, Price, and Impacts on Traditional Agricultural Crops. Paper presented at BioEnergy 1998 : Expanding Bioenergy Partnership, October 4-8, 1998. http://bioenergy.ornl.gov/papers/bioen98/walsh.html.

WBGU. 1995. *Scenarios for Derivation of Global $CO_2$ Reduction Targets and Implementation Strategies*. Bremerhaven, Germany.

WEA (*World Energy Assessment*). 2000. United Nations Development Programme and World Energy Council.

Wigley, T., R. Richels, and J. Edmonds. 1996. Economics and Environmental Choices in the Stabilization of Atmospheric $CO_2$ Concentrations. *Nature* 379 : 240-243.

Wirsenius, S. 2000. Human Use of Land and Organic Materials: Modeling the Turnover of Biomass in the Global Food System. Ph.D. diss., Department of Physical Resource Theory, Chalmers University of Technology.

第6章

# 持続可能性とその経済学的解釈

ジョン・C.V.・ペズィー，マイケル・A.・トーマン

『地球の未来を守るために』（WCED 1987）によって一躍有名になるよりもかなり前から，（そのままの用語ではないにせよ）持続可能性の考え方は希少性と成長に関する議論では大きく扱われていた．『希少性と成長』では，「古典派経済学者，とりわけマルサス，リカードおよびミルは，天然資源の希少性が（中略）経済成長の減速を，そして究極的には停止をもたらすと予測していた（Barnett and Morse 1963，2)」と述べられている．

経済成長と再生不能資源に関する最も著名な論文の一つは，その主題を「本研究は，どのような条件下であれば持続可能な一人あたり消費水準が実現可能となるのかを，より正確に決定するための試みである（Stiglitz 1974，123)」と定義している．

『続・希少性と成長』の前書きでは，「全体的な生活の質を維持しながらすべての人々に適度に高い物的生活水準を提供し，かつ維持することが可能かどうかという，一般大衆の最近の疑問（Spofford 1979，xi)」について指摘している．同じ本の序論の第一段落は，次のように締めくくられている．「1900年代以前には，継続的な経済成長を維持する上で原材料供給が十分であるかということへの懸念は一切表明されなかった（Smith and Krutilla 1979，1)」．

このように，持続可能性という主題は，たとえいつも明示されているわけではないにせよ，希少性と成長という概念の中で中心的かつ確立されている主題である．

『希少性と成長』では，市場で取引される天然資源の枯渇という問題を克服し，経済成長を永続的に維持する要素として，以下の四つがあれば十分であるとしている．

—より低品位の天然資源の使用

—他の資源または人工資本による代替

—探査およびリサイクルの増加

—資源採取に関する技術進歩

これまでのところはこれらの要素が効果的に働いてきたように見えるが（本書クラウトクラマー論文参照），いくつかの重要な原材料の物理的供給可能性に関する懸念は依然として指摘されている（本書メンジーらの論文参照）.

本書の多くの章で強調されているように，希少性と成長に関する分析の焦点は，生物多様性や，大気が「危険な」影響をもたらすことなしに温室効果ガスを保持する能力のように，市場で取引されない環境資源の枯渇に対する新しい懸念に過去20年間でかなり移ってきている.『希少性と成長』で挙げられた四つの要素に相当するものの一つは，消費・生産パターンを，より減少しより劣化した生態系サービスフローに適応させることである．しかし，それよりも熱く議論されているのが，「新しい希少性」のもとで果たして永続的経済成長が実現可能であるのかという問題である．さらに言うならば，もしも永続的経済成長が実現不可能ならば，希少性と成長に関する文献に古くから出てくる「将来世代が経済の衰退と福祉の低下に直面せずにすむように経済成長を意図的に抑制することは，倫理的に正当化しうるだろうか？」という質問は，新たな重要性を持つようになる.

我々はここで持続可能性の経済学について，いわんや他分野における持続可能性に関する議論について，最新かつ包括的な論評を意図するものではない．最近の出版物の莫大な量を考えれば，そのような試みは不可能である．ここで我々が試みるのは，経済学分野の持続可能性に関する最近の研究が，希少性と成長をめぐる議論に対しどのような貢献ができるのかについて，一般読者向けに要約することである．より包括的でやや専門的な持続可能性に関する議論についてはPezzey and Toman (2002) を参照されたい．また議論を取り扱い可能な範囲に納めるため，複数世代にわたる衡平性という意味での全般的な持続可能性に焦点を絞ることとする．個別の「セクター別持続可能性」（持続可能な農業，持続可能な交通など）については考慮しない．また持続可能性に関する我々の定義から世代内衡平性（いわゆる「社会的持続可能性」の重要な特徴）を排除し，人口増加についての議論は行わない．最後の二点を議論しないということで，本来議論に値する途上国における持続可能性についてここでは取り扱わない.

最初に，経済学的に持続可能性を定義するうえで最も有用なアプローチについて概説する．まず解決すべき問題を並べあげる：何を持続すべきなのか，なぜ，いつ，そしてどこでそれを持続すべきなのか，またどのように持続できるかに関する基本的な「弱い」見方と「強い」見方について．その上で，持続可能性を脅かすものともたらすものについて，持続可能性の計測について，そして持続可能性を実現する（主に国家レベルでの）政策について，「新古典派経済理論[1)]」から得られる知見を簡単に総合する．さらに，いくつかの非新古典派的要素を含む経済学における持続可能性の考え方，および持続可能性に関するいくつかの物理的測度についても触れ，最後に若干の結論を述べる．

## 持続可能性を定義する

### 経済学の基本的な概念と仮定

我々の持続可能性へのアプローチについて論をすすめる前に，いくつかの経済学の基本的な概念について説明しておくことは，経済学を学んだことのない読者に有用であろう．経済学とは，(a)人々が欲しいと思う財・サービスを生産するために，希少である人的労働力，様々な種類の資本の蓄積および環境資源を，社会のそれぞれの部分に時間的空間的にどのように配分するか，そして(b)生産された財・サービスをどのように分配するか，を研究する学問である．これらを研究するために，経済学者は人間の行動に関し，総体して「ホモ・エコノミカス」の概念と呼ばれるいくつかの仮定を置くのが通例である．経済学者は，人々あるいは家計は，厚生を合理的に（すなわち首尾一貫して）最大化しようとすると仮定する[2)]．ここでいう厚生とは，市場財のみならず非市場財も含めた様々な形態の消費によって得られる各時点における福祉あるいは効用を，時間軸に沿って集計したものである．一般に厚生は，ある時点以降の効用を一定不変の割引率を用いて算定した現在価値（PV），つまり割引値の合計，として求められる．これは，人々が通常は後に得られる便益よりもより早く得られる便益を選好する（そして費用に関しては後回しにしたがる）という観察に基づいている．すなわち人々は「せっかち」なのである．以下で議論するように，世代間の資源配分について考えると，将来の福祉（効用）のフローについて割引くか否か，あるいはどのような割引率を適用するか，という問題はさらに複雑になる．個人の行動に関する経済モデルでは，人々は（不完全ではあるが）十分な情報を持っており，決定によって短期的・長期的にどんな結果が生じるのかについては，適切に判断できると仮定するのが一般的である．

さらに，生産に使用される様々な投入要素の間で，そして福祉や効用をもたらす財・サービスの間で，連続的なトレードオフ，つまり代替が常に可能であると仮定することが一般的である．特に，生産と効用に投入されるものとして，人の手で作られた投入要素と自然がもたらす投入要素の間で，無制限の（しかし完全とは限らない）代替可能性を仮定することが一般的である[3)]．経済学者はさらに踏み込んで，経済活動は原則としてすべての投入要素および生産物の需要と供給の均衡を達成しうると仮定する．現実の経済は状況の進展により常に変化し続けているが，この変化も貯蓄・投資の市場や，リスクを再配分する市場（保険など）や，将来の潜在的消費の市場（「先物市場」）を取り込んだ動学的均衡の経済モデルに反映することができる．競争均衡とは，様々な価格シグナルに反応して生産者と消費者が個別に行動するような均衡状態である．経済分析は非競争市場（例えば，価格決定者である独占企業の市場）における均衡状態を含むこともできる．

以上のすべての仮定およびもう一つの重要な仮定，すなわち「市場の完備性」を所与とすると，経済は均衡状態にあるならば必ず効率的であることが証明できる．経済学において効率的であるとは，まず誰か（他の時代の誰かかもしれない）の生活水準を犠牲にすることなしには，いかなる人の生活水準も上げることができないことを意味する（Arrow and Debreu 1954）[4]．完備した市場という仮定においては，福祉に影響するすべての財やサービスが市場で決定された価格を持つということ，そして市場システム外の財・サービスが存在しないこと，が要求される．これにより，Adam Smith（1776）の洞察が成り立つような，市場が「神の見えざる手」として万人に善をもたらす働きをするという厳しい条件が確立される．これは，資源配分という目的に市場が向いているという注意深い処方箋とも，市場が完備していない場合になぜ市場だけでは望ましい結果がもたらされないのか，その多くの理由を警告するものとも，どちらとも見なすことができる．本論の目的においては，補償されない自然環境の劣化を通じて他者に発生する「外部費用」が最も重要な欠落市場の一例である．

### 持続可能性の経済学的定義

重要なことは，（上述の定義のような）経済学的効率性は，持続可能性については何も，少なくとも我々が定義した意味での持続可能性については何も，語ってくれないということである．すでに述べたように，我々は数世代にわたっての世代間衡平性への懸念という意味合いでの持続可能性と，有限な環境資源が世代間衡平性を妨げる役割を持つ可能性に議論の焦点を絞っている．これは，持続可能性の議論にも，希少性と成長をめぐる議論にも重要だからである．世代間衡平性に重点を置くことは，単に「環境の面で望ましいあるいは責任を果たしている」という意味で今や日常的に用いられる持続可能という言葉の用法とは異なる．後者の使用法では，一時的な環境問題（後々まで続く健康被害をもたらさない悪臭など）と恒久的あるいは累積的な問題（種の消失や気候変動など）の区別はなされない．一時的な環境問題の外部費用を是正することは，資源配分の効率性を高める．他方，恒久的あるいは累積的な問題の外部性を「是正する」ことは，時間軸上で効率的ではあるが持続可能ではない資源配分につながる可能性がある．この点について，以下でより詳細に検討しよう．

持続可能性の経済学的な定義の多くは，社会における年齢，地理的条件，そしてとりわけ経済的条件に関する不公平を無視している．不公平は，生産を通じて（混乱や社会的崩壊のため），あるいは消費を通じて（消費が向上するものの不公平も急に強まるような将来は，「社会」の生活の質が持続されていないと見なされるであろう），持続可能性におそらく影響を与えるかもしれないが，ここではそのような影響は議論しない．

最も広く用いられている持続可能性の考え方の一つであり我々も本章で依拠するのは，持続可能性を効用に対して時間軸上で与える制約とみる考え方である．この考え方は，恒久的に不変の効用（たとえばSolow 1974）という形で経済学文献に初めて登場したが，これはRawls（1971）によって提示された哲学的な正義論から導かれたものである．後に続く理論家たちはこれを拡張し，時間とともに福祉が上昇する可能性も含め，永遠に効用が非減少であること（Pezzey 1989），あるいは永遠に異時点間厚生が減少しないこと（Riley 1980，Dasgupta and Mäler 2000）と考えた．以下我々が使用する定義では，持続可能性とは現在の実際の効用水準が現在の持続可能な最大効用水準を上回らないことを意味する（Pezzey 1997）．もし上回ってしまうと，将来的に実際の効用水準がいくらか低下することが避けられなくなる．

持続可能性は，結果の変化に対する制約ではなく，機会の変化に対する制約と定義することもできる．これは，将来世代が何を享受するかという問題（彼らはすばらしい状態を相続したとしても，もし望めばそれを浪費することもできる）から，将来世代が何を我々から遺産として引き継ぐかという問題へ，政治哲学的にかなり大きく転換することになる．もっとも広く使用される制約条件は，効用水準の非減少に替わり，富または総資本の非減少となる．以上二つの方法はお互いに関連を持ちうるが，決して同一ではない．

このように，減少しない幸福を持続可能性とみなす直観的ではあるが一見してもっともらしい定義を所与とすると，成長が持続可能または不可能である可能性について経済学から何が分かるだろうか．現実問題として，どのようにすればある特定の成長経路が持続可能であるかどうかを情報に基づいて判断することができるだろうか．持続可能性の実証的な計測能力については，次節まで議論を持ち越すこととする．その前に，Dasgupta and Heal（1974），Solow（1974）およびStiglitz（1974）による3篇の古典的論文が，概念的基礎を築くうえでも，また操作可能で役に立つ持続可能性の理論を作り上げる際の課題を明らかにするうえでも，現在でも大変役に立つ洞察をもたらしてくれる．

ダスグプタとヒールは，労働，資本および枯渇性天然資源を利用して，消費財としても投資財としても利用できる単一財を生産する単純な経済の数学モデルを用い，単純化のために外部費用および不確実性に関するすべての問題を無視したうえで，消費によってもたらされる効用の現在価値を最大化するような経時的に効率的な経路上では（効率性の定義は前述した），消費水準および効用水準がいずれは減少せざるを得ないことを示した．言い換えると，この単純化された経済において，我々が簡潔にPV最適経路と名づける成長経路は，我々がすでに定義した意味では持続可能ではありえないということである．PV最適経路上での行動をより詳細に分析すると，経済が物的資本に急速に投資することで生じる天然資源不足を技術的に克服することがたとえできたとしても——この論点についてはのちにもう一度検討するが——，投資のもたらす将来便益が割り引かれるために，現在消費をそのような投資に振り向けることは起こり得ないことが分かる．割引は本質的に消費選択を現在偏重の方向に振り向け，経済が持続的に成長する能力を妨げる．

ソローの分析は，効用水準が将来的に持続されるべきと見なしたうえで，それが技術的に可能となる条件を考察しており，おおまかにいってダスグプタとヒールの分析を逆の順序で行っている．ソローは，そのような条件は存在するものの，彼のモデルにおいてはその条件を満たすことは難しいことを見出した．さらに，将来にわたって効用水準を持続するいかなる経済経路も，少なくともソローが適用した経済モデルの単純な仮定のもとではPV最適ではないことを，彼の分析は明らかにしている．この事実は，もし人々が実際にせっかちで現在偏重の選好を持つとするならば，どのような理由で人々は効用が持続する経路に従おうとするのか，という疑問を投げかける．我々はこの点について後でもう一度検討する．

スティグリッツは資源の希少性が成長にとっていかに深刻な問題であるかを問うことで，違った角度から問題に取り組んでいる．スティグリッツは，ソローと同様の単純なモデルを用い，さらに天然資源の生産性向上により資源の希少性の増大を相殺する外生的な技術進歩を取り込んで，もし技術進歩が十分速くかつ持続的に進行すれば，経済は効用を永遠に増大させる成長経路に到達しうることを示した．

この結果を，希少性と成長に関するばかげた風刺として批判することは一見容易である．しかしながら事実として，現代経済は天然資源の希少性に対処するいくつもの方法を持っているのである．それは希少性の低い資源による代替であったり，希少性によって引き起こされる，天然資源を含む希少資源の利用効率の向上を通じてであったりする．一方で，本書のいくつかの章で強調されているように，市場にのらない環境・生態資源に関する新しい希少性は，将来の経済成長にとって天然資源そのものの希少性よりもおそらく重大であり，これまでの経験はこの手の希少性に対処するうえであまりあてにならない．

外部性が存在するため，実際の市場価格と市場に出回る財の量は，政策介入によって経済がPV最適経路に移ってから実現するであろうものとは大きく異なるであろう．かくしてPezzey（1989）が指摘するように，持続不可能な経済には2種類ある．一つはPV最適性を実現する政策が同時に持続可能性を実現しうるような経済，もう一つは，例えばダスグプタ＝ヒール論文にある再生不能資源枯渇などのために，PV最適性が実現したとしても持続不可能であるような経済である．したがって後者が持続可能性を達成するためには，環境外部性あるいは他の従来型の市場の失敗の修正にとどまらない，明確な持続可能性促進政策が必要となるであろう(Pezzey 2004)．

ここまでは，消費，投資および資源枯渇の数量が議論の焦点であった．しかし経済分析では，希少性に関する情報を伝えるうえで中心的な役割を果たすのは価格である．資源が効率的に配分される機能良好な経済では，価格（将来消費に対する仮想的市場の価格やリスク割り当てに対する価格も含む）が，使用者にとっての資源の価値と資源供給を増やすことの機会費用の両方を明らかにすることで，経済的希少性の効果的なシグナルとなる．外部費用が資源の効率的配分を妨げる場合には，経済政策が様々な手段で効率性を改善するために数量と価格の両方を修正しようと試みる．汚染は古典的な例である．政府は汚染（または経済活動の中で汚染源となる財）に課税することで直接介入するか，生産量，消費量または排出量を規制することで間接的に介入するであろう．

世代間衡平性としての持続可能性は，すでに述べたDasgupta and Heal（1974）とSolow（1974）の比較で明らかなように，財やサービスの配分に対し追加的な制約となるであろう．したがって，外部性を修正するだけでなく持続可能性制約を満たすために資源のPV最適配分を変えてしまう介入は，価格に対してさらに影響することとなる．Pezzey（1989）はこれに関する単純な例として，汚染の外部費用と資源枯渇による持続不可能なPV最適消費経路を抱える経済において，汚染の外部費用を内部化する政策と，効用が時間の経過とともに減少することを防ぐために投資を増やし消費を抑制する政策という，二つの独立した政策手段が必要となることを示した（Howarth and Norgaard 1992，Mourmouras 1993，Howarth 1998，Pezzey 2004も参照のこと）．

経済が資源のPV最適配分を達成するよう誘導するような価格は，一般に効率的価格と呼ばれる．我々もそれにならい，効用が持続する時間経路を誘発する価格を持続可能価格と呼ぶことにしよう．持続可能価格は，経済学によって持続可能性の測定に関し何が分かり，何が分からないかを明らかにしてくれる．これについて以下で議論する．

### 持続可能性の新古典派的定義にまつわる難問

以上の議論は持続可能性に関する直観的な基準に重きを置いている．持続可能性——あるいはより一般的に世代間衡平性——の基準は，効用の時間経路が満たさなければいけない一連の基本公理を選択することによって正当化される．最もよく知られた例として，Solow（1974）によって最初に検討された恒久的に持続可能な最大水準（Rawls 1971の「マキシミン」基準を受けたもの）を維持する一定効用経路がある．そのほかにも多くの持続可能性基準やそれを支える公理があり，Asheim et al.（2001）とそこに引用された論文，あるいはChichilnisky（1996）やPezzey（1997）に挙げられている．

しかし多くの経済学者は，どの持続可能性の考え方よりも先行するKoopmans（1960）に見られる公理的アプローチに基づき，効用のPV最大化という基準が世代間衡平性を反映したものとして受け入れられると擁護している．また，一定の割引率を適用することがいわゆる遠い将来にとって非常に不公平な効果をもたらすことを多かれ少なかれ批判する経済学者もいる．世代間衡平性基準の倫理観については，明示的あるいは暗黙裡にその基礎となっている公理の正当性に基づいて議論することができる．PV最大化に加えてさらに持続可能性基準を考えることを批判する側にとっての根本的質問は，もし個人個人がPV最大化を欲しているのであれば，何ゆえ政府が持続可能性に関心を払わねばならないのか，ということであろう．PV最大化は一般に持続可能性に無関係であり，かつ経済に必要なすべての決定について完全で一意的な時間経路を規定する．このゆえに，たとえばBeckerman（1994）は，PV最大化に対するいかなる持続可能性制約も倫理的に矛盾していると考えるのである．このような見方によると，PV最適経路の持続可能性を計測する明白な動機もまた存在しないこととなる．同様に，もし持続不可能であると判明したとしても，持続可能性を達成するために経済をPV最適経路から逸脱させるような政策介入をとることを明快に正当化することもできないことになる．

この逆説を解消する鍵は，我々の見方によれば，遠い将来に関する私的関心と公的関心をある意味で分離することにある．個人というものは，なんらかの現在価値を最大化するように自分自身の行動を選択する一方で，持続可能性を計測し必要とあらばそれを達成する行動をとり持続可能性への懸念に対処する政府に投票するということを，我々は仮定する必要がある．人々は私的な経済的決断を「経済人」の領域で下し，政治的決断を「市民」の領域において下す（たとえばMarglin 1963，98ページ参照）[5]．このもっともな理由として，数世代にわたり遺産相続が交じり合うため，個人個人として遠い将来の子孫に対して何かを供与することができないことがあげられる（Daly and Cobb 1989, 39, Pezzey 1995）.

このように，新古典派経済学的な持続可能性に関する経済学の哲学的基盤は，時間をめぐる社会的選択に対する他の三つの主な哲学的アプローチとは区別される（詳しくは，Pezzey and Toman 2002とそこに含まれる参考文献参照）．いかなる割引も認めない古典的功利主義も，結果としての効用ではなく将来世代の資源機会を重要視する純粋に権利に基づく考え方も，ともに斥けられる．さらにPV最適性を異時点間衡平性の完全な処方と考える新古典派経済学的な功利主義もまた斥けられる．

上述のホモ・エコノミカスという行動に関する仮定は，心理学をはじめとする他の学問分野から正当性を疑われている（Rabin 1998）．実際の人間は，十分な情報も先見の明も持っているわけではないと論駁されている．さらに，実際の人間は財やサービスの絶対量のみを評価するわけではなく，同類の集団の中での（または彼ら自身の過去に対する）相対位置によって受ける影響が大きいことから，物質主義的な経済成長は厚生を増大することにはあまりつながらず，かくして環境保護の重要性が相対的に増す（Howarth 1996）．人々は一定の割引率を使わないことがしばしばあるし（Frederick et al. 2002），手を加えなくても経済が最終的に均衡状態に収束するという仮定は，基本的に検証不可能である．

持続可能性への経済学的アプローチを（様々な学問分野から）批判する人々は，不確実性――そしてそれゆえ計測不可能性という根本的問題――に満ちている課題に取り組むために，理論および計測手法を構築するという明白な矛盾をとりわけ強調する．この立場では，問題となる時間的空間的スケールのために，イノベーションによって成長の物理的限界を完全にはねのけることは不可能であるという見方が根強い．問題となるスケールのために，破局（すなわち起こりそうにないが極めて望ましくない結果）が起こる可能性が生じる（たとえばRoughgarden and Schneider 1999を参照）．そのような破局は性質上予測が困難であるばかりでなく，経済学の標準的期待効用モデルの適用がどこまで有効かという疑問を投げかける（Camerer and Kunreuther 1989）．いずれにせよ，本質的に長期にわたる時間的スケールのために，自然資本あるいはその他の資本のさまざまな構成部分に将来世代が見出す価値を計測できるのかという疑問を持つ人もいる．

これらの論点は重要なものではあるが，これらの問題を扱う様々な代替案もそれぞれ固有の難点を抱えている．Faucheux and Froger（1995）は，不確実性がすみずみまで浸透することで，「手続き的合理性」の重要性が高まると主張している．すなわち，様々な価値を一つにまとめる一方で，結果に関して一層「最低限度の条件を満たす」価値を許容するような，開かれた透明な手続きをとりわけ保証することの必要性が高まるというのだ．我々としては，持続可能性という複雑な問題によって，一般市民の関心と合意の重要性が高まるという点には同意する．しかし，将来世代のために現在世代がどの程度リスク回避的であるべきか，とりわけ決定に参加する人々が選択肢とそれがもたらす結果について十分な情報を持っていないことが多い場合にどれだけリスク回避的であるべきかについて検討する必要性を，手続き的合理性のみでは避けることができないと考える．

### 資源代替性に関する見方と持続可能性

たとえ世代間衡平性の重要性を原則的に認めたとしても，経済成長を通じてそれを実現することが実際にどれほど困難であるかについて，見解の相違が依然として残る．この見解の相違は，遠い将来における生産および福祉（効用）への人工投入要素と自然の投入要素との間の代替可能性について意見が異なること，および相対的な重要度についてもある程度意見が異なることによる．こうした異なる意見は，真っ向から対立し，いくぶん激した議論になりやすい．このような意見の相違は，しばしば弱い持続可能性対強い持続可能性という単純な二分法で表現される．よく指摘されるように門外漢には混同されかねないこの用語は，我々が定義したような持続可能性（時間の経過に伴って効用が減少しないこと）にとって，「自然資本」枯渇および劣化による制約がどれくらい深刻であるかを示している．弱い持続可能性は，自然資本と他の投入要素の間に十分な代替可能性があり，自然資本は将来世代が福祉を持続させるために繰り越す多くの投入要素の一つに過ぎないと仮定する（したがって自然資本に対する持続可能性制約は「弱い」）．強い持続可能性は，ある一定の種類および量の自然資本が，経済成長はもちろんのこと経済活動を持続するためにも不可欠であると考える．

実際には，弱い持続可能性にもいくつかの異なった見解がある．一方の極である「技術楽観主義」は，資源の代替性は多かれ少なかれ無制限であり，特に技術革新および単純な資源代替が自然資源の希少性を緩和するうえでこれまで果たしてきた大きな貢献を考えるならば，自然資源あるいは生態資源はほとんど重要ではない，という考え方である．もしも技術進歩によって環境資源の枯渇による長期的制約なしに経済成長の継続が可能になると期待できる十分な根拠があるのであれば，経済に持続可能性制約を実際に課すことは論理的に不必要となり，将来世代は今日よりも豊かになるであろう．これはStiglitz（1974）により提示された分析の規範的拡張であるが，この考え方では，たとえ環境外部性を内部化し経済をPV最適経路に移動するような政策介入がなかったとしても，少なくとも技術革新が十分に堅調であれば，市場の力が自動的に持続可能性を保証してくれる．特定の「自然資本」が枯渇しても，その他の形態の資本（知識を含む）がそれを埋め合わせるほど増え，全体的な福祉が時間軸に沿って維持されるかあるいは増大するので，懸念要因にはならない．大まかに言うとこれがBeckerman（1994）の考え方であり，例えばWeitzman（1997，1999）の計算結果によって支持されている．弱い持続可能性の考え方の中でもより穏健なものは，市場で取引されない環境資源・生態資源の使用がもたらす外部性などの市場の失敗を克服することで自然資源を効率的に配分する必要性をより重視しているが，資源がより効率的に配分される限り成長の持続は本来的に実現可能であるという点については，やはり容認している

同じように，強い持続可能性（しばしば「エコロジカルな」あるいは「環境的」持続可能性とも呼ばれる）にもいくつかの異なった見解がある．これらの見解は，資本・資源間の代替が不可能な概念であるのは自明である――それどころか，資本と自然資源は代替物ではなく総体的補完物であるという主張もある――，あるいは厳しくかつ差し迫った限界を免れない，という自然科学的論拠に通常基づいている．この見方によると，2～3世紀にわたって経済が成長するには，同じ一連の物質的投入要素から無形の経済的価値を生み出す際の効率性を改善するにとどまらず，必然的に物質スループットが増える必要がある．これらの投入要素（エネルギーおよび廃棄物受け入れ容量を含む）は，供給可能量が本来的に限られているとともに，物質として産出されるため，強い持続可能性からは，生活水準を向上する手段として産出を増やすことへの人々の願望と物理的制約条件との釣り合いを取るという，実際的かつ規範的な問題が生じる[6]．

強い持続可能性に関するよく知られた概説であるDaly（1990）は，持続可能性が以下の要件を要求することは自明であると考える．

―生命維持に不可欠な生態系サービスを維持すること，および汚染蓄積がある限界負荷を超えて増大することを防ぐこと．
―再生可能資源ストック（もしくは，少なくともそれらのストックを足し合わせたもの）を，再生可能スピードを超えない範囲で使用すること．
―再生不能資源の枯渇が，再生可能資源による同等のサービス生産への投資によって相殺されること（たとえば，化石燃料から再生可能エネルギー源への移行への投資）．

この観点から予防原則の変種（Howarth 1997）が生まれてくる．すなわち費用・便益を根拠に正当化されるものとは区別される，資源劣化または枯渇に関する先験的な制約である．

もちろん，いかなる強い持続可能性論者も，すべてのストックを保存するべきだとは主張していない．そんなことをすれば，いかなる再生不能資源にもついぞ手を

つけられなくなるというばかげた結果になる．むしろ，デイリーの考えを推し進め，強い持続可能性論者は自然資源ストックの重要な機能を維持するべきだと主張している（Common and Perrings 1992，Ekins 1996も参照）．熱力学第１法則（物質保存）と第２法則（エントロピー増大）によって，様々な強い持続可能性の見解がどの程度裏付けられるかについては白熱した議論があるが（その概論については Pezzey and Toman 2002，4.1節参照），ここでは一つの考え方のみ紹介する．

Ayres（1999）は，過度の物質スループットが悪影響をもたらす懸念を共有するものの，物質のエントロピー拡散が経済成長に内在する限界であるという考え方を斥ける．エイヤーズは，大量の再生可能エネルギーが直接的・間接的に太陽からもたらされるが，このエネルギーを（栄養塩などを集積する働きをする生物学的プロセスとともに）使って散逸した物質を再生利用することができると主張する．この観点から，主要課題は物質の保存ではなく，より薄まった物質の流れを扱うのに必要なエネルギー需要を供給することができるよう再生可能エネルギーを（事実上化石燃料の賦存量の一部を現在の需要を満たすことから転換することで）もっと速く開発し改良することであるとエイヤーズは主張する．しかし，有害な廃棄物による自然システム（これは人類を含む）への悪影響を緩和する手段としては，エイヤーズは物質の保存という考えも支持するであろう．

## 持続可能性を測る

ここまでは，持続可能性に関する経済学的アプローチが世代間衡平性の問題を取り扱う様々な方法と，そこで生じる潜在的な矛盾について議論してきた．さらに我々は，持続可能性の経済分析の通常の出発点が，時間の経過とともに福祉が減少しないことを可能にするほど，自然資本と他の形態の資本が十分に相互代替可能であるという前提であることも指摘した．言い換えると，持続可能性はおおまかに言って実現可能であるが，それは自由な市場の運営あるいは現在の環境に関するスピルオーバーの内部化だけに焦点をあてた政策によって保証されるものではまったくない．

本節ではまず，持続的および非持続的な経済経路に関する25年以上にわたる経済学的研究の主要な成果と，希少性と成長という問題に対しそれらの成果が伝えられることの実際的な限界を要約し説明する．多くの関連文献は高度に専門的で難解ですらあるので，ここではそれらの特色だけを説明する．その上で，経済学以外のアプローチによる持続可能性の計測について，同様に簡潔に議論する．

**経済分析における持続可能性の計測**

持続可能性にはっきりと焦点を当てた経済学理論に関する最近の文献全般を要約するために，いくつかの所得勘定用語を紹介する必要がある．標準的な国民所得は，消費財と投資財のフローの合計であり，後者は資本ストックに追加されるフローである．現実の経済は多くの異なった財で成り立っているため，実際には所得，消費および投資は価値単位，すなわち単位あたり価値，または価格，で重み付けされた物理的フローの総計で計測される．価格は様々なフローの単位あたりの相対価値を表す．グリーン（国民）所得・生産勘定は，化石燃料の減少のように市場で取引されているが通常除外されている天然資源フローや，生物多様性や汚染被害などの市場で取引されないストックやフローを含むように標準的枠組みを拡張したものである．市場で取引されない要素は，効用（生物多様性の改善はレクリエーション価値を高める）と生産（大気環境の改善は健康によく，したがって労働生産性を高める）の双方に影響をもたらす．これらの市場で取引されないフローの間接価格あるいは影の価格は，「通常の」価格と同様にそのような影響の相対価値を表す．非市場価格および非市場取引量を計測することの実際的困難は深刻なものであるが，理論的原理は経済学においてよく理解されている．実際に，潜在価格は経済モデルのPV最適成長経路を求める過程で導き出すことができるのである．

そこまで明白ではないが，持続可能性勘定にとってやはり重要かつ関連が深いのは，時間そのものが経済的価値の増大をもたらすことがあるということである．とりわけ，もし経済がさらなる知識や道具のストックへの追加的投資を行わなくても時間とともに自然に（「外生的に」）生産能力を高めているならば，Stiglitz（1974）が示したように，他の条件が等しければ時間とともに消費と福祉を持続できるチャンスも増えていくことになる．すでに概要を述べた市場で取引されない「グリーン」な要素だけでなく，時間とともに外生的に増大する生産能力の価値を含めた国民所得を計測したものを，これより我々は拡張国民所得と呼ぶこととしよう．言い換えるなら，「拡張」国民所得は，経済における一般化された経済生産のフローを可能な限り包括的に定義したものである．最後に，すべてのストックの純変化の価値と，さきほど述べた「時間の価値」を足したものを，拡張（国民）純投資と定義しよう．拡張していない国民純投資は真の貯蓄と呼ばれる（例えばHamilton and Clemens 1999）．

我々が今まさに説明しようとしている結果は，公共政策課題としてPV最大化と持続可能性を両立することの明白な矛盾にも関わらず，経済が持続可能性制約条件のもとでPV最適経路をたどると仮定している．

これら一連の定義および概念によって，新古典派持続可能性経済学の主要な結論を次のように言い換えることができる（技術的詳細については再び Pezzey and Toman 2002を参照されたい）：もしある時点において拡張国民所得が増加していなければ，あるいは同じことだが拡張国民純投資が正でなければ，その時点において経済は持続可能ではない．すでに定義したように，経済が持続可能ではないということは，現在の福祉水準が長期にわたって持続できる水準を超えており，いつか福祉水準の引き下げが不可避になるということである．経済は「身分不相応な暮らし」をしているのである．さらに，国家の富を維持することが持続可能性の目標であるという直観的に理解できる議論もあるにもかかわらず，拡張所得あるいは富が一定不変であっても持続不可能でありうるのである．

所得と持続可能性に関するこの結果において，生産能力の自然発生的な外生的増大を反映した拡張純投資の時間による外生的要素が，自然資本およびその他の資本の「貯蓄取り崩し」を十分に相殺しうるほど大きいということは，理論的に可能である．これはさきに弱い持続可能性を定義した際に述べた，もし自然発生的な経済発展が経済全体として持続可能性を達成できるほど力強ければ，持続可能性制約は論理的に不必要であるという論点を言い換えたものである．この結論が引き起こす上述の持続可能性に関する議論はさておき，この結論は国民所得データにおける経済成長の自発的な外生要素とは何であるかを実証的に理解する必要性にも注意を喚起する．もしも実際には外生的ではなく，知識や手段を獲得し適用するための経済的投資の成果を計測し損ねたものが反映されているのならば，計測された進歩は技術革新への投資に財やサービスを転用した結果に過ぎず，経済は見かけほどには持続可能ではないということになる．

上述した主要な結論の逆は，一般に真ではない．正の拡張純投資が観測されたからといって，経済が持続可能であると見なすことはできないのである[7]．経済が持続可能であると判断するためには，拡張国民所得およびその要素の全時間経路を評価しなければならないのであり，ある特定の時点における経済に関する情報だけでは不十分なのである．このことは，既存の経済データを用いた持続可能性テストを実際に行う可能性を明らかに限界づける．特に，世界市場で決定された価格に基づいて国家のバランスシートに記載されている多くの項目に価値をつけるだけでは，持続可能性の評価はできないのである．市場価格の使用に関するもう一つの限界は，市場価格で考えると，どれか一つの国が自国のほとんどの天然資源を今の時点で使い果たして人的資本に依拠した「知識国家」となり，将来においてはほとんどの資源を輸入することで，ひょっとすると持続可能性を保つことができてしまうことである．しかし，これは世界経済全体として取り得る選択肢ではない．なぜなら，すべての国が資源輸入国になることはできないし（Brekke 1997，72；Pezzey 1998），もしすべての国が輸入国になろうと試みれば，資源価格が劇的に上昇せざるを得ないからである．

次に重要な結論は，前節で紹介した持続可能価格の考え方を用いると，以下の通りである：もしも持続可能価格で評価した拡張純投資が永遠にゼロであるならば，福祉水準は永遠に一定である．この結果は，Hartwick（1977）によって発見され，ハートウィックおよびその他の研究者達によってその後おおいに精緻化された有名な定理の拡張である．持続可能性の評価における経済学の弱点と成果を理解するためには，ハートウィックの結論が何を示していないかを認識することが重要である．ハートウィックの結論は，ある時点における拡張純投資がゼロあるいは正であったとしても，その時点において持続可能であるとは言っていない．実際にその逆を示すいくつかの反例が存在する（Asheim 1994）．しかもその結論は，仮想的な（すでに定義したような）持続可能価格で拡張純投資を評価した場合にのみ成り立つのである．いくつかの研究での提案（Solow 1986，147；Hartwick 1997，511；Aronsson et al. 1997，101；Aronsson and Lofgren 1998，213）とは逆に，市場均衡価格の経路に沿って純投資が負でないということだけでは，持続可能であるには不十分なのである．このことは持続可能性を実際に計測する難しさをさらに裏付けるものである．

**持続可能性の実証的な経済的測度**

持続可能性の実証的な経済的計測の大半は，グリーン国民所得の成長率，または国民所得の一部である国民純投資の成長率を（深刻なデータ不足と果敢に格闘したうえで）測定しているが，いずれの場合にも所得に対する時間による外生的影響を含んでいない．そのような測定は，通常の純投資あるいはグリーン純投資が負であっても時間の要素を考慮した拡張純投資が正でありうる（したがって経済はおそらく持続可能である）ことから，不完全である．多くの研究者が，生産可能性の（時間の影響を含めた）外生的な変化を引き起こす技術進歩と貿易財の世界価格の変化を無視しているために問題が生じるのである．

持続可能性の計測は，しばしば単にグリーン純投資の計測結果を利用して行われる．Pearce and Atkinson（1993），Pearce et al.（1993），Hamilton（1994），Atkinson et al.（1997）および Hamilton and Clemens（1999）がその例であるが，我々はそのうちもっとも広く引用される最初の文献のみを論ずる．ピアースとアトキンソンは，米国からブルキナファソにいたる18カ国のデータを用い，投資データの代わりに貯蓄データを用いて人工資本の純増分を算定した．自然資本の価値の変化については，実勢市場価格で評価した資源ストックの純変化に関するデータを用いて算定した．さらに様々な負の環境アメニティのフローについてもおおまかに取り込まれた．

すべての欧州諸国と日本は，間違いなく持続可能と判定されたが，基本的にこれは高い貯蓄率および資源減耗のレントが少ないことによる．後者はおそらく，これらの国々では残された消費すべき資源が比較的少ないからであろう．対照的に，アフリカ諸国は低い貯蓄率と資源減耗のレントが多いことで，間違いなく持続不可能と判定された．米国は，欧州諸国と日本に比べ貯蓄率がずっと低いため，ぎりぎり持続可能となった．

米国における外生的技術進歩に着目したWeitzman（1997），あるいはインドネシアが直面した原油輸出価格の外生的変化に着目したVincent et al.（1999）のような研究は，持続可能性に対する外生的影響を扱っている点で，通例というよりむしろ例外的である[8]．ワイツマンの分析は逆に，主流派経済学における持続可能な成長——一般には内生的成長の経済学と呼ばれる——に対する関心の大々的な復活に関連付けて考えることもできる（内生的成長理論の概説についてはAghion and Howitt 1998参照）．この新しい成長理論の名前は，技術進歩が単に時間の経過とともに外生的に起こるだけではなく，どのようにして起こるのかに着目していることに由来する．内生的技術進歩は，教育あるいは知識を通じた人的資本蓄積への投資，あるいは研究開発を通じた製品品質改善への投資に関する人々および企業の（しばしば最適ではない）経済的決定によって生じる[9]．内生的成長理論は，純投資の計算に重要な新しい要素をもたらす．例えばHamilton et al.（1998）は，内生的成長が，それまで外生的要因によると考えられていた「技術進歩プレミアム」のほとんどを説明できると考えている．そうだとすると，技術進歩を外生的に扱った測度に比べ，経済の見かけの持続可能性は大幅に減少するかもしれない．

Weitzman（1999）の資源希少性に関する分析は，ピアースとアトキンソンによるアプローチとは違った方針をとっている．ワイツマンは，米国経済にとって鉱物資源が再生不能であるため現在供給されている鉱物投入の少なくとも一部の使用を見送らざるを得ないことの全費用はいくらかという，一見複雑な質問を問いかける．Weitzman（1976）によると，その論文中の「グリーン所得」勘定に関する新古典派的前提を受け入れるのであれば，答えは単純である．社会の総資産と比較した「希少性プレミアム」の現在価値は，資源総レントの経常価値を，従来手法で計測された国民所得の経常フロー（すなわち資源減耗レントを控除しない所得）で割ったものにすぎない．ワイツマンは，明らかに粗い計算ではあるが，資源の再生不能性のコストは比較的小さく，総資産のおよそ１％であることをこの手法に基づいて見出した．

この結果は直観的に興味深い．というのは，埋蔵資源の単位価格で示された資源希少性レントは，実際のところ今日の資源ストックを1単位追加することによる将来の便益の現在価値に他ならないからである．このモデルに関して特徴的で，かつ必ずしも一般的でないのは，資源ストックの全変化へのこの論法の適用性である[10]．したがって，ワイツマンが彼の成果を「成長の限界に値段をつけた」と解釈したことに対し，疑問を呈することができる．もし資源代替と技術革新が希少性を大きく緩和することにはならず，しかもいくつかの非常に重要で代替不可能な資源が枯渇するならば，そのような非追加的な（すなわち全体的な）希少性は非常に高価なものとならざるを得ないが，そのような種類の希少性はワイツマンのモデルでは捕捉できないのである．

多くの研究者が，持続可能性の経済的測度を通常の新古典派経済学の領域を超えて拡張していることを示すためには，別の二つの論文を紹介すれば十分であろう．1980年から1993年の間のスコットランドを対象に，果敢にも7種類の持続可能性測度——そのうちのいくつかは非経済学的か少なくとも非新古典派的である——を推定し比較することで，Hanley et al.（1999）は持続可能性実証主義の進歩と問題点の双方を浮き彫りにしてくれる．二つの経済的指標であるグリーン所得と投資あるいは「真の貯蓄」はかなり異なった結果をもたらしたが，どちらもスコットランドがより持続可能な方向に進んでいたことを示した．スコットランドには財，資源および金融資本の貿易勘定がなく，金融資本の貿易勘定がないことで貯蓄と投資が大きく異なっていた可能性がある．対照的に，より広範な二つの「社会政治的」測度，すなわち持続可能経済厚生指数（ISEW）と真の進歩指標（GPI）は，この期間内には減少していた．これは主に，純粋に経済学的な測度が無視している，世代内衡平性の測度である所得分配が悪化していたためである[11]．

Proops et al.（1999）の主な焦点は，多くの国々で資源と資源集約財の貿易が持続可能性分析にとって重要であることを示すことにあった．彼らの計算はピアースとアトキンソンの測度に類似した「閉鎖経済持続可能性」と，非新古典派的概念である「開放経済持続可能性」の違いを中心としており，後者においては世界貿易フローの産業連関分析によって，ある経済によって使用された資本と資源を，ある経済「のために」使用された，あるいはある経済「に起因して」使用された資本と資源に置き換えて計算される．閉鎖経済持続可能性測度から開放経済持続可能性測度への転換により，中東などの資源の豊富な地域の持続可能性計算値は劇的に増加し，OECD（工業化された）諸国では減少する．しかし，プループスらは「先進工業国は他の国々の環境容量を専有しており（たとえば自然資源の輸入によって），貿易相手の犠牲のうえに利益を得ている」と主張しているが（1999，77），国の政策立案者あるいは国際的政策立案者に対して彼らの計算結果に基づく結論をなんら引き出していない．また彼らは，いかにして，そしてどの程度，自由貿易が不公正で収奪的になりうるのかについて，明白な議論を行っていない．

### 持続可能性の物理的測度

市場原理に基づく新古典的な持続可能性の測度に対する批判者は，それらは過度に楽観的であり，物理的測度こそが問題が内包する大きな不確実性をより反映した長期的な成長の限界の可能性について，そして予防的アプローチの必要性について警告を与えてくれると主張している．この主張は，少なくとも所有されていない大規模な生態資源についてであれば，もっともらしく思われる．しかしながら，物理的指標自身もまた深刻な欠点があり，とりわけ時に手法が恣意的になることがある．物理的指標の定義および境界（何が含まれ何が含まれないのか，いかにして大きく異なった種類の土地面積や物質の質量を足し合わせるのか）は，しばしば不明確で無原則である．約数が統一されていないか，あるいは約数は用いられておらず，一人あたりの物理的影響だったり，実質ドルあたりの影響だったり，あるいは影響の総量だったりする．指標は技術の変化に対して堅固ではないし，発生する環境リスクの度合いについて，最善の救済的政策について，あるいはそれをどこに適用すべきかについて，ほとんど洞察を与えてくれないこともしばしばである．物理的指標は，例えば新たに舗装された道路１ヘクタールが工業地帯においてであろうと手付かずの原野においてであろうと区別しないし，あるいは１キログラムの生物学的に不活性な物質と１キログラムの有害重金属も区別しないのである．

最も単純な物理的測度は，面積，質量，あるいはエネルギー単位で計測されたものである[12)]．エコロジカル・フットプリント（Wackernagel and Rees 1996；*Ecological Economics* 2000）は，人々が消費する資源を生産し廃棄物を同化するのに生態系が必要とする土地面積を計測する．単位サービス当たり物質強度（Hinterberger et al. 1997）は，経済的な生産で移動する物質の重量を集計する．二つの非常に異なったエネルギー測度として，エネルギー投資収益率（EROI）――有用な生産物やエネルギーを１単位生産するために投資された直接あるいは体化されたエネルギー*の量（〔＊訳注：原文は embodied energy で，ある商品の生産から廃棄までに使用される総エネルギー．〕最新の解説については Kaufmann and Cleveland 2001参照）――および人間が専有している一次（光合成）生産性（HANPP）（Vitousek et al. 1986参照）がある．EROI が１未満のエネルギー生産，あるいは HANPP が100以上の経済は明らかに物理的に持続不可能であるが，これらの測度の正しい集約手法については議論が分かれる．より巧妙な物理的測度は

「持続可能性ギャップ」，または事前に指定された，しかし究極的には恣意的な，環境目標達成までの時間的距離である（Ekins and Simon 2001）．相対的リスクあるいは機会費用のような，これらすべての物理的測度の重要性に重み付けできる幅広い考え方に基づくより堅固な基盤なしには，持続可能性を評価したり政策を方向転換したりするために物理的測度を用いることは難しい（Ayres 1995, 2000）．しかし，物理的測度はその存在そのもの，およびその非経済学者の間での受けの良さによって，持続可能性に関する経済学的アプローチに対して課題を突きつけている．

## 結論

過去2～30年間の持続可能性に関する経済学の成果と，それが希少性と成長をめぐる議論にどのように光を当て得るのかについて，我々に何が言えるであろうか．この分野の理論的研究はある意味において実証的な研究を凌駕しているが，しかしそれは結局のところ理論的研究がすぐに適用可能な実証的な指標を未だに生み出せていないからなのである．これは残念なことである．というのは持続可能性の重要性に関する判断は結局実証的なものだからである．

弱い持続可能性と強い持続可能性の支持者による論争は，10年前に比べてほとんど沈静化はしていないものの，代替可能性が限定的であるために，どのような成長への物理的な限界が概念的にも実際的にも存在しうるのかということに，再び有益な注意を喚起してくれる．論争によって，物理原則が経済原理とどのように相互作用するかということに注意を向けられただけでなく，こうした限界を緩和する手段としての技術変化の力と限界についても改めて検討されるようになった．

実証的には，Repetto et al.（1989）や Pearce and Atkinson（1993）によって創始された「グリーン勘定」の試みは，資本・資源間の代替に関する「弱い」仮定に基づく持続可能性の経済学的計測を具体化しはじめた．それらの研究は，理論的あるいは実証的な欠点にもかかわらず，進歩のために欠かせないデータ収集とその体系化を間違いなく促進させてきた．今では，多くの国の資源の量・価値の推定値について，質についてはしばしば不明であるものの，ずっと多くの生データが使用可能である（たとえば World Bank 2001を参照）．さらにそれらの研究は，異なる国の持続可能性指標の間で，たとえ実証的研究の既知の様々な欠点の多くが特定され修正されたとしても依然として残る可能性が高いような大きな相違が存在することを示している．非常に持続不可能であると測定された経済の拡張国民所得が結局は減少する，という理論的予測を大まかに検証することさえ，いつかは可能になるだろう．

我々は，経済学において持続可能性を定義するうえで，なかなか解消しない多くの問題，特に現在価値最大化との共存や，割引および遠い将来への懸念の持つ含意について指摘してきた．実証的な観点からは，現在の経済学理論を適用するうえでの最大の難問は，「持続可能価格」は持続可能性が実現されて初めて観測できるという「鶏が先か卵が先か」問題のために，たとえPV最適が達成されたとしても持続可能性については何も分からないことであろう．経済理論によって存在が示されている，実勢市場の観測や環境評価に基づくグリーン国民所得と，持続可能所得との間の隔たりを推定できるようになる必要がある．もともと持続可能価格について何も明らかにしてくれない市場条件の下で，我々はどれだけ精密に持続可能性政策を策定できるのであろうか．このように，弱い持続可能性アプローチがどの程度実証的に具体化され適用可能になりうるのかという問題は，未解決のままである．

本章で我々が触れなかった非常に興味深い領域として，貧しい国々での持続可能性に関する問題がある．この大きな問題意識があったために，WCED（1987）や，またより最近ではミレニアム開発目標（UNDP 2003）は，持続可能性という考え方そのものと，持続可能性と開発プロセスとの結び付きを普及させたのである．

時間スケールが複数世代にまたがることから，選択行為の効用関数による経済学的表現の中に現実的な心理学を組み込むこと，および生産関数に現実的な物理学，（神経学を含めた）生物学，工学を組み込むことの双方が要求される．生産成長にどのような生物物理学的限界が存在するかという問題全体については，さらなる研究が必要である．一つのアプローチは，代替性に対する制約（ただし差し迫ってはいない）を組み込んだ形の生産関数を用いることであるであろう．このアプローチでは，数学的に洗練されてはいるが実証的に問題のある均衡成長経路を重視せず，数値解法により依存することになるかもしれない．さらにこの目的に取り組むことは，単に予防原則を無差別的に適用するのではなく，資源供給力と代替可能性に関する制約が新古典派の理論枠組みを破綻させる場合をより明確に同定することで，強い持続可能性の流れでの実証研究を活性化するとともにより厳密なものとするであろう．

今後取り組むべきもう一つの重要な分野は，持続可能性のための政策設計である．すでに述べたように，もし長期的経済成長条件が自動的に持続可能性政策を論理的に不要なものとする，ということがないのであれば，単に外部性を修正する政策だけではなく，それが資本全体についてであれ（弱い持続可能性），自然資本についてであれ（強い持続可能性），貯蓄率を高める政策を検討する必要がある．そのための一つの選択肢は，最小安全基準の考え方の変種として，時間的・空間的規模が大きくなるにしたがってより大きな配慮の仮定を社会的意思決定に組み込むことである（数多くの文献の中で，Barbier et al. 1990；Toman 1994；Chichilnisky et al. 1997；Norton and Toman 1997；Woodward and Bishop 1997；Farmer and Randall 1998を参照）．しかしこの種の取組を（単なる比喩ではなく）実践的なものにすることは，比較的客観的なリスクの測度――それがないことが問題の核心なのであるが――か，あるいはなんらかの社会的直観に依存する．Norton and Toman（1997）および Toman（1999）が提示したアプローチでは，技術的分析と，それを形作る際により直接的に公衆に関与してもらう過程とを組み合わせることを考え，こうした問題のいくつかを統合的に扱おうとしている．それらの中には，費用便益分析や分配影響分析だけではなく，物理的影響やリスクに関する非経済学的分析や，公衆に情報を伝え価値形成を助けてくれるその他の分野も含まれる．

こうしたすべての分野において，理論とデータの適切なバランスと，観念的な思い込みが果たす役割の減少だけが，将来の成長への限界を識別するより高い能力を伴ったよりすぐれた持続可能性の経済学という，我々が共通の目標と考えるものに導いてくれる．

**謝辞**

本章は，トーマンがRFFのシニア・フェローであったときに書かれた．著者達はアニル・マーカンジャ，スティーブン・ポラスキー，匿名のレビュアー達，および本書を生み出すこととなったワークショップの他の参加者に対し，本章を改善するうえで有用であった多くの提案について感謝する．

**注**

1）この言い回しは熟考のうえ選ばれた．我々が概説する持続可能性理論は，主に伝統的主流派経済学における「新古典派」的技法を使用している．しかし関連する文献は主により専門化された環境経済学に位置づけられている．環境経済学以外では持続可能性の問題の多くはまったく無視されている．

2）残念ながら，この専門用語は経済学者の間で完全に一貫しているわけではなく，多くの著者は「厚生」を「瞬間的福祉」を意味するものとして使用している．

3）混同されることが多いが，無制限の代替可能性と完全な代替可能性は同じではない．もし生産が（人工的）資本蓄積のべき乗に資源消耗フローを掛け合わせたものだとすると，資本は資源フローの無制限な代替物である．後者がいかに少なかろうと（ゼロより大きければ），十分大量の資本蓄積と組み合わせれば想定する生産量を確保できる．しかしもし生産が資本と資源の線形結合であるならば，たとえ資源がゼロとなっても生産を維持することはできるわけで，この場合資本は資源の完全代替物となる．

4）これは実際には静学的（つまり時間要素のない）条件下で証明されたが，本章における動学的（経時的）条件下に拡張することも可能である．この経済学的効率性の定義が，エネルギー効率のような工学的あるいは技術的定義と異なることに注意されたい．社会にとって，エネルギー強度を引き下げることの機会費用が，それによって節約されるエネルギーの価値よりも高い場合，単位生産あたりエネルギー使用量が多い技術を選択することが経済的に効率的となるかもしれない．

5）この点に関する経済学における議論の始まりは，これよりずっとさかのぼる．たとえば，経済成長理論への初期の貢献であるRamsey（1928）では，単に現在世代がせっかちだからといって将来世代の厚生を割り引くということは，倫理的に擁護できないと論じた．我々は，マーグリンのように「経済人と市民は，いかなる関心においても目的においても異なる二人の別人である」とまで言うつもりはない．というのは，経済人であっても市民として設定した制約（持続可能性）の枠の中で自己の利益を最大化する（最適化しようとする）こともできるからである．しかし，多くの西欧諸国が温室効果ガス排出量の制限を目指す京都議定書に署名したにも関わらず，これらの国々で2000年に化石燃料価格値上げをめぐる抗議デモが起きたことは，そのような人格分裂が現実のものであり，食い違った行動を引き起こしていることの徴候なのかもしれない．

6）これらの考察に関するより詳細な議論についてはStern（1997），O'Connor（1998）およびBeard et al.（1999）参照．

7）小さな開放経済仮定を含むいくつかの条件下でのみ，この結論の逆が成り立つ（Asheim 2000）．これらの結論をめぐる議論は残念ながら分かりやすいものとは限らないため，この専門的でない概説においては，すでに記したような形で経済学の文献を言い換えることしかできない．．

8）このような計算の必要性は，資源価格が多くの理論モデルに見られるように上昇するのではなく，横ばいか，または下落してきたという事実によって裏付けられる．

9）内生的成長理論と持続可能な発展研究の間での相互交流は，主に新古典派（の新しい）経済成長理論の研究者が，彼らのモデルの生産関数または効用関数に汚染または資源減耗を加えたという，限定的なものである．これらの例として，Stokey（1998），Aghion and Howitt（1998）第5章，Smulders（2000）参照．さらに本書のスマルダースによる第8章も参照されたい．

10）同様の批判は，この研究の対極にあるCostanza et al.（1997）による「世界の生態系サービスと自然資本」の全価値の試算にも当てはまる．

11）ISEWとGPIの両手法への批判についてはNeumayer（2000）参照．

12）より完全な概説についてはPezzey and Toman（2002）の205―209ページを参照．

## 参考文献

Aghion, P., and P. Howitt. 1998. *Endogenous Growth Theory*. Cambridge, MA: MIT Press.

Aronsson, T., P.-O. Johansson, and K.-G. Lofgren. 1997. *Welfare Measurement,*

*Sustainability and Green National Accounting: A Growth Theoretical Approach.* Cheltenham, UK: Edward Elgar.

Aronsson, T., and K.-G. Lofgren. 1998. Green Accounting: What Do We Know and What Do We Need to Know? In *The International Yearbook of Environmental and Resource Economics 1998/99,* edited by T. Tietenberg and H. Folmer. Cheltenham, UK: Edward Elgar.

Arrow, K. J., and G. Debreu. 1954. Existence of an Equilibrium for a Competitive Economy, *Econometrica* 22(3)：265-290.

Asheim, G.B. 1994. Net National Product as an Indicator of Sustainability. *Scandinavian Journal of Economics* 96(2)：257-265.

Asheim, G. B. 2000. Green National Accounting: Why and How? *Environment and Development Economics* 5(1)：25-48.

Asheim, G.B., W Buchholz, and B. Tungodden. 2001. Justifying Sustainability. *Journal of Environmental Economics and Management* 41(3)：252-268.

Atkinson, G., et al. 1997. *Measuring Sustainable Development: Macroeconomics and the Environment.* Cheltenham, UK: Edward Elgar.

Ayres, R. 1995. Life Cycle Analysis: A Critique. *Resources, Conservation and Recycling* 14：199-223.

Ayres, R.1999. The Second Law, the Fourth Law, Recycling, and Limits to Growth. *Ecological Economics.* 29：473-484.

Ayres, R. 2000. Commentary on the Utility of the Ecological Footprint Concept. *Ecological Economics* 32(3)：347-350.

Barbier, E.B., A. Markandya, and D.W. Pearce. 1990. Environmental Sustainability and Cost Benefit Analysis. *Environment and Planning* 22(9)：101-110.

Barnett, H., and C. Morse. 1963. *Scarcity and Growth: The Economics of Natural Resource Availability.* Baltimore: Johns Hopkins University Press for Resources for the Future.

Beard, T., R. Lozada, and G. Lozada. 1999. *Economics, Entropy, and the Environment: The Extraordinary Economics of Nicholas Georgescu-Roegen.* Cheltenham, UK: Edward Elgar.

Beckerman, W 1994. "Sustainable Development"：Is It a Useful Concept? *Environmental Values* 3(3)：191-209.

Brekke, K.A. 1997. *Economic Growth and the Environment: on the Measurement of Income and Welfare.* Cheltenham, UK: Edward Elgar.

Camerer, C.F., and H. Kunreuther. 1989. Decision Processes for Low Probability Events: Policy Implications. *Journal of Policy Analysis and Management* 8(4)：565-592.

Chichilnisky, G. 1996. An Axiomatic Approach to Sustainable Development. *Social Choice and Welfare* 13(2)：231-257.

Chichilnisky, G., G.M. Heal, and A. Vercelli (eds.). 1997. *Sustainability: Dynamics and Uncertainty.* Dordrecht: Kluwer Academic Publishers.

Common, M., and C. Perrings. 1992. Towards an Ecological Economics of Sustainability. *Ecological Economics* 6(1) : 7-34.

Costanza, R., et al. 1997. The Value of the World's Ecosystem Services and Natural Capital. *Nature* 387 : 253-260.

Daly, H. E. 1990. Toward some Operational Principles of Sustainable Development. *Ecological Economics* 2(1) : 1-6.

Daly, H.E., and J.B. Cobb. 1989. *For the Common Good: Redirecting the Economy toward Community, the Environment and a Sustainable Future.* Boston: Beacon.

Dasgupta, P.S., and G.M. Heal. 1974. The Optimal Depletion of Exhaustible Resources. *Review of Economic Studies, Symposium on the Economics of Exhaustible Resources,* 3-28.

Dasgupta, P. S., and K. -G. Maler. 2000. Net National Product, Wealth, and Social Well-Being. *Environment and Development Economics* 5(1) : 69-94.

*Ecological Economics.* 2000. Forum: The Ecological Footprint. 32 (3, March).

Ekins, P. 1996. Towards an Economics for Environmental Sustainability. In *Getting Down to Earth Practical Applications of Ecological Economics,* edited by R. Costanza et al. Washington, DC: Island Press.

Ekins, P. , and S. Simon. 2001. Estimating Sustainability Gaps: Methods and Preliminary Applications for the UK and Netherlands. *Ecological Economics* 37(1) : 5-22.

Farmer, M.C., and A. Randall. 1998. The Rationality of a Safe Minimum Standard. *Land Economics* 74(3) : 287-302.

Faucheux, S., and G. Froger. 1995. Decision-Making under Environmental Uncertainty. *Ecological Economics* 15(1) : 29-42.

Frederick, S., G. Loewenstein, and T. O'Donoghue. 2002. Time Discounting and Time Preference: A Critical Review. *Journal of Economic Literature* 40(2) : 351-401.

Hamilton, K. 1994. Green Adjustments to GDP. *Resources Policy* 20(3) : 155-168.

Hamilton, K., G. Atkinson, and D. Pearce. 1998. Savings Rules and Sustainability: Selected Extensions. Paper Presented at the 1st World Congress of Environmental and Resource Economists, Venice, Italy, June.

Hamilton, K., and M. Clemens. 1999. Genuine Savings Rates in Developing Countries. *World Bank Economic Review* 13(2) : 333-356.

Hanley, N., et al. 1999. Measuring Sustainability: A Time Series of Alternative Indicators for Scotland. *Ecological Economics* 28(1) : 55-74.

Hartwick, J. M. 1977. Intergenerational Equity and the Investing of Rents from Exhaustible Resources. *American Economic Review* 67(5) : 972-974.

Hartwick, J.M. 1997. Paying Down the Environmental Debt. *Land Economics* 73(4) :

508-515.

Hinterberger, F., F. Luks, and F. Schmidt-Bleek. 1997. Material Flows vs. "Natural Capital"：What Makes an Economy Sustainable? *Ecological Economics* 23(1)：1-14.

Howarth, R. B. 1996. Status Effects and Environmental Externalities. *Ecological Economics* 16(1)：25-34.

Howarth, R.B. 1997. Sustainability as Opportunity. *Land Economics* 73(4)：569-579.

Howarth, R.B. 1998. An Overlapping Generation Model of Climate-Economy Interactions. *Scandinavian Journal of Economics* 100(3)：575-591.

Howarth, R.B., and R.B. Norgaard. 1992. Environmental Valuation under Sustainable Development. *American Economic Review* 82(2)：473-477.

Kaufmann, R.K., and C.J. Cleveland. 2001. Oil Production in the Lower 48 states: Economic, Geological, and Institutional Determinants. *Energy Journal* 22(1)：27-49.

Koopmans, T.C. 1960. Stationary Ordinal Utility and Impatience. *Econometrica* 28：287-309.

Marglin, S.A. 1963. The Social Rate of Discount and the Optimal Rate of Investment. *Quarterly Journal of Economics* 77(1)：95-111.

Mourmouras, A. 1993. Conservationist Government Policies and Intergenerational Equity in an Overlapping Generations Model with Renewable Resources. *Journal of Public Economics* 51(2)：249-268.

Neumayer, E. 2000. On the Methodology of ISEW, GPI and Related Measures: Some Constructive Suggestions and Some Doubt on the "Threshold" Hypothesis. *Ecological Economics* 34(3)：347-361.

Norton, B. G., and M. A. Toman. 1997. Sustainability: Ecological and Economic Perspectives. *Land Economics* 73(4)：553-568.

O'Connor, M. 1998. Ecological-Economic Sustainability. In *Valuation for Sustainable Development,* edited by S. Faucheux and M. O'Connor. Cheltenham, UK: Edward Elgar.

Pearce, D.W, et al. 1993. *Blueprint 3: Measuring sustainable Development.* London: Earthscan.

Pearce, D.W., and G.D. Atkinson. 1993. Capital Theory and the Measurement of Sustainable Development: An Indicator of "Weak" Sustainability. *Ecological Economics* 8(2)：103-108.

Pezzey, J. C. V. 1989. Economic Analysis of Sustainable Growth and Sustainable Development. Environment Department Working Paper No. 15. Published as *Sustainable Development Concepts: An Economic Analysis,* World Bank Environment Paper No. 2, 1992. Washington, DC: World Bank.

Pezzey, J.C.V. 1995. Concern for Sustainable Development in a Sexual World. Discussion Paper 95-02. Department of Economics, University College, London.

Pezzey, J.C.V. 1997. Sustainability Constraints versus "Optimality" versus Intertemporal Concern, and Axioms versus Data. *Land Economics* 73(4) : 448-466.

Pezzey, J.C.V. 1998. Stripping Resources and Investing Abroad: A Path to Sustainable Development? In *Environmental Valuation, Economic Policy and Sustainability,* edited by M. Acutt and Pp. Mason. Cheltenham, UK: Edward Elgar.

Pezzey, J. C. V. 2004. Sustainability Policy and Environmental Policy. *Scandinavian Journal of Economics* 106(2) : 339-359.

Pezzey, J.C.V., and M.A. Toman. 2002. Progress and Problems in the Economics of Sustainability. In *International Yearbook of Environmental and Resource Economics 2002/3,* edited by T. Tietenberg and H. Folmer. Cheltenham, UK: Edward Elgar, 165-232.

Proops, J. L. R., et al. 1999. International Trade and the Sustainability Footprint: a Practical Criterion for Its Assessment. *Ecological Economics* 28(1) : 75-98.

Rabin, M. 1998. Psychology and Economics. *Journal of Economic Literature* 36(1) : 11-46.

Ramsey, F.P. 1928. A Mathematical Theory of Saving. *Economic Journal* 38(152) : 543-559.

Rawls, J. 1971. *A Theory of Justice.* Cambridge, MA: Harvard University Press.

Repetto, R., M. Wells, C. Beer, and F. Rossini. 1989. *Wasting Assets: Natural Resources in the National Income Accounts.* Washington, DC: World Resources Institute.

Riley, J. G. 1980. The Just Rate of Depletion of a Natural Resource. *Journal of Environmental Economics and Management* 7(4) : 291-307.

Roughgarden, T., and S. H. Schneider. 1999. Climate Change Policy: Quantifying Uncertainties for Damages and Optimal Carbon Taxes. *Energy Policy* 27(7) : 415-429.

Smith, A. 1776. *The Wealth of Nations.* Reprinted 1937. New York: The Modern Library.

Smith, V.K., and J.V Krutilla. 1979. The Economics of Natural Resource Scarcity: An Interpretive Introduction. In *Scarcity and Growth Reconsidered,* edited by V.K. Smith. Baltimore: Johns Hopkins University Press for Resources for the Future.

Smulders, S. 2000. Economic Growth and Environmental Quality. In *Principles of Environmental Economics,* 2nd edition, edited by H. Folmer and L. Gabel. Cheltenham, UK: Edward Elgar.

Solow, R. M. 1974. Intergenerational Equity and Exhaustible Resources. *Review of Economic Studies, Symposium on the Economics of Exhaustible Resources,* 29-46.

Solow, R.M 1986. On the Intergenerational Allocation of Natural Resources. *Scandinavian Journal of Economics* 88(1) : 141-149.

Spofford, W.O., Jr. 1979. Foreword. In *Scarcity and Growth Reconsidered,* edited by V.K. Smith. Baltimore: Johns Hopkins University Press for Resources for the Future.

Stern, D. I. 1997. Limits to Substitution and Irreversibility in Production and

Consumption: A Neoclassical Interpretation of Ecological Economics. *Ecological Economics* 21(3)：197-216.

Stiglitz, J.E. 1974. Growth with Exhaustible Natural Resources: Efficient and Optimal Growth Paths. *Review of Economic Studies, Symposium on the Economics of Exhaustible Resources,* 123-137.

Stokey, N.L. 1998. Are There Limits to Growth? *International Economic Review* 39(1)：1-31.

Toman, M. A. 1994. Economics and "Sustainability"：Balancing Trade-offs and Imperatives. *Land Economics* 70(4)：399-413.

Toman, M.A. 1999. Sustainable Decisionmaking: The State of the Art from an Economics Perspective. In *Valuation and the Environment: Theory, Methods, and Practice,* edited by M. O'Connor and C.L. Spash. Cheltenham, UK: Edward Elgar.

UNDP (United Nations Development Programme). 2003. *Human Development Report 2003 Millennium Development Goals. A Compact among Nations to End Human Poverty.* New York: Oxford University Press for UNDP.

Vincent, J. R., T. Panayotou, and J. M. Hartwick. 1997. Resource Depletion and Sustainability in Small Open Economies. *Journal of Environmental Economics and Management* 33(3)：274-286.

Vitousek, Peter M., et al. 1986. Human Appropriation of the Products of Photosynthesis. *Bio-Science* 36(6)：368-373.

Wackernagel, M., and W. Rees. 1996. *Our Ecological Footprint: Reducing Human Impact on the Earth.* Gabriola Island, BC, Canada: New Society Publishers.

Weitzman, M.L. 1976. On the Welfare Significance of National Product in a Dynamic Economy. *Quarterly Journal of Economics* 90(1)：156-162.

Weitzman, M.L. 1997. Sustainability and Technical Progress. *Scandinavian Journal of Economics* 99(1)：1-13.

Weitzman, M.L. 1999. Pricing the Limits to Growth from Mineral Depletion. *Quarterly Journal of Economics* 114(2)：691-706.

Woodward, R. T., and R. C. Bishop. 1997. How to Decide When Experts Disagree: Uncertainty-Based Choice Rules in Environmental Policy. *Land Economics* 73(4)：492-507.

World Bank. 2001. *World Development Indicators.* Washington, DC: World Bank. Also available on CD-ROM, http://publications.worldbank.org/ecommerce.

WCED (World Commission on Environment and Development). 1987. *Our Common Future.* Oxford: Oxford University Press.

第7章

# 資源，希少性，技術，成長

ロバート・U・エイヤーズ

希少性と成長が本書の核となる関心事である．昔から未来資源研究所（RFF）では，天然資源の希少性が経済成長のブレーキになるのではないかという懸念によって，希少性と成長は関連づけられてきたのであった．40年前にこうした研究に着手したBarnet and Morse（1963）では，資源希少性は（実質）価格の上昇と同義であった．彼らの行った実証分析の主要な結論は，価格上昇を検証する限り，19世紀末以降，米国における資源希少性の増大は（木材を除けば），確認されないというものであった．彼らは，この望ましいトレンドを，原材料の探査と処理における技術進歩が原因だとした．Smith and Krutilla（1979）がこのトピックを再び検証したが，1970年代初頭の急激な原油価格の上昇にもかかわらず，大筋で同じような結論に到達した．

今日，全く同じ手法を過去20年間のデータに対して用いるなら，間違いなく，再び同じような結論が導き出されるであろう．実際，2004年の夏と秋に劇的な価格上昇があったが，その前までは，原油の供給不足を心配する専門家がいる一方で，それと同じくらいの数の専門家が，近い将来に供給過剰によって経済へ影響が出ると心配していたくらいである．

しかしながらここ20年ほどで，そうしたこととは違った別の問題が浮上し，問題の構図を整理し直すことが必要になってきた．今世紀もっとも希少性の高い資源は，社会の共有財産となっている資源，すなわち，良好で安定した気候，清浄な大気，環境の廃棄物吸収作用，生物多様性，熱帯雨林，漁業資源，清浄な水資源などであろう．さらに，環境の悪化を引き起こす要因は産業活動や土地利用，また，特に，残さの大気や水，土壌への排出あるいは放出である．そうした排出や放出は，かつて生物圏から収穫されたり，地殻から採掘されたりして得られた原材料が，加工され，生産工程の途中もしくは最終消費の後に廃棄される，そうした「ライフサイクル」の最後に現れるものである．

グローバル化した社会がこの「新しい希少性」に対応するのかしないのか，また，いかに対応するのかを理解するためには，我々は，技術変化が起こる，そのプロセスについてより詳細に調べる必要がある．ロバート・ソロー（Solow: 1956，1957）によって体系化された新古典派成長モデルは，ひとつの現象を説明したというよりも，その現象に名前を付けたということについて，その功績が認められるべきだろう．しばしば彼の名前を冠して用いられる，説明できない「残差」という概念は，（資本蓄積以外の）何か他のものが，過去半世紀に渡る一人あたり経済成長の要因の約90%を占めてきた，ということを示唆する．ソロー以降，多くの経済学者は，「技術進歩」あるいは「全要素生産性」と呼ばれる外生的な要因をただ単純に仮定することによって，産出（GDP）の増加のスピードが投入の増加のスピードよりもずっと早い状態であったことの理由を説明してきた．近年，経済成長は「人的資本」の増大によって説明ができるのではないかという考え方が広まってきた．この人的資本に対する計測可能な代理変数として満足のいくものは，まだ提案されていない．それでも，こうした見方は非常に重要である．もし技術進歩が，それゆえ経済成長までもが，資源利用と無関係であるならば，経済成長と資源消費はそもそもは結び付きが無かったということになり，資源消費から「デカップリング（切り離し）」された成長というものが，概念的には簡単にできるということになる．

本章において，筆者は上の考え方とは全く異なる命題から始める．それは，資源消費と経済の実績は強固に結び付いているということ，そして，その結び付きは経済成長を理解する上で不可欠なものであるということである．筆者は，経済を，物質的な資源の処理・変換装置として概念化する．この装置は，マテリアル資源をまず「有効仕事（Useful Work）」と呼ばれる中間財へと変換する．処理・変換装置として概念化する．有効仕事はその後，燃料ではない原材料を，最終原料や素材製品，そして最終的には無形のサービスに変換することになる．

有効仕事は熱力学において正確に定義されるが，直観的にいうならば，重力や摩擦に対する対抗力の行使のようなものだと考えればよいだろう．より正確に言うならば有効仕事には次の３つの大きなカテゴリーがある．

・人間やその他の動物による肉体労働的な仕事．これは多くの発展途上国において依然もっとも支配的な仕事の形態である．

・風車や水車，あるいは，概して化石燃料を使用する熱機関のような，いわゆる原動機によって行われる機械的な仕事．熱機関の例としては，今更言うまでもないが，蒸気機関（固定式）や内燃機関（多くの場合可動式）が挙げられる．

・消費に供される熱そのもの．高温の熱（普通は，燃焼によって発生する）は，多くの化学プロセスもしくは冶金プロセスの駆動力となり，低温の熱は，温水，調理，暖房を提供する．

現代の経済社会における電力の格別な重要性を考えれば，それが有効仕事の一つの形態であり，益々優勢になってきた形態であるということは特記に値する．電力は，明示的な価格を伴って商品として売買がなされる，有効仕事の形態として唯一のものでもある．その他の形態では，有効仕事は，プロセスあるいはサービスに関連づけられ，例えば輸送のように，車のエンジンによってなされた機械的仕事の価格（価値）は，それによって得られる輸送サービスの価格から明確に分離されるようなことはできないのである．

蒸気機関の発明以来の技術進歩は，筋肉によってなされる仕事が，機械や燃焼プロセスによってなされる有効仕事に置き換わることとして，概念化され得る．有効仕事としての出力と，燃料やその他天然のエネルギー源からの一次エネルギー投入の比率が，変換効率[1]である．上で述べた仕事のカテゴリーの中では，定置式の発電がもっとも効率的であり，米国では平均して33%の効率になる．ただし，天然ガスが，いわゆるコンバインドサイクル発電の燃料として利用できるのであれば，60%程度まで効率は上昇する．化学や冶金の設備に組み込まれた高温の熱利用の効率も非常に高いものだが，実際の効率を計算した数値は見あたらない．これに対して，移動式の発電システムは10〜30%であり，また低温の熱利用は非常に低効率である（最新式の断熱が施された建物で４〜５％程度）．そして，動物の筋力（馬やラバに基づいて算定）も，同程度の大きさであり，約４％である（Ayres and Warr 2003）．

産業革命の開始以来のこの（筋力から機械へという）代替の過程は(a)労働コストの上昇，と(b)一次原材料と燃料そのもののコスト，および，一次燃料のような原料から作り出される有効仕事と最終素材製品のコスト，の減少，この二つの組合わせによってもたらされてきた（バーネットとモースによる1963年の有名な研究において顕著なように，RFF は，この長期的なトレンドを明らかにしていくのに主要な役割を果たしてきた）．資源コストが下がってきたことの主な理由は，明らかに，その発見と採掘プロセスにおける技術進歩である．まったく同じ趣旨で，経済成長を後押しするような，プロセスチェーン全体に渡るコストの低下は，大部分が有効仕事のコストの低下によるものであると，筆者は以下議論したい．こうした考え方では，技術進歩とは，石炭のような資源を，ニューコメンとワットの時代で言えば，炭坑での排水汲み上げに使われた蒸気機関の出力，今日で言えば，発電用蒸気タービンの出力など，有効仕事に変換する際の効率を増加させることと基本的に同義である．

生産関数の定式化の中で，エネルギーから仕事への変換の効率が，経年的に改善してきたことは，伝統的には「技術進歩」として説明されてきた経済成長の主要要因の定量的な説明になっている，と筆者らはこれまでの研究で示してきた（Ayres and Warr 2002，2005）[2]．しかしながら，経済モデルで通常仮定されるような，着実で連続的で，均一な技術進歩では経済成長の重要な面を説明しきれない，ということに気付くことも重要である．

## 技術変化の吟味

現実の世界での技術変化は，徐々に起こるものでもなく，また連続的でも均一でもない．また，ある分野で起こった技術進歩が他の分野にも当てはまるというような意味での代替可能性があるかというと，そういうこともない．それは断続的であり，多くの部分で，ある特定の分野に対して限定的なものである．技術進歩には基本的に異なる二つのモード（様式）がある．ひとつは「通常」のモードがあるが，そこでは，技術進歩は経験と学習の積み重ねの結果として，追加的に，そして多かれ少なかれ自動的に起こることになる．スピルオーバーが，このモードの技術進歩に寄与することはあるが，しかし，それは主要な要因ではない．このモードにおいては，消費の増加，投資の増大，規模の拡大，学習効果（もしくは習熟効果）の間に単純な正のフィードバックがある．こうしたものは，コストと価格の着実な低下につながり，さらなる消費の増加を促し，それを通して経済成長を刺激するのである．

しかしながら，こうした推進力は，経済全体に対して作用するものであり，部門間の差異が見られないものである．それゆえ，こうしたものでは，構造的変化を説明することができないのである．現実には，あらゆる用途に使える単一複合財の生産に対して，単一の集約された技術が存在する，などということはありえない（また，生産活動の分析で仮定されるように，それぞれの生産物に対して固有かつ不変な単一技術が存在する，などということもない）．二つはまったく別のものである．最初のケースでは，汎用的な技能（例えば圧延や成型，工作，塗装）で，多くの異なった生産物に幅広く応用できるものもあることになる．生産技術それ自体も徐々により効率的なものになっていくのだとしても，製品の改善には新しい生産技術が必要というわけではない．しかし，もう一つのケースでは，互いに競合し，かつ進化を続ける生産技術が，複数存在する．抜本的な変化の例としては，鉄鋼から軽金属への代替，あるいは，天然素材からプラスチックや合成繊維への代替といった基礎的な代替から，交通手段のような例（例えば，自動車が馬と馬車に，航空機が鉄道に置き換わったように）まで挙げることができる．広く応用可能な汎用技術が，別の汎用技術に代替されることがあるとしたら，それは，非常に生産的でもあるし，また衝撃的でもある．

何にでも当てはまる技術が着実な改善の軌跡を辿ることと，競合する複数の技術の中で抜本的なイノベーションが起きることは，どちらも，生物学的な進化に例えられてきた．しかしながら，生物学とのアナロジーはここでは適当ではない．進化はランダムに起こる突然変異と組み替えによってもたらされるが，技術進歩はある特定の目的のために意識的に行われる努力の結果である．

着実な改善を特徴づける小さな変化は，限定された範囲での探索の結果として自然に起こるものであると考えてもよいかもしれない．しかしながら，大発見，特に抜本的なイノベーションというものは，ランダムあるいは偶然のものと見なせるようなものではない．外的な要因が研究を特定の方向へと誘導する役割を担うようなことはしばしばある．地政学的な事件や戦争は，技術的に重要な帰結をもたらしてきたし，将来の希少性に関する見通しがそうであった．しかしながら，技術進歩の過程そのものは完全に内生的なものであるといえる．もし，ある製品もしくは製品群について，その機能に対する需要は伸び続けているにもかかわらず，そのために必要な現在最も優勢な技術の改善はスローダウンしてしまうならば，代替技術を探す経済的インセンティブは，同じように増加することになる．もし継続的な改善に対する要請が十分に強ければ，「ブレークスルー」，つまり古い技術を置き換えることのできるような，なんらかの急速なイノベーションを起こすのに十分なだけのR&D 投資がなされるかもしれない（Ayres 1998）．シュンペーターはこのような技術進歩の過程を「創造的破壊」と呼んだ（Schumpeter 1934）．産業革命以降の急激で汎用性の高い技術イノベーションからのスピルオーバーは，経済成長を牽引するもっとも強力な原動力となってきた．

一般論はこの程度にしておこう．ここから先は，蒸気ピストンエンジン，蒸気タービン，ガソリン及びディーゼルエンジン，ガスタービン，発電といったものの導入によって代表されるような，エネルギー変換方法の抜本的な改善が，経済成長に対して非常に大きく，幅広いインパクトを与えてきたことを，事例を挙げてみていく．特にこうした技術イノベーションの一つひとつは一次製品（鉄やアルミ，プラスチックなど）のコストの急落と，「有効仕事」そして有効仕事率それ自体の激減につながった[3]．既に指摘したように，コストの低減は，価格の低下，需要の増大，生産規模の拡大へとつながり，その結果，さらなるコスト低下へとつながることになる．この循環的なスキームが経済成長の基本的な「エンジン」だと考えることができる．

しかし，この成長のエンジンは，資源の消費量の増大を前提としているわけだが，我々の時代においては問題となってしまっている．変換効率の改善には物理的な限界があり，我々が得ることのできる資源にも限界がある．こうした有限な資源の中には，エネルギーを手に入れる過程で発生する危険な副産物を吸収し軽減してくれる大気や水，土壌の容量などがある．抜本的なイノベーションは時々，こうした希少な資源を倹約もしくは保全しようとする要求に応える形でおきることがある．

明らかに抜本的なイノベーションは継続的で長期的な成長のために必要なものである．こうしたイノベーションは素材資源消費と特にエネルギー変換技術に対して突出した役割を演じてきたし，未だに演じている．環境の廃棄物吸収能力が新たなに不足してきたこと――特に燃焼生成物についてだが――に対して，経済成長のエンジンを止めたり逆回転させたりすることなく応えていくためには，近い将来に有効仕事を生み出すための技術における抜本的なイノベーションがほぼ間違いなく必要とされる．既存の技術と，その技術に依存した産業を変化から守ることは抜本的なイノベーションにとって望ましいものではない．こうした考察から得られる政策的な含意は，政策的なプレッシャーを上手にかけることで，従来の産業が自分自身を守るために立ててきたイノベーションに対する障壁を下げるような効果をもたらすことができる，というものである[4)]．

## 障壁，ブレークスルー，抜本的技術イノベーション

抜本的なイノベーションは，規模の経済や学習効果や習熟効果からもたらされる小さいけれども着実な改善とは異質のものである．ブレークスルーは障壁のあるところに起きる．障壁はしばしばニーズを生み出す．障壁は，人間の限られた知覚能力や身体能力，素材の特性，もしくは器具や計測機器，製造工程の性能の中に隠れているのかもしれない．それぞれのタイプの例は枚挙に暇がない．

ニーズはひとつの技術の成功によってこそ，生み出されるのかもしれない．例えば，1920年代と30年代におけるエアメールやチャーター便のサービスの成功は，夜間や悪天候の中でも航空機が安全に飛行できるような機器へのニーズを生み出した．第二次大戦に先立ってドイツが爆撃部隊の増強を行ったことで，英国では，戦闘機で迎撃できるような距離で，接近してくる爆撃機を探知することが急務となった．その結果でき上がったのがレーダーであった（Jewkes et al. 1958，345）．

健康と安全への脅威からもニーズは生まれるかもしれない．例えば19世紀後半，汚物による水質汚染は公衆衛生対策の発展を促すこととなった．その結果起きたイノベーションのひとつが，水道処理システムに塩素を用いることであった．伝染病や，戦時中の負傷は数え切れないほどの医薬品のイノベーションをもたらすこととなった．例えば，ワクチンから消毒薬，麻酔薬まで，またDDTから抗生物質まで，

数え切れない．最後に，ニーズは，通商禁止措置や貿易摩擦などのような地政学的な状況からも生まれるかもしれない．例えば，第二次大戦の初め頃，日本が主要なゴム・プランテーションの産地であったインドネシアとマレーシアを征服した結果として，米国では突然天然ゴムが手に入らなくなった．しかし，その後すぐに石油化学製品である合成ゴムが，天然ゴムのほとんどを代替した．第一次，第二次大戦中にドイツが制圧したヨーロッパでは原油が入手困難になった．そこで，ドイツ人達は，石炭への水素添加から合成液体燃料を生産する方法を開発した．

資源の希少性は，それが予想されているだけにせよ実際のものであるにせよ，代替財や代替案を探す努力のきっかけを数多く作ってきた．多くの場合，現実に希少性や枯渇が問題になるのは，特定の資源もしくは国に限られてきた．西欧，特にイギリスにおいて，17世紀には木炭が希少なものになった．それは，戦艦の建造や，農業地もしくは牧草地の確保のために樹木が伐採されたからであった[5)]．そして18世紀にイギリスで木炭の代わりに石炭が一般的に使われるようになった．ランプのオイルやろうそくに好まれて使われていたマッコウクジラは19世紀中頃に希少なものとなりつつあった．当時の捕鯨船は3年あまりも漁に出たままでいることもしばしばあったのである．ラードやテレピン油，カンフェン（樹油）など複数の選択肢があったが，最終的には「石油（rock oil）」から作られる灯油がこれを代替した（Williamson and Daum 1959）．面白いことに，1900年頃まではガソリンは灯油の副産物で価値の低いものであった．1908年か09年頃までは灯油の生産量はガソリンの生産量よりも多かった．

1940年代初頭に，ベル研究所の重役たちは，電話サービス需要の急速な高まりから，交換機に必要な電力量が20年か30年のうちに，全米の予想発電量の中で大きなシェアを占めてしまうことになる，と危惧した．彼らは消費電力の非常に少ない代替交換素子を開発するという計画を練った．半導体素子は研究対象として前途有望なものに思えた．その結果1947年に出来上がったものが，トランジスタだった（Jewkes et al. 1958，399）．

ENIAC（世界最初のデジタル電子計算機）やその他の第1世代のコンピュータでは真空管ダイオードがスイッチとして使われていた（Ayres 1984，145-151）．長持ちしない真空管の高い故障率のせいで，コンピュータの回路を複雑にすること，ひいては計算能力を高めることには，限界がある，と技術者達はすぐに気がついた．トランジスタとフェライトコアがすぐに真空管を代替し，計算能力の限界を引き上げた．増大する計算能力への要求に応えるように設計の複雑さは幾何級数的に増大したが，これは回路素子の数にも幾何級数的な増大を要求することとなり，新たな危機の前兆となった．これを回避したのが，集積回路（IC）の発明であった．集積の度合いはLSI, VLSI, ULSIへと進んでいった（Noyce 1977）．ゴードン・ムーアはかの有名なムーアの「法則」を1965年に提唱したが未だにこれは続いているようである（Schaller 1977）．

半導体電子物性に基礎を置く，まったく新しい産業が1950年代と1960年代に生まれた．それは，ひとつの目に見えた希少性に対処するものとして始まったのであるが，同時に，他の産業への偶発的なスピルオーバーにつながる汎用的な素質を備えていた．その頃の人々がその産業の成長やその後の変容ぶりを予言できるわけはなかった．しかし電子計算機は，デジタル通信とインターネットへの応用とあわせて，（バイオテクノロジーと共に）今世紀，経済成長をもっとも牽引する産業の一つとなりそうである．

## スピルオーバーと経済成長

経済全体として見ると，成長のメカニズムはポジティブ・フィードバックサイクル（自触媒作用と言っても良い）として理解することができる．資源コストの減少はその価格の低下につながり，それが新たな使用を可能にし，消費の増大につながる．それは，次に，設備増強の投資を引き起こし，規模の経済性の向上につながることになる．あるいは，それは，生産費用の低減や製品の性能向上を目的とした研究開発を引き起こす．この循環的なプロセス全体が学習効果にもつながり，さらに効率を上昇させ，費用を減少させる．価格の下落にしたがって，新しい用途や新しい製品市場が発生する．需要の拡大はさらなる規模の経済性と学習効果へとつながる．

確かに，上のような分析は，学習（知識の蓄積）と規模の経済によって牽引される漸進的な改善に対しては非常に良く当てはまる．これで説明が付かないこともあるが，それは，すべてとは言わないが，ほとんどの技術（狭い意味での個別技術）は，まかなえる範囲のコストでさらなる改善をする可能性を，いつか必ずすべてやり尽くしてしまう，ということである．見方を変えれば，研究開発に対する見返りは，その技術の限界に近づくにしたがって，低下する．そして，これが抜本的なイノベーションという形でのブレークスルーに対するニーズを生み出すのである．

1700年以降のエネルギー技術の歴史を追ってみると，抜本的なイノベーションが，スピルオーバーとフィードバックを伴うことによって，経済成長の駆動力としての重要な役割を担ってきたことがよくわかる．18世紀初頭におきたニューコメンによる蒸気機関（実際のところ，ポンプ）の原型の発明は，動物によってなされる仕事を，熱動力機械によってなされる仕事で代替した最初の例であった．それは，産業革命の，始まりではないとしても，予兆であったと考えることができる．初期の炭坑（また，銅と錫の鉱山も）は地下水面より下で操業しており，常に浸水との戦いであったために，この水を何とかする必要があった．ニューコメン以前は，馬力で（文字通り，馬の力で）輪になったチェーンにつながったバケツを使って水をくみ上げるだけが唯一の方法であった．ニューコメンは，炭坑から掘り出される石炭そのものの燃焼で駆動される熱機関によって，この馬（馬力）を代替したのであった．これは石炭のコストを削減し，そしてさらに石炭を利用する下流の産業，例えば鉄鋼製錬や鍛造の費用を削減した（Landes 1969，101）．

ニューコメンのレシプロポンプエンジン（往復機関）は，熱力学的に見れば，非常に非効率ではあった．ジェームス・ワットがこの原始的なニューコメンポンプをさまざまな方法を使って大きく改善したため，彼が蒸気機関の真の発明者だと考えられている．彼の蒸気機関はより小型なものになり，また往復運動ではなく回転運動を出力した．それ故にその応用範囲も広がったが，いずれにせよ単位仕事量あたりに必要となる燃料は非常に少なくなった．

ワット＝ボールトンの最初の蒸気機関は，ジョン・ウィルキンソンに売られた．ジョン・ウィルキンソンは鉄鋼製錬を営んでおり，大砲製造の際の穴あけ機械を駆動するのにこれを用いた．同じ穴あけ機械が，後に今度はワット＝ボールトンの蒸気機関を作る際にシリンダーの穴明けに使われることとなり，古典的なフィードバックループがここに完成したのであった．その次に売れたワット＝ボールトン蒸気機関は，高炉に空気を吹き込むために使われた．これは炉の温度をより高温にし，鉄鋼製造に必要となる燃料の量を減少させることとなった．こうしてより安価に作られるようになった鉄は蒸気機関製造に用いられると同時に，炭坑から石炭を運ぶ運搬車用の鉄製レール，そして，その当然の成り行きとして，蒸気機関車鉄道にも用いられた．こうして蒸気機関は石炭の費用を削減し，結果的に蒸気を作る費用も削減した．後にこれは鉄の費用削減へとつながり，金属加工の費用削減へもつながった．その結果，鉄道を用いることが可能となり，輸送費用を劇的に削減した結果，都市部の消費先へより安価に鉄や石炭を送り届けることが可能となり，より多くの金属の使用とさらなる需要を誘発することとなった．

18世紀の終わり頃には，イギリスは鉄鋼を安価に提供する生産者としてスウェーデンに取って代わった．英国鉄鋼産業の急速な技術進歩は続いた．1830年から1860年までの間に鉄鋼生産に必要とされる石炭の量は3分の1に減少し，費用は劇的に削減された．同時に，鍛鉄への需要は，英国鉄道産業の成長によって10倍に増加した（Jevons 1865，1871）．

鍛鉄産業の成長は，米国ではウィリアム・ケリー（1847年），英国ではヘンリー・ベッセマー（1856年）によるブレークスルーへとつながった．彼らはそれぞれ独立に，銑鉄を圧延・鋳造に適した液状の炭素鋼へ直接変換する革新的な方法を開発した（底吹転炉）．これは瞬く間に商業化され，レール鋼材の価格を著しく低減させせることとなった．それは目覚しい需要増加に見合うものであった．

レール鋼材の需要は20世紀初頭に伸び悩んだが，構造鋼のようなその他の鉄鋼製品に対する需要が1888年頃から起こり始め，1914年にはレール向けの需要を上回った．1957年には，レール向けの需要は建設産業向け構造鋼に比べ6分の1程度となった．その後，自動車産業やその他の多数の製品向けの圧延鋼材がさらに鉄鋼産業を成長させせることとなった．

この，蒸気動力，石炭，鉄鋼，鉄道，その他の発明の間におこった相互作用の歴史の中に，いくつかの重要な現象が見て取れる．まず，こうした進展の一つひとつは，すべて相互に関連しており，ひとつの事象が他の事象につながり，そのすべてが回りまわって，最初のイノベーションの影響をより高めることになる．蒸気機関は，もしこれが発明されていなければ水に埋もれていたであろう炭坑からの石炭採掘を可能にし，鉄鋼製錬を安価にし，鉄道（これは当然蒸気機関車を使う）を可能にした．そして，この鉄道によって，蒸気機関の部品を製造する工場へ石炭を運び込むことが，より安価になったのであった．

別の文脈（本章での省エネルギーの関連）では，こうしたフィードバックは最近では「リバウンド効果」と呼ばれている．石炭は当初，機械無しでの採掘が難しかったため，高価であった．このことが，蒸気機関という技術的なブレークスルーが出現するまでは，さらなる成長を妨げる障壁となっていた．しかし，このブレークスルーが他の多くの関連するイノベーションを生み出したため，ほどなく石炭の消費量は，蒸気機関がなかった場合の消費量を大きく上回ることになった．

同じようなフィードバック現象はその他のブレークスルーについても観察される．電力について考えてみよう．電力の発電・供給の効率は，1900年から1960年までの間に，約10倍になった（図7-1）．そのもっとも急速な上昇は1920年以降に起こっている．結果的に，電気料金は，実質価格で，約42セント／kWh（1992年基準ドル）から，今日の約3セント／kWh まで低下することとなった．19世紀末から20世紀初頭にかけての電力需要の大きな部分は，ガス灯から電灯へと代替したことと，工場内での動力が蒸気機関やガスエンジンのような定置原動機から電力モーターへと切り替わったこと（Devine 1982），または都市部の交通が馬車から路面電車へ切り替わったことなどによるものである．一般利用者にとっての価格の低下は特に劇的なものであった[6]．まさに，電力が様々な新しい製品やサービスに次々と利用されていったことは，抜本的なイノベーションからのスピルオーバーが成長を誘発

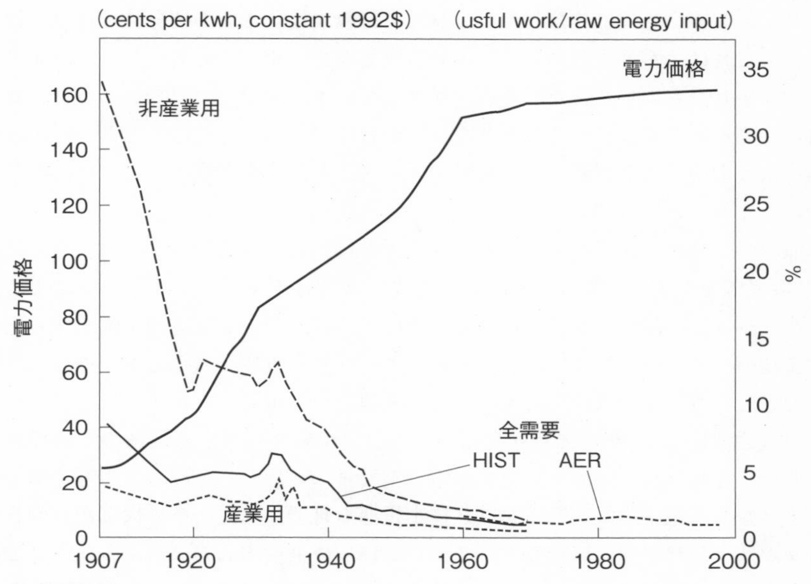


出典（左軸）：
非産業用（1907-1970）：*Historical Statistics of the United States*（HIST）時系列 S-116
産業用（1907-1970）：HIST 時系列 S-118
全需要家平均（1907-1970）：HIST 時系列 S-119
全需要家平均（1960-1998）：*Annual Energy Review*（AER）表8.13
出典（右軸）：
電気効率（1907-1998）：HIST 時系列 S-107及び AER 表8.02

**図 7-1　米国における電気効率と電力価格　1907-1988**

する効果を持つことの，おそらく最も重要な例である．

上に簡潔に述べた歴史から再確認されることは，市場経済にさらされた技術には，希少性のある原材料に対して代替物を探す，あるいは，作り出す能力，より一般的に言えば，発生してくる問題に対して適切な解を見出す能力，が備わっているということである．迫り来る危機が新しい技術開発の探索を刺激するとき，結果として生まれるイノベーションは，しばしば，まったく新しい製品や市場を生み出すようなスピルオーバーを持つ．17世紀の木炭の代替物へのニーズが，蒸気力の利用とそれに続くすべてのイノベーションの引き金となった．1850年代の鯨油の代替物へのニーズが，石油産業の発展を引き起こし，偶然にも内燃機関の使用を促進するような状況を生み出した．そしてこれは自動車や航空機の使用へとつながった（Yergin 1991）．自動車が，特にフォードのＴ型モデル導入以降，普及したことは，ガソリンの需要を急速に伸ばした．ガソリンは軽質炭化水素の揮発性液体混合物であるが，これは，石油成分の大半を占める重質な分子を「熱分解」して再構成する必要から生じたものであった．その結果として，エチレン，プロピレン，ブチレンと言った副産物が精製されることとなり，今日のプラスチック産業へとつながった．第二次大戦中の天然ゴムへの代替物のニーズは石油化学産業への大きな後押しとなった．

照明のより良い光源となるものを探すことは，有史以来行われ続け，ついには，(照明光源と発電・供給システムといった，多くはトーマス・エジソンによる）イノベーションの組合せへとつながり，そのイノベーションは電機産業を作り出した．冶金技術への応用（アルミ製錬）や電気モーターも重要ではあるが，それらを別にしたとしても，電力は，その次の世紀に勃興した，電話，ラジオ，テレビ，レーダー（電磁波），レーザーまでも含めて，電磁気現象を利用する技術のすべてを可能にした．在来機械式電話交換網での電力消費量の急増が，今度は，半導体革命の引き金となり，電子式コンピュータと携帯電話を可能にした．その次には，コンピュータが，テレビや画像処理など，アナログだった通信方式のデジタル化を可能にした．デジタル通信とコンピュータ技術の融合は，インターネットを生み出した．こうした技術が，これからの数十年間は，経済成長の主要な駆動力になると，だれもが考えている．

## 技術効率向上の環境的含意：リバウンド効果

どんな場合においても，エネルギー効率向上と供給サービス改善は非常に重要なものであった．しかしながら，個々の原材料について一つひとつ分析し尽したわけではないが，多くの場合，効率向上はトータルで見たエネルギー（原材料も含めて）消費量の削減にはまったくつながっていない．上で十分に見てきたように，通常起こることは需要の増加である．これは，経済成長を駆動するポジティブ・フィードバックサイクルの一部である．場合によっては，リバウンド効果などと呼ばれることもある．ある資源の利用をより効率的にしようという目的で踏み出した一歩が，結果としてその資源や，その他の資源の浪費へつながってしまうことはよくある．ダニエル・カズームやレオナルド・ブルックスに代表される何人かの経済学者は，こうしたリバウンド効果があまりにも一般的なので，省エネ政策はほとんど得るものがないと主張している (Brookes 1979, 1990, 1992, 1993； Saunders 1992； Khazzoom 1980, 1987)．

もっとも最近の例は，言うまでもなく，コンピュータと半導体製品であろう．これらによる効率の改善は非常に大きなものであったが，コンピュータや関連製品の製造にかかる素材と電力の需要の増大は効率の改善によってもたらされるものよりも遙かに大きい（Williams et al 2003）．EIA（米エネルギー情報局）の統計（EIA 1999）によれば，今日，情報コンピュータ技術（ICT）はアメリカの総電力需要の３％を占めているが，これは超伝導のような革新的な新技術が導入されICTのエネルギー消費量を減少させるようなことがない限りは，控えめにみても，12年以内に10％以上まで上昇するであろう，と予測されている．ムーアの法則は，提唱されてから40年あまりになるが，これもまたリバウンド現象を表したものである．

それにもかかわらず，カズームとブルックスの主張に対しては重要な例外がある．もっとも明白な例は米国の乗用車車両である．CAFE（企業平均燃費規制）規制基準が適用されたことで，乗用車燃料消費は，規制がない場合に比べて，大幅に削減されている（Schipper and Grubb 1998）．実際，1980年代後半には，乗用車による燃料消費量はその10年前よりも少ないものであった．小型蛍光灯が白熱灯を徐々に代替していっていることも，もう一つ例外として挙げられるもののようである．

用途が固定せず「揺籃期にある」技術が，その発展の初期段階にあるときに効率改善のブレークスルーを起こすと（鉄鋼や電力，アルミニウム，コンピュータはそうした事例であった），リバウンド効果は，ほぼ必然的である．それこそ，それが経済成長の主要な駆動力となっている．他方で，エネルギー効率の改善が成熟産業の発達末期に起きる場合，そして，その改善がエネルギーコストには影響するものの，営業経費全般にはほとんど影響を与えないような場合，リバウンド効果は軽微か，あるいは無視できる範囲になるだろう．これこそが，今日の自動車で起こっていることである．燃料消費コストが下がれば，年間走行距離には多少影響が出るかもしれないが，それによって，もう一台買う（あるいは大型車に買い替える）といったことにはならないだろう．まったく同様に，現行の白熱灯を小型蛍光灯に換えたら，現行設備の運転費用は大幅に削減されるだろうが，だからといって新しく電灯を取り付けるために配線を広げるというようなことにはならないだろう．

以上のことすべてが，将来の経済成長にとって重大な意味を持つ．経済成長を化石燃料消費から切り離すこと（デカップリング）ができるという見通しは，すべての下流の応用分野（すなわち，製錬，化学，情報関連の諸工程）まで含めて，「一次」エネルギー投入を仕事に変換する技術の進歩の具合に依存している，と言わねばなるまい．しかしながら，化石燃料に代表されるような在来型エネルギー源の使用を現在の水準とコストで続けることは不可能であるから，いまだ拡大されていない，新しいエネルギー源，もしくは有効仕事を行う新しい方法を探すことは，来る数十年の最優先課題である．幸運なことに，長期的な見通しは，それほど悪くないようである（5章参照のこと）.

気候変動（より正確には「気候カオス」）の脅威によって，化石燃料に代わるものを求めるニーズが生じた．供給サイドには様々な選択肢があり，それは風力から太陽電池，燃料電池まで多岐にわたる．これらのすべて（そして他のものも）は一次有効仕事を提供する．しかしながら，この一次変換効率は，特に電力については，すでにその限界に近づいている．技術イノベーションの最大の可能性は，二次変換の領域（つまり照明，冷蔵，工業生産などに電力を使用する段階），もしくは最終サービス（輸送や建設など）の領域にある．

真に競争的な市場環境においては，このようなニーズは，抜本的な発明とイノベーションの新たな段階につながるはずである．そして，過去の経験が示すとおり，そのようなイノベーションは，重大なスピルオーバーを持ち，その効果が新たな成長分野を拓くこととなるだろう．もし，政府がカーボンベースの技術を抑制する一方で，ノンカーボンの代替技術を奨励するような適切な環境政策を持って介入するならば，このような新成長分野の発達は，さらに早く起こるであろう．

政府の介入はイノベーションの妨げでしかないという，保守的な人々が持っている一般通念は，まったく間違いである．レーダー，ジェットエンジン，原子力，コンピュータといった数多くの重要なイノベーションが，戦時下の緊急事態から生まれてきた．軍事研究は，インターネットの原型といわれるARPANETをはじめ，次々とイノベーションをもたらしてきた．日本やフランスの高速鉄道，ドイツと日本のリニアモーターカーといった，平時での研究開発の多くは，民間部門だけであったならば，決して開発されることはなかったであろう．なかでももっとも大掛かりな計画であった宇宙旅行は（おそらく将来的にも経済的便益は見込まれないことから），営利企業だけであったなら，その経営資源でまかないきれる範囲をはるかに超えていたであろう．

ところが，ジョージ・W・ブッシュ政権（当時）の政策は，既得権益を持った石炭，炭化水素関連産業の人々によって，彼らを競争から守るように，すなわち競合代替技術の開発を妨げるように設計されてしまっている．昔からの既得権益を持つエネルギー部門を守る，このような政策もまた，長期的経済成長がそのよりどころとすべき抜本的なイノベーションを遅らせることになるであろう．

### 注

1）過去の文献のなかで，「効率」という用語は，いろいろな使われ方（そして，誤用のされ方）をしてきている．ここでは，効率という言葉の定義を，より馴染みのある「第1法則的」な用法とは明確に区別し，米国物理学会が行った著名な研究の報告書

(Carnahan et al. 1975）の記述にしたがって，いわゆる第2法則的な意味としておこう．ごく簡単に言うと，第1法則効率とは（普通は工学的な話で用いられるのだが），インプットに対する「有効な」アウトプットの比率を指す．この言葉は，しばしば，燃焼過程の効率を，燃料の中に含まれる化学エネルギーの割合で測ったもの，として用いられる．ここにいう化学エネルギーとは，熱交換器を通して利用されるか，あるいは，ストーブや暖炉だったら，部屋を暖める熱となる，など，さらなる利用が可能な形の熱へと変換されるものを指す．そのため，ガス燃焼炉の効率が80％であるということは，発生熱の20％のみが煙突から失われた，ということを意味する．これに対して，第2法則効率とは，特定の機能を達成するために実用に供されたエネルギーに対する，理論的に最小限必要とされるエネルギーの比率である．暖房を考えてみると，その第2法則効率は非常に低いものになる．なぜなら，求められる室温は，発電プラントからの廃熱とほぼ同じであるからである．これはどういうことかというと，部屋の暖房をするなら，その前に，同じ燃料を使って発電を行うことができたはずである，ということになるのである．高効率を達成するには，カスケード利用，すなわち，もっとも高温を要する利用から始めて，順々により低温の利用へと落としていくような利用方法が必要なのである．

2）「筆者ら」というのは，筆者に加えて，過去4年間，筆者の研究助手をしてくれているベンジャミン・バールのことである．彼と筆者は，共著で，成長理論におけるエネルギー変換の役割をより詳細に説明した論文をいくつか出している．

3）仕事率とは，単位時間あたりの仕事として定義される．この文脈では，効率とは，理論的に可能な最大の仕事量のアウトプットに対する，実際になされた仕事量の比率である．電力は仕事の純粋な形だと考えることができる．

4）これは数年前に幾分注目された，いわゆるポーター仮説の変形である（Porter and van der Linde 1995）．考えられる例を挙げるとすれば，電力の規制緩和がその例だろう．大規模集中型の電気事業（これは，もともと，発電は自然独占であるとの想定のもとで，規制を受けてきたものである）を的を絞って規制緩和することによって，電熱併給（CHP）と呼ばれる技術の分散型利用を促進することができる．

5）校閲者が興味深い補足説明を教えてくれた．英国では（そして恐らくほかのところでも），「ロイヤル」オーク材は，国王のため（船の建造に使うため）のものとされており，農民はこれらを伐採することは許されていなかった．おそらくは，その結果，農民達はオークの実を豚の餌にしてしまうか，さもなくば苗木を成長させなくしてしまい，結局，オーク材が不足することとなってしまった，とのことである．

6）20世紀初頭は，産業用電力大口需要家達の多くは，ナイアガラの滝のような，安価な水力発電が利用可能な場所に立地していた．小口一般需要家が大規模水力発電所の恩恵にあずかるには，長距離高圧送電システムの登場を待たねばならなかった．

## 参考文献

Ayres, R.U. 1984. *The Next Industrial Revolution: Reviving Industry through Innovation.*

Cambridge MA: Ballinger Publishing Company.

———. 1988. Barriers and Breakthroughs: An Expanding Frontiers Model of the Technology Industry Life Cycle. *Technovation* 7 : 87-115.

———. 1990. Technological Transformations and Long Waves. *Journal of Technological Forecasting and Social Change* 37. Part I, 1-37 ; Part II, 114-137.

Ayres, R.U., and B. Warr. 2002. Economic Growth Models and the Role of Physical Resources. In *Unveiling Wealth: On Money, Quality of Life, and Sustainability,* edited by P. Bartelmus. Dordrecht: Kluwer Academic Publishers.

———. 2003. Exergy, Power and Work in the US Economy 1900-1998. *Energy—The International Journal* 28 : 219-273.

———. 2005. Accounting for Growth: The Role of Physical Work. *Structural Change and Economic Dynamics* 16(2) : 181-209.

Barnett, H.J., and C. Morse. 1963. *Scarcity and Growth: The Economics of Resource Scarcity.* Baltimore: Johns Hopkins University Press for Resources for the Future.

Brookes, L. 1979. *A Low-Energy Strategy for the UK* by G. Leach et al. : A Review and Reply. *Atom* 269 : 3-8.

———. 1990. Energy Efficiency and Economic Fallacies. *Energy Policy* 18 (3) : 199-201.

———. 1992. Energy Efficiency and Economic Fallacies: A Reply. *Energy Policy* 20 (5) : 390- 392.

———. 1993. Energy Efficiency and Economic Fallacies: The Debate Concluded. *Energy Policy* 21(4) : 346-347.

Carnahan, W., K.W. Ford, A. Prosperetti, G.I. Rochlin, A.H. Rosenfeld, M.H. Ross, J.E. Rothberg, G.M. Seidel, and R.H. Socolow. 1975. *Efficient Use of Energy: A Physics Perspective.* New York: American Physical Society.

Devine, W. D., Jr. 1982. *An Historical Perspective on the Value of Electricity in American Manufacturing.* Oak Ridge, TN: Oak Ridge Associated Universities Institute for Energy Analysis.

EIA (Energy Information Administration), Office of Energy Markets and End Use. 1999. *Annual Energy Review 1998.* Washington, DC: U.S. Department of Energy, Energy Information Administration.

Jevons, W.S. 1865. *The Coal Question: An Inquiry Concerning the Progress of the Nation, and the Probable Exhaustion of Our Coal-Mines.* London: Macmillan.

———. 1871. *The Theory of Political Economy.* 5th edition. New York: Kelley.

Jewkes, J., D. Sawers, and R. Stillerman. 1958. *The Sources of Invention.* London: Macmillan.

Khazzoom, J.D. 1980. Economic Implications of Mandated Efficiency Standards for Household Appliances. *Energy Journal* 1(4) : 21-39.

———. 1987. Energy Savings Resulting from the Adoption of More Efficient Appliances. *Energy Journal* 8(4)：85-89.

Landes, D.S. 1969. *The Unbound Prometheus: Technological Change and Industrial Development in Western Europe from 1750 to the Present.* Cambridge: Cambridge University Press.

Noyce, R.N. 1977. Microelectronics. *Scientific American* 237(3)：63-69.

Porter, M.E., and C. van der Linde. 1995. Green and Competitive: Ending the Stalemate. *Harvard Business Review*（Sept.-Oct.）：120-134.

Saunders, H. 1992. The Khazzoom-Brookes Postulate and Neoclassical Growth. *Energy Journal* 13(4)：131-148.

Schaller, R.R. 1997. Moore's Law: Past, Present and Future. *IEEE Spectrum* 34(6)：53-59.

Schipper, L., and M. Grubb. 1998. *On the Rebound? Using Energy Indicators to Measure the Feedback between Energy Intensities and Energy Uses.* Paper presented at the IAEE 1998 conference in Quebec.

Schumpeter, J.A. 1934. *Theory of Economic Development.* Cambridge, MA: Harvard University Press.

Smith, V.K., and J. Krutilla（eds.）. 1979. *Scarcity and Growth Revisited.* Baltimore: Johns Hopkins University Press for Resources for the Future.

Solow, R.M. 1956. A Contribution to the Theory of Economic Growth. *Quarterly Journal of Economics* 70：65-94.

———. 1957. Technical Change and the Aggregate Production Function. *Review of Economics and Statistics* 39：312-320.

Williams, E., M. Heller, and R.U. Ayres. 2003. The 1.7 Kg Microchip: Energy and Material Use in the Production of Semiconductor Devices. *Environmental Science and Technology* 36(24)：5504-5510.

Williamson, H.F., and A.R. Daum. 1959. *The American Petroleum Industry.* Evanston, IL: North-western University Press.

Yergin, D. 1991. *The Prize: The Epic Quest for Oil, Money and Power.* New York: Simon and Schuster.

第8章

# 内生的技術変化，天然資源，成長

シャック・スマルダース

1800年代の初め，石炭供給が次第に減少するのに伴ってイングランドの産業革命は勢いを失う危機に瀕していると思われたが，急速な経済成長は次の世紀にわたるまで続いた．発展途上国において，速いペースで成長してきた多くの貧しい都市は大気汚染の急速な増大を同時に経験してきたが，西側世界の大都市における大気の質はここ数十年で改善してきた．成長は資源枯渇を早めるのだろうか，それとも環境を浄化する資源を作り出すのだろうか．最近に限らず，歴史は，成長と資源の希少性との間に色々な相互作用が有り得ることを示している．

成長と希少性との相互作用を形作る経済的な働きは，代替と技術変化である．これらがなければ，産出高の追加的な1単位は，それぞれ一定量の資源利用，例えばエネルギー投入を必要とし，一定量の汚染を生み出すことになる．すなわち資源ストックや環境の質の低下なしに，産出高を増やすことはできない．ほとんど全ての経済学者，とりわけ新古典派の経済学者は，一定量の産出に必要な経済全体での資源量は不変でないことを強調してきた．消費者は，より少ないエネルギー消費や汚染で生産することができる財へと需要をシフトできる．生産者は，資源消費のより少ない技術に転換することができる．結果として，消費者の選好と消費パターンを調整する意思によって，同時に，生産者にとっての技術的な可能性と機会によっても，成長と希少性との相互作用は形成される．

つまり，成長の限界は代替の限界によって決まる．しかし，代替可能性が十分であったとしても，資源の利用可能性が低下すれば資源代替は否応なく制約される．すなわち収穫逓減の法則により，人工的な投入要素の生産性は低下する．技術変化だけが，この収穫逓減を相殺できる．つまり，代替の新たな機会は，より生産性が高く，資源依存度が低く，また全く新たな資源に依存するような新技術によって拓かれるのである．

経済成長の大きな波は，大きなブレークスルーとそれに続く技術的改善のおかげだと考えられる．水力，汽力（石炭焚き），そして内燃機関（化石燃料駆動）の役割を考えるとき，天然資源との関連は明白である．いくつかの技術開発は，幸運あるいは個人的な天賦の才に依ってきた．しかし，多くの場合，新技術の継続的な改善と種々の応用はもちろん，その商業化と普及には，計画的な投資と合理的なビジネス戦略が必要とされてきた．実際，20世紀における主なイノベーションの一つは，研究開発部門を導入したことである．概して技術変化の本質的な部分は経済的投資決定の結果であるということができる．それゆえ技術変化は，絶えず新技術を開発していこうとする経済的な動機や機会への反応として生じる．つまり，技術は内生的なのである．

したがって，成長の限界は，一定時間での代替によって決定付けられるだけでなく，イノベーションの動機あるいは開発の機会によっても決定付けられるはずである．最近，経済学者たちは希少性と成長に関する定式化されたモデルを用いて内生的技術変化の含意を研究しはじめた．希少性の増加は，価格上昇を通じて，企業に新技術開発を促しうる．よって内生的技術変化は希少性の制約を緩和するかもしれない．しかし技術変化に費用がかかるならば，資源の希少性によって技術変化が起こらないこともある．もし資源の利用可能性の低下が人工的な投入要素の生産性を低下させるとしたら，補完的な新技術を開発する価値はあまりなくなる．希少性は，資源投入を節約するような新技術開発への刺激を与えるだろうが，他の方向性を持ったイノベーションプロジェクト（例えば労働節約的な技術変化）を犠牲にしてのことである．イノベーション活動の方向が変われば，集計したイノベーション活動の経済成長に対する効果は減ってしまうかもしれない．技術変化が希少性に対応して内生的に起こるものであると認めることは，希少性に伴う問題が殆ど生じないという，より楽観的な展望をもたらすとは必ずしも限らない．

本章は，エネルギーあるいは資源の集約度が低くてよりクリーンな技術との代替，あるいはそうした技術の開発により，希少性がいかに緩和されるのかを議論する．われわれは代替と技術変化の両者を**内生的**に扱い，それらの背後にある決定要因を分析する．クリーンあるいは資源集約度の低い技術への代替が技術的には可能であっても行われないのはなぜなのか．より速い成長は，どういうときに枯渇のスピードを速めるのか．成長はどういうときに環境の質の改善と両立するのか．環境の質の改善あるいは省エネルギーを目的とする政策は，成長を制約しなければならないのか．より厳格な環境政策はイノベーションを誘発するのか．

成長と希少性とは両者とも経済的意思決定の結果なので，両者の間の相互作用は複雑である．経済成長の方向性が，成長の資源ストックへの影響を決定付ける．逆に言えば，資源の利用可能性は成長の機会と投資に対する収益率を決定付ける．経済学者は，現実世界の多くの複雑さを抽象して単純化したモデルを用いて，資源枯渇と経済成長の背後にある基本的な力を分析してきた．決定的な経済的力について理解するため，我々は一時に一つの天然資源に焦点を当てる．最初はエネルギーや原材料といった再生不能資源，その後，魚，森林，クリーンな大気，水といった環境資源である．また，我々は経済活動を，いくつかの投入，なかでも天然資源を必要とする単一の生産活動に集計する．理論的な考察に焦点を当てるが，集計されたレベルでの希少性と成長に関連する経験的な証拠についても吟味する．

我々はまず，生産技術の変化による，資源利用への影響について研究する．新技術が必ずしも枯渇の抑制につながるとは限らないことを示す．新技術は，より少ない資源で一定量の産出高をもたらし，代替を促進するが，このことはまた，新技術が資源利用の生産性を改善することも意味する．それゆえ，技術変化は，資源需要を刺激するかもしれない．次に，技術変化それ自体の背後にある決定要因へと話を転じ，技術変化を内生変数として扱うことにする．希少性のため成長の過程がいつ停止に至り，資源政策あるいは環境政策によって成長率がどのように影響されるのかについて理解する．希少性はイノベーションを促進しないこともあるが，知識のスピルオーバーはこの傾向を相殺しうる．

再生不能資源から再生可能資源へと話を移し，外生的技術変化と内生的技術変化とを対照しつつ，我々は成長と資源希少性に関する文献から，概ね年代順に進展を辿っていく．本章ではまず，経済成長に関するこれまでの文献の中で，単一資源の集計型成長モデルをレビューする（Stiglitz 1974；Dasgupta and Heal 1979）．次に，分析の範囲を環境問題や内生的技術変化へと拡張して，それ以前の文献での知見がどう更新されるべきかについて考える．

最近の文献における二つのテーマによって，内生的技術変化が注目の的となっている．一つは成長理論から生じたことで，外生的技術変化という仮定がますます不満足であると考えられるようになったことである．内生的技術変化が投資を必要とし，天然資源が生産に必要不可欠であるとき，成長が持続可能かどうかは明らかではない．もし資源代替が人工的な投入要素に対する収益を減少させるとしたら，新技術や，また人工的投入要素への投資のインセンティブに対して何が生じるだろうか．他方で，環境経済学者もまた内生的技術変化に興味を持つようになった．彼らは，技術間の代替に新技術の開発が追加されるならば，成長の環境コストはかなり低くなるかもしれないということをよく理解している．

我々はまた，環境資源に関する市場の失敗と，それが希少性の限界の緩和に対する技術変化の役割をどのように変えるのかについても研究する．内生的技術変化の背後にある力と，その含意について議論する．ここでの中心的なテーマは，環境資源の希少性が技術変化の速度と方向に与える影響と，その政策的含意である．その後，話題を経済成長モデルへと移す．我々は主に，天然資源に依存するにも関わらず成長が制約されない条件に着目する．最後に，環境政策が経済成長に与える影響を議論する．

## 新古典派の見方：再生不能資源

希少性と成長に関する議論はこれまで，化石燃料（石油，石炭）といった再生不能資源の希少性に焦点が当てられてきた．スティグリッツが天然資源の希少性の問題に関する新古典派の視点をレビューした際に述べたように，「天然資源の問題がそもそも意味を持つためには，資源は供給が限られていて，再生不能かつリサイクル不能で，なくてはならないものであり，完全な代替物が存在しないものでなければならない」(Stiglitz 1979，40)．1974年のスティグリッツ，ソロー，ダスグプタとヒールによる先駆的な業績は，再生不能資源の希少性を研究する上でベンチマークとなる新古典派の枠組みを確立した[1]．

### 新古典派の3点セット：代替，収穫逓減，技術変化

新古典派の視点では，経済は，投入される資源を採掘することによってのみ生産を行える．資源が生産に1単位利用されるたびに，利用可能な資源が一つ一つ，非可逆的に減少する．資源投入要素を代替する他の投入要素（物的資本と労働）の場合と同様に，資源ストックは私的に所有され，市場で取引される．必然的に，生産は資源ストックを枯渇させる．ここで問題は，このような物理的希少性の増大は経済的希少性の増大を意味するのかどうかということである．すなわち，経済的生産は究極的には落ち込むに違いない．

新古典派の文献からの主要なメッセージは，人工資本が資源を代替することにより資源の物理的な希少性による経済的帰結を緩和するということである．資源が取引され，上昇する価格が希少性の増大を知らせ，資源集約度のより低い技術への代替を引き起こす市場が存在するおかげで，市場はこのような代替へのインセンティブを与える．資本は資源に取って代わり，代替となる選択肢が十分にあるならば，成長の限界は回避される．

しかしながら，資本が多くなっても，それと組み合わされる資源またはその他の投入要素が少なくなれば，個々の装置の生産性は低下しがちなため，代替のメカニズム自体がますます効かなくなる傾向にある．この収穫逓減則により，利用可能な資源投入要素の量が減少するにしたがって，資本蓄積の生産性は低くなる．よって，代替は資源希少性という成長にとっての重荷を緩和する一方で，収穫逓減は成長へ

のもう一つの重荷を作り出す．新古典派モデルは，外生的な技術的改善が常に行われているという第三の仮定に依拠している．それにより成長がずっと維持される．技術変化は，資本と資源という生産要素の生産性を外生的に改善する．そのことが収穫逓減を相殺して，成長が維持される．

新古典派モデルの実証的妥当性は目下議論の対象であり，本書の別のところで議論される．マクロレベルでの技術変化と代替に関する多くの実証研究は，直接あるいは間接的に新古典派の考え方を支持している．ほとんどの先進国では，非常に長い期間にわたり生産1単位あたりのエネルギー利用が徐々に減少してきた．技術変化の速度はほとんど例外なく目覚しいものである[2)]．Weitzman（1997，1999）は二つの研究において，モデルのテストとキャリブレーションを間接的に行う方法を提示した．彼は，年率換算された厚生のだいたい40%は技術変化の結果であり，我々が頼みにしている限りある再生不能資源が現状の利用量と採取費用のままで限界なしに利用可能であり続けたとしても，所得のせいぜい1.5%が得られるに過ぎないことを見出した．

### 再生不能資源の枯渇と技術変化：基本的な結果

代替が存在する世界において，枯渇の速度，そしてそれゆえ希少性を何が決定付けるのだろうか．理想的な（ファーストベストの）状況であっても，資源の所有権のある市場においても，少なくともその資源が生産に必要である限り，資源ストックが実際に完全に枯渇することは決してない．資源ストックが枯渇すると，生産が，従って消費も不可能になるので，社会は全体として理想的には枯渇を避けようとする．極端な希少性のもとでは，わずかな量の資源が極端に高価となる．社会は生産を維持するためにある程度の資源を残しておくのが必要であることを予見するので，完全な枯渇は最適ではありえない．完全な枯渇が迫ってくると，社会は将来の消費を少し増加させるのと引き換えに現在の消費を減らし枯渇を少なくしうる．

完全な枯渇を避けることは最適であるだけでなく，資源市場が正常に機能した場合に導かれるであろう帰結でもある．個々人は資源を私有し，所有権を売買できる．将来の消費を担保するために，新しい世代は古い世代から資源ストックを購入しようとする．ストックが非常に少なくなるとき，若い世代は非常に高い価格でも支払おうとするので，ストックを完全には枯渇させてしまわないようなインセンティブを古い世代に与えることになる．先物市場が，資源市場の動的な効率性を保証する．市場の参加者は，将来の希少性に関する誤った期待を持っているかもしれず，このことは非効率な資源採掘につながるかもしれない．しかし，市場参加者は，期待値と実現値との間の大きな不一致を裁定取引によって系統的に解消するだろう．よって，所有権と（先物）市場が存在するもとでは，資源政策を積極的に行う理由はあまりない．

個々人が将来のことを十分に気にかけて省資源を行うということはないかもしれないと主張し異論を唱える読者もいるだろう．経済主体は，将来を高率で割り引く場合に，現在の消費を増やして枯渇を早める傾向にある．しかし，たとえ割引を考慮しても，**生産のために資源が必要であることから，完全な枯渇は防止される**．

外生的技術変化がもたらす，枯渇の速度に対する効果ははっきりしない．一定量の資源やその他の投入に対して，より大きな産出水準を可能にする新技術の見通しについて考えてみよう．この技術変化を予見する個人は，資源ストックが将来より生産性の高いものになることから，資源ストックに，より高い価値を付ける（より若い世代は所有権に対して，より高い価格を支払おうとする）．このことは，生産性が高くなるであろう将来期間に向けて，より多くの資源を維持しておくことを魅力的にする（これが代替効果である）．しかしながら，同時に，一定量の資源ストックがより多くの財を生産でき，それによって将来において所得を増やし消費をより豊かなものにする．より豊かな家計は，将来だけでなく現在においても多く消費しようとする，つまり消費を平準化することを望むので，将来の技術進歩による生涯所得の向上に伴って現在の資源需要が増える（これが所得効果である）．すなわち代替効果と所得効果は逆方向に働き，どちらが支配的になるかは社会の選好により決まる．消費パターンの変化に関するほとんどの実証研究が，所得効果が代替効果を上回ることを示している[3]．よって生産性の増大は枯渇を早めるだろう．

## 古い希少性から新しい希少性へ：環境資源

1970年代以来，原材料とエネルギー資源の希少性から，クリーンな大気，クリーンな水，クリーンな土壌，森林，魚のストックや希少生物種といった環境資源の希少性へと関心が移ってきた[4]．経済学者たちは，彼らが再生不能なエネルギーと鉱物資源の分析のために開発した枠組みの範囲内で環境資源の希少性の分析を試みてきた．確かに，この二つのタイプの自然資源は，いずれも生産プロセスの投入となり，原理的に枯渇しうるものであるといった，いくつかの類似した特徴がある．しかし，環境資源は市場で価格が付けられず取引もされないし，この資源の利用は公共財と多くの共通点を有する．結果的に，環境資源の希少性は，再生不能資源市場における希少性よりも大きな経済的問題を提示する．

**環境資源の特徴**

環境資源が生産への投入であると主張するとき，それらの結びつきは，エネルギーや原材料と生産との結びつきと比べると間接的である．生産は汚染という，環境の質を低下させる副産物を生み出す．したがって汚染は，生産に伴う不可避の資源ストックの枯渇として認識できる．この意味において，汚染は，標準的な新古典派アプローチにおける資源利用に似ている．汚染はしばしば，例えば有毒廃棄物の原因となる化学製品や，大気を汚染するエネルギー利用といった特定の投入と結びついている．企業は，汚染を減らすあるいは汚染の影響を緩和するような抑制活動を実施することを選択できるので，汚染源となる投入とそれ以外の投入との間の代替が行われる．結果的に技術進歩は，よりクリーンな生産プロセスや，消費時のゴミがより少ない製品や，より高効率の（低価格の）汚染削減技術，例えばフィルター，集塵器，その他の後付装置技術といったものをもたらすだろう．

一般に，環境資源は再生可能であり，鉱物資源は再生不能であるということで，これらが区別される．汚染は環境資源の希少性を引き起こすが，自然は汚染の中和能力を有するので，その被害がずっと長く続くとは限らない．例えば，土壌と河川水の汚染物質は降水により希釈洗浄される．生態系の汚染吸収能力は，無制限ではないものの，環境の質を再生可能資源とする．

環境資源のストックは，社会的厚生に直接関係しうる．我々は，比類のない景色と生物種，きれいな空気，魅力的な場所，といったアメニティとしての環境に関心を払う．鉱物資源については価値ある製品の生産への投入として間接的にのみ関心を払うが，環境資源については直接の関心を払う．クリーンな水の供給により，水処理費用が安くて済み，有用な製品をより安価に生産できるということで恩恵を受ける産業もあるだろう．しかし，クリーンな水資源は，健康上の恩恵やアメニティの価値という形で消費者に直接の恩恵をもたらすのである．

環境資源は公共財である．石油や鉱物のような再生不能資源は私的財として市場取引され，所有権により保護されるが，きれいな空気，海の魚のストックやオゾン層といった環境資源について所有者の定義や所有権の主張は不可能であり，これらの資源の利用者に代金を請求することは容易ではない．アクセスを制限することが難しく，消費が競合しないという公共財の本質的な特性が，環境資源に当てはまる．ここでは市場は失敗し，価格メカニズムだけでは，環境資源が社会にとって最適な方法で配分され利用されることが保証されない．利用者は，対価を支払う必要がない限り，資源枯渇と環境劣化の社会的費用を内部化することはないのである．このことにより，資源市場の外部性を修正するために汚染税や漁獲割り当てのような公的介入が必要とされる．

### 環境劣化と技術変化：基本的な結果

標準的な新古典派モデルは，生産と環境資源の枯渇との結びつきを反映するように修正することができる．その際，環境資源の再生可能だという特徴のみならず，公共財としての特徴を考慮しなければならない．環境資源の市場は存在しないが，規制がこの資源の外部性を補償しうる．

環境劣化を分析するためには，二つのケースに分けて考えることが役立つ．「ファーストベストケース」では，法令や規制が環境資源の最適な利用を保証する．社会は，生産のために環境を劣化させることと，アメニティ価値とその将来資源のために環境の質を保全することとを天秤にかける．「規制のない市場ケース」では，市場価格は希少性を反映しそこなう．企業は概して，資源枯渇のすべてのコストを課されることはない．もしも企業がもっと多く汚染することを許されたとすると，彼らの単位生産費用は低下し，生産性が高まる．彼らは，追加的な自然資源利用（汚染のこと）の限界生産力がゼロになるまで生産を拡大することで，利潤を最大化する．明らかに，もしも環境資産が無料で供給されると，好ましくない大量の生産が，そして汚染が生じる．これらの極端なケースの間で，規制は外部性のいくらかを取り扱うが，社会的に効率的な状況を達成するには不十分である．

適切な資源政策がなければ，環境資源は容易に過剰消費されてしまう．資源がより希少になっても価格はそれを反映せず，企業や個人は資源消費を減らす私的な動機を有しない．環境劣化を逆転させるためには，利益を上げられるような低費用のオプションが利用可能なのかもしれないが，おそらく個々の経済主体は，他の主体による公共財への投資にただ乗りするだろう．価格シグナルがなければ，可能な代替は進まない．技術変化も失敗するだろう．経済主体が汚染の対価を支払うことがなければ，クリーン技術を開発する動機は存在しない．

適切な資源政策がなければ，技術変化は恐らく環境劣化のスピードを速めるだろう．適切な資源政策の下では，代替効果と所得効果との競合について既にみてきたように，技術変化が環境に与える影響ははっきりしない．しかし，資源政策のない状況では，企業は将来の希少性を気にせずに資源採掘を行う．彼らは，将来の生産性の改善を進めるために省資源を行う理由がない．代替効果は生じないが所得効果は生じて，資源枯渇を早めることになる．

技術変化は中立的でも偏向的でもありうる．中立的な技術変化とは，すべての在来型（環境資源以外）の投入の生産性を同じだけ上昇させるものである．例えば，企業は，生産プロセスの機構を改善することで同じ投入からより多くのものを生産できるだろうし，あるいは投入の条件を変化させず製品を再設計することで，消費者にとってより魅力のある製品にできるだろう．汚染を伴う投入を含むすべての投入要素の限界生産力は上昇し，価格が変化しない限り，企業はすべての投入要素をより多く消費しようとするだろう．汚染に価格が付かなければ，どうしても汚染は増加する．原理的には，中立的な技術変化は，少ない汚染で同じだけの量を生産することを可能にする．しかしそれは，汚染の生産性が上昇するので，より多くの汚染を行うようなインセンティブを企業に与えてしまう．

偏向的な技術変化は，ある投入の生産性に他の投入のそれと比べて，より多くの影響を与える．ガソリンを食う自動車の設計を良くして他の低公害型の自動車から消費者を奪うというような改善は，エネルギーの生産性を向上させ，とりわけ汚染のもととなる投入の生産性を向上させることを意味する．このような資源偏向的な技術変化では，消費者はより多くのガソリンを消費しがちである．これとは対照的に，低公害車生産のコスト低減は，ガソリンの支出シェアを低下させるだろう．こうした技術変化は省資源型に分類される．

規制がない場合，新技術が環境の質を改善するのは以下のようなときだけである．

・新技術が単位生産費用（環境に価格が付けられていなければ，環境費用を除く）を低下させる．さもなければ，企業は古い技術を利用するほうが得で，新技術を採用しようとしない．生産者は，単位費用の減少を価格低下という形で反映して，結果的により多く生産することになる．

・新技術が，汚染源となる投入の限界生産性を十分に低下させる．さもなければ，企業は単位産出あたりの汚染を増加させるかもしれないし減少させるかもしれないが，産出規模を拡大するため，総汚染量はやはり増大する（リバウンド効果）．

市場に基づく手段は，資源節約的イノベーションの引き金となりうる．とりわけ，汚染税や汚染許可証取引制度のように規制が汚染1単位あたりの費用を課すなら，クリーンな技術を採用するインセンティブが変化する．社会的な最適性をもたらすに足るような十分厳しい規制かどうかによらず，企業は汚染に対する限界収益が汚染税あるいは許可証取引価格と等しくなる点まで汚染を削減するインセンティブを持つことになる．規制によって，ある任意の水準に固定された汚染税が課される場合を考えてみよう．ではここで，技術変化が生じるとしよう．この技術変化が全要素生産性の向上という形をとるなら，汚染は増加する．なぜなら，汚染の限界生産性は増大するが，費用は同じままだからである[5]．一方，この技術変化が汚染削減費用を低下（削減技術を改善）させるなら，企業は汚染を減少させる．

成長する経済にとって環境の質の改善を目指すことが最適である可能性は十分にある．すなわち社会は，環境資源の利用可能性を減耗させるのではなく，拡大すべきである．成長する経済においては，消費財はより豊富になるので，環境アメニティと比較して低い限界効用として評価される．これによって，環境の質への需要

(支払い意思額) が増加する．言い換えれば，消費と環境の質の需要は両方とも所得とともに増大する (経済学者はこれを「正常財」特性と呼ぶ)．経済成長は，生産された消費財に関する選好においてある程度の「飽き」がある限り，より高い環境の質を求める (Lieb 2002)．恐らく所得の低い国の場合のように，生産された財の利用可能性が環境の質よりも低い場合，社会は環境の質を犠牲にして生産の増加に高い優先度を与える．所得が十分に大きく向上したときに，環境の質へと需要がシフトするはずである．

長期的には，環境資源は最適な状態で保全される．標準的な新古典派モデルでは，再生不能資源ストックは採掘されることが生産のために不可欠なので完全に枯渇することはないのに対し，再生可能資源については，不可欠なのはストックそれ自身である．環境の質は効用においてアメニティとして，生産において生産力を有する資産として役立つ．きれいな空気は健康と労働者の生産性に不可欠であるし，土壌の質は農業に不可欠である．環境資源のストックは漸近的に枯渇するのではなく，通常の条件下では，環境資源のストックは長期的な社会的最適状況においてはゼロでない最適値に近づく[6]．

### いくつかの実証：環境クズネッツ曲線

環境資源の希少性と経済成長に関する主な実証結果は，環境クズネッツ曲線 (EKC) 仮説に関する文献から得られる[7]．汚染が所得上昇に伴って最初増加し，所得がある閾値を超えると減少するようであれば，汚染と所得との間の関係は EKC として特徴付けられる．

所得と汚染は共に内生変数であるから，汚染と成長にはっきりとした関連があると期待するような理論的な理由は存在しない (Copeland and Taylor 2003)．成長パターン，技術選択，および技術変化の性質が，所得と汚染とが時とともにどのように進展するのかを決定付け，また，潜在的な多くの要因がこれら両方の変数に影響を与えうる．しかし，基礎的な理論をレビューすることは，成長の過程において汚染と環境劣化に影響を与える基礎的な力についての整理に役立つ．

注意しなければならないことは，この理論によれば，以下に示す二つのどちらか特定な状況の下で，EKC パターンが現れることになる，ということである．

・環境政策が成長と環境に対する社会的選好を反映し，「正常財」としての環境の質への需要を高める．

・汚染源となる投入の生産性が低所得においては上昇するが，高所得になると低下する．

実際，水汚染や，二酸化硫黄 ($SO_2$)，浮遊粒子状物質 (SPM) や窒素酸化物

(NO$_X$) のようないくつかの種類の大気汚染について，殆どの研究が，一人あたり所得と一人あたり汚染との間の関係が逆U字型であることを支持している．森林伐採に対するEKCパターンについては種々の実証が存在するが，ここで各国間の森林伐採の差異の説明には，所得水準の変化はあまり重要ではないようである．都市ごみ，二酸化炭素（$CO_2$）排出および総エネルギー利用はすべて，所得に対して単調増加の関係にある．これらの結果は確実とはいえないことに注意しなければならない．ほとんどの推計は複数国の分析に基づいているので，成長と汚染との間に，ただちに関係を認めることはできない．さらに，データの利用可能性が選択的であるため，これらの結果にはバイアスがかかっている．というのは，概して，多くの国では，十分に長い期間にわたって問題であると考えられてきた汚染物質についてだけデータが収集されているのである．

排出が所得の増加とともに減少するという証拠は，高所得の国における，すぐに健康に影響するローカルな汚染といった少数の汚染物質に限られる．上述の理論的考察はこのことを部分的に説明している．汚染が規制されていない経済においては，汚染が時とともに低下するかどうかは成長の性質と技術変化とに依存する．実際，経済が，初期の段階には汚染源となる資本の蓄積によって成長し，後の段階ではクリーンな人的資本に依存するとすれば，成長パターンの副産物としてEKCが出現するかもしれない．同様に，EKCは成長に伴う構造変化の副産物として説明できる．農業から製造業への移行により所得とともに工業的汚染が増加する．それに続いて製造業からサービス業へと移行することが，EKCのクリーン化の段階を説明しうる．しかし経験的には，この後者の効果は結局のところ弱い．ここ数十年OECD諸国においては，構造変化は，ほとんどその勢いを失ってしまった．汚染強度の減少の殆どは，製造部門の内部で生じている．さらに，サービス業のコンピューター化は，単純な理論から示唆されていたよりもサービス業がエネルギーおよび原材料集約的かもしれないことを示している．

技術変化と環境資源の希少性に関する我々の洞察にこれらの実証的な知見を結び付けてみると，二つの明確な結論が示される．第一に，いくつかの汚染物質に対してEKCが見出されてはいるが，経済が豊かになるにつれて汚染が自動的に低下するわけではない．豊かな経済がより厳しい環境政策を実施するからこそEKCパターンが観測されるのである．第二に，汚染の減少は，技術変化や成長の副産物であるというよりはむしろ，技術の意図的な変化の結果であると思われる．

## 天の恵みから，経済的意思決定としてのイノベーションへ

技術変化は，経済成長の背後にある極めて重要な駆動力であり，資源の希少性のコストを低下させるための強力なメカニズムである．ここまでは，技術変化の効果についてだけ議論してきた．ここでは，技術変化の決定因子および，その背後にある駆動力へと話を移す．

技術変化の経済学的な視点は，それ自体が過去20～30年ほどの間に著しく変化した．経済学者は長い間，技術変化を，競争市場という経済学の標準的な仮定から始めて経済全体のレベルで説明するには複雑すぎるものとしてきた．しかし，多国間協力や新製品市場に関わる小規模企業において，商業的な研究開発がより重要な戦略となっている．産業部門のリーダーや国の政策立案者は，国の富と競争力のためのイノベーションの役割を強調する．1960年代における日本や，その後のアジア先進国が急速な成長を遂げた道筋は，政策と経済的インセンティブが自国内の技術変化のペースに影響を与えることができることを示唆している．

こうしたことすべてから，経済学者，とりわけ1980年代後半からの成長理論論者は，技術開発のペースと方向性を，説明のできないただの事実としてではなく，経済的決定の帰結として解釈するようになった．成長の過程と（希少性の増大のような）経済的環境の変化に対する反応は，技術を外生変数ではなく内生変数としてみれば，ずっとよく理解することができる．技術変化の過程が固定されていたなら，企業や個人は経済活動による資源配分を変化させることによってのみ，資源の利用可能性の変化に対応することができることになる．資源の希少性は代替を引き起こすのみなのである．しかし，技術が内生的とすれば，イノベーションは経済的変化に応じて強まったり，方向転換したりしてもよいことになる．

経済学者は，新古典派経済成長の枠組みに内生的に技術を取り込もうと試みてきた．このことは，完全競争の考え方を捨てるといった大きな変化を伴う．外生的な技術から内生的な技術へと移行することによって，経済学者は，新たな市場の失敗と，公共財と財産権の問題に向き合うことになった．これらの外部性は，再生不能資源をモデル化することから環境資源をモデル化することへの移行に伴って導入された資源の外部性と相互に影響しあう．

### イノベーションのインセンティブと機会

もしも，（例えば独創的な活動，R&D 支出，プロトタイプ工場の建設といった形での）イノベーションにまったく労力が払われないとしたら，技術変化はほとんど起こらないだろう．イノベーションにどれくらいの労力を払うかを決定するには，

費用と便益の計算が必要になる．イノベーションの費用はイノベーションの過程における投入費用であり，これは実験設備と試験のほか，主に時間と技術者の労働力からなる．収益は，イノベーションが市場に出されたときに得ることができる，割引後の期待利益である．新たな知識（新発想，新製品や技術の青写真）の開発は，一般に固定費としての性質を持つ．一つの新発想の開発には投資費用の負担が1回あれば十分であり，その後には，その新発想は追加費用なしに何度も適用され実用化されうる．よって，市場の規模が収益率を決定付ける，つまり収穫逓増であることが示唆される．

イノベーションの担い手は，どの種のイノベーションプロジェクトにどれだけ払うかの決定に際して，費用と期待便益とを天秤にかける．よって，内生的イノベーションでは，技術変化の方向性（偏向）は内生的に決まる．イノベーションの担い手は，いくつかの異なる投資プロジェクトから選択を行う．その中には，資源生産性を向上させるものもあれば，資本生産性を改善させるもの，採掘コストを低下させるものなどもある[8)]．あるプロジェクトにおいて期待収益が高く，イノベーション費用が低い（偏向がある）ほど，その偏向した方向へのイノベーションが，そのプロジェクトでますます行われることになる．このメカニズムにより，ある投入要素の価格が高くなると，イノベーションの努力は，その投入要素を少なくするような技術の開発プロジェクトへとシフトする．相対価格は技術変化の方向性に影響を与えるだろう．これは誘発的イノベーション仮説として知られている[9)]．

イノベーションに関する意思決定のいろいろな段階において市場の失敗が現れるが，これは，独占的製品市場，知識スピルオーバー，創造的破壊といった理由による．

・イノベーションは独占的な支配力を必要とするため，製品市場には不完全性が生じる．新技術の利用者に支払いをさせることによって収益を獲得し，支払いをしない者の利用を排除するようなことができない限り，企業も個人も新技術の開発に投資しようとはしない．独占的利潤はイノベーションの担い手への報酬となり，動的効率を高めることになる．しかし，それは，静的効率を犠牲にして，限界生産費用を超えるような価格という形で社会に負担を強いることになる．
・経済主体が（完全に）支払いを行うことなしに他の企業や研究機関が開発した新たな知識から利益を得ることができるようなとき，知識スピルオーバーが起こる．厳しい知的財産権をもってしても，他者による知識の使用を排除することは難しい．特許法は，生産者が他人の青写真を利用して特定の製品を生産したり特定の技法を利用したりすることができないようにするかもしれないが，青写真から推測される，より一般的な知識の利用までもさせなくすることは困難である．現在のイノベーションの担い手は，それ以前のイノベーションの担い手に対して何も補填することなく，彼らが開発した知識を利用している．知識スピルオーバーのもう一つの理由は，模倣と特許権侵害である．時間を超えた知識スピルオーバーは，イノベーションの担い手が社会的収益のほんの一部しか得ることができず，研究のインセンティブが低くなり，最適を達成することはできないことを意味する．

・いくつかの企業が同じ特許を求めて競争して研究努力の重複が起こるといったように，R&Dへの過剰投資が誘発されることもある．イノベーションを行う企業は，投資費用を回収する前に他の企業に取って代わられるかもしれない．このような創造的破壊の過程により，社会的費用の負担が発生するかもしれない．イノベーションの担い手は費用を内部化せず，他の企業に負わせることになる．

理論的には，どの種の外部性が支配的であるのかについては何ともいえない．しかし，実証分析の文献から総じて言えることは，正の外部性が支配的であり，イノベーションの社会的収益率は私的収益率よりも大きいということである[10]．

**資源の希少性と内生的技術：基本的洞察**

資源が多量に賦存することによるイノベーションの進度に対する効果は，はっきりしない．一方では，生産要素が豊富に供給されることで，これらの資源の生産性を増加させるような新たな知識の開発が魅力的となる．R&Dの収益は，その適用規模に伴って増加するが，新たな知識の開発費用は規模とは関係しない．知識は競合がなく，その開発は固定費用の活動なのである．しかしながら他方では，R&Dの機会費用もまた上昇する．すなわち（労働以外の）資源利用可能量が多いほど，生産における労働の限界生産力は増加し，その結果，労働を研究ではなく生産の方に配分することが魅力的になる．

誘発的な技術変化は，代替の可能性が低いことを埋め合わせる．つまり，（天然資源の投入とその他資源の投入との間の）代替ができなければできないほど，技術変化の方向は希少な投入要素へとシフトすることになる．資源の利用可能性が低ければ，市場化された資源の価格が吊り上がる．このことはまた資源集約型の製品の価格上昇を招き，その結果，資源集約的部門におけるイノベーションにより多く投資することが魅力的となる．しかし，この価格効果は市場規模の効果により減殺されるかもしれない．資源利用可能性が低いと資源集約的部門の産出が減少し，この部門におけるイノベーションの魅力が減少することになる．この部門での生産が減少すると，新技術の適用できる規模が縮小する．どちらの効果が支配的かは，この部門における収入と利益に対して低い資源利用可能性がもたらす価格と量の効果の組み合わせに依存する．というのは，イノベーションは，それがもたらす利益の増加が見込まれる部門へとシフトするからである．もし他の部門からの製品が資源集約型製品を簡単に代替するのなら，資源利用可能性が低いことによる価格の上昇は少なくなり，資源が豊富な部門における収入は減少し，イノベーションはこの部門以外へとシフトするだろう．対照的に，もし他の部門からの製品が資源集約型製品を殆ど代替しないなら，資源集約的部門の収入は増加し，イノベーションはこの部門へとシフトするだろう．しかし，いずれの場合でもイノベーションはエネルギー需要の低下をもたらす．というのは，代替が殆どない場合にはイノベーションが直接省エネルギーとなり，代替がよく行われる場合にはイノベーションがエネルギー集約的な部門の代替財を安価にし，この代替財部門への需要のシフトが促されるからである．

資源市場の失敗は，環境の劣化と枯渇を非効率的に早めるような誘発的技術変化をもたらすかもしれない．市場の反応が技術選択を決定付けるので，資源の希少性がイノベーションを促す以前に，資源市場が存在し効率的に機能していなければならない．魚の市場は存在するが，世界の魚のストックは所有権により管理されていないので，乱獲が起こりがちである．不適切な漁業管理によって魚の個体数が減少すると，魚の価格は上昇する．これは現実に，新たな漁業技術と，より高性能な船への投資を促しうるだろう．よって，過剰捕獲の状況では，誘発的技術変化は捕獲と枯渇を増加させることすらある．技術変化が「誤った」方向へと進むのである．

技術は，資源環境政策が適切な価格シグナルを与える場合のみ，希少性に対して効率的に反応する．しかし，政策そのものが適切に定まっていなければならない．環境問題が政策の変化を誘発し，それが次に技術変化を誘発するのかもしれない．環境クズネッツ曲線のところで既に議論したように，誘発された政策的反応は実証的には重要と思われる．

### エネルギー，環境とイノベーションに関するいくつかの実証

資源の賦存量と経済成長との相関関係についての研究は，理論と同様に，いろいろな結果を示している．例えばこれまでラテンアメリカにおいては，資源の急増は経済状態を改善するよりも，むしろ悪化させることのほうが多かった（Sachs and Warner 2001）．しかし，米国やノルウェーのような資源が豊富な国々は，逆の例を示している．Wright and Czelusta（2002）は，米国の経済成長の成功は，豊富な資源利用可能性と，技能と新技術に的を絞った投資との組み合わせのおかげだとした．資源の利用可能性を国富に変換し，資源希少性の問題に対処するには，制度の質の高さと，正しいイノベーションのインセンティブが不可欠である．Easterly and Levine（2003）は，Sachs and Warner が指摘した一見反対の効果が生じるのは，資源の富の集中が汚職や壊れやすい制度に結びつくような場合だけであることを見出した．

環境規制とイノベーションとのリンクを扱った実証研究は，これも理論から予想されるように，結果ははっきりしない．研究開発支出は環境遵守費用とともに上昇する傾向にあるが，特許申請数で計測されるイノベーションの成果とは相関がない（Jaffe and Palmer 1997）．

環境イノベーションにおける誘発的イノベーション仮説については，これを支持する研究がいくつか存在する．Lanjouw and Mody（1996）は，環境遵守費用の増加が 1 年から 2 年遅れで新たな環境技術の特許取得数の増加を導くことを発見した．この発見は，代替性の低いケース，すなわち，価格効果が市場規模効果を圧倒し，それがイノベーションに拍車をかけるケースを支持している．また，エネルギー節約型の技術変化が，エネルギーが高価で石油が不足する時期においてとりわけ重要であったとの証拠もある（Kuper and van Soest 2003）．

実証研究からわかることは，価格変化と規制は，イノベーションの偏向についての比較的わずかな部分の説明にしかなっていないということである．例えば Newell et al.（1999）は，イノベーションの方向付けにおいて，エネルギー価格，規制，および市場規模が役割を果たしているという証拠を見出した．しかし，エネルギー効率の変化全体のうち62％までもが，その他の要因によるものであった．彼らは，技術変化全体の変化率に対しても，これらの三つの要因の影響を見出してはいない．同様に Popp（2001）は，価格変化に対するエネルギー消費の変化のうち 3 分の 2 は価格に誘発された単純な投入要素代替によるものであり，残り 3 分の 1 が誘発的イノベーションによるものであることを見出した．また，Popp（2002）は，知識スピルオーバーについての証拠を見出した．すなわち，特許引用データを用いて，エネルギー効率改善に向けたイノベーションが，エネルギー効率改善向けの特許の蓄積（質調整済み）という形で積み重ねられてきた知識ストックの総体の上に成り立っていることを見出した．しかし彼は，この知識ストックには収穫逓減が存在することも見出している．技術変化の偏向に関する経済全体の研究は非常に少ないが，その一つである Jorgenson and Fraumendi（1981）によれば，米国経済の大多数の産業部門は，原材料投入は節約しながらエネルギー利用は増えるような技術変化を経験しているという．

有名な論文の一つである Michael Porter（1991）は，ケーススタディーに基づき，環境規制はしばしば，先行者利益のため，あるいは使われる投入要素の無駄を削減するため，企業の利益を増加させると主張した．これに，経済学の専門家たちは懐疑的な反応を示した．環境規制は企業の行動を制限し，選択肢を減少させる．ポーター仮説は，規制がない場合に選択可能なより多くの選択肢の中から選んだであろう行動と比べて，このより少ない選択肢から行動を選ぶほうが，企業はより高い利益を得ると主張しているように見える．しかしここで，なぜ規制がなかったときに，企業はこの行動を選択しなかったのか，が不明となる．しかし，内生的技術変化と知識スピルオーバーのある世界においては，ポーター仮説は正当かもしれない．なぜなら，この場合，個々の企業の技術，生産性，利潤は，集計量としてのイノベーション活動と知識ストックに依存することになり，そのことが，環境規制に対する企業の対応を変えるかもしれないからである．知識スピルオーバーと，その他には，技術の市場における市場の失敗のため，規制を課されていない企業のR&D戦略は完全な最適とは言えないのである．環境規制はイノベーションへのインセンティブを向上させ，それによって社会的厚生だけでなくおそらく企業の利潤をも向上させるかもしれないのである．

## 成長の限界？

代替や技術変化があったとしても，限りある資源に依存していることは究極的には経済的産出の減少を招くだろう．資本の代替財を蓄積し，新技術を創出するインセンティブが継続すれば，たとえ資源が希少となっても成長の限界は回避可能である．成長の限界について理解するには，投資とイノベーションに対する長期的なインセンティブと，経済成長と資源ストックの変化に伴いそれらがどう変化するかについて検証せねばならない．規制はインセンティブに影響を与えるので，我々は不適切な介入がない状況と市場の失敗を扱う最適政策がある状況とを区別する必要がある．

### 長期的成長，資本蓄積，外生的技術変化

資本蓄積によって，社会は天然資源の代替財へ投資することが可能になる．個々人は，彼らのせっかちさ（効用割引率）を反映している投資収益率に資本の限界生産力が等しくなる点まで投資を行うことを選ぶ．個々人が我慢強いほど，また蓄積に伴って資本に対する収益が減少する度合いが小さいほど，彼らはより多くの資本蓄積を行う．新古典派モデルにおいて，以下の基本的な結果が明示される．

第一に，枯渇資源に対する資本の代替は，産出の低下を防止できる．しかし技術変化なしには，非常に切迫した状況にならない限り，産出は依然として低下傾向となる．資源に対する人工資本の代替性が低ければ，資本の蓄積は長期的な生産低下

を防止することはできない．もし代替性と資本の生産弾力性とが十分であれば，原理的には外生的技術進歩なしでも一定の生産水準が維持される（Solow 1974；Hartwick 1977）．そうだとしても，割引生涯効用を最大化する個々人は，政府の介入なしには，この一定水準の収入を維持するために十分な資本を蓄積することが最適であるとは思わないだろう[11]．言い換えると，生産を減少させないことは可能だが，これは最適ではないということである．先に見てきたように，資源と資本との間の補完性は，資本に関する収穫逓減とともに，資源利用１単位あたりの資本利用が多い場合には資本に対する収益が減少することを示唆している．投資収益率の減少とともに投資が減少し，究極的には産出が低下する．

第二に，外生的技術変化率一定のもとでは，成長と資本蓄積とは維持可能である．技術変化は資本生産性を増加させ，資本と資源との代替による収益減少を埋め合わせる．技術変化の存在だけでは十分ではない．もし資源と資本との代替性が低ければ，技術変化の本質は省資源でなければならず，資源生産性よりも資本生産性を増加させるものでなければならない[12]．そのような技術変化は，資本収益率の下落を和らげるのに十分なスピードで起こらなければならない．したがって，資本蓄積が急速で，また代替性が低いほど，技術変化は迅速でなければならない．

第三に，環境政策が徹底している場合にのみ，進行中の技術変化は成長を持続させることができる．とりわけ，成長途上の経済においては，環境劣化を防ぐために汚染に対する課税が次第に強化されねばならない．環境資源には上限があるので，環境資源が完全に枯渇しないことを保証するため，汚染にも上限が設定されねばならない．対照的に，成長途上の経済では，全要素生産性の向上に促されて人工資産のストックが連続的に拡大する．汚染源となる投入１単位あたりの人工資本が多いと，汚染源となる投入の生産性は上昇する．企業に汚染の増加をさせないようにするには，企業が汚染に際して高い費用に直面するようにしむけないといけない．

第四に，外生的技術変化による資本蓄積と枯渇があるときには，経済主体の選好が，長期的な経済成長率と枯渇率に影響する．割引率が低ければ資源ストックの枯渇のペースが低下し，長期的な成長が促進される．より速い技術変化も成長を増加させる．

### 新古典派モデルにおける資本と技術変化をいかに解釈するか

新古典派モデルの重要な変数である資本は，機械やハードウェアのように狭義に理解されることがある．しかし，資本をもっと広い意味，すなわち消費の諦めとして解釈することによって，新古典派アプローチの精神をより正当に評することができよう．現在の消費は，新たな資産のために断念される．投資は，機械を物理的に大量に増やすだけでなく，より良くより効率的な機械や組織，恐らくはエネルギー浪費に対する新たな社会的姿勢の醸成に対してさえも行われる．このような資産は，希少な再生不能資源の利用を減らしても，少なくとも同じだけのサービスの生産を行うことを可能にする．つまり資産は狭義の資本だけでなく無形資産と知識をも含み，同様に，消費しないことは投資やイノベーションを行うことを含意する．

このように資本を広義に解釈することにより，資本と石油や原材料のような資源との間の代替に関する新古典派の仮定が明らかになる．資本ストックの拡大は，必ずしも同種の機械をどんどん集めることではない．資本とは単なる原材料ではなくて，原材料の中に凍結された知識である．資本は知識ストックを具体化したものであり，この知識ストックは蓄積の過程において拡大する．大きな資本ストックのもとでは，古い機械が新しいものへと替わることによりエネルギーの採取や原材料利用などの新たな方法が実用化されることになるので，生産に要する原材料と総エネルギー投入は減少することになる．大きな資本ストックは新たな製品を生み出し，新たな要求を満足させ，それに必要となるエネルギーと原材料の消費は少なくて済むだろう．よって概念的には，資本は，一つの物理的なものを生産する能力を提供するというよりはむしろ価値あるものを作り出す能力を提供するものである．そして，この価値あるものの正確な性質と物理的特性は変化しうるのである[13)]．社会は，より多くの将来の価値を生成し資源に取って代わるような資産を形成するために，消費をやめることができる．代替可能性の度合いによって，この脱物質化の可能性の度合いが決定付けられる．

しかし，この資本についての広義の解釈はいくつかの問題を提起することになる．標準的な新古典派の枠組みは，投資を単一の均質的な活動として扱う．投資を，新たな知識の生成と資本財における新たな知識の具体化との共同の過程として明示的にモデル化するわけではない．

すべての投資は依然として，モデルによって完全競争市場としてきちんと定義された市場が存在するような私的財の生産と取引を前提とする活動として扱われる．このことは，設備や大量生産された機械にはあてはまるかもしれないが，知識に対してはあまりあてはまりそうにない．上で議論したように，知識は公共財の特性を持ち，収穫逓増であり，独占市場を作り出す．よって新古典派モデルは市場の失敗の裏に存在するいくつかの重要な原因を捨象してしまう．

新古典派モデルでの資本を広義に解釈すると，消費の諦めは物理的な資本蓄積のみならず内生的技術変化をもたらす．逆説的に言えば，モデルに従えば，内生的技術変化は収穫逓減によって成長が低下することを防ぐことはできない一方，外生的技術変化は完全にその逆であるし，そもそも成長が続くようにモデルの中に組み込まれているのである．もしも技術の外生的な変化が起こらず，諦めた消費から転換された無形資産によって，すべての技術進歩がもたらされるとしたら，資本（ここでは知識資本も含む）に対する収穫逓減は，蓄積のインセンティブ（ここではイノベーションへのインセンティブも含む）を時間とともに低下させることになるだろう．よって，イノベーションを内生化することは，希少性の限界を緩和する上での技術変化の役割を変化させるように思われる．

この逆説を解き明かす方法としては3通り考えることができる．一つ目の方法は，悲観的な見方をすること，すなわち，イノベーションは天の恵みのように自動的に達せられるものではなく，努力と，資源の枯渇とともに必然的に低下してしまうような収益と，汚染減少の必要性とがイノベーションのためには必要なので，希少性は成長に限界を与えてしまう，と単純に結論付けることである．よって，技術進歩を内生化することは，標準的な新古典派アプローチから導かれる主要な結論の一つ，すなわち，収穫逓減という土台を持った価格メカニズムの威力，を根本から崩してしまうことになる．二つ目の解としては，最近の成長理論の進展は，知識のような公共財の特性と合わせて無形財の蓄積を考慮に入れれば，投資に対する収益はもはや逓減ではないということを示唆してきている，ということである．天然資源が得られるとの前提で，無形財の蓄積は確かに成長の持続を引き起こすことになる．しかしながら，たとえ生産において広義の資本に対する収穫が一定であったとしても，生産が再生不能資源の投入を必要とするなら，人口増加や技術変化といった他の外生的な成長要因なしには成長は持続できない（Groth and Schou 2002）．生産が再生可能資源だけを必要とし，さらに社会がこの資源の総ストックを一定に保つような場合だけ，収穫一定のもとで成長が持続できるのである．三つ目の，そして，より魅力的な解法としては，イノベーションを別の活動として区別して扱うことである．すなわち，新たな知識（R&D 技術）の生産関数を，設備や物的資本財の生産関数とは完全に別のものとすることである（Bovenberg and Smulders 1995, 1996；Aghion and Howitt 1998）．そうすると，もし資源投入がR&Dのための投入財として重要でなければ，成長は持続可能となる．以下で考察するのは，このアプローチである．

### 内生的技術変化と内生的成長

内生的技術変化を新古典派モデルに明示的に導入することによって，技術変化へのインセンティブについて検討することができる．技術進歩は，学習や研究開発といった形態での相当の投資努力を必要とする．よって，イノベーションが成長を持続させるのに十分に迅速かどうかは，イノベーションの機会とインセンティブとに依存する．

内生的技術変化に対する標準的なアプローチは，内生的成長の枠組みである[14]．ここでは，第三の資産が生産に関係するものと仮定される．資源や資本のストックだけでなく，知識のストックも資産とされるのである．物的資本ストックと知識ストックを拡大するには，さまざまな異なるタイプの投資が必要とされる．企業が研究開発を行うと，生産に寄与する新たな知識が生成される．知識は，競合性のない生産要素であり，資本と資源の投入の生産性を向上させる．新たな知識の生産，すなわちイノベーションの過程には，いくらかの消費の諦めが必要となる．労働者はその労力を最終財の生産の代わりに研究に費やさなければならない．あるいは，経済全体の最終生産物のうちのいくらかはR&D部門への中間投入財（研究所の設備）として供給されなければならない．さらに，知識もR&Dにおける投入財となる．現在の研究は，過去の研究成果の上につくりあげられるのである．

内生的成長の枠組みにおける主要な仮定は，現在の研究は過去の研究の上につくりあげられるので，生産に寄与する人工資産を蓄積するために消費を諦めることは，もはや収穫逓減には陥らないということである．知識ストックが多いほど研究は容易になり，いかに知識ストックが大きくなっても，新たな知識への投資に対する収益は一定に維持される[15]．R&Dに対して十分に費用を負担しようとする社会においては，資本と資源の代替からの収穫逓減を相殺するのに十分な一定率の技術変化を実現し，長期的な成長を持続できる．イノベーションに対する私的収益が十分に多ければ，経済は，標準的な新古典派モデルの場合のように，ただし外生的な技術変化には依存せずに，上限なしに成長できる．

内生的成長と自然資源に関する大半のモデルでは，市場はイノベーションをほとんど起こさず，成長も起こさず，一般に最適な枯渇ではない．枯渇が非常に遅くなるのか速くなるのかは，所得効果と代替効果に依存する．上記の外生的なイノベーションの変化に関するところで議論したように，不適当なイノベーションは枯渇に対するインセンティブに影響する．所得効果が時点間の代替効果を凌駕するような，実証的に意味あるケースでは，このことは社会的最適値よりも遅いペースでの枯渇をもたらすことになる．最も良い政策は研究開発に補助することであり，これが成長を大きくする．最適な技術政策は，イノベーションのみならず枯渇と成長の両者を早めるものと期待される．個々人は高い消費水準を期待し，消費経路を平滑にするために急速に枯渇を進めることで対応する．

内生的成長の枠組みにおいては，社会は上限なしに成長できると同時に，一定水準の環境の質を維持できる．しかし，成長率と環境の質との間にはトレードオフが存在する．社会は，高い環境の質を維持するためには，低い成長，あるいは産出が一定になることさえ望むかもしれない．一方，将来について殆ど気にしない（高い率で割り引く）ような社会は，現状の高水準で生産を続け，資源を枯渇させ，環境の質を低水準に悪化させる方を最適として望むかもしれない．よって，収穫逓減が存在しないことにより技術的な機会はあまり制約とはならない一方で，社会の選好と行動をとる意思，そして資源政策と技術政策を実施する能力が，希少性にとって極めて重要となる．

## 結論

本章は，内生的技術変化と，それが成長と希少性との緊張関係にどう影響するかについての様々な側面をレビューした．新古典派アプローチにおいては，希少性を緩和する主な手段は代替と技術変化である．資源代替は収穫逓減に陥りがちであるため，それを相殺して成長を持続するための力として技術変化が必要である．

しかし，技術変化はウィン・ウィンの結果を保証するものではない．技術変化が自由だからといって，その変化が省資源や環境改善を導くとは限らない．資源投入の生産性を改善するような技術変化は希少性を緩和し，成長を推進するが，それはまた，資源の需要を増加させ，リバウンド効果により枯渇や汚染の総量を増やしてしまうかもしれない．技術変化の形態は非常に重要であり，例えば，削減技術に関する技術変化こそが汚染を削減する．

技術変化は大部分経済的意思決定の結果であり，技術変化の速度と方向性は資源の希少性に影響される．内生的成長理論の最近の発展は，我々の希少性と成長に関する理解を変化させた．なぜなら，ここでは技術変化が，費用のかかる過程として扱われるからである．その過程は，イノベーションの担い手がその費用と期待利得を天秤にかけ，市場の失敗とスピルオーバーに影響を受けるのである．持続可能な成長に必要な技術向上が費用なしに継続的に達成される，などと想定されることはない．市場の失敗を所与とすれば，市場の反応が十分な速度かつ正しい方向の技術変化を保証する，などということは期待できず，規制の実施が必要となる．まず，政策によって効率的な資源市場を作り出し，市場に基づく手段を課し，それによって価格が自然資源の希少性を正しく反映するようにするべきである．そうすれば，利益を最大化する企業家やイノベーションの担い手は，よりクリーンで省資源の技術を開発するインセンティブを与えられることになる．次に，技術政策も必要である．個々の投資家にイノベーションの収益を保証することは困難だからである．スピルオーバーが起こる際に，イノベーションの担い手に対して，研究助成金やイノベーション報奨金といった方法を用いて補償することで，イノベーションの社会的価値がより的確に反映される．

もし技術変化が市場のシグナルに反応するなら，資源の希少性の高まりに応じた技術変化を政策によって誘発できる．しかし資源の希少性が高まると，希少性を緩和しうる内生的技術変化全体の速度が遅くなるかもしれない．人工資本およびその他の投入財の生産性は，それらと補完的な資源投入が減少すれば，低下する．その結果，資本投資だけでなく新技術への投資に関しても，投資に対する収益は低下する．

技術の内生化によって，希少性に対する標準的な新古典派アプローチにおいて提案されるよりもずっと政策が重要なものになる．まさに正しい政策を見出すのは非常に難しく，政策の誤りは大きな逆効果となる可能性をはらんでいる．政策は枯渇と代替に直接的に影響するだけでなく，イノベーションを縮小したり技術変化を誤った方向にシフトさせたりして，それがまた枯渇と代替とに影響を与えるかもしれない．国による政策の相違もまた，より永続的な効果を有する．すなわち，ある経済がある技術を一旦採用しそれに適応してしまうと，まったく別の技術へと変化することは費用がかかることとなってしまうのである．各国は資源集約的な生産構造に固定化されてしまうかもしれず，それは，資源が急速に枯渇したり環境アメニティの需要が増加したりするような場合には問題となるのである．自然資本よりもむしろ人工資本に基づく成長戦略を選択した各国が，長期的にはうまくいくかもしれない．このようなシナリオは，成長に関する標準的な新古典派の見方，すなわち，技術は公共財で，万人にとって利用可能で，国々の経済成長の差異をなくしてしまうものであるといった見方，とは明らかに異なる．

技術変化は，資源の希少性が存在する場合には特に，成長の持続に不可欠である．過去において技術変化は普及し，有効であった．人類の創造性，柔軟性，そして適応性が，知識のスピルオーバーと相まって，新たな生産方法や機構を提供する限り，これが変わることはないであろうと推測される．しかしながら，経済が繁栄するためには，政策立案者が希少性と市場の失敗とを認識し，自然資源の問題を解決するためにイノベーションのインセンティブを適用し，持続可能な経済に向けてのビジョンを政策に反映することが必要である．

**謝辞**

本稿のもととなった原稿に対して有益なコメントをいただいたケース・ウィタゲンに感謝する．筆者の研究はオランダ科学芸術王立アカデミーの助成を受けた．

## 注

1）標準的な新古典派モデルとそこから派生したモデルについての概説はDasgupta and Heal（1979）およびWithagen（1991）を参照.

2）Berndt and Wood（1975）がエネルギー利用における代替と技術変化の推計の先駆けである．Kemfert（1998）およびKuper and van Soest（2003）が最近の研究成果である．種々の研究における代替弾力性の推計の比較については，Neumayer（2003，64-65）を参照．Jones（2002）は米国の戦後経済におけるエネルギー利用に関する情報を整理している.

3）古典的な参考文献としては，Hall（1988）参照．より最近のもので，資産市場への参加が制限されているような場合を考慮した研究は，Vissing-Jorgensen（2002）が挙げられる.

4）以降では主に環境資源を扱うが，大部分の議論は生物資源にも適用できる.

5）技術が変化しない場合にも同じことが起きるが，汚染源となる投入財に対して補完的な生産要素が蓄積される．以下，生産要素の蓄積について，より詳しく議論する.

6）Krautkraemer（1985）が，新古典派モデルにおいて省資源の動機としてのアメニティ価値を導入した．長期的資源ストックの最適水準は「グリーン黄金律水準」として知られるようになっている．Beltratti et al.（1995）参照のこと．Smulders（2000）は，この分析を内生的成長経済へ拡張した.

7）この研究はGrossmann and Krueger（1995）が創始した．優れた概説としては，Lieb（2003），Ansuategi et al.（1998），De Bruyn（2000）がある.

8）もしも技術変化が，例えば他の投入よりも資源投入の生産性を向上させるなら，技術変化が資源に偏向的であると経済学者は定義する．コストについては，技術変化が生産コストにおける特定の要素のシェアを減少させるとき，その要素に偏向的という．資源偏向的な技術変化は，もし代替が不十分であれば，資源増大型の技術変化を意味する．中立的（偏向のない）技術変化は全ての要素の生産性を同じだけ向上させる．もし要素間の代替弾力性が1であれば，技術変化において偏向は生じない.

9）この仮説はHicks（1932）に遡る．経済成長との関連では，Kennedy（1964）およびSamuelson（1965）によって導入された．このアプローチには明確なミクロ経済学的基礎が不足しているとして，厳しい批判がある（概説としてRuttan（2001）参照）．誘発的イノベーションの新たなモデルの一つは，内生成長理論においてそうであったように，技術変化と知識スピルオーバーのミクロ経済学的基礎の上に組み立てられているものである（Acemoglu 2002，2003）．誘発的技術変化の実証は，ミクロレベルへの移行によって新たな勢いを得た．製品特性アプローチを適用することにより，Newell et al.（1999）は，エネルギーを消費する家庭用耐久消費財の異なる製造時期のレベルにおけるイノベーションと代替について研究し，価格と規制とが代替，イノベーションの速度，イノベーションの方向に及ぼす効果を同定した.

10）Jones and Williams（1998）.

11）一定の所得水準として定義される所得の「持続可能性」を保証するような経済にお

いては，介入によって蓄積のインセンティブが変化するかもしれない．これらの政策は基本的には資源市場への介入ではなくて，貯蓄と投資を促進する政策である．よって，持続可能性政策は資源政策とは異なる．Pezzey（2004）参照.

12）つまり，技術変化は「資源増大型」であり，資源を実質的に，より豊富にする．

13）集計のレベルの違いに注意されたい．個別生産プロセスのレベルでは，エネルギー投入1単位あたりの生産という点において熱力学の法則により制約が掛かる（Cleveland and Ruth 1997）．集計のレベルが高くなるほど，こうした制約の重要性は低下し，マクロ経済のレベルではプロセスと財，あるいはライフスタイルとの間の代替すら可能となる．

14）この方面の重要な業績には，Romer（1990），Grossman and Helpman（1991），Aghion and Howitt（1992，1998）がある．

15）Schou（1999，2000），Aghion and Howitt（1998，第5章），Scholz and Ziemes（1999），Barbier（1999）．

**参考文献**

Acemoglu, D. 2002. Directed Technical Change. *Review of Economic studies* 69：781-810.

————. 2003. Labor- and Capital-Augmenting Technical Change. *Journal of European Economic Association* 1：1-40.

Aghion. P., and P. Howitt. 1992. A Model of Growth through Creative Destruction. *Econometrica* 60：323-351.

————. 1998. *Endogenous Growth Theory*. Cambridge, MA: MIT Press.

Ansuategi, A., E. Barbier, and C. Perrings. 1998. The Environmental Kuznets Curve. In *Economic Modeling of Sustainable Development: Between Theory and Practice,* edited by J.C.J.M. van den Bergh and M.W. Hofkes. Dordrecht: Kluwer Academic Publishers, 139-164.

Barbier, E.B. 1999. Endogenous Growth and Natural Resource Scarcity. *Environmental and Resource Economics* 14：51-74.

Beltratti, A., G. Chichilnisky, and G. Heal. 1995. Sustainable Growth and the Green Golden Rule. In *The Economics of Sustainable Development,* edited by I. Goldin and L.A. Winters. Cambridge: Cambridge University Press.

Berndt, E.R., and D.O. Wood. 1975. Technology, Prices and the Derived Demand for Energy. *Review of Economics and Statistics* 57(3)：259-268.

Bovenberg, A.L., and S. Smulders. 1995. Environmental Quality and Pollution-Augmenting Technological Change in a Two-Sector Endogenous Growth Model. *Journal of Public Economics* 57：369-391.

————. 1996. Transitional Impacts of Environmental Policy in an Endogenous Growth Model. *International Economic Review* 37(4)：861-893.

Cleveland, C.J., and M. Ruth. 1997. When, Where, and by How Much Do Biophysical Limits Constrain the Economic Process? A Survey of Nicholas Georgescu-Roegen's Contribution to Ecological Economics. *Ecological Economics* 22：203-233.

Copeland, B., and S. Taylor. 2003. *International Trade and the Environment: Theory and Evidence.* Princeton: Princeton University Press.

Dasgupta, P., and G.M. Heal. 1974. The Optimal Depletion of Exhaustible Resources. *Review of Economic Studies* 42（Symposium）：3-28.

———. 1979. *Economic Theory and Exhaustible Resources.* Cambridge: Cambridge University Press.

De Bruyn, S.M. 2000. *Economic Growth and the Environment: An Empirical Analysis.* Economy and Environment 18. Dordrecht: Kluwer Academic Publishers.

Easterly, W., and R. Levine. 2003. Tropics, Germs, and Crops: How Endowments Influence Economic Development. *Journal of Monetary Economics* 50：3-39.

Grossman, G.M., and E. Helpman. 1991. *Innovation and Growth in the Global Economy.* Cambridge, MA: MIT Press.〔G.M. グロスマン，E. ヘルプマン『イノベーションと内生的経済成長―グローバル経済における理論分析』（大住圭介訳，創文社，1998年）〕

Grossman, G.M., and A.B. Krueger. 1995 Economic Growth and the Environment. *Quarterly Journal of Economics* 112：353-377.

Groth, C., and P. Schou. 2002. Can Non-Renewable Resources Alleviate the Knife-Edge Character of Endogenous Growth? *Oxford Economic Papers* 54：386-411.

Hall, R.E. 1988. Intertemporal Substitution in Consumption. *Journal of Political Economy* 96：339-357.

Hartwick, J. M. 1977. Intergenerational Equity and the Investing of Rents from Exhaustible Resources. *American Economic Review* 67：972-974.

Hicks, J.R. 1932. *The Theory of Wages.* London: MacMillan.〔J.R. ヒックス『賃金の理論』（内田忠寿訳，東洋経済新報社，1965年）〕

Jaffe, A.B., and K. Palmer. 1997. Environmental Regulation and Innovation: A Panel Data Study. *Review of Economics and Statistics* 79：610-619.

Jones, C.I. 2002. *Introduction to Economic Growth.* 2nd edition. New York: W.W. Norton.〔（初版の邦訳）C.I. ジョーンズ『経済成長理論入門―新古典派から内生的成長理論へ』（香西泰訳，日本経済新聞社，1999年）〕

Jones, C.I., and J.C. Williams. 1998. Measuring the Social Return to R&D. *Quarterly Journal of Economics* 113：1119-1135.

Jorgenson, D.W., and B.M. Fraumendi. 1981. Relative Prices and Technical Change. In *Modeling and Measuring Natural Resource Substitution,* edited by E.R. Berndt and B. Field. Cambridge, MA: MIT Press, 17-47.

Kemfert, C. 1998. Estimated Substitution Elasticities of a Nested CES Production

Function Approach for Germany. *Energy Economics* 20：249-264.

Kennedy, C. 1964. Induced Innovation and the Theory of Distribution. *Economic Journal* 74：541-547.

Krautkraemer, J. 1985. Optimal Growth, Resource Amenities, and the Preservation of Natural Environments. *Review of Economic Studies* 52：153-170.

Kuper, G. H., and D. P. van Soest. 2003. Path-Dependency and Input Substitution: Implications for Energy Policy Modeling. *Energy Economics* 25(4)：397-407.

Lanjouw, J. O., and A. Mody. 1996. Innovation and the International Diffusion of Environmentally Responsive Technology. *Research Policy* 25：549-571.

Lieb, C.M. 2002. The Environmental Kuznets Curve and Satiation: A Simple Static Model. *Environment and Development* 7：429-448.

———. 2003. The Environmental Kuznets Curve: A Survey of the Empirical Literature and of Possible Causes. Discussion paper series, University of Heidelberg, Department of Economics, 391.

Neumayer, E. 2003. *Weak versus Strong Sustainability: Exploring the Limits of Two Opposing Paradigms*. 2nd edition. Cheltenham, UK: Edward Elgar.

Newell, R.G., A.B. Jaffe, and R.N. Stavins. 1999. The Induced Innovation Hypothesis and Energy-Saving Technological Change. *Quarterly Journal of Economics* 114：941-975.

Pezzey, J. C. V. 2004. Sustainability Policy and Environmental Policy. *Scandinavian Journal of Economics* 106(2)：339-359.

Popp, D. 2001. The Effect of New Technology on Energy Consumption. *Resource and Energy Economics* 23(4)：215-239.

———. 2002. Induced Innovation and Energy Prices. *American Economic Review* 92：160-180.

Porter, M.E. 1991. America's Green Strategy. *Scientific American* 264：168.

Romer, P.M. 1990. Endogenous Technological Change. *Journal of Political Economy* 98：S71-S103.

Ruttan, V. W. 2001. *Technology, Growth, and Development: An Induced Innovation Perspective*. New York: Oxford University Press.

Sachs, J.D., and A.M. Warner. 2001. The Curse of Natural Resources. *European Economic Review* 45：827-838.

Samuelson, P. 1965. A Theory of Induced Innovations along Kennedy-Weisacker Lines. *Review of Economics and Statistics* 47：444-464.

Scholz, C.M., and G. Ziemes. 1999. Exhaustible Resources, Monopolistic Competition, and Endogenous Growth. *Environmental and Resource Economics* 13：169-185.

Schou, P. 1999. Endogenous Growth, Nonrenewable Resources, and Environmental Problems. Ph.D. diss., Copenhagen University.

———. 2000. Polluting Nonrenewable Resources and Growth. *Environmental and Resource Economics* 16 : 211-227.

Smulders, S. 1998. Technological Change, Economic Growth, and Sustainability. In *Theory and Implementation of Economic Models for Sustainable Development,* edited by J. van den Bergh and M. Hofkes. Dordrecht: Kluwer Academic Publishers, 39-65.

———. 2000. "Economic Growth and Environmental Quality." In *Principles of Environmental Economics,* edited by H. Folmer and L. Gabel. Cheltenham, UK: Edward Elgar, 602-664.

Solow, R. M. 1974. Intergeneration Equity and Exhaustible Resources. *Review of Economic Studies* 41 (Symposium) : 29-45.

Stiglitz, J.E. 1974. Growth with Exhaustible Resources: Efficient and Optimal Paths. *Review of Economic Studies* 41 (Symposium) : 123-137.

———. 1979. A Neoclassical Analysis of the Economics of Natural Resources. In *Scarcity and Growth Reconsidered,* edited by V.K. Smith. Baltimore: Johns Hopkins University Press for Resources for the Future.

Vissing-Jorgensen, A. 2002. Limited Asset Market Participation and the Elasticity of Intertemporal Substitution. *Journal of Political Economy* 110(4) : 825-853.

Weitzman, M.L. 1997. Sustainability and Technical Progress. *Scandinavian Journal of Economics* 99(1) : 1-13.

———. 1999. Pricing the Limits to Growth from Minerals Depletion. *Quarterly Journal of Economics* 114(2) : 691-706.

Withagen, C. 1991. Topics in Resource Economics. In *Advanced Lectures in Quantitative Economics,* edited by F. Van der Ploeg. London: Academic Press.

Wright, G., and J. Czelusta. 2002. Exorcizing the Resource Curse: Minerals as a Knowledge Industry, Past and Present. Stanford University Economics Department, Working Paper 02.008.

第9章

# 経済成長，環境の質，資源希少性の関係の進化的分析

イェルン・C・J・M・ファンデンベルグ

経済成長の分析では，均衡状態にある外生的・内生的成長の新古典派的な集計モデルが支配的であり，それと同様に環境問題と資源の希少性にも，成長理論が適用される．経済成長の形式的なモデルによって，多くのことをはっきりと洞察できるようになったのは確かだが，こうしたモデルには二つの問題がある．第一に，成長に関係するいくつかの重要な問題が扱われていない．均衡から抜け出す過程，複数の均衡からどの均衡が「選択」されるか，経済の構造変化など，いくつかの要素が現実を記述する際にモデルから抜け落ちてしまっているためである．最後の，経済の構造変化については，経済成長が構造変化なくしてほとんど起こらないことを考えると，とりわけ驚きである．成長理論は，便利ではあるが誤った仮定を多く置いているため，理論から出てくる結果は，よく言っても疑問の余地がある．代表的個人，合理的な行動，完全情報，集計生産関数，均衡成長，可逆的成長などの仮定はすべて，控えめに言ったとしても，議論の余地がある．それだけではなく，こうした仮定の下では，政策のもつ側面のいくつかが分析から消えてしまうのである．

本章では，進化経済学の一部である進化的成長理論がおく代替的な仮定から議論を始める．進化経済学の特徴は，いろいろな言い方をすることができる．イノベーションと選択（淘汰）の相互作用，不均一なエージェントの個体群の変化，経済的分配が経済動学にもたらす影響，適応的ルーチンと模倣という特徴を持つエージェントなどである．本章では，進化的成長理論と希少性との関係に焦点を絞りたい．資源の希少性と環境汚染は，1970年代に成長理論の枠組みの中で分析されたが，標準的な成長理論の領域に留まっていた．1980年代以降，成長と技術変化の進化理論という観点から，成長の研究が行われている．ところが，このような動きは環境資源経済学にほとんど影響を及ぼしていないのである．

進化的成長理論は，不均衡という特徴を持つ企業群をミクロ・レベルで記述するところから始める．不均衡とは，イノベーションと，多様性の選択との相互作用が続いていくという，微分成長である．これによって，資源希少性，環境条件，経済

成長の間の，微妙で現実的な長期的関係を考えることが可能になる．この理論では，経済が成長することは，ほぼ常に，根底にある技術と企業の分布が変化していることを意味すると考える．共進化という概念は，経済は環境に適応し，その逆に環境も経済に適応すると考えるという点で，歴史的な成長の分析にも将来の成長の分析にとっても意味がある．さらに，（共）進化的成長を，進歩と同じものと考えてはいけないということもわかる．それから，進化は，社会的最適と市場均衡との関係が失われることを意味するので，進化経済学で最適な公共政策が議論されることは――資源の利用と環境外部性に話を限定すると――ほとんどないことになる．他方で，進化的理論では個体群の多様性と分布が動学的にどのような示唆を持つかということや，イノベーションの誘因と選択の力（を変化させるため）の政策について考えることができる．

本章では，最初に進化的システムの一般的な特性について議論し，進化経済学の重要な要素をざっとおさらいする．環境資源経済学における進化的分析を検討し，進化的成長理論の導入部を説明した上で，これと新古典派成長理論とを比較する．続いて本章の核心となる部分で，成長と環境の関係を進化的な観点から分析する．さらにその次の節で，成長を進歩として考えることができるかという問題を検討し，いくつか政策提言をする．本章の最後に，結論をいくつか述べる．

## 進化経済学

進化には，遺伝に関するものであれそうでないものであれ，――経済学での議論と同じように――いくつもの補完的な，中核的要素や過程が関係してくる．それらを下に挙げる（生物学と経済学の文献で目にする類似の用語は，かっこの中に示す）．

1．多様性（diversity）（バラエティ（variety），変異）……異なるエージェント，戦略，製品，技術などの個体群．
2．選択……多様性を減らす過程．
3．イノベーション（採用）……新たな多様性を生み出す過程．
4．遺伝（伝播）……再生産やコピー（模倣）を通じた複製．持続性や累積過程の原因となる．
5．限定合理性……適応や選択の結果としての習慣やルーチンに従う，個人や組織の（集団）行動．模倣的で近視眼的な行動．

どんな進化的理論も，必ず一つの個体群から議論を始める．このことで，代表的エージェントの仮定が中心にある伝統的なミクロ経済学とは本質的に異なることがすぐにはっきりする．伝統的ミクロ経済学は，一般に考えられているのとは逆で，実は可能な限り「ミクロ」というわけではない．実際，個人や企業の行動や技術が多様である個体群を記述する進化的理論は，もっとミクロなものなのである．

個体群のアプローチを実際に使うには，三つの異なる方法がある（van den Bergh 2003）．一つ目の方法は，進化ゲーム理論でよく行われるように，集計変数を使うものである．この方法は，多様性は下位（サブ）個体群にのみ存在するか，もしくはそのように単純化して考えることができ，下位（サブ）個体群のそれぞれは均一的であると仮定する．二つ目の方法は，個体群の分布とその中で起こる変化を記述するものである．三つ目の方法は，要素に分解するもので，ミクロなアプローチをもっとも徹底したものである．この方法は，マルチエージェント・システムの形式をとり，それぞれの個体が明示的に記述され，その個体にしかない特徴を割り振られることもある．エージェントは，完全にランダムに相互作用をする環境（「ガス状の集合体」）の中で動いたり，ネットワーク構造や空間的なグリッド（「格子」）を通じて規則性のある相互作用をしたりする．経済学における伝統的な複数エージェント（一般均衡）の複数部門（マクロ経済）モデルは，補完性のある代表的エージェントに基づくモデルであり，マルチエージェント個体群のモデルとは本質的に異なる．

遺伝的なものであれ他のものであれ，どんな進化過程も，基本的なメカニズムはアコーディオンのようなものとしてモデル化できる．進化の原動力となるのは，逆向きに働く力や因果の過程である．一方で，変異（もしくはバラエティ，多様性）の創出または生産があり，これは不均衡をもたらす力と考えられる．他方で，バラエティの選択もしくは減少があり，これは均衡をもたらす指向を持った力と考えられる．これら逆向きの力がもたらす結果が，アコーディオンの動きに似ているのである．この動学は既存の多様性によって決まり，さらにこの動学が多様性を変化させていく．アコーディオンの動きが維持されると，その結果として，変化の不均衡経路沿いに構造と複雑性が出現することになる．これは，進化的計算とモデリングの分野で使われるコンピュータ・シミュレーションで示すのが最もわかりやすく，イノベーションと選択が相互作用する単純なモデルから，驚くほど複雑な構造が生まれる可能性があることがわかる（Bäck 1996）．

進化的な変化が意味するのは，システムが多様性に富んでいるために，以前の状態に戻るとはほとんど考えられないということである．このことは，経済学では経路依存性として知られており，事実上，歴史が導入されるということである．もっと言うと，進化的な考え方に独特で重要な特徴は，理論と歴史を統合できることにある．進化は，科学の中でももっとも強力な概念の一つになっており，広範な現象を総合する力を秘めているのである（Ayres 1994；Dennett 1995）.

進化経済学は，ジョセフ・シュンペーターから受け継がれている面が非常に大きい．彼は，初期の進化経済学者の中で最大の影響力を持っており，成長に関連する問題についても多くを執筆している．彼は標準的な経済学の静的なアプローチに疑問を呈し，主著のすべてにおいて経済，とりわけ資本主義システムの動学にかなりの関心を示した．彼は，社会変化という，より広い文脈で，経済と技術の変化を定性的に考え，革新的な「起業家」の影響に注目した（Schumpeter 1934）．シュンペーターは経済の（資本主義的）変化を「創造的破壊」と表現し，経済の内部から起こる革命的な力が，結果として古い過程を破壊し，新たな過程を生み出すと考えた．これにより，主要な発明に続いて引き起こされるイノベーションのクラスターを通じて，不連続な，または非漸進的な変化が可能になる．こうしたテーマは，彼の景気循環（長期波動）の研究の中で詳細に検討されている．シュンペーターは，最終的な定常状態という一般的な考え方をしていた点で，マルクス，ミル，リカードと共通している．シュンペーターの著作では，この定常状態は，社会主義社会の下で入念に計画された研究の結果としての技術進歩という特徴を持つ．シュンペーターは，マルクスと同じく，資本主義社会から社会主義社会への変化の過程を考察した．彼は非連続性が役割を持つことを認識はしていたが，マルクスの理論で非連続性が持つような決定的な役割は与えなかった．漸進的な移行をもたらすのは，むしろ政治的な反応であると強く思っていたのである[1]．

1950年代以降，経済的進化についての文献が徐々に増えてきた．これは，一部には，進化生物学の成功，新古典派経済学の限界，新古典派経済学が仮定する最適化行動の進化的基礎付けを求める動きなどによって説明することができる．1950年代以来もっとも引用されている著作が，Nelson and Winter（1982）である．彼らのミクロ的進化理論を構成する三つの基本的な土台が，組織のルーチン，探索行動，選択環境である．ルーチンとは，生物の進化における遺伝子と同じ働きをするものと考えることができ，ある程度の持続性と選択による変化を受ける可能性がある．あるルーチンは，技能を身に付けた個人の複雑な集合からなる．彼らの相互作用は重要で，それまでのやりとり（学習，適応）と組織に特有の「言語」によって決まるものである．ルーチンは，企業行動に定常性や連続性を生み出し，組織の政治や，衝突の回避，利害関係，変化の金銭的費用，管理統制となって現れる．ルーチンの変化が起こる経路は二つある．技術開発（R&D）を通じた組織的な探索と，組織のパフォーマンスの問題を解決しようとして起こる，方向性を持たない偶然の変化である．この解決には，従業員の置き換えも含まれる．この理論は，限定合理性を一般的なモデルとして支持するものである．

他にも，本質的には進化に基づくアプローチがいろいろと考案されており，（これまでのところ）ネルソンとウィンターのものほどには大きな影響を及ぼしていないようだが，だからといって必ずしも重要性が低いわけではない．進化経済学が進むべき方向性をめぐって最近提案されている中で最も重要なのがPotts（2000）である．ポッツは，進化経済学の公理としての基礎づけを行っている．彼の見方によれば，経済システムとは，構成要素同士の関係の集合が入れ子構造になった，複雑な「超構造」である．経済の変化と知識の成長は，本質的には，関係の変化の過程である．昔のものよりもより複雑な，新しい技術，製品，企業，部門，空間構造が生まれる．企業や経済の成長とは，より複雑な組織や新たな関係が生まれることや，そのような関係が集団としてくくられることである．ポッツは，関係の変化という考え方に則って，たとえばグラフ理論のような離散数学・組合せ数学に基づいた新しいミクロ経済学の必要性を訴えている．

経済学における進化的アプローチで支配的なのは，目下のところ，技術変化の新シュンペーター理論である（Dosi et al. 1998；Metcalfe 1998）．この理論は，イノベーションによって企業，部門，国の間に技術の非対称性が生まれ，それが交換と交易をもたらすと考える．イノベーションと伝播によって，比較優位は変化する．交易そのものが，知識の伝播を促す．それに加えて，技術変化は，分業，企業内・企業間関係の組織化，ひいては産業構造と中間財の流れに影響を及ぼす．技術的進化に関する新シュンペーター派の文献の中では，経路依存性の概念が多くの注目を集めている（Arthur 1989）．経路依存性は収穫逓増の結果生まれるものであるが，この収穫逓増は，利用による学習効果，需要サイドのバンドワゴン効果（模倣），ネットワークの外部性（たとえば通信），情報の収穫逓増（使えば使うほど，より良くわかってくる），技術の相互関連性や補完性などによると考えられる．収穫逓増，もしくは複数ある潜在的な均衡のうちの一つに至る経路依存性の結果，非効率な均衡が生まれたり，非効率な技術にはまり込んでしまったりする可能性がある[2)]．

進化ゲーム理論も影響力を強めてきている．この理論は「均衡選択理論」としても知られているが，それは非線形の経済均衡モデルに共通して見られる複数ナッシュ均衡の問題を解くためである（Friedman 1998）．進化ゲーム理論は解析的に解くことができ，進化経済学的な現象を表現するのに集計的なアプローチを採用する．通常，二つの別の集団が仮定されるが，これは多様性の中でももっとも小さい多様性である．それぞれの集団は同質の個体からなると考えられており，この意味で，実は進化ゲーム理論は，代表的エージェントのモデルと，徹底した進化モデルとの折衷案といえる．個体間，個体と環境の間の相互作用は，集計的複製方程式を通じて表現されるのが普通である．こうすることで，平均を上回る適応度を持つ個体が，個体群に占める割合を増加させていくという考え方を定式化できる．進化ゲームによって生まれるのが漸近的均衡であるのは，多様性が規則的に生まれる過程は仮定されていないためである．その結果，システム動学は選択に，完全に支配されることになる．言い換えれば，進化の特徴である選択との相互作用は存在しないのである．よって，このアプローチにもっとふさわしい名前をつけるとすれば，「選択ゲーム理論」になるだろう．

## 進化経済学と環境資源経済学との交わり

経済学における進化理論は，環境の観点を無視しているため，不完全である．経済史の重要な側面は，環境や資源の要因を考えることなしには良く理解することはできない．環境資源経済学は均衡理論に支配されており，そこでは各主体が効用や利潤を最大化することが仮定され，市場の需給が均衡し，どんな変化も集計的で力学的なものになっている．これは，環境政策の理論，貨幣価値の計算，資源分析という三つの要素すべてに当てはまる．最近になって採用された「持続可能な発展」の概念は，より明確に長期の視点に合わせる意図があるため，研究者は進化的な見方，とりわけ経済成長と環境保全の対立において構造的・技術的変化が持つ複雑な役割に，注目するようになっている（Mulder and van den Bergh 2001；Gowdy 1999）．Norgaard（1984）は，自然，経済，技術，規範，政策，その他の制度の整備が共に，お互いに作用しつつ進化していくものとして，生物学の共進化の概念を使うことを提案した．Gowdy（1994）は，共進化の概念をマクロ的な進化の要素と組み合わせ，経済の進化とはさまざまな規模での過程であることを指摘したが，これは経済的進化に対するヒエラルキー的なアプローチと整合する見方である．

近年，Munro（1997）は，再生可能資源の採取という標準的な問題に，進化的要素を加えている．資源の採取によって，資源の量だけでなく，質や，遺伝上の構造も影響を受ける．たとえば，農業（単一耕作，殺虫剤や除草剤の使用），漁業（網目の大きさ，漁の季節），生態系の管理（地下水水準の制御，火災の防止），医療（抗生物質の利用）などの例がある．資源利用と生息地破壊の遺伝的，選択的な影響が，生物多様性の喪失につながる．ムンロが動学的最適化問題を定式化する際に基にしているのは，殺虫剤の利用によって，殺虫剤への耐性を持つ虫が，殺虫剤の影響を受けやすい競合相手よりも相対的に適応度を増すという理論である．殺虫剤の最適な利用は，システムの進化的・選択的な動学の影響を受けるのである．これと比較すると，伝統的な最適計画の出す処方箋では，進化が無視されているため，殺虫剤の利用水準は近視眼的に決められあまりにも高くなってしまうのである．

環境経済学は，漁場のような，共有的資源またはコモンプール資源が過剰に利用されてしまうリスクにかなりの関心を寄せてきた．混同されることが多いオープン・アクセス資源と同じように，共有財産においても，レジームのタイプによっては，やはり過剰利用のリスクは深刻である．そこで，基本的な選択肢は，資源をめぐる争いと過剰利用に政府が厳格な政策で対応するか，または利用のレジームが内生的に形成されるのを当てにするか，ということになる．後者のレジームは進化的観点を使って分析されているが，その際の前提は，十分多くの個人がそのレジームを支持する，言い換えれば唯一の規範が進化していくというものである．こうした文献の多くは，外部からルールや監視を押し付けると，協調が弱まって不安定になるか，協調が完全にぶち壊されかねないことを示唆している．それよりも，資源を使う人同士がコミュニケーションを通じて支持する規範を持つほうが望ましい．外部による規制が望ましいのは，効果的な監視と制裁のシステムを実際に運用できるときだけである．しかし，最も基本的で一般的な形式の自己組織化は，おそらくまだ完全には理解されていない．たとえば，それぞれの集団の規模が重要と思われるのだが，規範や制度が生まれる臨界的規模がどう決まるのかは明らかになっていない．何らかのパラメータ（たとえば資源価格）が変わったり，外部の規制者によってルールが実行されたりすると，進化的均衡が不安定になる可能性がある．外部の規制者がルールを実行する場合には，規範が浸食され，究極的には資源が絶滅してしまうかもしれない．制裁が弱くなったり，採取の技術の生産性が増加したり（技術進歩），資源の価格が高くなったりすると，やはり均衡は崩れるかもしれない (Ostrom 1990)．こうした問題は，幅広い方法を用いて研究されており，その中には進化ゲーム理論に基づく分析（Sethi and Somanathan 1996；Noailly et al. 2003)，研究室での実験，実証的なフィールド研究などがある．

上記で挙げた例は，環境資源経済学が進化的な要素を統合してきたことを示すものかもしれない．しかしこれらは例外であり，一般に環境経済学は進化の問題を扱ってきておらず，そして進化経済学も環境問題を扱ってこなかったのである（van den Bergh and Gowdy 2000)．

## 進化的成長理論

経済成長の進化理論の基礎をなすのは，不均一な企業の個体群という概念である．これによって微分成長が生まれるが，これは個々の企業が持ちうる特性全体の頻度に変化が起こることと見ることができる．Nelson and Winter（1982，第4部，9章）が初めて定式化した経済成長の進化モデルは，1957年以来のソローの記述的な成長モデルと対照的なものになっている．このモデルの目的は，集計産出，投入，要素価格のパターンを説明することにあった．ある部門の状態の変化は確率ルールに従って起こるが，この確率ルールは，探索行動，模倣，投資，参入，選択などによって決まる，時間に依存する確率つきのマルコフ過程としてモデル化される．企業は，十分な利潤を上げていれば，探索や他企業の模倣は行わないが，利潤を十分に上げられないと探索や模倣を行う．探索は局所的なもの，つまり現在の生産技術からわずかに改善したり逸脱したりするものである．模倣については，平均的行動か，最善の行動が模倣される．このモデルで生まれた結果は，ソローが使った実際のデータに定性的に似通っていた．この進化的成長理論は，やはりネルソンとウィンターが提案した企業と産業構造の進化理論に基づいており，ルーチン，探索，選択からなるということに注意したい．

新古典派の（外生的・内生的）成長理論の中心的概念は，集計生産関数である．ネルソンとウィンターは，「生産関数に沿って動き，これまで経験したことのない領域に入っていくこと――新古典派による成長の説明における概念上の核心だが――は，理論的概念としては棄却しなければならない」と述べている．もちろん，ケンブリッジ資本論争では，この概念は成長理論の内部で不整合を起こす理論的な組み立てであるという評価が既になされてはいる（その環境経済学に対する含意については，van den Bergh 1999で議論されている）．一つ一つの企業も，すべての企業を集計したものも，集計的で連続な生産関数に沿って動くことはできない．企業は，限られた非連続な数の生産技術についてしか，情報や知識を持っていないからである．この考え方は，新オーストリア学派のアプローチでも認識されており，活動分析モデルで定式化されている（Faber and Proops 1990）．結論としては，新古典派成長理論の標準的で不可欠な要素である集計生産関数は，現実にはっきりとしたつながりがない作り物に過ぎない．もちろん，ミクロ的基礎付けもなされていない（van den Bergh and Gowdy 2003）．そこで進化理論は，集計生産関数に替わるものとして，個々の企業レベルでの生産関係の多様性を提案するのである．

ネルソンとウィンターは，成長会計は生産性成長の約20％しか説明せず――この約20％は，要素投入が変化することで産出が集計生産関数にしたがって変化することから来ている――残りの80％を説明できない残差と見なしていると批判している．この残差は，「技術変化」と言われることが多いが，一部は環境や資源に関する要因のためとされることも時々ある．ネルソンとウィンターのアプローチはこれとは異なり，技術と時間による技術変化のミクロ的・マクロ的側面を統合するものである．こうして出される結果は，企業の意思決定（ルーチン，探索）と整合するだけでなく，セクターごとの要素水準と効率性の特徴に関する集計データや，イノベーションと伝播のパターンのような，経験的に観察されることとも整合的なものになっている．

さらに最近では，他にも定式化された進化的成長モデルが提案されている（Conlisk 1989；Silverberg et al. 1988）．コンリスクは，企業の生産性の確率分布を取り入れている．成長率は解析的に導くことができ，イノベーションの伝播率とイノベーションの規模によって決定する．イノベーションの規模は，生産性の確率分布の標準誤差として表される．シルバーバーグのチームが提案した進化的成長モデルの出発点は，グッドウィンのモデルである．これは，賃金の変化と失業水準の関係，つまり雇用が多いほど賃金の増加率（インフレーション）も高くなるという関係を表したフィリップス曲線を定式化したものを中心に展開するモデルである．大きな企業個体群とその行動を決まったルールに基づいてモデル化すると，産業全体の動学が生まれる．重要な行動ルールの一つとして，利潤の蓄積から新たな資本が生まれるというものがあり，ここで利潤は再分配されて，より利益を上げられるタイプの資本がさらに速く蓄積する．これは，相対的に適応度の高い技術がすばやく広まるという点で，選択にたとえることができ，これと並んで「技術の個体群」が蓄積を通じて成長する．このモデルの進化的側面を完成させるには，選択に加えて，イノベーションのメカニズムが必要である．そこで，企業が労働生産性を向上させるためにR&Dを行うことで，経済に新たな企業や技術が確率的に登場すると考える（ポワソン過程）．この確率的な特徴によって，イノベーションに関わる不確実性を，驚きと無知の形で表現するのである．企業は，他企業が行うR&Dのおこぼれにあずかることができ，このスピルオーバーは経済全体のR&Dと考えられる．企業は，イノベーションのための戦略として，突然変異か模倣のいずれかを採ることができる．模倣の確率は，各企業の利潤率と，その個体群内で最大の利潤率との差によって決まる．これは，Iwai（1984）が開発した，イノベーションと模倣の一般モデルに拠るものである．

多様性に関する実証研究は，国による違いを統計的に分析することに主眼が置かれてきた（Fagerberg 1988）．R&D支出のような入口の測度と，特許取得率のような出口の測度を使うものである．こうした指標と生産性の水準（一人あたり所得）を合わせることで，各国の情報クラスターを特定することができる．R&Dと特許取得は，生産性と弱い相関を持っており，R&Dによって特許取得に成功することが保証されるわけではなく，成長率は同じ期の生産性水準と負の相関を示すことがあった．このうち最後の結果は，模倣によって技術格差が埋まることを示唆している．一般的なシュンペーター的不均衡のアプローチは，反対向きの力の相互作用を重視するが，これはアコーディオンのモデルとも整合的である．国の間の技術格差を増やすイノベーションと，そうした格差を減らす模倣や伝播とが相互作用するのである．

### 進化的成長理論と内生的成長理論

新古典派理論も進化理論も，技術変化を内生化する際，R&Dへの支出額を中心的な変数として使う．新古典派理論によるR&Dの定義は，集計したレベルのものである．進化理論は，企業の個体群から，技術変化だけでなく生産も導出するので，生産を行う企業の内部でR&Dが行われることを明示的にモデル化する．新古典派のモデルは，やはり集計生産関数に依存しており，マクロのレベルでの理論を反映しているのに対し，進化的モデルは，企業の個体群を出発点としているので，ミクロのレベルでの理論を真に反映したものになっている．

進化的モデルは，個体群のアプローチによって，行動や技術の多様性，もしくは不均一性を扱うことができるのに対し，新古典派理論では，同一の代表的エージェントが仮定されている．この仮定は，ミクロのレベルでの生産関数は複製でき，（R&Dによる正の外部性がなければ）集計すると規模に関して収穫一定になるという議論に，暗に現れている．

さらに，進化的モデルは限定合理性を仮定するが，具体的にはルーチンと模倣による学習という形がとられるのが普通である．新古典派モデルは，定義上，個人の合理性（限界における決定というルール）と社会の（異時点間）最適性を仮定する．だからこそ，新古典派の成長理論は均衡成長経路に注目するわけであり，進化的成長理論が不均衡という特徴を持つのとは対照的である．Aghion and Howitt（1992）は，不均一性や破壊的イノベーション，または垂直的イノベーション——シュンペーターの言う創造的破壊——の要素を新古典派タイプのモデルに取り入れているが，合理的なエージェントを仮定している点は変わらない．これをMulder et al.（2001）は，「新古典派シュンペーター的アプローチ」と呼んでいる．

どちらの理論でも不確実性と不可逆性の問題を扱えるが，進化的モデルではより一般的に扱われる．進化理論は，特定のタイプの不可逆性，すなわち経路依存性を組み込んでいる（上記参照）．新古典派成長モデルでは，マクロのレベルで集計されると，経路依存性を扱うことはできない．経路依存性を扱うためには，特性（企業，技術）の分布がある歴史的経路に沿って不可逆的に変わっていくという個体群モデルを使う必要があるためである．確率的な要素は進化的モデルに共通の要素であり，特にイノベーションのタイミングを特定するために導入される．

新古典派の内生的成長理論は，知識と技術が持つ公共財的性質を通じて，技術革新が社会に外部性をもたらす点に注目する．それに対して進化的理論は，複製と伝播の不完全な性質や，イノベーションが伝播する際の障害や遅れに着目する．不完全な模倣そのものが，イノベーションの原因とされるのである．

進化的モデルから生まれるパターンは，Nelson and Winter（1982）とConlisk（1989）で解説されている通り，新古典派モデルで特定の技術変化を仮定したときと似たものになる可能性がある．とはいえ，進化的成長モデルからは他のパターンが生まれることもあり，公共政策の影響を受ける，伝播（模倣）率，企業特殊的なイノベーションの要因，選択圧，ロックインなどの現象をより多く含めることができる．したがって，進化的成長モデルは，より幅広い政策手段について情報を提供できるのである．

こうした知見は，進化は常に成長を意味するわけではなく，逆に成長が進化を意味するとも限らないという一般的な考え方に通じる．前者を理解するためには，企業の多様性が変化するが（貨幣または物量単位で表した）総産出が一定か，もしくは下がっていくような進化過程を考えれば良い．逆に，成長しているが進化はしていないというケースは，ある経済におけるすべての生産的な活動が（仮説として）完全に複製される場合を考えれば説明できる．これは，内生的成長モデルの基礎になる一般的な仮定である．

新古典派成長理論は，構造変化を想定していないため，数十年以上の時間を扱うことができない．Stiglitz（1997）は60年程度の期間を提案しているが，これは長期波動の期間よりずっと短い（60年というのは，だいたいコンドラチェフの景気循環のサイクルである）．これに対して進化的成長理論は，さらに長い時間を扱うことができる．

要約すると，進化的成長モデルの最も重要な特徴は，「微分成長」を分析することで成長の背後にある構造変化を追跡できる点である．しかし，進化的成長モデルが果たすはずだった「約束」は，まだいくつか実現していないと言うべきであろう．進化的成長分析は，アドホックな特定化がされていたり，標準が存在しなかったりという問題をいまだに抱えているのである．

## 進化的成長，環境の質，資源の希少性

成長か環境かという論争や，それに関連する持続可能な発展についての最近の文献では，驚いたことに，進化について考慮されていない（van den Bergh and Hofkes 1998）．持続可能な発展に関する経済学で支配的な文献は，もっぱら決定論的な均衡成長理論で分析をしており，その中で発展は，一次元の資本ストックの蓄積という特徴を持った，非歴史的で可逆的な過程に単純化されてしまっている

(Toman et al. 1995).

新古典派経済学では，定常状態と均衡の議論が支配的である．ジョン・スチュアート・ミルが導入した「定常状態経済」という概念は，後にDaly (1977) が環境と資源の文脈に適用した．ところが進化的理論は，定常状態としての持続可能な発展は非現実的であると考える．選択とイノベーションが，経済の構造を，過程，製品，企業，集団，地域などあらゆるレベルで不可逆的に変えることになる．「弱い持続可能性」かつ「持続可能な成長」は，経済的な資本と「自然資本」との代替を認めることになるが，不確実性，不可逆性，共進化を考慮すれば，政策のガイドとして間違っているかもしれない (Ayres et al. 2001).

前節で議論したように，進化的理論は分析の期間を何十年，何世紀という枠を超えて延ばすことができる．これは，持続可能な発展にとって必要なことといってよいだろう．特に気候変動と生物多様性の喪失の研究にとって，遠い将来まで分析できることの価値は大きい．これらの問題は，自然の進化と文化・経済の進化の両方に多大な影響を及ぼすことになるためである．

驚くことではないが，気候変動の研究は（最適）成長モデルが適用されている数少ない分野のひとつであり (Nordhaus 1994)，激しい批判を呼んでいる（たとえばDemeritt and Rothman 1999；Azar 1998)．不確実性と不可逆性の問題を伝統的な経済成長理論の文脈で扱っているKolstadt (1994) は，ノードハウスのDICEモデル (Dynamic Integrated model of Climate and the Economy: 動学的気候経済統合モデル）に確率的な要素を加えている．温室効果ガスの削減技術に過剰に投資することによる経済的な不可逆性が，温室効果ガスの蓄積，気候変動，生態上の影響など自然の過程の不可逆性よりも大きく懸念されている．重視されているのが非常に単純な集計的経済における経済成長の経済的効率性であり，将来の経済発展によって起こる不確実性については無視されていることを考えれば，このことは理解できる．

この分野では，進化的なモデルの組み立てを追究している研究が２～３ある．Janssen (1998) とJanssen and de Vries (1998) は，地球全体の平均的な大気温度でみた地球の気候が永続的に変化すると，適応的なエージェントがそれに反応して行動戦略を変えると考えることで，気候モデルの組み立てに進化的要素を取り込んでいる．エージェントが取れる戦略として，「階級社会的」（完全な統制），「個人的」（適応的な管理），「平等主義的」（予防的管理）のそれぞれがある．これらの戦略がエージェント（民主主義社会における投票者）の個体群内でどう分布するかは，選択過程に従って変化する．この選択過程は，あるエージェントの適応度に基づいた複製（レプリケーター）方程式としてモデル化されており，この方程式は気温変化の期待値と実際の気温変化との差の関数になる．言い換えれば，永続的な変化が期待と整合しないとき，そのエージェントの戦略は適応するのである．したがってこのアプローチは，気候問題に対する理解が完全で正しいわけではない状態を扱おうとする試みである．

Faber and Proops（1990）は，時間の役割に注目するため，進化的な要素を持った新オーストリア学派的なアプローチを提案している．そこでは，経済部門構造の変化の不可逆性，不確実性と新規性，そして目的論的な細かい生産活動を続けていく状態（これを「回りくどさ」という）が考慮されている．環境，技術，発展の長期的な関係の特徴として，次の三つの原則がある．

・再生不能な自然資源の利用は，時間軸上は不可逆であるため，これに基づく技術は最終的に使えなくなる．
・発明や，それに続いて起こるイノベーションは，現在使われている資源をより効率的に使うことにも，これまで使われたことのない資源による代替にも結びつく．
・イノベーションが起こるには，いくつかの特徴を持ったある種の資本財ストックが蓄積される必要がある．

フェイバーとプループスが構築している複数部門モデルでは，生産サイドを活動分析によって定式化することで，発明とイノベーションが，単純な生産活動から複雑なものへの移行に与える影響を分析できる．複雑な活動では，複数の技術が使われるとされる．たとえば食料の生産は，労働を使う農業から始まり，労働と資本を使った農業を経て，多くの中間財を使う大規模な食品加工産業へと進化してきた．上記で示した，資源の希少性が技術に与える影響を考えれば，この過程をさらに拡張できる．こうして，工業化前の農業社会から化石燃料と資本を使う工業化社会まで，経済と環境の歴史をシミュレートすることができる．技術の効率性の連続的変化と，部門の数や部門間の相互依存性の不連続なジャンプとを，組み合わせて考えることができるのである．

成長という文脈で重要な問題は，技術的イノベーションが規模に関する収穫逓減の影響を受けるのかどうかということである．潜在的なイノベーションの集合が限られており，技術変化がその中から取り出されて起こるのであれば，収穫は逓減してしまうかもしれない．しかし，Potts（2000）の見方によればこれは疑わしい．彼によれば進化とは，システムの中で関係が追加され，システムがより高い水準へ移ることである．よって，イノベーションに希少性は存在しないと考えられる．それどころか，学習，活動規模の拡大，新市場の開拓，新たな応用の仕方の追求など様々な戦略が，収穫逓減とは逆向きの力を持つ可能性がある．それに加えて，市場メカニズムと利潤の追求が，収穫逓減の問題を解決する助けになる．追加的に起こるイノベーションの限界収益が急速に低下し始めれば，企業は新たなR&Dに移行するか（Nelson and Winter 1982，258），選択により脱落するか（退出），または乗っ取られることになるだろう．

中には，物質とエネルギーの利用効率を4倍から10倍高めるための技術的知識をわれわれは既に持っていると主張する者もいる．そうはいっても，より大きなシステム変化が必要であるように思われるし，そうした変化を単なる設計の問題という枠にはめることはできない．Ehrlich et al.（1999）は，知識と技術の増大が環境問題をほとんど自動的に解決するという成長楽観主義的な考え方について，検討を行っている．Horgan（1996）とMaddox（1998）は，「知識爆発」について対立する見解を述べており，ホーガンは科学において重要な発見が起こる率は下がっていると主張している．これに対しマドックスは楽観的な見方をとり，かつてないほど多くの人が基礎研究や応用研究を行い，学術誌とインターネットを通じてイノベーションを伝播させることで，研究に新たな組み合わせや関係を生み出していると述べている．しかしエーリック達は，その大半が非情報（ディスインフォメーション）——不正確もしくは表面的な情報——であり，生物や文化の多様性という形での情報は失われている，と主張している．

### 共進化の視点から見た経済と環境の歴史

進化経済学によって，理論を歴史に結び付けて考えることができると前述した．この節では，成長と環境という文脈で，そのような結びつきを考えよう．

長期的な歴史変化と環境悪化の簡単なモデルによって，狩猟採集から農業，そして工業社会へといった，社会経済の重要な移り変わりを表すことができるかもしれない．これが断続平衡の進化理論と整合するという主張もある（Somit and Peterson 1989；Gowdy 1994）．但し，これはまだちょっとしたアナロジーの域を出てはいない．

さらに，共進化という概念があるが，これは生態学と進化生物学の要素の統合を反映したものである．共進化の概念は，当初は種の相互作用のレベルで使われているに過ぎなかったが，生物と文化，生態系と経済，生産と消費，技術と選好，人間の遺伝子と文化など，さまざまな相互作用のモデル化に援用されるようになってきた（Norgarrd 1984；Durham 1991；Gowdy 1994；van den Bergh and Stagl 2003）．Durham（1991）は，遺伝子と文化の相互作用という文脈で，進化について次のように興味深い類型化を行っている．

・遺伝子による仲介……遺伝子の変化が文化の進化に影響を与える．

・文化による仲介……文化の変化が遺伝子の進化に影響を与える．

・強化……文化の変化が自然の進化を強める．
・対抗……文化の変化が自然の進化と逆向きに働く．
・中立性……文化の変化が生物の進化や選択から独立である．

Wilson（1998, 128）によれば，「遺伝子と文化とのつながりは決して壊れないものの，文化の進化のペースが速いほど，このつながりは緩くなる．」とは言っても，文化の変化が遺伝から独立であることを証明するのは難しい．文化の持つ側面が個体数の水準に及ぼす間接的な影響は，実証的に簡単には追跡できないからである．

上記の分類は，進化する経済と生態システムの相互作用など，他のタイプの共進化にも拡張できるかもしれない．しかし，共進化は，個体数と多様性の側面を含めずに緩い意味で使われることが多い．

Georgescu-Roegen（1971）は，人類と人類を取り巻く自然環境との関係を大きく変えた「〔火を天から盗んで人類に与えた〕プロメテウスから授かったような」イノベーションとして，火，農業，蒸気機関の三つを挙げている．火の発明によって毎日が長くなり，人々が夜にコミュニケーションを行うようになり，社会・文化的な進化に貢献したといわれている．このような過程は，定住性の農業（「新石器革命」）が分業と特化をもたらした，最後の氷期（約13,000年前）後に加速した．他の重要な発明，言い換えれば「マクロ的変異」(Mokyr 1990）として，風車，機械時計，印刷機，鉄の鋳造，内燃機関，飛行機，農業の緑の革命などがある．

環境の要因は，人類の社会・文化史の決定的な変化に影響を与えた可能性がある．ここで環境要因とは，地域や地球全体の気候，土壌条件の多様性，燃料の希少性(特に薪)，そしてたんぱく質，炭水化物，脂肪，ビタミンが豊富な土着の動植物などである．Diamond（1997）は，気候変動と動植物種の利用可能性が，先史時代に家畜や栽培，ひいては農業や定住生活をもたらしたとする理論を支持する文献をまとめ上げている．彼が強調しているのは，主軸が東西方向に伸びる大陸に限って，農業という実験が極めて多様になったということだ．そのような大陸では，気候が似通っている地域間で農業技術の伝播が可能になったためである．これは，初期にユーラシアが「経済的に成功した」重要な要因である．ダイアモンドの理論は，初期の経済発展を環境資源と地理的要因に明示的に関連付けている．

Wilkinson（1973）は，経済発展の生態学的な理論を展開し，産業革命を自然資源の要因に結び付けている．彼は，資源の希少性に対応するための人間の戦略は，新技術の利用，新たな資源の探索，製品のイノベーション，人口移動など，数多くあることを指摘している．ウィルキンソンは，18世紀末の産業革命の起源に環境の視点を重ね合わせている．まず，農業と，鉄の製錬に薪を使ったことが，イングランドの森林面積の減少をもたらした．木材不足を反映して木材価格が上昇したのを契機に，初期の石炭利用が進んだ．石炭の採掘は，当初は表土近くの露頭を対象に行われたが，やがて地下深くからの採掘に移っていった．このためには地下水を排水する必要があったので，蒸気機関が初めて本格的に利用されることになった．蒸気機関は，大規模に利用されるようになると精度が向上し，それが今度は意図していなかった用途にも利用されるようになり，中でも繊維産業と交通（船，蒸気機関車）での利用が目覚しかった．

Galor and Moav（2002）は，「人間の存在のほとんどを形作ってきた，生存のための闘争という特徴によって，人間に進化的な長所が生まれ，それが経済成長の過程と補完しあって，停滞の時代から持続的な成長へ離陸するきっかけとなった」と述べている．この見方は，先述したデューラムによる共進化の「強化の段階」にうまく合う．しかし，物理的特徴の遺伝的進化がたった一つか少数の遺伝子（ラクトースとグルテンの耐性，鎌形赤血球体質）の変化で決まるのとは違って，人間の遺伝的進化と経済成長との相互作用の根拠は，進化生物学や文化的進化理論にはほとんど見つからないだろうと初めは思う人もいるかもしれない．人間の行動の進化には，非常に多くの遺伝子が関わっているため，進化の時間規模と経済成長のそれには，ずれがある．特に，ガローアとモアフの見方は，経済成長が，ホモ・サピエンスが進化して（今から数十万年以上前）からかなり経ってから起こった現象であり，農業の登場（今から約１万３千年前）からも相当の時間が経っていたという事実を見過ごしているように思われる．目覚ましい経済成長が始まったのは，中世末期になってからであり，安定成長については約300年前の産業革命になってやっと始まったに過ぎないのである．

それにもかかわらず，選択の効果によって（それからおそらく再結合の効果によっても），育児の特性の分布，特に子どもの数と育児の質のトレード・オフなどが変わった可能性がある．現代の経済成長論の用語を使えば，育児の質の向上は，人的資本への一種の投資だったということができる．とりわけ，農業が勃興してからより小さな家族が登場したことが，重要な役割を果たしたのかもしれない．それまでは，一つもしくは複数の拡大家族を中心にした，もっと大規模の集団が人類の進化を支配していた．ガローアとモアフは，より小さな家族を中心にした組織化によって，教育をはじめとして，親が子どもの質に投資をする傾向が高まったと主張している．このことが，コミュニケーションを行う人口の増大とあいまって，技術のイノベーションをもたらし，さらに産業革命を促した．別の言い方をすると，ガローアとモアフは産業革命の「内生的進化理論」を提唱したわけである．それ以前の「マルサス的時代」には，大半の人々が生存可能な消費水準ぎりぎりで生活してい

表9-1　長期波動の環境・資源的側面

| 段階 | 鍵となる資源 | 主要な環境影響 |
|---|---|---|
| 狩猟採集 | 野生の動植物 | 森林の火事 |
| 農業の黎明期 | 太陽エネルギー | 土壌浸食 |
| 中世後期 | 風、水 | 地域の乾燥化と水質汚濁 |
| 産業革命初期 | 石炭 | 都市の汚染 |
| 蒸気発電と鉄道の時代 | 石炭 | 工場による水と大気の汚染、大規模なインフラ |
| 大量生産の時代 | 石油、化学合成物質、重金属、肥料 | 工場と自動車関連（騒音、排気ガスによる汚染、道路インフラ）、有毒物質、酸性雨 |
| 20世紀後半 | 石油、ガス、重金属、熱帯雨林木材 | 生物多様性の喪失、地球温暖化 |
| 将来 | 遺伝資源、水？ | 遺伝子の汚染、気候変動、大規模な絶滅？ |

たため，選択（淘汰）圧が働いていたのである．

二人の著者は，親による育児が変化したことが，遺伝上の進化ではなく文化的な進化であったという可能性を排除し切れていない．この理論は，実証研究で確かめる必要があり，作業として不可能とまではいわないが，難しいだろう．しかし，これは大した問題ではないかもしれない．というのは，この理論は文化的選択にも遺伝的選択にもほとんど同じように当てはまるものであり，両方を含めて定式化できるかもしれないからである．それともう一点，産業革命以来，進化をもたらす誘因は，生存可能水準などはるかに上回る所得や消費だけでなく，制度化された教育システムや義務を通じても変化してきた．そのため最近では，少なくとも経済発展した地域については，新たな進化のレジームを適用して考えるべきだろう．

マクロ的な歴史の見方を完全にするには，成長のトレンドに加えて，景気循環や長期波動を考える必要がある．長期波動が起こるのは，科学の根本的な進歩によって，方法論に大きな変化が起こるためである．産業革命以降の波動を大雑把に分類すると，表9-1のようになる．長期波動に伴って，多くの変化が起こっている．企業の平均規模が大きくなり，研究開発（R&D）とイノベーションの過程が企業のレベルから国際的なレベルに進展し，企業の相互作用や産業構造が変化し，鍵となる新たな資源やそれに関連した生産部門が登場した．その上，それぞれの期間に独特の環境影響が存在している．

## 進化的成長という文脈における進歩と政策

進化と進歩が同じ意味なのかという問いに，簡単な答えはない．それは一つには，進化的な進歩に，以下のように多くの異なる定義の仕方があるからである（Gowdy 1994；Gould 1988；Maynard Smith and Szathmáry 1995）．

・多様性の増大……多様性は，環境の変化に直面したときの潜在的，適応的能力を持つと考えられることが多い．

・複雑性の増大……これは，構成要素の数，要素間の関係の数，そのような関係の入れ子構造での段階に関していえる（Potts 2000）．

・情報を伝達する新たな手段……人間のコミュニケーションは，話し言葉から書き言葉を通じて，インターネットへと，数え切れない局面を通過してきた．これは，コミュニケーションをとる人口が増えてきたことに伴って起こっている．

・さらなる分業の拡大……複雑性が増大するということの一つの側面は，社会や経済だけでなく自然の進化においても分業が拡大する点である．

・個体群の成長……進化の視点から言うと，競合種に対して支配的になれば，つまり生態系において支配的であり，すぐ周囲の環境を制御できていれば，その種は繁栄しているといえる．このとき，個体群の規模も成長していることが多い．

・エネルギー回収や転換における効率性の増大……経済システムでも生物システムでも，エネルギーの過程が進化に関係している可能性がある（Buenstorf 2000）．生態と進化の視点からは，エネルギー効率の増大は，希少性と選択圧が弱まることを意味する．それによって（個体群）成長の機会が生まれる．Schneider and Kay（1994）は，開放系の自然システムや経済システムは，エネルギーの劣化と拡散を減らすためにさらに複雑な構造に進化する傾向があると述べている．このため，エネルギーはますます回収され，エネルギーと物質の循環利用は増え，構造はさらに複雑になり，エネルギーの蓄え（バイオマス）は増え，多様性は増大することになる．

Maynard Smith and Szathmáry（1995）は，進化の歴史は，線形な進化ではなく，枝分かれした木のようなものと考えた方がうまく表せるのではないかと述べている．実際，進化が進歩に結びついてないことを示す理由は多くある．たとえば（Campbell 1996，433に加筆すると），

・選択は，局所的な探索の過程であり，大域的な最適〔全体を通した最適〕ではなく局所最適をもたらす．

・生物は，歴史的な制約条件にはめ込まれている．このことを経済学では，経路依

存性やロックインと呼んでいる（Arthur 1989）．
・適応とは，いくつもの選択圧に促されてなされる妥協であることが多い．
・すべての進化が適応的であるわけではない．ランダムさ，（分子の）浮動，最初のものの偶然性による影響などがすべて重要な役割を持っている．それに加えて，マクロ的な進化は，適応に境界条件を課し，進化の帰結を破壊し，ある意味で時間を元に戻す（「初期化する」）可能性がある．
・共進化とは，適応的な環境に適応するということである．静学的，動学的な最適化の単純な概念はすべて意味をなさなくなる．適応という文脈でたとえると，状況は適応的エージェントの下で変化するのである．

Sen（1993）は，種の発展としての進化が，個々の生物体の厚生や生活の質が向上することを意味するわけではないと指摘している．適応度は人類の進歩にとって便利な基準ではないし，適応度が上がったからといって，より幸せになったり生活がより楽しくなったりするわけでもない．それどころか，多様性が連続的に変化するという意味での進化によって，不平等がくり返し拡大するかもしれない．分配の変化や不平等は，進化に内在する本質なのである．適応度をもとに選択が繰り返されると，個体群や種が自らの適応度を上げるよう常に促されることになる．そうしないと他者に凌駕されてしまうからである（「赤の女王仮説」として知られる．Stickberger 1996，511）．厚生のうち基礎的ニーズを超える部分については，かなりの程度相対的なものであり，準拠集団内の個人の所得やその他の質によって決まる．こうした個人間の質の分配を根本的に変えないことには，経済成長は必ずしも進歩と同義ではないのである．

**政策に関する問題**

限定合理性，不均衡，経路依存性といった進化的な特徴は，基本的に新古典派経済学の規範的な部分がもはや成立しないことを意味する．中でも，厚生経済学の第一，第二基本定理として定式化されていた，市場均衡と社会的厚生の最適（パレート効率性）とは対応しなくなる．経済の現実について理想的な青写真を描き，それを計画や市場のアプローチを通して実行するのは不可能である．均衡理論それ自体が，計画と市場のどちらにとっても好ましくないものになってしまうからである．限定合理性や，個人の行動の代替モデルから導き出される様々な政策は，環境政策の標準的な経済理論とは違うものになる（van den Bergh et al. 2000）．

成長の進化的分析の文脈で重要になる問題として，次のようなものがある．レジームの移行はどのようにして起こり，どうやったらレジームを移行させられるだろうか．非効率な技術や望ましくない技術にロックインされないためにはどうしたらよいだろうか．また，一旦はまってしまったら，どうしたら抜け出せるだろうか．望ましくない政策を「価格の是正」などによって変えることはできない．望ましい政策にするためには，いくつかの戦略を組み合わせることが必要であり，その中には次のようなものがある．

・政策の不確実性を減らす．
・明確な全体目標を設定する．
・選択圧を是正する．
・〔政策によって〕ある程度保護するニッチ領域を作り出す．
・経路技術を促す．
・R&Dの分散化を促す．
・補完的な技術を促す．
・柔軟な設計と多様なオプションを持つ技術を奨励する．
・利害関係者とコミュニケーションをとり，学習と選択のための幅広い基礎を築く．

カリフォルニア州のゼロ・エミッション・マンデートのように，一般的な目標や政策を設定すると，伝統的な環境政策よりもずっと強力な誘因をもたらすことになる．イノベーションを起こす者が高い不確実性に直面していることを考えると，政策策定では明確な長期目標と状況を，地球全体のレベルのものも含めて作り出すべきである．

進化的な考え方が示すのは，変わり行く環境に直面して適応する潜在能力を確保するためには，すべてのレベル———企業，技術，知識，R&Dの努力，科学の「学派」———での多様性を養うべき，ということである．ここでフィッシャーの〔自然選択の基本〕定理を紹介しよう．「適応度による選択の対象になる可能性のある遺伝的多様性が大きいほど，適応度の向上の期待値も大きくなる」（Strickberger 1996，510）〔Fisher, R. A., *The Genetical Theory Of Natural Selection*〕．これはつまり，多様性が増加する，すなわち多様性自体が選択されていくということでもある．利用可能な一つの最善技術に特化してしまうのは危険である．その技術が持つ潜在的影響についての知識は常に不完全であるし，他に好ましい技術があったとしても見過ごされてしまうかもしれないからである．

進化的な考え方が示唆する政策は，伝統的な政策の示唆と対立するというよりは，重なり合い，補完することが多い．たとえば，「動学的効率性」を意図した，価格に基づく政策手段だけでは不十分である．もちろん，価格が正や負の外部性を反映していないのであれば，行われるR&Dは余りにも少なくなってしまうだろう．そうはいっても，R&Dを引き出すためには，価格政策などよりずっと多くのことが必要である．発明の報酬はきちんと回収される必要があるが，一方で発明は伝播するのが望ましいので，発明に対する特許が認められるのである．また，社会や環境に与える影響が不確実な技術に最初からロックインしてしまうのを避けるためには，上に挙げたような措置に加えて，公正な競争を促す政策も必要である．新古典派理論でも進化理論でも，市場の構造が大きく注目されており，どちらの理論も，一部のタイプのイノベーションに必要とされるような規模でR&Dを行い続けるためには，市場支配力を持った大企業が不可欠であることを認めている．報酬を十分に回収できること（市場支配力）とR&Dの多様性（競争）の両方の必要性を考えると，（供給サイドにおける）寡占市場が望ましいということになる[3)]．今日多くの国で取り組まれているエネルギー市場の自由化は，上の見方とは一致しないし，それどころか再生可能エネルギー技術のイノベーションを停滞させてしまう可能性もある．

ある一定の規模を超えると，政府は大学を通じてR&Dの支配権を握らなければならない．これによって，R&Dと利潤との関係があまりにも間接的で不確実になる．大学での基礎研究によって，経路技術（マクロ的な変異，長期波動）のような重要な技術変化の基礎が作られ，収穫逓減の回避に役立つことがある．環境の視点から見たときに重要なイノベーションには，再生可能エネルギー（太陽エネルギーと風力エネルギー）に基づいた分散型のエネルギー生産，精密な生物学的農業と遺伝子技術，低圧・低温の化学触媒，ナノ技術（脱物質化，廃棄物と排出物の削減），電池を使った電気自動車などが含まれる．社会的，組織的なイノベーション，たとえばカープールや自動車と公共交通機関を組み合わせたシステムなどには，政府の支援が必要かもしれない[4)]．経路技術は，もっと注目されてしかるべきである．たとえば，エネルギー貯蔵技術によって，再生可能エネルギーの利用，電力のピーク需要への対処，ゼロ・エミッション自動車の技術が発達する．

## 結論

進化的成長理論は，既存の成長理論に新しい要素を組み合わせるだけで展開できるものではなく，全く別の仮定が必要になる．外生的・内生的新古典派成長理論は，明示的なミクロの関係を欠いた，極めてマクロな理論である．集計に問題があるということは，ミクロのレベルからマクロのレベルに写す唯一の関数など存在しないということである．これは，集計生産関数と集計的なイノベーションの蓄積の指標を特定して分析すればわかることである．一方で，進化的な視点は，ルーチン，探索，選択に応じて活動する企業の集団をミクロのレベルで記述するところから始める．この結果として生まれるのは，不均衡，つまりイノベーションと多様性の選択の相互作用が連続する微分成長である．それにより，資源の希少性と環境条件と経済成長の関係は，新古典派成長理論の記述よりも入り組んだ，より長期的なものになる．これは次のようなことを意味する．

・成長は，背景の構造変化に基づいているのがほとんど常である．この構造変化とは，技術と企業の分布の変化というレベルのものである．経済と環境の長期的な関係は，このような構造変化を明示的に説明できるものでなければならない．このような構造変化がもたらす新たなパターンや相互作用によって，持続可能な成長を妨げる差し迫った環境・資源問題に，解決の糸口を提供してくれる可能性があるからである．

・エネルギー資源や物質資源の希少性と不十分な環境規制は，企業と技術の特性の分布に直接影響を及ぼし，集計したレベルでの経済活動に間接的に影響する．進化理論における経済エージェントは限定合理性という特徴を持つので，資源や環境に関する機会や，希少資源を代替する機会の活用が非効率になってしまう．環境規制は，最適な社会厚生に結びつかないであろう．技術的・組織的なロックインによって，非効率な技術や時代遅れの技術から新技術に移行できなくなってしまう．何よりも，成長に対する環境と資源の限界についての進化的な見方は，新古典派的な成長と環境を合体させた分析に基づく視点よりも，ずっと悲観的なものである．

・技術変化が，潜在的イノベーションの有限集合の中から取り出されるのならば，技術変化は収穫逓減の影響を受けることになる．一方で，進化を「関係の追加」や，もっと複雑な技術や組織として見れば，イノベーションに対する明白な限界は存在しない．しかし，システムがより複雑になると，不安定性が増し，管理がより難しくなるかもしれない．それだけでなく，人には寿命という制約があるので，発明家や技術者のさらなる育成が必要になるかもしれない．有益なイノベーションはますます希少になり，イノベーションの速度は落ちるかもしれない．

・農業の始まりや産業革命など，歴史的移行の主要なものは，環境と資源の条件に影響を受けてきた．共進化は，歴史的な成長分析と将来の成長分析の両方にとって大きな意味を持つ．経済も環境も，イノベーションと選択を通じて変化するさまざまな要素からなる．それだけでなく，経済と環境は相互作用する．経済は環境に適応するし，逆に環境も経済に適応するのである．

・進化的成長モデルによって，公共政策の影響を受けるが新古典派成長モデルの分析対象外だった現象を説明できる．例えば，伝播（模倣）率，企業特殊的なイノベーション要因，選択圧，ロックインが挙げられる．結果として，このような進化的モデルは，新古典派の（外生的，内生的）成長理論の枠の中での伝統的な説明よりも，より多様な政策の根拠になりうる．

・進化的な成長と進歩とは，同じものではない．共進化，局所的な適応，経路依存性やその他もろもろのことによって，最善の場合でも，進化は局所的最適にとらわれているということがわかる．さらに，進歩は，経済の（一人あたり）絶対的規模や平均的規模だけでなく，どうしても生じてしまう所得分配の変化にも依存する．そのため，単なる所得の成長は，あまりに大雑把な指標であり，進化する経済における多様な構造変化を捉えることはできない．

・技術の個体数分布に変化がおきると，経路依存性という歴史的プロセスが生まれ，それによって今度は望ましくない技術にロックインされるという問題が生じる可能性がある．経路依存性とロックインには，環境政策の経済理論が提案するようなものとは違う対応をする必要がある．外部性の課税（価格規制）に基づく分権化政策だけでは，一般にはシステムをロックインから解き放つには不十分であるが，まれに，限界外部費用が余りにも高いために規制価格が禁止的に高いという例外がある．均衡の経済学でよく行われる比較静学分析は，政策を形作るのには不十分な情報しか提供しない．望ましいとされる均衡状態が，現在の状態からは達成できないかもしれないためである．

・進化経済学では，社会的最適と市場均衡はつながっていないので，最適な社会厚生に基づく政策が果たす役割の重要性は，新古典派経済学に比べて低くなる．その一方で，進化の理論は個体群の多様性に着目しているため，新古典派経済学よりも分配の問題をうまく扱うことができる．

本章では，進化経済学的な考え方を一通り紹介した．事細かな解説というわけにはいかなかったが，成長，環境，資源の希少性の関係に対して，新鮮な視点を提供してくれるはずである．さらなる理論化，モデルの組み立て，実証研究が必要である．

**謝辞**

有益なコメントを寄せてくれたジョエル・ノアイリーに感謝したい．

**注**

１）私的活動と公的活動，市場と所得再分配のための社会制度，労働市場，労働組合，法律が混在する社会福祉国家が欧米に多いことを考えると，シュンペーターはマルクスよりも真実に近かったように思われる．もちろんこのような状態は，もっと広い世界で考えると，あるいはいくつかの途上国については，当てはまらない．そうしたところでは，より純粋な形で資本主義が存在しており，所得と権力の分布が極めてゆがんでいるという特徴がある．

2）進化的な考え方そのものを援用して，経済学において進化的な考え方がゆっくりとしか広まらないことを説明することができるだろう．さらに，新古典派経済学は，科学の概念のレベルにおけるロックインの一つの例といえる．実際，クーン（Thomas Samuel Kuhn）的なパラダイムの考え方は，ロックインの概念と通ずる．

3）しかし一方で，Nelson and Winter（1982，390）は，寡占市場では，独占と競争それぞれの最悪の特徴同士が合わさってしまうこともありえると指摘している．多くのR&Dが守りの姿勢に入る，つまり競合企業の模倣ばかりになりがちだというのである．

4）加えて，政府は，たとえばモーターのサイズやスピードや馬力に技術的な制限を設けることで，車の生産者にとっての選択環境を変えることができる．これは，技術的なイノベーションを促し，より低速で軽量の車を生み出すかもしれない．これにはいくつかの利点がある．生産過程で使われる物質とエネルギーの量を削減できるだけでなく，衝突事故で発生するエネルギーも減るだろう．さらにそれによって，車を開発する際の議論が，乗る人や各車両の安全から，すべての車の相互作用を考慮したシステムの安全に移っていくかもしれない．

## 参考文献

Aghion, P., and P. Howitt. 1992. A Model of Growth through Creative Destruction. *Econometrica* 60：323-351.

Arthur, B. 1989. Competing Technologies, Increasing Returns, and Lock-in by Historical Events. *Economic Journal* 99：116-131.

Ayres, R.U. 1994. *Information, Entropy and Progress: Economics and Evolutionary Change*. New York: American Institute of Physics.

Ayres, R.U., J.C.J.M. van den Bergh, and J.M. Gowdy. 2001. Strong versus Weak Sustainability: Economics, Natural Sciences and "Consillience." *Environmental Ethics* 23(1)：155-168.

Azar, C. 1998. Are Optimal $CO_2$ Emissions Really Optimal? *Environmental and Resource Economics* 11：301-315.

Bäck, Th. 1996. *Evolutionary Algorithms in Theory and Practice: Evolution Strategies, Evolutionary Programming, Genetic Algorithms*. Oxford: Oxford University Press.

Buenstorf, G. 2000. Self-Organization and Sustainability: Energetics of Evolution and Implications for Ecological Economics. *Ecological Economics* 33：119-134.

Campbell, N.A. 1996. *Biology*. 4th edition. Menlo Park, CA: The Benjamin/Cummings Publishing Company. 〔Neil A. Campbell, Jane B. Reece『キャンベル生物学』（原著

第7版，池内昌彦・伊藤元己・木村武二・久保田康裕・小林興・中島春紫・野間口隆・箸本春樹・吉野正巳訳，丸善，2007年)〕

Conlisk, J. 1989. An Aggregate Model of Technical Change. *Quarterly Journal of Economics* 104：787–821.

Daly, H.E. 1977. *Steady-State Economics*. San Francisco: Freeman.

Demeritt, D., and D. Rothman. 1999. Figuring the Costs of Climate Change: An Assessment and Critique. *Environment and Planning A* 31：389–408.

Dennett, D. 1995. *Darwin's Dangerous Idea: Evolution and the Meaning of Life*. New York: Simon and Schuster. 〔ダニエル・C・デネット『ダーウィンの危険な思想——生命の意味と進化』(山口泰司監訳，青土社，2001年)〕

Diamond, J. 1997. *Guns, Germs and Steel: The Fates of Human Societies*. New York: W. W.Norton. 〔ジャレド・ダイアモンド『銃・病原菌・鉄——一万三〇〇〇年にわたる人類史の謎』(倉骨彰訳，草思社，2000年)〕

Dosi, G., C. Freeman, R. Nelson, G. Silverberg, and L. Soete (eds). 1998. *Technical Change and Economic Theory*. London: Pinter Publishers.

Durham, W. H. 1991. *Coevolution: Genes, Culture and Human Diversity*. Stanford: Stanford University Press.

Ehrlich, P.R., G. Wolff, G.C. Daily, J.B. Hughs, S. Daily, M. Dalton, and L. Goulder. 1999. Knowledge and the Environment. *Ecological Economics* 30：267–284.

Faber, M., and J.L.R. Proops. 1990. *Evolution, Time, Production and the Environment*. Heidelberg: Springer Verlag.

Fagerberg, J. 1988. Why Growth Rates Differ. In *Technical Change and Economic Theory*, edited by G. , C. Freeman, R. Nelson, G. Silverberg, and L. Soete. London: Pinter Publishers.

Friedman, D. 1998. Evolutionary Economics Goes Mainstream: A Review of the Theory of Learning in Games. *Journal of Evolutionary Economics* 8：423–432.

Galor, O., and O. Moav. 2002. Natural Selection and the Origin of Economic Growth. *Quarterly Journal of Economics* 117(4)：1133–1191.

Georgescu-Roegen, N. 1971. *The Entropy Law and the Economic Process*. Cambridge, MA: Harvard University Press. 〔N. ジョージェスクーレーゲン『エントロピー法則と経済過程』(高橋正立他訳，みすず書房，1997年)〕

Gould, S.J. 1988. On Replacing the Idea of Progress with an Operational Notion of Directionality. In *Evolutionary Progress*, edited by M. Nitecki. Chicago: University of Chicago Press.

Gowdy, J. 1994. *Coevolutionary Economics: The Economy, Society and the Environment*. Dordrecht: Kluwer Academic Publishers.

Gowdy, J. 1999. Evolution, Environment and Economics. In *Handbook of Environmental and Resource Economics*, edited by J.C.J.M. van den Bergh. Cheltenham, UK:

Edward Elgar.

Horgan, J. 1996. *The End of Science*. Reading, MA: Addison-Wesley.

Iwai, K. 1984. Schumpeterian Dynamics, part 1：An Evolutionary Model of Innovation and Imitation. *Journal of Economic Behavior and Organization* 5(2)：159-190.

Janssen, M. 1998. *Modelling Global Change: The Art of Integrated Assessment Modelling*. Cheltenham, UK: Edward Elgar.

Janssen, M. , and B. de Vries. 1998.The Battle of Perspectives: A Multi-Agent Model with Adaptive Responses to Climate Change. *Ecological Economics* 26：43-65.

Kolstadt, C.D. 1994. The Timing of $CO_2$ Control in the Face of Uncertainty and Learning. In *International Environmental Economics,* edited by E.C. van Ierland.Amsterdam: Elsevier Science Publishers.

Maddox, J. 1998. *What Remains to Be Discovered: Mapping the Secrets of the Universe, the Origins of Life,* and *the Future of the Human Race*. NewYork: Free Press. 〔ジョン・マドックス『未解決のサイエンス――宇宙の秘密，生命の起源，人類の未来を探る』（矢野創・小谷野菜峰子・並木則行訳，ニュートンプレス，2000年）〕

Maynard Smith, J., and E. Szathmáry. 1995. *The Major Transitions in Evolution*. Oxford: Oxford University Press. 〔ジョン・メイナード・スミス，エオルシュ・サトマーリ『進化する階層――生命の発生から言語の誕生まで』（長野敬訳，シュプリンガー・フェアラーク東京，1997年）〕

Metcalfe, J.S. 1998. *Evolutionary Economics and Creative Destruction*. Graz Schumpeter Lectures, 1. London: Routledge.

Mokyr, J. 1990. *The Lever of Riches: Technological Creativity and Economic Progress*. Oxford: Oxford University Press.

Mulder, P., and J.C.J.M. van den Bergh. 2001. Evolutionary Economic Theories of Sustainable Development. *Growth and Change* 32(4)：110-134.

Mulder, P., H.L.F. de Groot, and M.W. Hofkes. 2001. Economic Growth and Technological Change: A Comparison of Insights from a Neoclassical and an Evolutionary Perspecttve. *Technological Forecasting and Social Change* 68：151-171.

Munro, A. 1997. Economics and Biological Evolution. *Environmental and Resource Economics* 9：429-449.

Nelson, R., and S. Winter. 1982. *An Evolutionary Theory of Economic Change*. Cambridge, MA: Harvard University Press. 〔リチャード・R・ネルソン，シドニー・G・ウィンター『経済変動の進化理論』（後藤晃・角南篤・田中辰雄訳，慶應義塾大学出版会，2007年）〕

Noailly, J., J.C.J.M. van den Bergh, and C.A.Withagen. 2003. Evolution of Harvesting Strategies: Replicator and Resource Dynamics. *Journal of Evolutionary Economics* 13(2)：183-200.

Nordhaus, W.D. 1994. *Managing the Global Commons: The Economics of Climate*

*Change*. Cambridge, MA: MIT Press.〔W・D・ノードハウス『地球温暖化の経済学』(室田泰弘・山下ゆかり・高瀬香絵訳，東洋経済新報社，2002年)〕

Norgaard, R.B. 1984. Coevolutionary Development Potential. *Land Economics* 60：160-173.

Ostrom, E. 1990. *Governing the Commons: The Evolution of Institutions for Collective Action*. New York: Cambridge University Press.

Potts, J. 2000. *The New Evolutionary Microeconomics: Complexity, Competence, and Adaptive Behavior*. Cheltenham, UK: Edward Elgar.

Schneider, E.D. , and J.J. Kay. 1994. Life as a Manifestation of the Second Law of Thermodynamics. *Mathematical and Computer Modelling* 19(6-8)：25-48.

Schumpeter, J.A. 1934. *The Theory of Economic Development*. Original German edition, 1911. Cambridge, MA: Harvard University Press.

Sen, A. 1993. On the Darwinian View of Progress. *Population and Development Review* 19(1)：123-137.

Sethi, R., and E. Somanathan. 1996. The Evolution of Social Norms in Common Property Resource Use. *American Economic Review* 86(4)：766-788.

Silverberg, G., G. Dosi, and L. Orsenigo. 1988. Innovation, Diversity and Diffusion: A Self-organization Model. *Economic Journal* 98：1032-1054.

Somit, A., and S. Peterson. 1989. *The Dynamics of Evolution: The Punctuated Equilibrium Debate in the Natural and Social Sciences*. Ithaca, NY: Cornell University Press.

Stiglitz, J.E. 1997. Reply. *Ecological Economics* 22：269-270.

Strickberger, M. W 1996. *Evolution*. 2nd edition. Sudbury, MA: Jones and Bartlett Publishers.

Toman, M.A., J. Pezzey, and J. Krautkraemer. 1995. Neoclassical Economic Growth Theory and "Sustainability." In *Handbook of Environmental Economics,* edited by D. Bromley. Oxford: Blackwell.

van den Bergh, J.C.J.M. 1999. Materials, Capital, Direct/Indirect Substitution, and Materials Balance Production Functions. *Land Economics* 75(4)：547-561.

van den Bergh, J.C.J.M. 2003. Evolutionary Modeling. In *Integrated Modeling in Ecological Economics,* edited by J. Proops and P. Safonov. Cheltenham, UK: Edward Elgar.

van den Bergh, J.C.J.M., and J.M. Gowdy. 2000. Evolutionary Theories in Environmental and Resource Economics: Approaches and Applications. *Environmental and Resource Economics* 17：37-57.

van den Bergh, J.C.J.M., and J.M. Gowdy. 2003. The Microfoundations of Macroeconomics: An Evolutionary Perspective. *Cambridge Journal of Economics* 27(1)：65-84.

van den Bergh, J.C.J.M., and M.W. Hofkes (eds.). 1998. *Theory and Implementation of*

*Economic Models for Sustainable Development*. Dordrecht: Kluwer Academic Publishers.

van den Bergh, J.C.J.M., and S. Stagl. 2003. Coevolution of Institutions and Individual Behaviour: Towards a Theory of Institutional Change. *Journal of Evolutionary Economics* 13(3) : 289-317.

van den Bergh, J.C.J.M., A. Ferrer-i-Carbonell, and G. Munda. 2000. Alternative Models of Individual Behaviour and Implications for Environmental Policy. *Ecological Economics* 32(1) : 43-61.

Wilkinson, R. 1973. *Poverty and Progress: An Ecological Model of Economic Development*. London: Methuen and Co. 〔R・G・ウィルキンソン『経済発展の生態学――貧困と進歩にかんする新解釈』（斎藤修・安元稔・西川俊作訳，リブロポート，1985年）〕

Wilson, E.O. 1998. *Consilience*. NewYork: Alfred Knopf. 〔エドワード・O・ウィルソン『知の挑戦――科学的知性と文化的知性の統合』（山下篤子訳，角川書店，2002年）〕

第10章

# 持続可能性のためのツールとしての環境政策

デビッド・ピアース

経済システムが天然資源の枯渇を扱う能力について，『希少性と成長』および『続・希少性と成長』で示された考え方は，概して楽観的な考え方であった．希少性があったとしても，適応メカニズムが働き，より十分な量の資源が，その希少なものに代替することになる．また，資源の利用効率は時間とともに改善することになる．ここにいう効率性とは投入に対する産出の比率である．より多くの一次エネルギー投入当たりGNP，といったものがその例である．代替と効率性は，市場システムの機能によって誘発される．資源の価格は希少性とともに上昇し，代替と技術変化を誘発し，それが効率性を改善する．こうした作用は考え抜かれた政策によって強化され得る．たとえばエネルギー税あるいは炭素税によってエネルギー価格を引き上げる政策などである．そこで争点は，次の3点に集約される．

(a)資源価格やコスト（あるいはロイヤリティ〔訳注：鉱山使用料〕）のトレンドに見て取れるような希少性の確たる証拠についてのこれまでとは違った見方
(b)自由市場と政策的介入の適切なバランスについてのさまざまな見方
(c)政策的介入方法の適切なミックス

## 問題設定：新しい希少性

資源希少性についての文献の多くは，かなり伝統的な意味での天然資源に焦点を絞っている．枯渇性資源，鉱物，農産物である．これは「古い希少性」と言えよう．20世紀において，これをテーマにした文献は，最適枯渇論〔訳注：資源枯渇を考慮に入れた最適成長論〕に関するものであった（Gray 1914；Hotelling 1931）．また，19世紀中葉に石炭問題を論じたJevons（1865）なども，資源枯渇とその意味合いについての古い文献の一つの例として挙げられる．古い希少性についての懸念は消えてなくなったわけではないが，その懸念は「新しい希少性」に関する今日的な関心事に場所を譲っている．新しい希少性とは，すなわち，生活を支える資産，たとえば生物多様性，全球大気，海洋資源，熱帯および寒冷地の森林，さんご礁，湿地帯などに関するものである．このように関心がシフトしたことは，ひとつには古い希少性が顕在化しなかったこと（資源は結局枯渇しなかった）を反映しているが，むしろ主な理由は，生態学的な予兆である．その予兆とは，現在の経済活動の形態には真の限界が来ている，ということである．成層圏オゾン層の破壊（これはおそらく皮膚がんの増加に関連しているだろう）が，そのひとつの例である．オゾン層の科学的議論についてはいまだ決着はついていないが，同じようなもうひとつの例としては，大気中の温室効果ガス濃度の増加による地球温暖化が挙げられる．もう少し確かとは言えない現象の例としては，生物多様性の変化も挙げられよう．有名な科学者のなかで，すくなくとも幾人かは，過去に起こってきた自然的な絶滅とは違った，人的要因から起こる絶滅が起きている，と指摘している（Lawton and May 1995）．

新しい希少性の対象には「公共財」の性質を持った資源が含まれる．ここにいう公共財とは，ある人がその財を消費しても，それによって他の人がその同じ財を消費することを妨げることがないような財である．古い希少性としては「私的な」財が取り扱われがちであった．化石資源などである．その資源の一単位を消費できるのはたったひとりの人に限られる．公共財は市場を持たないのが通常であるが，私的財は市場がある．公共財にとって，唯一の調整メカニズムは政策介入に基づいたものであろう．そのメカニズムはいわば公共的あるいは科学的な希少性の認識によって促進されるのかもしれない．市場はそうした介入によって導入されるのかもしれない．たとえば，バイオマスや排出削減技術によって炭素の取引市場が急速に現実のものとなってきたことなどが例である．しかし，市場に委ねられることによって，新しい希少性の問題が解決するであろうとは，だれも思っていない．

公共財は範囲としては地域的なものかもしれないが，見方によっては全地球的なものにもなる．世界の人口の大部分は公共財から便益を得ているからである．こうした公共財と全地球的な性質が意味することは，こうした資産に対する損害は国際的な合意によってのみ是正が可能である，ということである．そうした国際合意が実際にどの程度事態の推移を変えるか，については，まさに議論の的である．厳密かつ広範な文献調査としてはBarrett（2003）が挙げられる．モントリオール議定書とその修正条項は，ほとんど確実にオゾン層の命運を変えた．1992年のUNFCCCは偶然を除いていかなる国も事実上達成できない目標を設定し，1997年の京都議定書は温暖化の度合いに影響を与えているかどうかほとんどわからない状態である（Pearce 2002）．こうした，積極的行動への国際的コミットを維持することの難しさ，これこそが，新しい希少性を政策課題ならしめている．

この課題の難しさの度合いは，その事実に依存するし，その事実をどう認識するかにもよる．ある人々にとっては，新しい希少性は至るところで明白であって，それに対する政策実施が避けられないようなものである（たとえばBrown 2001）．経済学の用語でいえば，外部性が大きい．また他の人にとっては，私的な福祉（well-being）と社会的福祉との乖離が十分に深刻とは認められないか（Lomborg 2001），あるいは，対策によって環境外部性が軽減されることの便益は，その対策（それは個人の選択権を制約するものであるが）の社会的費用に十分には値しない（Wildavsky 1995）こともある．環境政策は世界的にみても，こうしたさまざまな見方の間の緊張関係を露呈している．米国では環境規制は長らく議論の対象になっており，これまで，科学的根拠，および規制に従うコストと健康や環境に対する便益の間の相対的なバランス，といった観点から論じられてきている．こうした論争はおそらく欧州ではそれほど激しくはない．しかし，経済学的な説明の必要性は，特にEUの規制に関連して高まっている．世界中どこでも，新しい規制への同意を渋ることの根底には，おそらく，規制に従うことのコストがある．こうしたことは，京都議定書で見られたとおりであるし，また，2002年のヨハネスブルク地球サミットでも見られたとおりである．

科学と（社会にとっての）費用についての論争がどうあろうと，何もするべきでない，という論調はいまのところ皆無である．行動を起こす意思はある．しかし，費用と便益の重み付けによって，その意思は制約を受ける．そうした慎重さは人によっては大変耐え難いものである．こうした人々にとっては，環境の問題は喫緊のもので，対策としては，新しい希少性の根本原因を直すことが求められるものである．ここにいう根本原因とはすなわち，経済成長と人口増加である．彼らの主張するところによれば，より多くの人々がより多くの資源を消費し，一国の生産（これは一般的にはGNPで測られる）をもう1単位増やすことはより多くの天然資源を要する．それゆえ，1970年代の「反成長」運動――「成長の限界」(Meadows et al. 1972）に見られるようなもの――は環境論争において大きな力を保っている．そうした反成長の心情のなかには，「国際化」に反対する運動（これはしばしば理路整然とはしていないのだが）に新たな表現方法を見つけたものもある．反成長論者は，何に反対しているのかが必ずしも明確なわけではない．もし彼らがGNPのある一定水準を保ちつつ，物理的な資源の利用を絶対的に低いレベルに抑えるというのであれば，そこには議論の余地はほとんどない．これは資源利用効率の議論であって，あらゆる環境経済政策の基礎になっている．しかし，反成長を主張する文献のうち，資源効率性に関するものはほんの一部のみである．実際，文献の多くが，資源効率性を短期の測度とみなしており，それは絶対に不可避なものを先延ばしにするに過ぎないものとしている．この不可避なものとは，すなわち，消費と所得自体を減らす必要性をさす．

しかし，経済成長をあきらめることはほとんど実現不可能な政策スタンスである．そんなことをしたら，この世のどこにも存在しそうに思われない，ある種の社会的価値観に全面的にシフトしなければならなくなる．価値観の変化はおそらく絶対的命令によってもたらされることになる．労働時間を制限すること，収入の上限に制約を課すこと，などがそうした絶対的命令である．しかし，こうした変化は，もう一つの価値観の犠牲の上に成り立つことになる．それはすなわち，個人の自由である．さらには，いったいどんな政府（あるいは，政府の集まり――多くの政府が協調しなくてはならない場合もあるだろう）が長期的な成長を維持できるのかについても全く不明確である．価値観の変化があったとしても，教育や技術変化などといった経済成長を決定する要因は，反成長論者の価値観のなかでも価値を持つことになる．「反成長ケース」を想定することは出来るかもしれないが，現実の世界の情勢からして，それはほとんど信憑性がない．

反成長にこだわる人々の論法では，先進国に適用する措置と貧困国に適用する措置とは区別される．後者では絶望的な生活状況から抜け出すために成長を必要とする．前者では成長はもう十分である．この区別は「過剰消費」の概念でまとめられ，1992年リオでの地球サミットのときのアジェンダ21のように世界の目標の一つとして掲げられる．しかしあいまいさがここでも残っている．アジェンダ21は消費水準を変えるのではなく，消費パターンを変えることの必要性を謳っている．消費パターンを変えることは消費レベルを維持し（あるいは上昇させ）つつ，天然資源の利用を減らすことと矛盾はしない．これはまたもや資源の利用効率性の問題である．しかし，過剰消費の議論が意味するところは，貧困国は積極的に環境政策を検討する必要はない，ということである．最初にやることは，消費と投資を引き上げることであって，汚染を減らすことでも資源利用を控えることでもない．先進国こそが，消費レベルと資源利用効率に的を絞る必要があるとされる．

過剰消費が先進国の罪であって，環境の質の低下の原因であるとされる一方で，環境改善のために支払う支払意思額（WTP）は一人あたり所得の関数となっている．その理由は，容易に想像がつくことであろうが，WTPが支払い能力次第で決まるからである．それゆえ，発展途上の世界において環境政策が体系的に，そして着実に実施されるにあたっての最初の障害は，所得水準となる．すなわち，所得が低いから環境変化に対するWTPも低いのである．先進国では積極的な環境政策は，部分的には，高水準の所得の関数となっている．環境クズネッツ曲線が示すとされるように，環境の質の低下が起こるのは，所得水準が低いところから上昇するときで，一方，質の改善が見られるのはある一定の水準に到達したあとのことである．しかし，所得の上昇は同時にその所得に対する財産権の認識を高める．たとえ環境問題が深刻なものとなっても，反成長論が示すような根源的な社会変革に取り組むような政府は，先にあげた理由のため，どこにもない．問題となるのは，積極派と穏健派とのバランスである．

環境改善が貧困国において優先順位が低いという点は，ことさらに強調されるべき事柄ではない．一人あたり所得が汚れていない水のために費やされる割合は，たとえば，10%から15%に達している場合もある．このことから分かるように，こうした環境の改善は高い価値を持っているのである．大気汚染や水質汚染が，人的資本の損傷を引き起こし，潜在的な経済成長を大きく犠牲にすることを，多くの発展途上国は十分に認識している．にもかかわらず，概して現実をみてみればわかるとおり，公的な環境支出は一人あたり所得に直接的に連動しているのである．

以上のように考えてくると，論点は政策手段の選択に移ることがわかる．先進国においては，遵守のためにかかるコストが比較的小さいような政策措置は，環境主義者からのより極端でコストのかかる要求と，産業界と納税者からのあまり大きな犠牲は伴わずに何らかの対策を打ってほしいという要望との間に妥協策を提供するものである．原動力はコストである．もし対策が安価で済むなら，それを妨げる抵抗勢力の形成はあまり起きそうにないだろう．そうした環境政策は，対策を握りつぶすような抵抗勢力を刺激することなしに，より極端な要求を鎮めることができる．コスト効率性向上政策を追求することは，それ自体意味のあることである．合理的な考えを持つ人であれば，だれでも，問題解決にあたって，必要以上に，すでに十分に必要性が満たされている状態で，資源を投入することはしないであろう．ここにこそ，「より良い規制」とはなにかという問題へ戻ってくる糸口があるのである．すなわち，最小費用でいくつかある目標の妥協点を見出すための最良の方法はなにか，ということである．

「政府の効率性」が求められるということは，いまに始まったことではない．それは戦後の政策評価と経済分析の起こりであり，McKean（1958），Krutilla and Eckstein（1958），Eckstein（1958）のような先駆的な研究を生み出したものである．それが現れたのは政策評価への費用対便益，あるいは費用対効果，あるいは多基準評価手法に対する要請としてであった．しかしこの20年の間に，それは費用効率的な政策手段への要請をも生み出すこととなった．なにかしなければならないとして，どの程度まで行為を進めるかは，費用と便益のなんらかのバランスに基づいて決められなければならない．またそのメカニズムは，たとえば税や許可証といったなんらかの市場に基づく手段（Market-based instrument：MBI）の形態を取っていなければならない．しかし，政策へのこうしたアプローチは先進国では広まっていないし，そして，根本的に異常な非効率性が残っているのが現実である．これについては，後のほうで説明しよう．教科書に出てくるような，安価で効率的な環境政策の実現は，幻想であるということが分かっているのである．しかし，さしあたり政策は市場に基づくアプローチ（Market-based approach：MBA）を指向しているとしよう．

これと似ているがおそらくそれほど激しくはない政策論争は，発展途上国に関するものである．たとえ一旦ある程度の所得目標が達成されて，環境政策がもっと積極的に追求されるべき状態であっても，目下取られるべき政策は最小費用でなされるべきである．実際，費用最小化論議は低所得経済にとってはもっとも強力なものであるように思える．繰り返しになるが，MBA は妥当であるように見える．世銀はまさにそのように提唱し続けているし，それは国連環境計画にも現れている（たとえば Panayotou 1998）．しかし，市場が極めて不完全で，社会制度基盤が弱いような経済に MBA を適用することは，それを先進国に適用するよりもずっと難しい．また，このアプローチに対する反動のようなものも出ている．

つまるところ，環境政策の歴史的パターンは，所得が低いときには限定的なものであり，所得が高くなってきたらより広範な形になる．政策実施は伝統的には固定排出源に対する技術的な基準設定（どんな生産あるいは排出削減の技術が利用可能かについての処方箋）の形をプラントごとに取ってきた．政策は徐々に変更され，技術選択に伴う排出と濃度の基準設定を含むようになってきたが，それでも，「最善の利用可能技術」あるいは「総合的な汚染管理」という考え方がいまだに多くの環境政策に浸透している．費用効率性に対する要請が高まるに従って，先進国の公的支出の大きさについての懸念のため，あるいは，貧困国における資金の欠乏のため，MBI の役割は大きくなっている．面白いことに，気候変動，生物多様性の消失，森林破壊，といった国際的な問題が主役に躍り出て，そうした問題を解決するための MBA に対する要請は強くなっている．京都議定書は，注目すべきことに，カーボンのプロジェクトベースの取引（JI，CDM）という形で市場アプローチを取り入れている．また，短期かつ地域内での取引可能（排出）許可証（Tradable permit）の制度〔訳注：排出権取引制度と考えてよい〕が EU 内で実施されている．しかし，MBA の勝利は強調されるべきではない．環境関連の税は OECD 加盟国で見てみると，いまだ GDP のたった２％を占めるに過ぎない（OECD 2001）．欧州での酸性雨対策に対する実質的で広範な合意は，市場に基づく管理とはなんら関係ない．むしろ，技術ベースの基準設定を拡大したことがその合意に貢献したことである．もし MBA がそんなに賢いものであるなら，なぜそれはもっと全世界的に広く使われることにならないのか．

## 環境政策への市場に基づくアプローチ

経済学の専門家はMBIをこれまでずっと好んできた．環境政策へのMBAを定義することは単純ではなく，多くのMBIが指令・統制（Command-and-control：CAC）レジームのもとで運用されている．たとえば，米国の1990年大気浄化法のもとでの硫黄排出許可証取引制度は，大気浄化法の環境基準と罰則のなかに組み込まれている（Davies and Mazurek 1999）．MBIの本質は，しかし，その政策措置が，価格あるいは量の設定を行い，資源利用者あるいは汚染者に彼ら自身の選択という形で反応を委ねるということである．環境税は廃棄物を引き受ける環境の役割を利用することの価格に等しい．汚染者の生産費用を引き上げることによって，税の支払いを減らすような汚染管理活動を誘発する．もしすべての汚染に課税されるならば，ある合意された基準を超える分の汚染に対して税が支払われる場合（不遵守に対する罰金）とは対照的に，汚染を出さない技術を探し続けるインセンティブにもなる．これら二つの効果は，税の静的，動的な効率性の特徴である．そのほかの便益は課税のされ方に依存する．最近の環境税の事例，特にヨーロッパの例からは，税収に対してその用途を指定する（あるいは何らかの担保にする）ことの便益がありえることが分かる．収入は，望ましくない副作用を引き起こすと考えられる他の税を減らすために使われ（例えば雇用への課税――二重配当仮説の一般的な形態），あるいは，さらなる削減への研究開発に資金投下するために使われることもある．用途を指定することは，また，その政策をより政治的に受け入れられやすくするかもしれない．その分，コストのかかる政治的ロビー活動を避けることができる．最後に，税は遵守コスト（汚染者がなんらかの規制に従うのに要する費用）を最小にする（Baumol and Oates 1988）．支出が非効率な政策に単に無為に費やされるのではないという，望ましい結果は別にしても，遵守コストを低い水準に保つことは同時に，将来の新しい政策措置への協力を確かにすることに役立つ．高い遵守コストは単に将来の規制に反対するロビー活動を生み出すだけである．

同じ論理で，量に基づくシステムは，たとえば二酸化炭素を何トン，といった形で汚染の量を設定する．そうしたシステムは汚染者に自由にその目標に合わせるように任せる．これはまたもや伝統的な環境基準を定義することであるが，MBIが異なるのは，配分された量の目標値がその後汚染者の間で売買されるという点である．取引可能（排出）許可証は，よく知られているように，米国で酸性雨対策においてすばらしい成功を収めた．そして，そうした制度は目下欧州で特に温室効果ガス向きに開発されている．許可証の価格はちょうど環境税のように機能し，税のすべての利点が許可証にも得られることになる．遵守コスト最小化はまたもや保障される．また，許可証は，オークションによって配分されるなら，収入を生み出す．政治的問題によって，この制度の導入は阻まれてきた．また，税はこの点において許可証よりも優れていると論じる人もいる．

もし，多くの人がそう論じるように，新しい資源の希少性が本当に重大であるなら，人類の幸福に寄与する多くの環境資産を人々が持っているような，そんな「持続可能」な将来を見出すことは容易ではない．持続可能性の定義はたくさんあるが，それらのほとんどは環境への負担を先送りしないことで共通している．しかしまた，より高い実質収入と消費水準を希求することをやめるライフスタイルを，個人が自発的に採用するという将来像は，想像しがたいものである．それゆえ，先に論じたとおり，現実の世界は資源効率性を選択するということがもっともありそうである．すなわち，天然資源の一滴一滴が国民生産と人々の幸福を生み出すに際して，より効率的に機能するようにさせる，ということである．MBA は経済活動をその環境影響から切り離す，あるいは分離するという壮大な将来像を抱かせているように見える．環境の生産プロセスへの投入要素をもっとコストのかかるものにさせることは，それらの投入要素を経済的に利用することへの強力なインセンティブになりえる．

MBI のメニューはよく知られているし，環境経済学の教科書には例がたくさん載っている．しかしながら，必ずしもすべての経済学の専門家がそれらの利点について納得しているわけではない（たとえば Russell and Powell 1996，Bell 2002）．むしろ，現実世界の政策においては教科書に書かれている通りの MBI は一般的ではない．取引可能許可証や税体系として実際に使われているものもある．しかし，それらは，最初の導入時に想定されていた「最適な設計」から大きく外れていることがしばしばである．しかし，もし，MBI がそこまで理論上健全で，環境面で効果的で，企業や家計にとって良いもので，そして，過激な要求と環境のこれまでの流れの間の政治的な妥協点として魅力的であるなら，なぜそれらは，先進国と貧困国の両方で，これまで進展を見ては来なかったのであろうか．環境税は OECD 加盟国の総税収の 4 %から11%を数えるのみである．この数字には自動車税などが含まれており，それらのほとんどは税収を増やすためにのみ導入されたものである（OECD 1999）．ほとんどの環境政策はいまだ環境基準または排出基準の設定に基づいているか，あるいは，生産技術と環境技術について使って良いもの，良くないものを決めること，言葉を変えれば CAC 的対策，に基づいている．教科書的な解決策は知られていても，実際には実施はされないか，あるいは少なくとも経済学の専門家の提言のとおりには実施はされない（たとえばHahn 1989）．もし，MBIの登場が政府の効率性への要請を反映しているなら，なぜCAC的対策はいまだ環境政策を席巻しているのであろうか．MBIを実施できなかったことは，より厳格な環境政策（その形態に関係なく）を採用できなかったという，より大きな問題の徴候を示すものなのであろうか．

## 経緯が重要：すでにあるものを取り扱うこと

政治の世界は教科書の世界とは違う，ということは特に驚くにあたらない．しかし，そうした違いがなぜ存在するかということは調べてみるに値する．経済学の専門家のなかには理論的な政策の設計が現実の政治体制からかけ離れてしまっていることを認める人もいる（Cropper and Oates 1992）．政治学者は政治の複雑性を強調する（Skou Andersen 2000）．その結果，理論と現実の乖離の理由を探る努力がとまってしまう．

政策があたかもまったくの白紙状態から始まるかのように，教科書では書かれがちである．それ以前の法令はまったくなかったと仮定される．しかし，先進国での環境政策の長い歴史を見てみると，それは「最善の技術」を前提としてきたといえる．政府あるいは規制当局が規定するのは，本質的には産業プロセスで使われるような技術である．それは環境の質の概念と矛盾しないような最善の技術となっている．実際の生産プロセスが規定される場合もあるかもしれない．より一般的には，削減技術が生産プロセスに付加されるよう強制されることもある．このように特定する技術がなんであろうと，その結果生じる環境の質が事実上目標水準を規定することになる．それゆえ，環境の質は，技術の帰結であって，環境の質の基準設定が技術を誘発するのではない．さらには，最善の技術が規定されるのは，個別の排出プラントであって，一企業や産業全体ではない．環境基準が暗黙裡に選定されるのみならず，それを確実にする方法も選定されるのである．これは，MBIとは相容れない政策であるCACのおそらくもっともわかりやすい例であろう．「最善の技術」は，規制を指す言葉を連ねた，さまざまな呼び名を持っているものである．ヨーロッパにおいて，「最善の利用可能技術」（BAT）と「最善の利用可能技術で，過剰な費用がかからないもの」（BATNEEC——特に英国の用語）と「最善の実用的環境選択肢」（BPEO）は19世紀の大気汚染管理法にその起源を持つ．かつては，「最善の実用的方法」（BPM）と呼ばれていた[1)]．「利用可能」，「過剰な費用を伴わない」，「実用的」といった用語と表現が表す考え方は，もっともきれいな技術はその設置にコストがかかるため最善とはいえない，というものである．長い間，環境への影響と規制コストとの間にはトレードオフがあった（Pearce 2000）．同義の用語が，米国でも使われている．「合理的な利用可能な管理技術」（RACT）や「最善の利用可能管理技術」（BACT）などである．

一世紀あるいはそれ以上にわたって使われてきた技術に基づく基準が，MBI への移行を必然的に妨げてきた．もしそれぞれのプラントが実現可能な「エンド・オブ・パイプ技術」によって最大の汚染削減を達成しているならば，なんらかのMBI によってさらなる削減がもたらされるようなことはない．税が役立つとしたら，それは汚染者がより環境に優しい技術プロセスを汚染技術に替えて導入することがありえる場合のみである．もし BAT がすでに利用されていれば，その選択肢はありえない．税が引き起こす変化としては汚染削減以外の側面もある．たとえば，経営の変化である．しかし，排出を減らす第一の方法，すなわち技術の転換による方法は利用可能ではない．

同じような限界が取引可能排出許可証（企業が汚染物を排出する権利を売買することのできるもの）にも当てはまる．取引が起こりえるのは次のような場合のみである．すなわち，削減することが簡単と考える者がそのようにしてクレジットを集め，それを削減が難しいと考える者に売るという場合である．削減の水準は，それゆえ，会社によって異なる．しかし，もしすべての企業のプラントがすでにクリーンな技術という点で技術的な上限にあるなら，そして，BAT タイプの規制によってそこに留まることを強制されているなら，取引は不可能である．この説明は，ある程度，なぜヨーロッパにおいて酸性雨対策排出権取引プログラムが，大気汚染の長距離移動に関する UN ECE 条約[2]に対する1994年オスロ議定書で可能になって以降10年もの間，実際に運用されることがなかったか，の説明になっている．議定書で国ごとにばらばらの目標が定められたのは，積み上げられた総費用が最小化される（すなわち，すべての国の遵守コストの総和が，おおよそ最小化される）ような解となっているためであり，そのため，国同士の取引の余地はほとんどなかった（Klaassen 1996）．第二の理由は，取引による第三者への影響である．取引は任意の二国間でなされ，それは第三国（あるいはより多くの国々）の酸性降下物に影響を与える．取引の当事者となる国々には利便性のある取引が，取引に関係しない国には社会的コストをもたらしているかもしれないのである．オスロ議定書においては，第三者への影響がそれほど大きくはならないように取引が制限され，これによって影響が抑えられた．この制限はそれ以上の取引の及ぶ範囲を制限することでもある．こうした第三者への影響が実際問題どれほど深刻なものであるかはまったくわからない．米国では硫黄排出許可証取引制度に反対する市民運動が起きた．これによって，米国ではこの第三者への影響の問題がおさまったようである．一方，ヨーロッパではこのようなことは最初からまったくありえなかった．それはおそらく，現実的な問題というよりは考え方の問題からである．

ベストな技術はコストによって条件付けされるので，ほかの設定で実際に行動を起こさせることができることがしばしばある．「無理のない」管理から「最善の」管理へと移るコストよりも絶対的に低いコストでMBIが導入され得るならば，汚染対策は改善され得る．しかし，費用制約を受けたベストな技術という政策は，産業と政府の遵守コストに関する懸念に対処しながら，時間とともに進化してきたものである．彼らの認識では，費用制約の下でできる最良のことをしているということである．税や許可証制度を重ねることによってさらなる対策を彼らに求めることは，規制の信頼性を挫き，産業を阻害することになる．明らかなことは，長く続いている法規制の存在が，MBIの有用性を深刻に制限している，ということである．

BATタイプの規制を擁護するもうひとつの論理がある．BATは，規制に従う企業に，不確実性のない状況を保証する．企業は何をしなければならないかを知っており，そのコストを知っている．企業は，技術に資金投下する際の経理上の手続きにも精通している．コストをどう減価償却するか，その際の免税措置はいかなるものか，などである．こうした状況は，MBIに伴う不確実性とは対照的である．税はずっと同じであるとは限らない．許可証の価格は市場の状況によって変化する．確実性はプレミアムをもたらし，不確実性は追加コストとなる．さらには，BAT規制は技術の市場を保証し，規模の経済性を可能にし，技術革新へのインセンティブを与える．結果として，より汚染の少ない形態のBATへの展開につながる．

### 規制にとらわれること

新しい法規制を導入するという難問に対処するわかりやすい方法のひとつは，石板をきれいに拭くように，MBIのために既存の法令を撤廃することである．これができる可能性は極めて低い．第一に，以下で触れるように，MBI，そして特に税の有効性は，はっきりとはわからない．一方，技術ベースの基準設定は，それが想定する環境基準が達成されるであろうという，なんらかの保証を提供してくれる．次に，多くの人々は個人的に時間と金銭の投資を既存の制度に対して行っている．その制度に「とらわれている」のは汚染者だけでなく，規制当局もまたそうである．規制にとらわれる過程は，規制対象者が資源を費やして規制当局に働きかけ，その過程を緩くし，規制の解釈を決めていくものであるが，そうした過程からわかるとおり，どんな法令であろうとも，そこにある政治的支持基盤は，容易には変化しない．規制当局自身もまた，変化に利点を感じることはないかもしれない．彼らは現行の法令を実施するために選ばれているのであって，それを変える専門知識も理念も，またその意思も持ち合わせていない．特に，代替案が彼らの存在意義を危うくするならば，なおさらである．

環境税は，税収がゼロになるという見込みを提示するなら，それは自己矛盾であるかもしれない．実効性のある環境税のパラドックスとは次のようなものである．もしそれが完璧に機能しているなら，誰も支払わない，すなわち，もし税が汚染行動を抑えきっているなら，誰も課税の対象にならない．しかし，税収がゼロに落ち込むような税に関心を示すような政府などはない．彼らは，税は環境のためであるという見方に信念をもっているかもしれないが，政治的な論理で必要になるのは，税が収入を生み出すということである．英国の経験はその点で示唆的である．埋立地に向かう廃棄物への課税と砂利採取への課税は，極端に弾力性の低い需要を持つ生産物への課税である．どちらも環境税として導入されたが，その税収のほとんどは雇用への課税の軽減に振り向けられている．もし税収がほとんどゼロとなるなら，こうした二重配当政策は実際的な意味がないものであろう．どちらの課税も，環境税としては低い需要弾力性のためほとんど実効性がない．

Sorrel（1999）は二酸化硫黄排出許可証の導入が米国では成功している（EPA 2001）のに，英国では失敗したことについて分析した．いくつかの理由は，「外生的なもの」である．すなわち，環境政策とは異なった要因があったということである．エネルギー市場の発展は，低二酸化硫黄燃料への転換につながり，二酸化硫黄排出管理の必要性を弱めた．しかし，既存政策との競合が同時に関連していた．排出権取引は，個々の排出源での排出を規制するBATNEEC型政策である統合汚染管理（IPC）には適合しなかったのである．

ソレルは規制文化の衝突を挙げる．政策実施に責任を負っている緊密な政策コミュニティがあったし，今も存在している．その大部分は政策担当者と汚染査察官であり，公衆，中央政府，環境団体は含まれない．彼らは彼らなりの価値の体系を持っており，MBIは単にそれには適合しないのである．彼らは取引可能許可証の導入を率先したことはないし，そのつもりもない．そうした制度は彼らの裁量権限を弱めてしまうからである．ソレルはまた，取引可能許可証が政治的なバックアップに欠けたとも論じている．支持が得られたのは環境省からであって，ほかの省庁からの支持はなかった．ましてや，規制担当部局からの支持はなかった．たとえ，外生的な要因がなかったとしても，二酸化硫黄の排出許可証制度は導入されなかっただろうとソレルは論じている．

その他の条件で当時英国にあったものは，今でもある．1996年にさまざまな庁から統合されてできた環境庁は環境政策の実施に責任を持つ．その巨大なスタッフは，経済的アプローチをとることがその組織的使命であるにも関わらず，そのほとんどが科学者と技術者である．Helm（2000）は次のように述べている．

「環境庁が費用便益分析と経済的手法を取り入れることに積極的に取り組まないのは，偶然ではない．それは，環境庁のマネジメントと従業員のインセンティブを反映している．科学者と技術者は，汚染許認可は費用と便益の吟味を受けるべきという考え方を歓迎しそうにはない．また，経済的価値評価が汚染の最適水準を決定するのに役立つという考え方も歓迎しそうにない．現行の活動と意思決定の多くは大いに疑問である．より問題なのは，経済的手法である．なぜなら，経済的手法の適用は，規制を修正し改正する専門家の役割の多くを不要とし，一部の従業員の活動を余剰にさせるからである．」

そのほかの議論として挙げられるのは，法律家が法令を書くので，彼らの訓練に問題がある，すなわち，そこには経済的手法の正しい理解が含まれない傾向があるということである（Sprenger 2000）．どちらが犯人だとしても，つまるところは，MBI の活力を奪っている伝統的な規制の長い歴史が，同時に MBI に対する理解が最も小さく，それを取り入れるインセンティブも最も小さい人々に権限を与えてきたということである．

環境政策の限界に関わるより広い疑問はなんだろうか．技術に基づく基準は環境問題を解く明瞭な方法であるように思える．技術の選定がそもそもの問題を引き起こしているのだから，技術を解決法として見ることは自然である．しかし，「実用的な」とか「利用可能な」とか「余剰コスト」といった概念でもって政策を骨抜きにすることは，環境政策の厳密性を制限する実質的な抜け穴作りでもある．「最善」の技術は汚染者にとって手に届くものでなければならない．環境の質は環境基準ではなく技術によって決定されるのである．

## 整合性のない政策

政府はよく優先順位を付けられた各種の政策目標の達成を目指すという，教科書の仮定に反して，多くの規制体制は整合性のない各種の政治的目標を採用する傾向にある．こうした整合性の欠如にはさまざまな形態がある．

政府の目標はしばしば互いに競合する．政府は多様なゴールに対するロビー活動の間で妥協をするものである．環境改善は国際競争力を確保するために生産費用を低く保つ必要性と非整合的であるかもしれない．低所得者層を保護することは，エネルギーや水といった基礎的な資源に望ましい価格を課すことと非整合的である．英国においては，エネルギー規制当局の第一の任務は，消費者物価を低く保つことである．社会福祉目標と環境目標に重きを置くことは二の次である．それでもなお，目標が互いに競合する場合，そして，それが明らかに現実であるが，そうした場合，どうすればいいのかについて厳密なガイダンスを与える人は皆無であった．高い価格は省エネを推奨し，安い価格は無駄遣いを推奨する．

異なる省庁が「政治的にとらわれている」こともまた非整合性を引き起こす．農業に一義的に責任を持つある省は，ほとんど確実に農家のロビーに揺り動かされるし，国防担当の省は軍事力と軍事産業の考えを反映する，などである．そうした団体の利益は同じではないので，省庁全てが一つになって行動することはありそうにない．その結果，大抵，教科書的な解法からかけ離れた手段を引きだす妥協の産物ができあがる．英国の気候変動税はエネルギーへの課税で，京都議定書のもとでの削減義務に従うことを促すよう設計されている．しかし，その課税はそれぞれの燃料の炭素含有量とは無関係で，発電部門と家計部門には免除され，エネルギー多消費産業には手の込んだ減免措置が与えられている．その結果，適切な炭素ベースの税として環境面で実効性を持つような形にはまったくなっておらず，純粋な環境税にはなっていない．

一つの政策部門の内部においてすら，法律条文が整合性なく増えていくことは，非整合的な目標につながる．環境法令の経済的非合理性を示す，おそらくもっとも驚くべき例は米国にある．コストは大気浄化法のなかでは考慮されず，水質浄化法の中では暗黙裡に考慮される要素となっており，毒物管理法では便益に対するものとして明示的に扱われている（Davies and Mazurek 1999）．米国環境保護庁はコストを考慮すべきではないとされるが，それは，1980年の下級裁判所の判決から始まっている．90年代半ばのオゾン層基準を改定する際に準備された調査結果では，管理の費用はそこから得られる便益をはるかに上回っていると報告された．それにもかかわらず，規制を擁護するあるいは反対する論拠としてコストという概念が認められないとすると，残る唯一の論点は，それが健康の点で便益を与えるかどうか，という点である．ワシントンDC地裁，およびその後，最高裁，はこの判決を支持した．つまり，コストはどうでもよい，というのである（Lutter 2001）．先に記したように，MBIに対する第一の議論は，それが遵守コストを最小にするということである．この判決は，MBIは無効である，と言っているに等しい．「規制影響」評価——損得に基づいて規制を正当化するような報告書——の役割は，そうした非整合性が起きないようにすることである．しかし，実際は，規制の進展はそうした評価の結果を踏みにじるものであった．Hahn（2000）が言っているように，評価の質が低いことも事実である．

基準を公布するに際してコストが無視されるのはなぜか，を説明するのは容易ではない．米国では，損害賠償責任における「公共信託」法理〔訳注：原則，理論，主義，学説ともいう〕の出現（あるいは再来）が，コスト度外視を強化している．規制への一般的な経済学的アプローチは，その規制が生み出す費用と便益，すなわち，人間の福祉の損失と利得を表す費用と便益，の観点から規制を評価するというものである．費用・便益アプローチの適用は米国において盛んである（Hahn 2000）．しかし，コストへの考慮を軽視して発展してきた規制もある．1996年までに，賠償責任訴訟のため，経済価値評価に関して二つの規制が導入された．1994年*包括的環境対処補償責任法（CERCLA）のもとでの，損害評価のための内務省ガイドラインでは，損害の一義的構成要素として復旧コストが強調されている〔*原文の通り．訳者注：1980年成立の Comprehensive Environmental Response, Compensation, and Liability Act：CERCLA に関連するものとしては，同法の修正にあたる1986年スーパーファンド法修正・再授権法（Superfund Ammendments and Reauthorization Act：SARA）がある．従って，ここは，1980年あるいは1986年のミスプリントと思われる．〕．しかし，同時に，いかなる評価手法であっても当面の損失を評価するのに使ってよい，とされた．一方，石油汚染法（OPA）のもとでの損害評価のための国立海洋大気庁（NOAA）1996年規制では，経済評価は実質的に排除され，被った損害を測るために復旧コストを使うべきだ，とされた．

このように重点が移ってきたことの正確な理由を見つけることは容易ではない．Hanemann（1999）は公共信託法理の法的解釈から導き出された説明をする．この法理のもとでは，天然資源は，現世代と将来世代のために，州政府と連邦政府に委託されて保持されていると考えられる．その意味するところは，天然資源への損害は復旧されなければならない，すなわち，自然環境は損害が与えられる前の状態に回復されなければならない，ということである．さらには公共信託の法理は，管財人となる人々が，損害賠償責任当事者に対して行動を起こして取り戻した金銭を，天然資源を促進し創造することのためだけに使うことを許すものである（Jones and Pease 1997）．そして，金銭的な補償は，実体のあるものでも仮想のものでも，役目がないであろう．なぜなら，金銭的補償はそれ自体，現状を回復しないからである．このことは，標準的な経済学的な見方と対照的である．経済学の専門家にとって，現状は個人の厚生で測られているものである．もし個々人が，損害が起きる以前と同じ程度の厚生を得られるように（これは個人の判定基準であるが）補償されるのであれば，補償は効率的で適切である．個人がその補償を破壊された環境資源に対する代償であるとみなす限り，損害自体は復旧される必要はない．

今日まで，公共信託と費用・便益の違いは，この問題が学界と政策の世界で論争となることはあっても，ヨーロッパの規制政策形成に影響を与えてはこなかったようである．公共信託法理に近いものが影響を与え始めているという徴候もある．EU生息地指令は，たとえば，EU加盟国が2000年までに保全地域の全ネットワークを示すよう要請している．この指令の前提は，他の全てに優先する公共の利益のためを除いて，いかなる形式の経済開発もそうした地域の中では認められないというものである．ヨーロッパの裁判所のさまざまな判決が示してきたことは，そのような他の全てに優先する公共の利益は，少なくとも国家レベルであるべきだということ，また，一般に，生態系の保全は経済的配慮よりも重要であるということである．さらに，開発に対する公共の利益が合致して，開発が許されているような所であっても，同等な生態学的価値をもつ補償プロジェクトが，指定された地点の損失を補償するために，導入されなくてはならない．実質的に，EU指令は，費用対便益の考慮によってほんの少しだけ弱められてはいるが，一つの公共信託アプローチを具体化するものである．

こうした政策の非整合性の形態として，Davies and Mazurek (1998) は（米国における）「断片化」を挙げる．それは，ある汚染管理が他の形態の汚染へ影響するということが考慮されること無しに，その汚染管理が行われるということである．排水処理は水質汚染を軽減させるかもしれないが，その汚泥が転用されるなら土壌の汚染になるかもしれない．欧州では，この問題は「統合的汚染防止管理」(IPPC) の概念に関わる問題とされる．しかし，このIPPCは，原理的に汚染防止を狙ったMBIに近いはずであるにもかかわらず，いまだに技術ベースの基準設定を基礎にしている．

政策の非整合性は，単にMBIの普及を阻止するのみではなく，環境政策一般を制約する．それぞれの省庁はそれぞれ異なった目標を持ち，経済界の代弁者として実質的に行動する．農務関連の省はかつて農家の利益の代弁者であったし，また，国によっては，いまだにそうである．英国は，まさにこのために農務省を廃止した大変珍しい国のひとつである．注目すべきことに，英国の農業は他の産業と共通の環境規制の多くを免れてきたのである．こうした状況は変わりつつあるが．

## 補助金と政治的腐敗

環境政策は，かならずといっていいほど，通常なら正当化されないような，汚染と資源枯渇につながる活動に対する補助金が当たり前になっているような状況のなかで形成される．補助金はコストを引き下げるか価格保証の形態を取る．価格保証は農業部門では一般的であり，生産物がどれだけ作られたかに関係なくその価格を実質的に保証するものである．どちらのケースにしても，潜在的に汚染の可能性のある物質を過剰生産するように，インセンティブが働く．世界的に見ても，天然資源部門とエネルギー・産業部門への補助金は総計で，10億ドル以上に上ると推計されている（van Beers and de Moor 2001）．これは世界の総生産の約４％にあたる．全世界の補助金の約70％はOECD加盟国のもので，全補助金の40％は，OECDのどの国を見ても，農業関連である．一人あたりの農業補助金がもっとも高いのは日本であるが，ヨーロッパと米国だって，それにきわめて近い状況である．補助金のなかでも，きちんとした社会的な目的を持っているものもある．しかし，多くは保護を訴えるロビー活動の長い歴史を反映している．補助金は実効的な環境政策がいろいろな形で導入される可能性を低くしてしまっている．

「補助金文化」は環境保全にとって有害である．補助金はなによりも環境に損害を与える活動に報酬を与える．それは，もちろん，財産権が汚染者に存すると考えられる（この問題はかならずしも明快なものではない．すなわち，郊外の土地は誰のものなのか）のであれば，環境に利する活動に支払いをするように改正することもできる．ヨーロッパ共通農業政策の2003年の改正は，生産関連補助金から環境への影響を中心にした補助金への移行を示す，初めてのシグナルである．

補助金は「レント」を発生させる．レントとは，財やサービスを生産することよりもロビー活動や政治圧力によって，その見返りとして資金源を確保する機会をさす（Krueger 1974）．レントは，「レントシーカー（追求者）」，すなわち，レントの分け前を最大化するよう努力する個々人や企業，を惹きつける．彼らの努力は社会的には本質的に非生産的である．すなわち，彼らは単に環境政策導入の可能性を低くして，補助金の保持への政治運動を行う団体を生み出すだけである．特に，レントが資産価値に織り込まれるような状況では，環境政策は，通常，レント保持者の立場を危うくするであろう．たとえば，農地価格は農業補助金が継続されるという見込みを織り込んだものであると，よく知られている．このように補助金からレントが資産価値に織り込まれるために，補助金撤廃による資産価値の目減りに対する明白な補償無しに補助金を撤廃することは，さらに難しくなる．

レントシーキングと獲得の過程が極端なところまで行くかも知れず，そうなると，政治的腐敗が横行する．典型的な例は，利用可能なレントの分け前を保全する努力の一環として，役人や政治家に対して，金銭やそれに類するものを支払うような形態である．腐敗の根源は，数多くて，さまざまである（詳しい議論はRose-Ackerman 1999参照）が，ここでは，環境政策，とりわけMBA，を妨害する政治的腐敗の役割について，焦点を当てる．環境政策はレントを減らすことができる．森林の伐採許可地区に対する制限は，短期的に利益を減らす．おなじく，森林の持続可能管理の規制も利益を減らす．よく言われているように，非売の生物種に対する損害を懸念することなく木を切り倒すことは，持続可能森林管理の実施よりも利益の大きいものである（Pearce et al. 2001）．非合法的な森林利用に関連するレントは，それゆえ環境面を考えた森林管理に関連するレントよりも大きい．当然の帰結として現れる政治的腐敗は，環境政策と健全な資源管理を妨げることになる．

MBIは，レントを取り上げることを通して，政治的腐敗の特権を脅かし，それゆえ，より強力なロビー活動を引き起こす．もっともわかりやすい例は，資源豊富な途上国に見られる．しかし，政治的腐敗がその他の国々でははびこっていないと考えるのは誤りであろう．非合法的森林に戻って見ると，結果として生じた森林減少は，森林部門の実質的なレントの一部を課税して取り上げるような森林法を導入することによって部分的には避けられたものである．自明なことであるが，彼ら自身のことについてなんらかの措置を導入するのは無理である．森林減少の問題は，森林部門独力で解決することはできない．政府のあらゆるレベルに蔓延する腐敗という政治的な不快感は，なんとかされないといけない．

## 誰がMBIのロビー活動をするのか？

MBIに反対するロビーを見つけるのは簡単である．しかし，誰が，賛成側でロビーをするのか？ずっとつづいているMBI導入への後押しは，米国において見つけられる．そこでは，世界資源研究所とアメリカンエンタープライズ公共政策研究所はMBIの多様な形態について議論をしてきた．とくに，取引可能排出許可証システムについてである．未来資源研究所はMBIに対する賛否両論の議論を試みており，政策関係者に説いて回っている．対照的に，シンクタンクスタイルでのMBI賛成のロビーは，ヨーロッパにはほとんどない．また，賛否両論を提示するものも多くはない．ほとんどの主張と議論は個別の学者からでてきており，まとまって主張をするということはめったにない．OECDは，MBIを促進するのに役立ってきたし，はじめて，「汚染者負担原則（PPP）」の国際的ガイドラインを編成したところでもある（OECD 1975）．OECDは現在も経済政策手段導入の進捗状況を繰り返し評価しつづけており，各加盟国について環境実績評価を行っている．政府が資金提供する機関として，OECDは興味深い役割を持っている．というのは，その存在意義は加盟国の意向を反映することであるが，その一方で，同時に，さらなる行動を起こすように政府を説き伏せてもいる．政治家はOECDでは目立たない．各国の代表者は役人であり，自身の考えを宣伝する広報手段と情報交換の場を求めてやってきている．

スウェーデン（Brännlund 1999），デンマーク（Mortensen and Hauch 1999），ノルウェー（Christiansen and Gren 1999）は，いわゆるグリーン税制委員会に積

極的に取り組んだことのある国々である．そうした国々では，議会と専門家の組織が，「エコロジカル税制改革」というより広い視野で，政策の効率的設計についての議論に貢献している．この税制改革は，課税のベースを個人所得から汚染のような「バッズ」に移すというものである．この考え方をもう一歩先に進めることは，そうした委員会をより実質的な機能を持つ組織に移行させ，そのメンバー構成を全利害関係者，あるいはその代表者に広げることを意味する．どこでも，そうした委員会は，財政担当省庁の権限を侵害するとして，強い抵抗に遭ってきている．たとえば，英国大蔵省は税制問題について議論するいかなる独立機関に対してもそれを後押しすることはしない．大蔵省にとって，税制はほかからの干渉を受け付けない独自の問題である．民主主義の慣習と国内権力構造に広がりがあることを考えると，MBIへの姿勢がさまざまであることの説明がつくのである．

組織によらない個人的立場の提唱者と先導者の役割は，見逃すべきではない．チリ，コロンビア，コスタリカといった国々が，環境政策に対するさまざまな市場アプローチを導入することにおいて，発展途上世界での先導者となっているのは，偶然ではない．取引可能な水利権，カーボン・オフセット，防波堤の資金負担などが挙げられる．よく訓練された経済学の専門家の個人または小グループは，そうした政策措置に対して賛成の論陣をはり，設計に携わるという点で，役立ってきた．さらには，政府と学界それぞれの経済学の専門家の関係が密接になればなるほど，MBIが導入される可能性が高まる．このことは，ノルウェー，スウェーデン，イタリア，そして，英国に当てはまる．財務担当省の役割は，通常，ただし，いつもとは限らないが，重大である．省庁が環境税制を支持することはスカンジナビアの国々では重要なことであった．しかし，そうした支持がなくても多様なMBIの導入が阻害されなかったのはドイツである．ドイツには，強力な「グリーン」政党がある．

Convery（2000）はMBIの導入を難しくする，またしばしば不可能にする，文化的要因を指摘する．アイルランドは，たとえば，水利用に課徴金を取っていない．EUの中では，水課徴金の協調に対して一人さびしく反対している．実際，ひとつの政党が，1997年の総選挙で水道メーター導入を提唱したが，それによって敗退した．用語の選び方さえも重要である．「税」という用語は通常，心情的にはより中立の「料金」という用語よりも，反対派を刺激する．エネルギーに課せられた環境税に対するアメリカ市民の反対はよく知られている．クリントン大統領の「Btu税」はすぐさま廃案になった．米国の車保有者達は，ヨーロッパの国々の燃料税のほんの一部分しか払っていない．ブッシュ大統領が，京都議定書に反対したのは，エネルギーに対するコスト面の影響が懸念となっていたからである．この「反エネルギー税」の文化は，もちろん，米国の排出権取引を促進した．

最後に，環境圧力団体は，MBI ベースの政策において，重要な役割をはたす．取引可能許可証は排出を「合法的」にすることになるので，基本的な道徳規範に抵触する，という（誤った）見方は，ヨーロッパの環境グループの間で確実に広まっている．そして，そうした許可証がヨーロッパの中で最近まで限られた役割しかしてこなかったことの説明に一役買っているかもしれない．2004年においてさえも，環境主義者は英国における初期的排出権取引制度の会議において，抗議をした．このことは，米国の許可証制度導入において，著名な環境グループが果たした役割と対照的である．ただし，そこでの環境論争においてもそうした措置に反対する道徳主義者が少なからずいた．

このような分析は環境政策一般にどこまで拡大して適用できるであろうか．先進国は環境主義者には事欠かない．しかし，NGO のなかには，極端なライフスタイルの変化を要する政策を提唱するところもある．ただし，こうしたことは，上でみてきたように，成功する可能性はほとんどない．彼らの努力は，逆効果を招く．なぜなら，彼らは精力を，政府にとってみれば一般市民にはアピールしないだろうとわかっている政治運動に，注ぎ込んでいるからである．環境保全をめざして合理的な議論に基礎をおいた環境政策を提唱する努力をするのであれば，政府にとっても，より手ごわい対抗相手となり，それゆえ，行動を起こすより強いインセンティブになる．

貧困国においても，NGO 活動が，強力な場合もある．しかし，その活動の努力は，またもや，環境の質低下の直接的原因よりはむしろ過剰消費にあやまって向けられている．環境主義は，腐敗した集団の利益に対抗することになるため，ときに犯罪にも等しいものとして見られることもある．より強力な環境政策を求める声が無いことは，政治的腐敗と自由の欠如を示す指標と連動している．

## ベースラインの問題

MBI の利点と欠点についての論争ではしばしば，互いに，異なったゲームのルールを使っている．解決の見られない論争のほとんどにおいて，論点となっているのは，「ベースライン」である．ベースラインは特定の政策手段が採用されなかった場合におきたであろう事態として，定義される．論争の当事者がベースラインについて異なった仮定をもつなら，当該の規制手段が望ましいかどうかについて異なった結論に至る．

殺虫剤への仮想的な税を考えてみよう．選択肢としては，(a)現状のまま課金なし，すなわち，税も，その他の規制もなし，(b)なんらかの異なった規制，である．それぞれの利害関係者は，彼らの想定するベースラインに比較して，課税への立場を測るか，あるいは判定するだろう．農家は，課税されるか，規制がまったくないかどちらかしかない，と考えるであろう．しかし，規制当局は，もし課税ができなければ，量的な規制，たとえばなんらかの殺虫剤の禁止，が必要になるだろうと考える．農家は彼らの損害を，税によるコストとして算定する．規制当局にとっての便益となるものは，税による殺虫剤削減から得られる環境面と健康面の利得を，代わりに量的規制を行った場合の利得と比べたものである．代わりにもし，農家が彼らのコストを，税からの損害から，そうでない場合の我慢しなければならない量的制限からの損害を差し引いたものとして計算するのであれば，両者ともに，税から利得を得るという可能性もある．

政策決定の枠組み作りは採用の可能性に多大な影響を与える．実際のところ，税に反対する人々は当然，ベースラインが彼らの望むものになるように要求するであろう．言い換えれば，彼らは税に反対するが，しかし，同時に，間接的に，ほかのどんな規制の形態にも反対するのである．ベースラインの操作は，MBI において重要である．なぜならば，MBI が遵守の点で，なんらかの CAC 手法よりもコストがかからないのであれば，規制当局は MBI をもっとも安価な選択肢として提示することができるからである．もっとも安価であるということは，受容性を高めるであろう．しかし，もし，ベースラインが実質的に現状のどれか一つになるよう，その選択に影響を与えることができると汚染者が確信するのであれば，あるいは MBI という解決策が最初は最も安価であるが将来はもっと高くなるととられてしまうならば，この戦略は失敗するであろう．

汚染者が実際に感じていることは，MBI はたとえ短期的に見て受け入れられる程度にコストのかからないものであるとしても，長い目で見て受け入れられない，ということだろう．彼らは，MBI が将来的に彼らに損害をもたらすように操作されることを恐れている．たとえば，税は環境の観点から導入時に正当化された水準を超えて，将来引き上げられるかもしれない，そしてそれが税収を上げるために使われるかもしれない，と恐れている．もっというと，MBI が使われると，汚染者にとっては，規制過程を操ることが，より難しくなる．汚染者はロビー活動を使って，直接的な規制担当者（たとえば検査官）に気に入れられるようにするし，また，規制の実際の運用に手心を加えてもらおうとする．結果的に，たとえ長い目で見て，MBI がほかの規制よりもコストがかからないものであったとしても，規制を操ることのできる可能性を考えれば，汚染者は，そうした他の規制措置を望むこともあるのである．政府はしばしば，ベースラインの問題を軽視してしまう．EU 全域での税としてECによって提案された炭素／エネルギー税は，産業界の大々的なロビーに晒された．その手法が，ほかに選択肢がない形で提示され，ロビーする側にとってはベースラインとして，政策が全くない状態を「選ぶ」ことが比較的容易であったため，そのロビーは大成功であった．

ベースラインの設定で失敗した例としては，英国の燃料税エスカレーター（FDE）がある．FDEはもともとガソリンとディーゼル燃料にかける「恒久的な」課徴金として，保守党政権のもとで導入された．もともとの税率は，燃料価格に年率3％（1993年）であったのが，それから，5％（1993年末），さらに，6％（1997年）となった．年間物価エスカレーターとして，その影響は潜在的にものすごいものであった．5年間にわたる6％の複利では，（燃料価格が不変として）実質価格で34%上昇する．1999年，労働党政権のもとで，FDEは，自動的な年間物価上昇の形から，裁量性へと変更された．2000年11月には，いかなる上昇も破棄され，実質物価下落に等しくなった．

FDEの意図がこのように変化してきた政治的背景には，航空業界のディーゼル価格引き上げに反対する早期の運動，トラック運転手の非公式グループによる直接行動があった．多くの要因がこの抗議行動の成功に貢献している．しかし，ひとつの重要な要因は，労働党政府がFDEの存在理由を明確にできなかったことである．幾度となく，FDEは正当化された．正当化の理由は，UNFCCCのもとでの英国の2000年目標を達成するために設計された炭素税として，また，一般的な汚染税として，また，保守党政府から引き継いだ財政赤字を支払うために必要とされる税収を得る税として，そして，病院の建物などの社会保障計画に必要な税として，などである．政府はお金があふれているのでFDEをカットすることはコストゼロである，と新聞が書きたてたとき，国民は混乱をきたした．結果，燃料税カットに対する一般国民の支持は，当然のことながら広い範囲にわたっていた．Convery（2002）はドイツとアイルランドで同様の世論があったことを指摘する．それは，環境税が歳入を引き上げるためのものであって，環境問題を補正するものではないという世論である．もし，政府にはお金が必要ないと認識されたら，税制は続かない．たとえ，税が環境政策のひとつとして理解されたとしても，税は環境保全にはほとんど，あるいはまったく影響を与えない，という見解がしばしば広まる．このような見方をされることは，ベースラインの問題の一端を表していると容易に理解されよう．車両と燃料の課税が引き上げられたにもかかわらず，車両の走行距離が増加する．こうしたことがあると，税はまったく影響を与えていなかったという見方が出てくる．しかし，交通量がどれだけであったかという真のベースラインに基づけば，税は当然影響があったはずである．

マスコミもまた，勝者に対してはまったくの無関心で，敗者がどうなっているかについては最大限の関心をはらうことで，ベースラインの認識を決定するのに一役買う．敗者を見つけることはジャーナリズムのカルチャーの一部である．価格上昇は悪いニュースとなる．それは，たとえ，価格上昇の結果として支出が減少したとしても，である．従来型の規制はMBIに基づいた政策よりもコストがかかり，CACはコストに対する影響という観点で，目に見えない．その一方で，MBIは透明性が高い．実際，MBIは市場価格の形で現れる．MBIはコストを引き上げる．それにより，つねに敗者が現れるであろう．そこでマスコミはその事実を常に飯の種にすることができるのである．

ベースラインを決める最後の要因は，対抗勢力の力いかんである．汚染者は，もし，彼らがそうすることによって，一般社会の，あるいは，自身の従業員の尊敬を失うであろうと考えるなら，「規制が全くない状態」をベースラインとして設定するように骨を折ることはしないであろう．また，多くの汚染者は，NGOに深く注意を払う．政府はそれゆえ，対抗勢力をたきつけることによって，ベースラインの選択に影響を及ぼすことができるかもしれない．ひとつの効果的な方法は，国民の知る権利，たとえば，汚染物排出量などを知る権利である．これを使って，「利益を得る人々」が連合を組んで，声の大きい「敗者」の影響に対抗できるよう支援してやればよい．先に述べたように，MBIの事案は，圧力団体が欠けていて，対抗勢力は存在しない状態になっている．

ベースラインの問題は，あきらかに，多くの面を持っている．しかし，そこからわかることは，マスコミや世論を先導する政府は，マスコミや世論との関係がより遠い政府よりも，MBIの導入に成功する可能性が高いということである．

## 競争力

政府が，環境政策の拡大やMBI導入をためらう大きな要因は，おそらく，そうした措置が国際的な競争力を弱めるだろうという恐れである．多かれ少なかれ，産業は，好まざる政策に反対するロビーを行うにはよく組織されている．これは，同じ排出物（わかりやすい例は$CO_2$）について，企業よりも高い環境税を個人が支払うことになるのは，いったいなぜか，ということの説明にもなる（Svendsen et al. 2001）．より厳しい環境政策と，特に税制に反対する，産業界の理論的根拠は，通常，MBIが競争力に及ぼす影響のためである．英国の「気候変動税」は，強烈な産業界の反対に直面した．排出削減に同意するかわりに，エネルギー集約産業は税に対する大幅な減免措置を獲得した．これは，税率自体の削減も伴った．ノルウェーでは，1991年に導入された$CO_2$税を全ての産業に拡大しようとする努力は，産業界の大反対にあった．反対論は，それ以前にも，税が拡大されることがないように論陣を張ってきたものである（Svendsen et al. 2001）．

競争力はまたベースラインにも関係している．もし，多くの経済分析が論じるように，MBI の遵守にかかる総費用が代替的な CAC 措置の総費用よりも小さいのであれば，別のベースラインよりも MBI は競争の重荷がより少なく課せられるべきである．しかし，政治家と役人がこの問題をいつもこのように見ているかは必ずしも定かではない．MBI は大きな費用負担を課すと，彼らは信じているのかもしれない．たとえば，税は全ての排出に課され，定められた基準を超える排出分だけではないと信じているのかもしれない．しかし，そんなことはない．MBI で費用負担がより大きいということは，(a)政策の透明性，(b)そうした政策に伴って起きやすいロビー活動，の二つから起こる幻想であることもしばしばである．端的にいうと，汚染者は彼らが見て理解することのできる措置に反応し，政策決定者は実際に起こってきたロビーに対して反応する．

競争力という言葉が何を意味するのか，あるいは，環境規制の影響をどのように計測するべきなのか，必ずしも明確ではない．競争への影響の検証として考えられるのは，次のようなものである．

・環境規制を受けている財の純輸出が規制によって変化する度合い，あるいは，環境規制を受けている財の純輸出が規制の少ない財に劣る度合い
・強力な規制に直面する企業が国外に逃げ出す（いわゆる「汚染逃避仮説」）度合い
・強力な規制を行う国から投資が逃げ出す度合い
・労働あるいは全要素生産性が規制によって影響される度合い

純輸出は規制によって大きく影響されたということはこれまでのところ見当たらない（Jaffe et al. 1995；Sorsa 1994）．企業立地の決定は，環境コストには通常は左右されない．その主な理由は，環境コストが全費用に占める割合は小さいからである（Jaffe et al. 1995；Eskeland and Harrison 1997）．汚染集約的な産業において，国内のより高い環境コストを埋め合わせるために海外により多く投資するという証拠も，見つかっていない（Eskeland and Harrison 1997；World Bank 1999）．

生産性についての研究のほとんどは，それほど強くないマイナスの効果を見出している．しかし，そうした効果さえ，MBI よりもむしろ伝統的な規制政策の採用を反映しやすい．さらに，方法上の問題を挙げている研究者もいる．環境規制の生産への影響は，ほとんど定義により，マイナスでなければならない．生産性は通常，生産（たとえばGNP）の労働投入に対する比率，あるいは，なんらかのすべての

生産要素を集計したものに対する比率として，計測される（実務上は，この「全要素生産性」指標はGNP変化の説明できない残余分，すなわち資本あるいは労働の変化によらない成長部分，として計算される）．先進国におけるほとんどの環境規制はBATやBATNEECのような技術基準に基づいている．それゆえいかなる規制も，生産への寄与という点では生産的ではない汚染対策技術を企業に購入させる．コストは上昇し，これを相殺する生産の増加はない．

汚染を減らす措置は，それ自体，生産に寄与するかもしれない．経営と環境問題に関する文献は，環境措置を導入した上で，そうした措置の上に十分な金銭的な収益を確保しているような企業の事例に満ちている．ただ，残念ながら，これらは必ずしも厳密には調査されていない．明らかな事例は，規制によって促進されたエネルギー効率向上策である．厳密に言うと自己資金を費やして利得が得られるという言い方は少し変かもしれないが，そうしたことは可能であると言ってもよいように思われる．企業は必ずしも教科書に書かれているような形でコストを最小化するわけではない．エネルギー消費などの，環境汚染を引き起こす活動をコントロールすることから得られる生産性利得に，企業が気付かない可能性は十分ある．それゆえ，規制が常に生産性を低下させるという見方は見直されてもよいだろう．

規制が生産性に与える負の影響に関する研究は，MBIの政策手段としての望ましさに，ほとんど光を当てていない．そうした研究は，重要なMBIを扱っていない．生産性は正しく計測されなければならない．Repetto et al（1996）は，経済活動によって引き起こされる環境影響の損害を計測し，それによって，産出量の計測からそれを差し引いた．反対に，規制には，通常の生産性計測に追加されるべき環境便益がある．そのため，規制は生産性を高めるということもありえる．たとえ規制のために通常のGNPが低下したとしても，人々が気にするほかの事柄の価値が向上する．米国の電力，紙パルプ産業，農業を研究したものによると，1970年から1990年代初頭にかけての生産性変化の通常の計測は，それぞれ−0.35%，+0.16%，+2.3%である．しかし，環境改善の便益を考慮して，生産性計測を修正すると，それらは，それぞれ+0.68%，+0.44%，+2.41%となる．したがって，電力と紙については，生産性を適切に計測することはまったく違った結果を生むことになる．

規制は競争力を事実上向上させるかもしれないという考え方は，マイケル・ポーターと「ポーター仮説」に関わることである．この仮説のなんたるかは完全には明らかではないが，以下のようなことが考えられる．

・自明なことに，規制が強ければ，遵守に必要な機器を作っている企業は儲かる．汚染管理技術とサービスの市場は，次の10年間で1000億ドルの市場規模に達すると予想される．

・規制に容易に従うことのできる企業はそれができない企業を市場から締め出すことになるかもしれない．その結果，低コストの企業の市場シェアが増すことになる．市場の変化，たとえば，より小さくてより燃費の良い車への移行など，を予期した企業は利益を上げることができるだろう．
・おそらくより厳しい規制は，一般にコストのより詳細な吟味を推し進め，無駄を削ぎ落とし，企業にさらなる競争力をつけさせる．きわめて非効率な工場は最終的に閉鎖せざるを得ない．

多くの経済学の専門家は，ポーター仮説に懐疑的である．もしそれが真であるなら，それは，会社が潜在的なコスト削減の可能性を無視しており，規制の刺激によってそうした機会に気づかせてもらっている，ということになる．これは到底ありそうにない（Jaffe et al. 1995；Oates et al. 1994）．Sorsa（1994）は，環境基準を引き上げることは競争力を向上させる，ということを示す証拠は得られない，としている．しかし，ほかの便益があるのかもしれない．すなわち，環境問題が「国際化」するにしたがって，会社のグリーンなイメージは国際的にも重要になってくる．いわゆる環境基準の緩い国での環境基準は，実際，急速に引き上げられている．

このように文献をざっと見てみると，環境政策は，それがどんな形を取ろうとも，競争力への影響としては無視できるほど小さいものしかもっていない，ということが言えよう．生産性を通じた間接的な影響は，ちょっとみると確かにありそうであるが，規制の環境便益を無視し，産出を伝統的な尺度で測っているので，そのような結果は疑わしい．統計的な分析からわかることは，産業界の規制を見る見方は，時として，規制は重要な生産資源を「生産」から取り上げて「環境」へ振り分ける，というものである．その結果起こってくるロビー活動はこうした見方を反映しており，先に記したように，MBI に味方するロビーは存在しないか，あるいは，まったく組織力を持たないかである．政治家は，GDP や労働生産性といった経済活動指標を好み，「環境利得」といった，計測しにくい，あるいは政策に帰しがたいアイディアは好まない．Convery（2002）によれば，たとえ統計的な証拠があったとしても，重要でないものとみなされるかもしれない．焦点は，将来であって，過去ではない．そして，将来は環境に対する規制がより厳重になりそうである．過去の金銭負担は，将来の負担を考える上で参考にならない．こうした理由から，詳しい分析からわかることと政治家が信じていることとは，互いにかみ合っていない．MBI には問題が残っている．

## 社会制度と環境政策

多かれ少なかれ，環境政策を実行する社会制度が，先進国には存在する．法律は，ひとつまたは複数の規制機関，通常は環境の監督庁，によって発布，発効させられ，中央政府の本省が後ろに控えている．先進国であっても，新しい課題に合わせ，環境保護を確実にするために，柔軟に機関を改組する必要がある．監督庁の新設は，特定の機能，たとえば放射線管理など，に特化したものであれ，関連する環境問題をすべて扱うものであれ，そうした例である．EUのような連邦政府に準ずるものでは，環境法の遵守は加盟国によって異なっている．社会制度の基盤が国によって大きく異なっているためである．

貧困国においては，問題は明らかにはるかに深刻である．体制移行国と発展途上国では，市場原理の理解が欠けているかもしれない．企業は利益を上げなくてもよく，証券取引所は存在せず，会計制度は正式に実践されていないかもしれない．こうした国々に，許可証取引のような市場機能の深い理解を要するシステムを求めることは，あまりに多くを要求することになる．排出権取引は監視が必要で，どんな違反も法的に追及されなくてはならない．貧困国には，この法的，制度的な社会インフラが欠けている．また，取引には，徹底的な透明性が求められる．文書は公に公開され，取引は情報公開され，だれでも閲覧できるようでなければならない．くりかえしであるが，社会インフラは存在しない．取引制度と税制が機能するには，汚染者が削減コストを意識していないといけない．さもないと，彼らは送られてきたシグナルに反応することができない．多くの発展途上国においては，こうした必要条件は満たされていない．費用を最小にするという文化は，特に体制移行国においては，存在しないかもしれない．そのため，MBIのまさに根底にあるもの，すなわちCACより安くつくという考え方，は汚染者にはMBIを受け入れる理由として理解されない．

発展途上国における制度的基盤の脆弱さは，それゆえ，環境政策の前進，特にMBIの導入，の妨げになる．重要性を増しつつある環境問題に取り組むために現れてきた制度のすばらしい例がある．タイと中国が思い浮かぶが，チリは取引可能な水利権を導入し，大気に関する取引可能な排出許可証を検討している．

## MBIの社会的帰着

競争力保持が，先進国政府の環境政策拡大に後ろ向きである第一の理由であるなら，社会的弱者への影響はおそらく第二の理由である．興味深いことに，この懸念は，MBIが提案されると，途端に強力になる．MBIのなかには，特に環境税であるが，逆進的，すなわち，低所得者層への負担は高額所得者への負担よりも大きいということ，であると広く受け止められているものもある．高額所得よりも低額所得にとって，そのなかに占める消費の比率が大きいような商品（たとえばエネルギー）の支出に課税がなされるのであれば，この逆進性は明らかにそのとおりである．逆進性が通常起きるのは，排出や環境損害ではなく，製品か投入要素を課税対象とするときである．それゆえ，ガソリン税は，逆進的であるように見える．なぜなら，その課税によって影響を受けるのは自動車にほとんどを依存しないといけない人，および，私的な交通手段に所得の多くを費やす人だからである．私的交通手段から公共交通手段に置き換えることができない人，たとえば不便な土地の居住者，そして，低所得な人，こうした人々はガソリン税によって最も影響を受ける．

競争力に関しては，この逆進性の問題についての政治的認識は，手に入る証拠とはしばしば食い違っている．証拠のほとんどは，エネルギー・炭素税についてのものである．これらの政策措置を超えて一般化することは難しい．しかし，他の税の分析が見当たらないのは，それらが家計の予算のなかで顕著に現れるわけでもなく，逆進性があまり見られないとの判断があるからかもしれない．このことからわかるように，各所得層への影響という点でもっとも重要な税は，「必需品」（すなわち需要の価格弾力性の低い財）への税である．にもかかわらず，関連する情報は入手可能ではなく，そのため，非エネルギー財への課税の負担は一般にはわからない．

OECDは，エネルギー税を中心にして，経済手段の所得層ごとの負担について，いくつか調査を行っている（Harrison 1994；Smith 1995；OECD 1997a）．全般的な知見は，家計部門エネルギー消費への課税は逆進的（ただし，この点ですら，確かな証拠とはいえない）である一方で，いくつかのガソリン税についての研究から言えるのは，家計の全サンプルを考えるとガソリン税は逆進的ではない，とのことである．ガソリン税は，自動車を持っている家計だけを見てみると，逆進的になっている．この結論は，自動車燃料税についてのほかの分析でも，同様に得られている（Barker and Kohler 1998；Speck 1999）．

環境税の逆進性についての一般的な議論は税のコストにとどまりがちで，便益には及ばないことが多い．技術的に正しい税負担の尺度は，個人に対するコストから，その個人が環境改善から得られる便益を差し引いたものである．したがって，一般に税というものは逆進的になりがちであり，同時に，富裕層は汚染物質の減少から，貧困層よりも多くを得るという意味で，汚染物質が減らされたことによる便益もまた，逆進的であるに違いない．もしそうなら，税の総合的な影響は逆進的であるに違いない．このことが特定のMBIと，MBI一般の全体としての構造に当てはまるかどうかを知ることは，とても重要である．したがって，もしMBIの全体としての影響が，費用と便益の観点から逆進的であるなら，全体として公平さを保ちつつMBIの利点が確保されることを確実にするため，税体系のなんらかの再調整が正当化されるかもしれない．

驚くべきことに，環境政策の正味の帰結の影響について，ほとんど知られていない．この主たる理由は，この問題について（エネルギー税の負担を除いて），事実上まったく研究がなされていないからである．MBIの社会的負担の確証ははっきり得られていない一方で，政治的な認識と入手可能な証拠との間のギャップはきわめて大きい．これの説明としては，(a)負担の証拠が限られていること，(b)税の「ネット」負担（費用マイナス便益）という考え方が複雑であること，(c)「ベースライン」の問題（MBIの負担と代替となる政策の負担との比較），があげられる．「マスコミの取り込み」ができない政策実施は，深刻な障害に直面する．もし，マスコミが「敗者」の肖像を描くことをほとんどしないなら，あるいは，もし，敗者への信頼できる緩和策あるいは補償策があるなら，その政策は社会的に受け入れられるかもしれない．ジャーナリストは，敗者の実例として，石油燃料税の犠牲者としての自動車運転者，家庭への水道メーター導入のため子供をお風呂に入れることができなくなった母親などを引き合いに出すのである（Pearce et al. 2000）．

MBI政策において公平性の問題を無視することは，いくつかの点で正当化される．

- 勝者と敗者の存在はMBIに特有の問題ではない．すべての経済的な調整，導入された政策その他において，敗者はつきものである．
- 分配効果は小さく，それを解消するための費用は，便益をはるかに上回るかもしれない．
- 分配影響は，所得分配と空間分配の政策によってよりよく対応されるものであって，環境政策の調整によってなされるものではないかもしれない．
- 補償を行うことは，ロビーを通じたレント追求への道を開いてしまうかもしれない．

さらには，もし，CACが本当にMBIよりも遵守コストの点で高いのであれば，そして選択肢がMBIとベースラインたるCAC政策のみであるなら，CACコストの社会的負担はMBIコストの負担よりも悪いであろうと，人は論じることもできたであろう．この問題がそのようには見られないということは，MBIの透明性に対してCAC政策によって発生する価格の影響が見えにくいことに大いに関係がある．

にもかかわらず，公平性の問題は，政府を大いに心配させる．そして，弱者への重大な影響を回避する，あるいはそういったグループへの補償を取り入れた政策を伴わずにMBIの事例を推し進めることは，難しいかもしれない．OECDは，次のように結論付けている．

> 環境税に伴って起きる分配問題は，収入を生み出さず財政に無関係な経済手段に伴って起こる分配問題よりも大きいが，それにしてもそれらは誇張されすぎている．しかし，特に，もしエコ税の数と水準が将来増加するならば，分配問題は無視されるべきではない（OECD 1997a).

## 要約と結論

本稿を動機付けた問いは，「社会はわれわれが新しい希少性と名づけたものに対峙する政治的意思を持っているのか」ということである．もし，大なり小なり，古い希少性が天然資源市場によって十分に面倒を見られてきたのであれば，本質的に市場化されていない資源の新しい希少性はどうやって解決されるのであろうか．経済学の専門家の答えは，本質的に市場を模擬するアプローチである．すなわち，市場があったとして，その市場化されていない資源が持っていたであろう価格をまず概念的に見つけよ，そして，なんらかの市場ベースのメカニズム，すなわち税，取引可能許可証などを通して，その価格を人工的に導入せよ，というものである．結果的な価格は，環境の脅威が深刻な場合は高く，脅威がそれほどでもなければ低いであろう．結局，市場に基づく手段（MBI）の利用は，効率性についての政府の要求を満たすことを確実にするであろう．効率性は重要である．なぜなら，解決策が高コストならば資源がより良い形で利用されることがなくなり，そしてさらなる措置に反対する人々を勢いづかせることになる．効率的な解決策はまた，過激ではあるが政治的に実行不可能な解決策を求める人々と，雇用の利益，利潤，競争力に注意するよう助言する人々との間での政治的な妥協をしやすくする．そのため，市場に基づくアプローチ（MBA）を使って，遵守コストを最小化し，同時に各種の環境目標の折衷を達成するような解決策に政治経済社会はたどり着く．

厳格な環境政策を妨げる要因は，環境の質に対する支払意思額の違いで大部分説明がつく．その違いは，所得と環境の質の間の関係を描く，環境クズネッツ曲線の中心的な特徴である．貧困国は先進国よりも低い環境基準を設定すると予想されるが，そのことは一般に知られていることである．天然資源はレントを生み出し，レントはレントシーカーを呼び込み，政治的腐敗はほとんど不可避である．なんらかの環境規制をこの枠組みに導入することは，困難に満ちているし，机上の空論は決して実際にはうまくいかない．制度的基盤の脆弱さは，教育の水準など他の資源の初期保有量を反映しているが，同時に，支払意思額の相対的な低さも反映している．制度は，それが必要になったときに作られる．

環境政策は教科書的な費用最小化，正味便益最大化措置に向かって，ある意味進化してきた．MBI は，10年前よりも大きなスケールで，より広い部門に渡って，存在している．そしてそれは，それがなかった場合よりも低い水準に，政策にかかるコストを抑えてきている．注目すべきは，政策の設計における費用と便益の比較である．しかし，技術に基づく基準やその他の基準は，いまだにほとんどの政策を決定付けている．コストこそが重要であるという原則，それは MBI の根底をなすものであるが，それが浸透したのは，政策の一部にだけである．それ以外では，コストは体裁よく扱われ，公共信託法理が，コストは合理的な政策決定には関係しないと宣言した．

本章では議論しなかったが，MBI は本源的な問題を抱えている．どんな環境税も，効果が不確実である．もし政策が正確に量の変化を目標とする必要があるなら，税はおそらく実効性を持たない．目標が外れたら税を変更すればよいという議論は，理論的には正しい．しかし，それは企業の排出削減投資の決定における，税率が不確実であることの影響を無視している．MBI のなかには，単にそれがなんらかの点で代替案と同じようには効率的ではないという理由で，導入されてこなかったものもある，と論じることは可能である．しかしながら，ほとんどの場合，政治的問題のため進展しない，というのがよくあることである．

本稿の議論で強調したことは，概して環境政策を，さらには，特に MBI を「最適」な形で導入することの課題であった．それらは，おそらく，制度的な障壁，整合性のない政策，支持基盤，そして，認識の問題として分類できるかもしれない．

**制度的な障壁**

- MBI は現行の規制の枠組みと共存しなくてはならない．現行の枠組みをすぐに取り払うことはできないので，本格的な MBI と非整合的であるわけにはいかない．
- 規制にとらわれること，すなわち，汚染者と規制当局が，彼らが理解し影響を及ぼすことのできるシステムによって享受する「心地よさ」は，MBI への移行を妨げる．
- 発展途上国では，MBI さらには環境政策全般の導入を可能にする社会制度がそもそも存在しないかもしれない。

### 整合性のない政策

・競合する複数の政策目標は，MBIの環境に対する目標と非整合的かもしれない．教科書的には，競争的価格を確実にし，外部性（環境影響）に課税することは，もっともなことである．しかし環境の観点からは，競争的価格を上回る独占価格は，環境保全により好都合なのである．
・幅広い補助金はレントシーキングを引き起こし，究極的には政治的腐敗につながる．
・より見えにくい非整合性は，法的な判例がばらばらに積み重なっていくような場合に生じる．米国における「公共信託」法理は，遵守コストと環境基準設定との関連性を全く無視してしまっている．コストは重要でない，というのであれば，MBIに基づく規制も重要ではない．
・また，整合性の欠如した政策は，環境政策全般を阻害する．産業や農業を代弁する官庁は，環境を代弁する官庁とは異なった見解を持っている．

### 支持基盤

・MBIに反対するロビー活動というのは大変目立つ．規制の内側にいる人々を見てみると分かるように，こうしたロビーを構成する人々は，汚染者あるいは資源を劣化させる人達だけではなく，そうしたロビーの声の役割をする官庁，また，時には，規制監督庁そのものだったりもする．MBIを擁護するロビーは，概して，学界とシンクタンクの人々である．
・先進国では，環境擁護を訴える非政府機関の声が定着している．しかし，多くの発展途上国ではそうではない．このことは，環境問題への社会の関心の薄さを反映しているのかもしれないが，同時に，国内環境グループへの組織的抑圧を反映しているのかもしれない．こうした国々では，環境グループは当局に対する挑戦およびレントの専有に対する挑戦とみなされる．

### 認識の問題

・MBI提案がどう提示されるかが極めて重要である．それがマスコミによってどう受け止められるかも重要である．あまりにもしばしば，MBIは，代替案がなにか他の規制の形態であるにもかかわらず，まったく何にもしない状態と対比されるようである．代替案がなにかしらより良いものをもたらしてくれるかどうかを確かめること無しに，MBIの問題を見つけようとすることは，言うまでもなく非論理的である．しかるに，これが，この問題の認識のされ方なのである．
・政治家は競争力と公平性（社会的帰着）について敏感である．MBIがこうした点でよい結果を生まないという証拠は限定されている．他の代替案よりも悪いという証拠はほとんど見られない．しかしながら，そのことは容易に理解されない．測定の問題は複雑であるが，正味の影響，すなわち，費用と便益の差し引きを評価することを考える必要がある．コストの影響のみではいけない．
・文化的土壌が認識の問題に関係している．税の好きな人はいない．しかし，MBIについての一般大衆の議論でよく見かけるのは，「必需品」への課税はそれ自体，悪であるという見方（アイルランドの水利用の例）である．負担の問題が先進国での政治問題であるなら，当然，貧困国においてもそれは重要である．エネルギーあるいは水の価格を引き上げることは，貧困層に負担をかけることも十分にありえるのに，そうした政策に対する声高な反対意見は，富裕層によって唱えられることも多い．

こうしたことすべてが意味することは，より強力な環境政策とMBIに基づく政策という理念を追求することは見当はずれである，ということであろうか．その答えは「ノー」であるべきだ．環境政策の望ましさについての議論は変わりつつある．より多くの人々が，認識しているのは，自然はそれ自体，そして将来世代に対して，さらに，快適さと美的な問題として，重要であるが，その一方で，環境は人間の健康と，経済成長の伝統的な政策目標のために重要である，ということである．この議論が強い説得力を持つのは発展途上国をおいてほかにない．しかし，もし，より厳格な環境管理をするのであれば，効率的な環境政策を採用し，遵守コストを低く保つことを確約することもまた重要である．こう考えれば，なお，MBAは望ましいものといえるはずである．重要なことは，単に政策の効率的な設計のみではなく，環境政策手段の選択に関する政治経済学のより深い理解である．

## 注

1）同等なものは，放射線防護では，「合理的に達成可能な範囲でできる限り低い（ALARA）」，電磁界放射では，「慎重なる回避（PA）」である．
2）UN ECEはジュネーブにある国際連合ヨーロッパ経済委員会を指す．

## 参考文献

Barker, T., and J. Kohler. 1998. Equity and Ecotax Reform in the EU: Achieving a 10 percent Reduction in $CO_2$ Emissions Using Excise Duties. *Environmental Fiscal Reform Working Paper 10*. Cambridge: Cambridge University.

Barnett H., and C. Morse. 1963. *Scarcity and Growth: The Economics of Natural Resource Availability*. Baltimore: Johns Hopkins University Press for Resources for the

Future.

Barrett, S. 2003. *Environment and Statecraft: The Strategy of Environmental Treaty-Making.* Oxford: Oxford University Press.

Baumol, W., and W. Oates. 1988. *The Theory of Environmental Policy.* 2nd ed., Cambridge: Cambridge University Press.

Bell, R. G. 2002. Are Market-Based Instruments the Right Choice for Countries in Transition? *Resources* 146 (Winter) : 10-14.

Brännlund, L 1999. The Swedish Green Tax Commission. In *Green Taxes: Economic Theory and Empirical Evidence from Scandinavia,* edited by L Brännlund and I.-M. Green. Cheltenham, UK: Edward Elgar, 23-32.

Brown, L. 2001. *State of the World 2000.* New York: W.W. Norton.

Christiansen, V., and I.-G. Gren. 1999.The Governmental Commission on Green Taxes in Norway. In *Green Taxes: Economic Theory and Empirical Evidence from Scandinavia,* edited by R Brännlund and I.-M. Gren. Cheltenham, UK: Edward Elgar, 13-22.

Convery, F. 2002. Acceptability and Implementation Problems. In *Green and Bear It? Implementing Market-Based Policies for Ireland's Environment,* edited by D. McCoy and S. Scott. Dublin: Economic and Social Research Institute, 85-102.

Cropper, M., and W.E. Oates. 1992. Environmental Economics: A Survey. *Journal of Economic Literature* 30 (June) : 675-740.

Davies, C., and J. Mazurek. 1998. *Pollution Control in the United States: Evaluating the System.* Washington, DC: Resources for the Future.

Eckstein, O. 1958. *Water Resource Development: The Economics of Project Evaluation.* Cambridge, MA: Harvard University Press.

Eskeland, G., and A. Harrison. 1997. *Moving to Greener Pastures? Multinationals and the Pollution Haven Hypothesis.* Policy Research Working Paper 1744. Washington, DC: World Bank.

Gray, L. 1914. Rent under the Assumption of Exhaustibility. *Quarterly Journal of Economics* 28 : 466-489.

Hahn, R. 1989. Economic Prescriptions for Environmental Problems: How the Patient Followed the Doctor's Orders. *Journal of Economic Perspectives* 3(2) : 95-114.

Hahn, R. 2000. *Reviving Regulatory Reform: A Global Perspective.* Washington, DC: American Enterprise Institute—Brookings Joint Center for Regulatory Studies.

Hanemann, M. 1999. Water Resources and Non-Market Valuation in the USA. Paper presented to the Chartered Institution of Water and Environmental Management (CIWEM) conference, "Valuing the Environment Beyond 2000," London.

Harrison, D. 1994. *The Distributive Effects of Economic Instruments for Environmental Policy.* Paris: Organisation for Economic Co-operation and Development.

Helm, D. 2000. Objectives, Instruments and Implementation. In *Environmental Policy: Objectives, Instruments and Implementation,* edited by D. Helm. Oxford: Oxford University Press, 1–28.

Hotelling, H. 1931. The Economics of Exhaustible Resources. *Journal of Political Economy* 39（April）：137–175.

Jaffe, A., S. Peterson, P. Portney, and R. Stavins. 1995. Environmental Regulation and the Competitiveness of US Manufacturing: What Does the Evidence Tell Us? *Journal of Economic Literature* 33：132–163.

Jevons, WS. 1865. *The Coal Question: An Inquiry Concerning the Progress of the Nation, and the Probable Exhaustion of Our Coal–Mines*. London: Macmillan.

Jones, C., and K. Pease. 1997. Restoration–Based Compensation Measures in Natural Resource Liability Statutes. *Contemporary Economic Policy* 15(4)：111–122.

Klaassen, G. 1996. *Acid Rain and Environmental Degradation: The Economics of Emission Trading*. Cheltenham, UK: Edward Elgar.

Krueger, A. 1974.The Political Economy of a Rent–Seeking Society. *American Economic Review* 64：291–303.

Krutilla, J., and O. Eckstein. 1958. *Multipurpose River Development*. Baltimore: Johns Hopkins University Press.

Lawton, J.H., and R.M. May. 1995. *Extinction Rates*. Oxford: Oxford University Press.

Lomborg, B. 2001. *The Skeptical Environmentalist: Measuring the Real State of the World*. Cambridge: Cambridge University Press.

Lutter, R. 2001. *Ignoring All Costs Won't Clean Our Air*. Policy Matters 01–05. Washington, DC: American Enterprise Institute—Brookings Joint Center for Regulatory Studies.

McKean, L 1958. *Efficiency in Government through Systems Analysis*. New York: Wiley.

Meadows, D., D.L. Meadows, J. Randers, and W.W. Behrens III. 1972. *The Limits to Growth: A Report for the Club of Rome's Project on the Predicament of Mankind*. Washington, DC: Earth Island.

Mortensen, J.B., and J. Hauch. 1999. Governmental Commissions on Green Taxes in Denmark. In *Green Taxes: Economic Theory and Empirical Evidence from Scandinavia,* edited by R. Brännlund and I.–M. Gren. Cheltenham, UK: Edward Elgar, 1–12.

Oates, W., K. Palmer, and P. Portney. 1994. *Environmental Regulation and International Competitiveness: Thinking about the Porter Hypothesis*. Discussion Paper 94–02. Washington, DC: Resources for the Future.

OECD（Organisation for Economic Co–operation and Development）. 1975. *The Polluter Pays Principle: Definition, Analysis, Implementation*. Paris: OECD.

————. 1997. *Environmental Taxes and Green Tax Reform*. Paris: OECD.

———. 1999. *OECD Environmental Data Compendium 1999*. Paris: OECD.

———. 2001. *Environmentally Related Taxes in OECD Countries*. Paris: OECD. www.oecd.org/env/ policies/taxes/index.htm.

Panayotou, T. 1998. *Instruments of Change: Motivating and Financing Sustainable Development*. London: Earthscan.

Pearce, D.W. 2000. The Economics of Technology-Based Environmental Standards. In *Environmental Policy: Objectives, Instruments and Implementation*, edited by D. Helm. Oxford: Oxford University Press, 75-90.

———. 2002. Will Global Warming Be Controlled? Reflections on the Irresolution of Humankind. In *Challenges to the World Economy: Festschrift for Horst Siebert*, edited by R. Pethig and M. Rauscher. Berlin: Springer Verlag, 367-382.

Pearce, D.W., F. Putz, and J. Vanclay. 2001. Sustainable Forestry in the Tropics: Panacea or Folly? *Forest Ecology and Management* 172 : 229-247.

Repetto, R., D. Rothman, P. Faeth, and D. Austin. 1996. *Has Environmental Protection Really Reduced Productivity Growth? We Need New Measures*. Washington, DC: World Resources Institute.

Rose-Ackerman, S. 1999. *Corruption and Government: Causes, Consequences and Reform*. Cambridge: Cambridge University Press.

Russell, C.S., and P.T. Powell. 1996. *Choosing Environmental Policy Tools: Theoretical Cautions and Practical Considerations*. Social Programs and Sustainable Development Department. Washington, DC: Inter-American Development Bank.

Skou Andersen, M. 2000. Designing and Introducing Green Taxes: Institutional Dimensions. In *Market-Based Instruments for Environmental Management: Politics and Institutions*, edited by R.-U. Sprenger and M. Skou Andersen. Cheltenham, UK: Edward Elgar, 27-48.

Smith, S. 1995. *Review of Empirical Evidence of Distributional Effects of Environmental Taxes and Compensation Measures*. Paris: Organisation for Economic Co-operation and Development.

Smith, V.K. (ed.). 1979. *Scarcity and Growth Reconsidered*. Baltimore: Johns Hopkins University Press for Resources for the Future.

Sorrell, S. 1999. Why Sulphur Trading Failed in the UK. In *Pollution for Sale: Emissions Trading and Joint Implementation*, edited by S. Sorrell and J. Skea. Cheltenham, UK: Edward Elgar, 170-207.

Sorsa, P. 1994. *Competitiveness and Environmental Standards*. Policy Research Working Paper 1249. Washington, DC: World Bank.

Speck, S. 1999. Energy and Carbon Taxes and Their Distributional Implications. *Energy Policy* 27 : 659-667.

Sprenger, R.-U. 2000. Market-Based Instruments in Environmental Policies: The

Lessons of Experience. In *Market-Based Instruments for Environmental Management: Politics and Institutions,* edited by R.-U. Sprenger and M. Skou Andersen. Cheltenham, UK: Edward Elgar, 3-26.

Svendsen, G.T., C. Daugbjerg, L. Hjollund, and A. Branth Pedersen. 2001. Consumers, Industrialists and the Political Economy of Green Taxation: $CO_2$ Taxation in the OECD. *Energy Policy* 29：489-97.

EPA（U.S. Environmental Protection Agency). 2001. *The United States' Experience with Economic Incentives* for *Protecting the Environment.* Report No. EPA-240-R-01-001. Washington, DC: EPA.

van Beers, C., and A. de Moor. 2001. *Public Subsidies and Policy Failures: How Subsidies Distort the Natural Environment, Equity and Trade, and How to Reform Them.* Cheltenham, UK: Edward Elgar.

Weitzman, M. 1974. Prices versus Quantities. *Review of Economic Studies* 41：477-491.

Wildavsky, A. 1995. *But Is It True? A Citizen's Guide to Environmental Health and Safety Issues.* Cambridge, MA: Harvard University Press.

World Bank. 1999. *Greening Industry: New Roles for Communities, Markets and Governments.* Washington, DC: World Bank.

第11章

# 公共政策

## イノベーションへの投資の誘発

モリー・K・マコーレー

ほとんどの工業国において，政府は天然資源・環境管理に関わる自国内の研究開発活動に影響力を行使している．政府の関与には多くの形態が想定される．知的財産の保護，国立研究機関や施設での研究（これはしばしば民間や大学との共同研究の形を取る），研究開発に対する資金供与などである．しかし，政府の影響は実際のところもっと幅広い．その他（資源環境以外）の政策を実施することによって，研究開発に直接関与するわけではなくても，イノベーション*の速度と方向性に多大な影響を与えているのである．例として挙げられるのは，天然・環境資源へのアクセスと利用に対する制限，汚染排出の管理，エネルギー効率性の基準設定などである．

研究開発に及ぼされる政府の影響力は，資源希少性の軽減にいかなる効果（あるとすればであるが）をおよぼしてきたであろうか．これまでの事例研究からわかることは，結果がさまざまであるということである．いくつかの天然資源産業では，基礎的な財産権を政府が下手に管理することは，イノベーションの方向とスピードを社会的に望ましい経路から逸脱させてしまう．また，研究開発へ政府が資金供与すること——産業界と共同でプロジェクトを行うとか，補助金の交付や減税といったさまざまな形の資金的なインセンティブを与えるなど——は必ずしも成功はしていない．しかし，環境管理のための取引可能許可証（Tradable permit）制度は，適切な量とタイプのイノベーションをもたらしてきたようである．

---

*訳者注：「イノベーション」という用語は，議論が技術に限定された文脈では，「技術革新」と訳してもよいだろう．『イノベーションにおける公共政策介入の論拠』の節の冒頭で，筆者は，「イノベーション」，「技術変化」，「研究開発」は互いに交換可能である旨を記している．そうした点では，本章の議論のほとんどは，「技術革新」という訳語が当てはまるといえよう．ただ，その一方で，本章の後半では，管理や経営についても議論が繰り広げられている．この部分は，「技術革新」という訳語は，やや狭義に過ぎるように思われる．「イノベーション」という言葉が，本章の最も重要なキーワードであることに鑑みれば，これに二つ以上の訳語を当てることは極力避けたい．カタカナ用語が漢字用語に比べれば理解しづらいことは承知の上で，原語の持つ語感の解釈を読者に委ねることにし，あえてカタカナのまま残すことにしたい．

主として民間部門で独立に発生したイノベーションは，過去数十年の間，あらゆる天然資源の希少性増加による影響の多くを軽減させてきた．Simpson（1999）はそうした新しい技術について詳細に論じている．それらの技術は石炭採掘，石油探査・開発，銅産業，林業における顕著な生産性向上を引き起こしたものである．本書の他の執筆者達は政府の行動についてほとんど言及していない．

本章の第1節では，政府の政策とイノベーションの関係についての概念的な文献，具体的には，政策介入の論拠について概観する．Hicks（1932）で初めて提示された概念から始めて，「誘発的イノベーション（Induced innovation）」の研究の進展を論じる．この Hicks（1932）の概念とは，企業が相対的に高価になった生産要素について合理化するよう努力するので，価格の変化はイノベーションを誘発するというものである．ヒックスの考え方の拡張は，価格変化へ影響を及ぼすこと，そして，それゆえ公共政策の作用によってイノベーションを誘発すること，に対する政府の政策の役割を明示的に考察することにつながる．

次に，イノベーションにおける政府介入の論拠について概観する．政策によって誘発されるイノベーションは，直接研究開発に向けられた政策から引き出されるかもしれない．あるいは，それは，公然と直接的に研究開発へ向けられるわけではない，公的介入よりは回りくどい経路によって引き起こされるかもしれない．

その次の節では，いくつかの天然資源・環境関連産業における技術変化への政府の政策の効果について，事例研究を見る．扱う産業は，エネルギー，水産，水資源，林産，電波，汚染管理に関わるものである．これらの事例研究は政策誘発的イノベーション（Policy-induced innovation）を網羅している．環境管理に対する新技術の（採用，模倣，あるいは供与による）普及における政府の役割については多くの実証文献があるが，Jaffe et al.（2003）がそうした文献をまとめている．それゆえ，ここでは，技術の普及はそれほど大きくは扱わない．

最後の節では，今後の研究の方向性を述べると共に，得られたことのまとめを行う．

## 価格とイノベーション

企業は財とサービスを生み出すものなので，公共政策は企業の投入財と生産財の価格に直接的，間接的に影響を与えることにより，イノベーションに影響を及ぼすことができる．技術変化の経済学に関する文献では，こうした企業の行動への政策の影響は誘発的イノベーションの一形態として漠然と触れられている．

**誘発的イノベーション**

技術・イノベーション政策における政府の役割を研究者達がモデル化しはじめる以前には，誘発的イノベーションの概念は，単に，企業が投入財価格の変化に反応して（政府が介入しようとしまいと），投入財の投入量をいかに変えるかを記述するだけであった．その概念は，投入財の量を減らす，他の投入財との間で代替を行う，あるいは，生産工程や技術を変更してより高価な投入財を使わないようにするといったことを通して，企業が価格上昇に対応するということを意味した．Hicks（1932，124）により初めて提案された，いわゆる誘発的イノベーション仮説は次のようなものである．

「生産投入要素の相対価格が変化することはそれ自体，発明，それも特定の発明，への拍車となるものである．それは相対的に高価になってきていた投入要素の利用を節約することを志向したものである．」

ヒックスは彼の仮説を数学的に定式化することはしなかったが，さまざまな定式化がその後発展することとなった（Binswanger and Ruttan 1978にまとめられている）．

こうしたモデルは次に多くの実証分析へとつながることとなった．しかし，その関係性を直接的に計測することは，たとえ政策介入の影響が除外されていたとしても，容易ではなかった．初期の研究（概して詳細な数学モデルに基づいてはいない）の多くは，集約された価格データのトレンドに焦点を当てた．たとえば，Barnett and Morse（1963）は，天然資源の希少性の議論のなかで，1900年頃から1957年までの物価調整済み価格を追跡した．彼らが得た結論は，価格は上ったり下がったりはしてきたが，ほとんどの資源に見て取れる一般的な傾向は価格の下落である，ということである．それゆえ，彼らは，資源の希少性は高まっていくという当時主流だった考え方をほぼ否定した．

こうした価格の傾向を決定付ける根底要因，たとえば，イノベーションの役割，はそれほど明白ではない．バーネットとモースが結論付けたことは，価格を観測するだけで，需給の効果を解きほぐすことは困難であるということであった．Smith and Krutilla（1979，279）は次のようにコメントしている．

「誘発的な技術変化に関する文献はバーネットとモースが著書を書いたときにはあまり広くは受け入れられてはいなかった．技術変化に関する彼らの議論は，技術変化について，特定の発生メカニズムというよりは，過去のパターンを記述することが中心であった．にもかかわらず，新技術を開発する動機のひとつとして，天然資源の希少性の増大を，彼らが考慮したことは，彼らの説明から明白であるように思える．」

バーネットとモースの研究は，それゆえ，彼らが観測した傾向に対する技術の寄与に関して，疑問点の所在を紹介するものである．価格が上昇するにつれて，資源を使用する産業は，投入を合理化する革新的な方法を見つけ，それによって，供給のプレッシャーを減らし，安い価格へと導いた，という点で，資源価格の下方トレンドは，イノベーションの結果であったのだろうか．資源利用産業は，供給を増加させる新しい利用技術を見つけてきたのであろうか．価格変化につながるその他のトレンドが経済全体の中に存在したのであろうか．たとえば，生産性の低下，不景気，技術変化，補完あるいは代替の財・サービスなどである．最近の研究によって提起されたもうひとつの疑問は，価格水準のトレンドだけではなくて，価格の変動性の役割についてである（Carey and Zilberman 2001；Moreno 2001）．イノベーションはこのタイプの不確実性に対してヘッジ機能を提供するだろうか．もしそうなら，どんな役割を政府は演じるのか．

### 「政策誘発的」イノベーション

研究者達はヒックスによって描かれた価格とイノベーションの関係を拡張して，次に政府の政策介入によって誘発される価格変化に対するイノベーションを考えてきた．企業の生産工程が，投入を製品の生産に結びつけるものとして理解されるならば，そして，政府の政策が投入あるいは生産の意思決定に影響を及ぼすのであるならば，その企業の対応は，投入，生産，あるいは生産工程そのもののミックスされたものについてのイノベーションとなってあらわれるかもしれない．その企業自身のイノベーションへの内部的な計画（それ自身，生産工程への投入であるが）でさえ，政策を通じて影響を受けるかもしれない．ひとつの例として挙げられるのは，研究開発実施にかかる支出に対する税額控除措置である．1960年代と1970年代には，政府の規制は大量の基礎研究とイノベーションを引き起こした（Kamien and Schwartz 1969；Smith 1974，1975；Okuguchi 1975；Magat 1976）．最近の実証研究では，特に環境規制に対する反応としてのイノベーションがモデル化されてきている（たとえば，Newell et al. 1999）．

本章で扱う事例研究は多彩な政策誘発的イノベーションを例示している．政府による財産権の割当（周波数帯域と漁業資源），および新規投資への資金供与と税額控除（再生可能エネルギー技術）に対する企業の対応，といったことから，強制的な基準設定に対応してなされたイノベーション（家電機器と自動車のエネルギー効率）まで多岐にわたる．この事例研究は同時に，政府単独または大学や民間部門とのパートナーシップでなされた研究開発に対する技術変化の例も含んでいる（合成燃料と林業）．こうした事例研究は政府介入への理由付けの多様さを物語っている．

## イノベーションにおける公共政策介入の論拠

イノベーションにおける公共政策介入の理由を議論する前に，定義をいくつか並べておく．この章では，「イノベーション」，「技術変化」，「研究開発」という言葉は全く同じ意味で用いる．これは不正確ではあるかもしれないが，研究開発に携わる技術者などが実務の現場でそうした活動の区別にこだわることは不自然であると認めていることからも，許容できるだろう．Freeman and Soete（1997）はイノベーション過程の非線形性についての洞察を示した．また，Stokes（1997）なども参照されたい．イノベーションのあらゆる過程，あるいは全てのステージが，民間あるいは公的部門によって，別々に，あるいは共同で，実施され得る．多かれ少なかれ，基礎研究（基礎的な知識を得ることを目標にしているもの）は，政府の権限の範囲と考えられている．その理由は以下で議論したい．また，応用研究（設計，試験，試作）は，民間部門の役割と考えられている．しかし，それらの領域を分離する境界線，すなわち，誰がその研究をするべきか，そしてしているか，の境界線は，はっきりしない．

民間部門では十分なイノベーション（すなわち，社会的に最適な研究開発の量）が起きないことについて，これまでも研究者達はさまざまな理由を挙げてきた．また，彼らは，政府の関与によってこの問題を克服する（すなわち，経済効率性を向上させる）方法を処方してもきた．研究開発支出が政治的に魅力的であることを考えれば，政府の関与は当然のなりゆきであるとする研究もある．政治的に魅力的であるひとつの理由は，それが地元利益誘導目的の政府助成金をもたらすため，そこから，政治家達は自分の選挙区の有権者に利益を引っ張ってくることができるからというものである．また他の理由としては，研究開発への助成と資金供与は，優れた技術能力に対する国家的リーダーシップを示しているという確信に基づいて，政党の政治路線を越えて選挙票を集めるかもしれないということである．

### 経済効率性に関わる懸念

民間市場が失敗する次の三つの原因は，研究開発における政府介入を正当化するためによく引き合いに出される．

- 研究開発あるいはイノベーションの便益の専有不可能性，すなわち，研究開発の知的所有権とそこからの利益を確保することの難しさ
- 不確実な投資リターンのもとで，研究開発に融資することに市場が乗り気にならないこと
- 既存の政策や規制によって引き起こされ，民間部門を研究開発へ向かわせるイ

ンセンティブを無効にしてしまう市場の歪み

政府介入の論拠として，ほかに挙げられるのは，産業の市場構造と政治制度の影響に関わる問題である．

**【専有不可能性】**

企業は研究開発には過小投資する傾向にある（Arrow 1962）．研究開発は，環境改善のように公共財たり得る．過小投資は，研究開発の限界便益と限界費用がちょうどバランスするような，社会的に最適なレベルにはなっていない，という状態であるが，これにはいくつかの理由が考えられる．研究開発によってもたらされる新しい知識の利用は，非競合的（その知識の本質的価値を減ずること無く他者も共有することができる）であると同時に，非排他的（知的財産権の法的な保護無しでは，その知識を他者が使用することを妨げるのは難しい）である．もし，ある企業が他の企業の経験を横目で見て，自身の生産技術を改善するか，あるいは，そのコストを下げることができるなら，その経験を自身で得るべく投資するインセンティブは働かない．産業全体の経験による経済性が一企業内の経験による経済性よりも大きいのであれば，この専有不可能性はその技術の私的な開発への意欲を低下させるであろう．もし，イノベーションがひとつの産業内に急速に広まるのであれば，それぞれの企業にはイノベーションへ投資するインセンティブは少ない．なぜなら，各企業は他社の投資活動にただ乗りすることができるからである．もしひとつの企業が全ての諸費用を負担する一方で，その便益の一部しか享受できないと予想するなら，その企業はそのプロジェクトには社会的に最適なレベルよりも少ない投資にとどめることとなるだろう．

特許とその他の「あらゆる範囲の部分的財産権の巧妙な区分」（Arrow 1962）は，こうした外部性に対するひとつの解である．しかし専有不可能性は，特許化しがたい基礎研究の成果，あるいは産業全体での習熟によって知識と技術がスピルオーバーすることの当然の成り行きでもある．基礎研究の成果は通常は特許化できない．なぜなら，それらは特定の応用というよりも一般的な利用を想定しているからである．そのため，多くの基礎研究は大学と国立研究所で行われ，なかでも米国科学財団や，高エネルギー物理研究計画は米国エネルギー省によって，また宇宙科学は米国航空宇宙局によって，資金援助されているのである．

独占的な企業であれば，研究開発を実行するのにより積極的であるだろうか．ひとつの見解では，答えはイエスである．それは，独占的企業にはイノベーションを模倣したり，特許の抜け道を見つけたりするような競争相手がいないからである．一方で，独占的企業はイノベーション無しでも独占的利益を享受できるので，競争状態に置かれた企業ほどイノベーションを急ごうとはしない，と結論付ける考え方もある．

企業が特許競争をするなら，研究開発に過小投資しかしないということはあまりありそうにない．研究開発の努力を高めることによって，企業は競争相手が先に特許を取得してしまうような確率を低くする．しかし，ひとつの特許競争を繰り広げている企業各社は，研究開発に過剰投資をし，全体で研究努力を二重に重ねている状態になるかもしれない．こうした現象は，レントの浪費に似ている．特許プロセスがレントを発生させるたびごとにレントを巡った競争があり，レントはその専有を試みる際に要する追加的なコストによって，部分的にでも浪費されがちである(Reinganum 1982)．特許競争の中にある企業は，自身の研究を競争相手のそれとは違ったものにするために，たとえば，式やアルゴリズムをちょっとだけ変えるといったことによって，消費者にとっては全く利があるわけでもないのに，研究開発活動を無駄に差別化するかもしれない．この特許競争モデルを批判する議論として，企業が研究開発の過程でなにも学ばないという非現実的な仮定を置いている，というものがある．このモデルは，戦略的行動を無視しているというのである．たとえば，イノベーションを行う一番手であることの優位性は大変大きく，二番手，三番手になること，あるいは，製品の差別化に集中することはあまり価値が大きくない．「二つの頭はひとつよりも良い」という理由付けをして，政府はしばしば複数の独立した研究プログラムを立ち上げる．もしそれらが同時に実施されるなら，それらは特許競争を遅くさせることになるかもしれない．企業であれば，（順次）機先を制されたライバルが被る特許収入の損失を内部化する十分な機会を持ってはいない(Tirole 1988 は関連文献を良く概観している)．

### 【金融市場——収益の不確実性】

研究開発への過小投資は不適当なリスク分散からも起こるかもしれない．研究投資に対する収益は本来，投機的である．Hall (2002) は，研究開発に資金提供するベンチャーキャピタルについて，理論と実証の研究を行っている．特に，イノベーションに投資を行う人と，それに対し融資するだけの人が異なっていて，研究開発の技術的なリスクについて異なった情報を持っている場合の，私的収益率と資本コストの間の差について論じている．この差は，研究開発の非排他性から生じる私的収益と社会的収益の間の差とは同じものではない．加えて，研究開発はしばしば固定費用が大きく，プロジェクトの完成あるいは資本回収までにかかるリードタイムが長い．こうした状況で，資本市場は研究開発に積極的に資金投下することはしないかもしれない．

資本市場のリスク吸収能力は限られているという議論は，大げさかもしれない．Rose（1986）はいくつかの例を挙げている．医薬品会社は不確実性が高くて投資回収に時間がかかるにもかかわらず，新薬研究開発に年間約10億ドルを投資している．IBMはSystem/360の開発と生産では，研究開発へは約5億ドルの投資をし，全体で50億ドルのリスクを取った．それは，非常に先端的なコンピュータデザインに，文字通り社運を賭けたものであった．バイオテクノロジーと遺伝子工学の企業が，1980年代から1990年代にかけて急速な開発を行ったことは，私的企業であっても，研究開発分野のなかでも極めてリスクの高い事業に融資する意思を持っているということを証明する（90年代末頃を見てみると，必ずしもそうした投資の全てが賢明であったというわけではないということがわかるかもしれないが，たとえそうだとしても）．

研究開発融資に対する障壁が大きなものであったとしても，民間資金の欠落だけでは，政府介入に対する論拠としては不十分かもしれない．もし，民間の投資家が彼らの資金のより生産的な使い道が他にあるがゆえにプロジェクトへの融資をやめるなら，政府が勝馬を見つけることにおいて民間部門よりも上手でもない限り，政府がそのプロジェクトに融資するよう介入することは，トータルの社会的生産物を減らすことにつながる．Cohen and Noll（1991）による，超音速輸送，クリンチリバー増殖炉，石炭合成燃料，太陽光商用化プログラムに関する詳しい事例研究は，政府部門の融資がどちらかといえば十分でなかったことを示している．その他の研究では，政府による投資が有益なものであったことが報告されている．米国学術研究会議は，米国エネルギー省によって助成された化石エネルギー研究が価値のあるものであったかどうか調査した（National Research Council 2001）．小型蛍光灯用電流安定器から気中流動床石炭燃焼まで，多岐に渡る39の研究開発計画をNRCがレビューした結果，少なくともいくつかのプロジェクトは，実際に発生する経済的純便益の推定値がプラスであったという点で，成功裏に終了していた．1979年グリリチェスによって開始され，1998年に同じくグリリチェスによって再検証され，その後ほかの研究者によって引き継がれている一連の研究は，イノベーションに対する政府支出の全てにおいて，社会的収益率がプラスであることを見出している．このことから，研究開発に対する政府投資の総体は，計画通りうまくやったか，あるいはたまたまうまくいったか，いずれにせよ十分な純収益を生み出すような，利益も損失もあるポートフォリオとして考えられるといえる．

多くの産業において，複数の企業がある特定の研究プロジェクトに関して支出も便益も分け合うような研究ジョイントベンチャー（RJV）を政府は推奨している．RJVは，専有不可能性の外部性を補正することによって研究開発活動を増加させるかもしれないし，あるいは，複数の企業が，研究開発費用を分担して，ひとつの企業ではサポートできないようなイノベーションを実施することを可能にするかもしれない．そのようなジョイントベンチャーは，しかし，もしそれらが産業の利益を増加させるのではなく，単に再分配するだけであるなら，研究開発活動を結局減少させてしまうことになるかもしれない．産業内での企業間の競争が激しい場合，RJV によって研究開発市場で競合相手同士が競争するのを避けさせることになるのであれば，こうしたことは起こりえる．ジョイントベンチャーは，同時に，横並びの馴れ合いを促進して，企業が製品市場で競争するのを避けさせることにつながるかもしれない[1)]．

**【政府誘発的歪み】**

既存の政府の政策と計画は，民間部門の研究開発にも影響を与えるかもしれない．本章の後のほうで議論する事例研究では，周波数帯域（電波）の政府規制を取り扱っている．政府がこのリソースを割り当て，それによって，電気通信サービスへの生産投入要素のひとつとしての潜在的経済価値に影響を与えるという方法は，通信技術における民間研究開発の方向性を片寄らせてきたように思える．後に議論するもうひとつの事例は，漁業の規制である．政府の規制によっては，漁業の相対的な収益性に影響を与えることによって，その業界の研究開発に影響を与えてきたようなものもある，ということが研究者達の結論である．また，天然ガスの井戸元価格の規制は，1960年代から1970年代初頭にかけての間，天然ガス生産者が天然ガスの探査に投資することを踏みとどまらせるよう作用した，と結論付ける研究もある（Stauffer 1975）．技術標準として限定された汚染排出規制は，汚染排出抑制技術への投資を抑制する可能性がある．

将来の法制化と行政の動きについての不確実性は，特定の技術からの期待収益と，その収益についてのリスク，どちらかに影響を与える可能性がある．研究開発に与えられる税額控除は，米国の税体系において，常に暫定措置であり続けている．たとえそれが繰り返し延長をされ続けてきたとはいえ，そうした措置としての性質のゆえに，税率，控除額，その他の条項の頻繁な変化とともに，その研究開発を刺激する潜在的な力は大幅に弱められてきた，と多くの財政学専門家は認めている．

## イノベーションと環境

環境関連の科学技術におけるイノベーションは，さらに大きな懸念の対象である．環境それ自体は，公共財であり，「価格付け」されるとしたら，正しくはなされないかもしれない．環境からの投入財（大気，水など）の価格が欠落しているのであれば，ヒックスの誘発的イノベーションプロセス（すなわち，価格変化への対応）への根本的な触媒は，欠落していることになる．

オープンアクセス天然資源，たとえば多くの漁業資源のような場合，全く同様に，財産権の欠如のせいで，漁獲ストックという生産物の保全あるいはより良い管理のためのイノベーションの必要性が，価格シグナルとして反映されることがなくなってしまうかもしれない．再生可能資源市場の過去のデータの傾向を概観して，Frederick and Sedjo（1991，17）は次のように述べている．

「資源利用を管理するように意図された法律，政策，計画，行政指導といった制度的な要素は，そうした資源の変わりつつある状態に大きな影響を与えてきた．資源の需要と状態が変化するにしたがって，制度それ自体も時間と共に進化してきた．しかし，制度上の大きな変化は，資源の状態がひどくなって，世間の注目と心配を集めるような状態になったときにのみ起きるというのが常であった．頻繁に起こってきたことといえば，制度は，資源利用を促進し，問題のある現状を許容し，そして，水資源の権利の場合のように，資源の根本的な状態や利用可能性に変化を起こすよう，資源利用と管理を効率的に調整するインセンティブと機会を，制限してきた．」

多くの天然資源にとって，イノベーションへのインセンティブは，その大部分を明白な財産権の確立に依存している．河川，小川，地下水流の資源は，ひとつの所有地から別の所有地へと流れるものであり，共有的資源である．財産権の欠落によって，その資源は，使用のための囲い込みがなされるまで誰のものでもないし，その間，過剰利用が起こりえる．環境の状態を改善することそれ自体も公共財であって，そうした改善に投資することへのインセンティブは弱いものであるかもしれない．

天然資源と環境の場合，二つのタイプの資源配分の不備が起こりえる．ひとつは，資源利用と環境汚染レベルが高すぎるかもしれないということであり，もうひとつは，資源利用効率改善あるいは環境保護のためのイノベーションに取り組むインセンティブが低すぎるかもしれないということである．これらのミスマッチが起こるのは，資源が正しく価格付けされることがないためであり，また，研究開発に対する適切な報酬設定が難しいためである．

二つのタイプの配分の不備を取り扱う先端的な理論研究として，Parry et al.（2000）は動的社会計画モデルを考案している．そのモデルでは技術の状態を一定として，汚染管理の将来コストを減らすためのイノベーションの効果を，現時点で汚染を管理する効果と比較している．彼らの見出したことは，汚染を現時点で管理することのほうがより魅力的であるということである．その主たる理由として挙げられるのは，イノベーションは費用と時間がかかるということである．彼らの結果は，ストックとフローどちらの汚染物質でも，また，さまざまな形の環境損害関数，短期と長期それぞれの計画期間についても当てはまる．この結果は，「最善ケース」となっているもので，汚染管理とイノベーションの両方が社会的に最適な水準で起こる形にはなっている．それでも，このような研究は，汚染管理のための規制とそのためのイノベーション促進という二つの課題に関する政策の優先順位付けに貢献するものであった．

天然資源と環境の公共財的性質は，イノベーションに関する理論研究のみならず，実証研究においても同様に，課題となっている．天然資源と環境財の潜在価格は容易に観測することができない．そのため，ヒックスの価格誘発的な政府政策と技術変化の間のリンクを実証的に検証すること，すなわち，価格が資源の希少性をシグナルとして発し，イノベーションへとつながるのを実証的に見出すこと，は潜在価格の代理変数に大きく依存してしまうのである．

### イノベーションの政治経済学

効率性の目標が，政府介入の唯一の動機付けというわけではない．研究開発政策においては，多くの他の分野でそうであるように，技術的なリーダーシップを誇示し，国際競争力を助成し，国家の威信を高めるような政治的目標は，しばしば，政策論争の中心になっている．Banks et al.（1991）は，政府がさまざまな商業的な研究開発計画において演じる役割について詳細に分析した．彼らの研究が見出したことは，政治制度は過剰なコストと乏しい成果を導く系統的なバイアスのかかったインセンティブをもたらす，ということである．

高コストと低成果をもたらす潜在的に大きなバイアスは，研究開発計画の分捕り合戦に由来する．多くの場合，研究開発計画の費用と便益は，地理的に不均等に分配されている．風力，地熱，水力，あるいは，太陽熱といったエネルギー資源の賦存量は国内でも地域によって大きく異なる．そうした再生可能エネルギーのプロジェクトは，再生可能エネルギー研究開発への連邦政府の出資金拠出を巡って州同士を競争に駆り立てることになる．政治家は選挙の周期にしたがって，短期的な視野で行動する．このことは，研究開発のような長期的にしか成果が出せないようなプロジェクトに出資する意欲を削いでしまう．これは同時に，政策立案者は短期的な危機に対抗するプロジェクトには，積極的に乗り出すかもしれない，ということにもなる．

汚染管理技術あるいはエネルギー効率目標を強制するような形での技術政策とい

ったものは，イノベーションを促進するその他の戦略よりも，政策立案者にとって，より魅力的であるかもしれない．環境規制において，厳しい排出削減を強制することは，コストがひとつの産業に集中している一方でその便益が広い分野に渡る場合，政治的に難しいかもしれない，と Parry et al.（2000）は指摘している．結果として，政府は論争がより少ない手段として，技術政策の推進に目を向けることとなるかもしれない．Perry and Landsberg（1981）は，研究開発への政府介入が，最終用途の問題よりも供給の問題に向かいがちであるという悪い傾向を指摘している．少数の洗練された実施者のみが関与するプログラムを作り，走らせるほうが，消費者百万人を巻き込んだプログラムよりも簡単である，というのが，彼らの理由付けである．

研究開発に資金供給する民間市場の機能が不完全であるとしても，これをもって市場の不完全性が政府介入にお墨付きを与えるということにはならない．政府政策は，完璧に計画され実行されるということは滅多にない．それは市場の機能になんらかの歪みを生み出すのが常であり，「ばらまき」の機会を提供するのである．

政府出資の研究開発によって生み出された新しい科学的知見は，企業の基礎的な知識になり，企業自身の研究開発を刺激する，ということを主張する研究者もいる．逆に，公的な研究開発活動の成果は企業によって内部化されるか，あるいは，企業が実施する公的資金による研究開発は，企業自身の努力なしでも研究開発に十分従事できるよう導いてくれるので，公的資金による研究開発と企業資金によるそれとは互いに代替関係にある，と主張する研究もある．そうしたふたつの説の検証はどちらともいえない結果で，ひとつの産業がどの程度研究開発集約的であるかに依存しているようである．すなわち，公的研究開発と私的研究開発は，研究開発集約性の低い産業ではいくらか補完的であるように見受けられるが，研究開発集約性の高い産業では，弱い代替性が明らかに存在しているようである（Mamuneas and Nadiri 1996）．

こうしたことを考え合わせると，単純な「市場の失敗」の検証よりも，より高い水準の政府介入をするべきということになり，政策設計においては，市場の不完全性は政府の不完全性と同様に扱われるべきという結論を補強することとなる．

## 事例研究：政策誘発的イノベーションからの入り混じった結論

この節では，天然資源と環境管理の分野で，イノベーションに及ぼす政府政策の効果についての事例研究を取り上げ，そこからの結論について例証する．特に天然資源と環境を狙ったわけではない，広義の研究開発税額控除の有効性に関する実証研究文献についても，簡単に取り上げる．

### 石炭合成燃料：実証プロジェクトと「東部石炭」の政治学

米国における大規模合成燃料産業のアイデアは，1960年代に，米国エネルギー省内に新たに設立された石炭研究室によって資金援助された少数の実証プラント研究とともに始まった．合成燃料は1973年の中東石油禁輸の後，1975年に発布されたフォード政権のエネルギー政策の一部として注目を集めた．1979年初頭，石油輸入価格は高騰し始めたが，1980年6月に議会が可決した法案では，合成燃料産業が米国のエネルギー政策の重要な部分として位置づけられ，連邦政府がその試みの要となるとされた．政府介入を正当化する理由としては，産業界での合成燃料開発がなかなか進まないこと，石油輸入依存度が潜在的に深刻な状況であること，および主要石油輸出国による供給量操作の増大を通じて液体燃料市場のさらなる逼迫が世界的に重要性を帯びてきたこと，が挙げられる．

その法律は，さまざまな研究開発活動の確立とそこへの政府資金援助を可能にするものであった．そのなかには，石炭，オイルシェール，泥炭，タールサンドから抽出される固体，液体，気体燃料を売り込み国内の合成燃料産業を推進する合成燃料会社（SFC）も含まれている．この法律によって，連邦政府は880億ドルにも上る資金を，価格保証，買い入れ，債務保証，ローンなどの形で利用可能にすることもできるようになった．また，連邦政府は少数株主権取得によって，小規模プロジェクトでのジョイントベンチャーを組むこともできた．

合成燃料産業を新設するというアイデアは，長い間議論されたが，どうやっても全面的な合意を得ることはなかった．熱心に提唱する人は，第二次大戦時のドイツの合成燃料の成功，石炭から液体燃料を作り出す南アフリカの例，1940年代初頭に戦時の非常事態手段として米国政府が実施した合成ゴム生産，などを挙げる．しかし，こうしたプロジェクトは，新たに計画されている米国合成燃料産業の日生産量のほんの一部を生み出すに過ぎず，期待される規模にスケールアップすることは，実証試験中のなかでも最大級のプラントと比べて，その30倍の生産量を必要とすると考えられる．この国の液体燃料必要量の10%を供給するとしたら，それには2億3千万トンの石炭生産を必要とする．これは1979年の米国の全石炭生産量の約3分の1にものぼる（Perry and Landsberg 1981）．

合成燃料計画を分析したコーエンとノルは，一瞥したところ，合成燃料研究開発への政府のアプローチは，政府の研究開発の取組みとしては典型的なもののようである，とコメントしている（Cohen and Noll 1991）．輸入石油価格を引き下げ，石油供給途絶から米国を守るようなバックアップ技術を開発することは，理に適っていた．それは，政府とのパートナーシップによる小規模と大規模の実証プロジェクトの混合戦略あるいはポートフォリオを提案するものであり，単にひとつの勝者あるいは敗者を抜き出すのではなく，広範囲に渡る技術の選択肢に関する純理論的な研究を検証するものであった．このアプローチは，利益供与が一部に集中するような大規模プロジェクトを避けるものでもあった．それでも，彼らは次のように書いている．

「合成燃料計画は全て，愚の骨頂であった．プロジェクトは次々と失敗した．コストの見積もりは，代替物の価格に関係付けられており，その計画自体のものとは異なっていた．目標ははじめから達成不可能であった．公式の費用便益分析は，その純便益を10億ドルのマイナスと見積もった．SFC を別にしても，研究開発計画がずるずると続けられていることは信じがたいことである．しかし，そうは言っても，シナリオとしてはまだましであったというべきである．OPEC に米国のエネルギー自給政策をはっきりとわからせるという目的では何の役にも立たないようなプラント建設に，全米の建設業界がかりだされるということにはならなかった．それでも，実際に巨額の資金が投下され，いくつもの（大規模プロジェクトの）パターンが出来上がっていったのである．(297)」

化石性エネルギー研究開発の事例を分析した米国学術研究会議（NRC）は1970年代から1980年代初頭にかけての合成燃料計画の事例について次のように結論付けている（National Research Council 2001，66）．

「過去を振り返ってみると，直接石炭液化とその他の合成燃料計画の技術開発は，政府あるいは産業界によってうまく操縦されたとはいえない．技術は良く理解されないまま実証試験に向けた大規模資金投下の対象とされてしまった.」

コーエンとノルは，もうすこし踏み込んだ診断をしている．彼らが目にしたパターンは，「1973年と1979年の石油危機の後に劇的に規模が拡大された計画」と「石油危機に対する反射的な反応」のなかで「急がれた」プロジェクト選択であった．東部石炭利用のプロジェクトは，そのコストを負担する一方で，そこからなんら便益を享受することのないような西部の州の人々が大多数を占める議会のなかで投票に付された．政治的な反対と石油市場での状況改善が重なって，この計画は終結を迎えることとなったのである．

### エネルギー保全：基準設定と税額控除の明暗入り混じった履歴

合成燃料計画のように，政府がエネルギー効率性向上のため研究開発に関与することもまた，1973年の第一次石油禁輸に対する反応として始まった．合成燃料実証プロジェクトの資金援助と同じように，計画はより効率的な暖房，照明，冷蔵を開発するために産業と協力した形での応用研究とプロセス研究，および新型多種燃料輸送技術とに集中された．エネルギー効率性向上への連邦レベルでの取り組みのその他の側面は，合成燃料計画とは全く異なったものであった．新法が新設したのは，次のようなものであった．

自動車平均燃費消費率（CAFE）基準

エネルギー消費を記す機器のラベリング

住居ビルのエネルギー効率性向上装置取り付けに対する税額控除

低所得層建物断熱補助

新築ビルのエネルギー効率性基準

基準設定計画のひとつは，国家エネルギー消費機器省エネルギー法であった．これは1987年に議会を通過したもので，家庭用エアコンとガスウォーターヒーターに対するエネルギー効率の最低限の基準値を設定するものであった．合成燃料の事例とは全く異なることに，実施された基準設定のなかには，わずかではあるが実際にイノベーションをもたらしたものもある．Newell et al.（1999）は，ヒックスの価格誘発的イノベーションの概念を拡張して，こうした規制基準によってもたらされる効果も価格効果の中に含めた．特に，計量経済的な手法で，1958年から1993年の間，効率性新基準の導入に反応して家庭用エネルギー消費機器のエネルギー効率がどの程度変化したかを計測した．彼らの見出したことは，エネルギー効率向上の多くの部分は，自然に起こったことであったということ，全体的なイノベーションの速度は，エネルギー価格と規制からは独立であったということであった．しかし，製品のなかには，イノベーションは，エネルギー価格変化の結果であるように見えるものもあった．エネルギー効率製品ラベリングが義務付けられてから，製造者は消費者向けの型式を変更したのであった．

自動車燃費基準は，はっきりとした結果を示していない．まだ1973年の石油危機の記憶がまだ新しかった1975年，議会は国外石油への依存度を引き下げることを義務付けるエネルギー政策・省エネルギー法を通過させた．ほかにも，この法律は，いくつかの条項で，自動車工業団体平均燃費計画を設置し，自動車メーカーに対して，米国国内で販売される乗用車と軽トラックの売り上げ重み付け平均燃費を引き上げることを義務付けた．

NRCによるこの計画の精査によれば，基準設定は，1980年代初頭以来インフレ調整済み燃料価格が低下し続け自動車の燃料消費が増え続けたなかで，燃費の水準が落ちるのを防ぐことにおいて，重要な役割を担ってきたことがわかる（National Research Council 2002）．燃費向上のため，メーカーは代替材料（鉄に代えて，アルミとプラスチック），より少ない駆動装置部品，より良い燃料計量（燃料注入）を使用して，車の小型化と軽量化を進めた．小型で軽量の自動車は高速道路死亡事故率を高めた（ただし，この研究の執筆者13人のうち２人はこの結果に異議を唱えている）．

NRC の研究は，今後15年間程度の燃費向上は，革新的なイノベーションというよりは，既存の技術を車体全体にこれまで以上に適用することによって起こるものと見込んでいる．もし消費者が安全性を重視するなら，安全性の犠牲の上に燃費向上が成り立つことはありそうにない．もし，燃費向上があるとしても，それは別の二つの効果につながるかもしれない．それは，燃料節約の効果を幾分打ち消してしまうだろう．ひとつには，ドライブにかかるコストが低減することになり，消費者がかえってより多くドライブするという「リバウンド効果」があるかもしれない（研究によれば，ドライブコストの10％削減に対して約１％から２％）．もうひとつには，消費者は，より燃費の良い車がより高くつく間は，古くてより燃費の悪い車を保持し続け，買い替えが進まないかもしれない．

技術を促進する政策介入のもうひとつの有名な例は，再生可能エネルギーへの投資に対する税額控除および関連する経理上の優遇措置である．こうした補助金は，本質的にイノベーションというよりは，再生可能エネルギーの発電容量の増大を補助するものであった．しかし研究者の多くが，控除は生産者が「進歩曲線」あるいは「学習曲線」に沿って進むのを強力に後押ししてきたと指摘している．この学習曲線現象は，詳しくはわかっていない．しかし，概して規模と時間によって影響されると考えられている．すなわち知識の向上は，たとえば大量生産から引き出されるかもしれない．また，設備を運転・保守する知識と能力は時間と共に向上が見られるかもしれない．さらには，他の企業や政府の研究開発の外部的な活動から来る向上もあるかもしれない（Zimmerman 1982）．いずれの場合でも，学習曲線の効果は，政府が生産品に保証を付けることの正当化の理由として引き合いに出されることがしばしばである．

再生可能エネルギーに対する税金還付は，1992年エネルギー政策法（EPACT）のなかでの再生可能エネルギー生産優遇措置（REPI）となっており，再生可能エネルギー技術の利用と開発を促進することを意図したものである．REPI は，州政府と地方自治体および1993年から2003年の間に運転を開始した公営の電力会社によって所有される，新たに認定された再生可能エネルギー生産設備に対して，キロワット時（kWh）あたり1.5セント（1993年を基準にして物価調整）の交付金を与えるものである．REPI の電力生産に対する正味の影響は，大きなものではなかった．生産は4200万 kWh から，約５億2900万 kWh まで増加したが，これは最近の米国エネルギー生産総量の0.02%よりも小さい数字である（U.S. DOE 1999）.

EPACT はまた，認定された太陽熱か地熱のエネルギーシステムに投資または購入した事業者に対して10%の投資税額控除を延長するものであった．事業者エネルギー税額控除として知られているが，この控除はもともとは1978年のエネルギー税法の一部であった．その法律は，太陽光発電プロジェクトに対する税額控除を導入し，太陽熱，地熱，風力発電設備に対する既存の10%控除に対して，追加的に15%を上乗せするものであった．1986年の税制改革法は，10%の控除を廃止し，15%の控除を10%に減額し，1988年までそれを延長し，風力に対する控除は廃止した．こうした控除は，EPACT によって恒久的なものにされる1992年まで毎年延長された．この優遇措置があってもなお，再生可能エネルギーの発電コストが従来の発電方式と比べて高いものであることから，再生可能エネルギーの商業的利用は限定的であった（U.S. DOE 1999）.

EPACT のもうひとつの措置は，風力とバイオマス発電に対して，1993年から1999年の間に米国内で利用されるようになった設備に限り，設備の運用開始から10年間，キロワット時あたり1.5セントの生産税額控除を与えるものであった．2000年にはその控除はキロワット時あたり1.8セントに引き上げられた．新設風力発電設備は，いくつかの州で設置され，そのなかのいくつかでは，回転機製造と運転について技術の向上が見られた．しかし，連邦の控除のみがこうした成長を刺激したわけではない，と研究者達は結論付けている．1986年税制改革法によって定められた風力設備の法定減価償却年限（５年：これは従来の発電供給設備投資の年限よりもはるかに短い）もまた，寄与しているとのことである．加えて，州独自のインセンティブと義務付け，特に，多くの州で実施された再生可能エネルギーのポートフォリオ基準も，おそらく大きな役割を担った．この基準は，電力供給の増加分は，認定された再生可能エネルギー源のメニューのなかから供給しなければならないというものであった．

政府はまた，再生可能エネルギーの研究を産業との費用分担パートナーシップを通して助成している．これは，典型的には，ひとつのプロジェクトの20%から50%の資金拠出に寄与するものである．米国会計検査院（GAO）の報告によれば，1978年から1998年まで，再生可能エネルギー研究開発への連邦政府の支出は，総額で約103億ドル（現在物価換算）にのぼる（U.S. General Accounting Office 1999）．連邦政府の支出は基礎研究から市場機会の高まったもの，たとえば，エネルギー省タービン検証計画（U.S. DOE 1997）を通じた風力タービンの普及を電気事業者と費用分担して行うことへと移ってきたと，GAO は指摘している．

再生可能エネルギーの発電コストは今日では，かつて予想されたよりもさらに低くなっている．風力発電のコストは，1980年代から1990年代の間，64%低下すると見込まれていたが，実際には，67%低下した（McVeigh et al. 2000）．この研究では再生可能エネルギー開発への連邦，州，地方自治体の補助金およびそれ以外の優遇措置の効果とそうした資金的優遇措置なしでも起こったであろう発電コストの改善とは明確に区別されてはいない．しかし，技術的なイノベーションが重要な役割を演じたことは否定できない．それは，現在運転されている技術の工学的な仕様に性能向上があったことから明らかである．たとえば，風力のコスト改善につながったイノベーションとして挙げられるのは，軽くて頑丈で硬い素材によって可能になった直径のより大きい風車，新伝導技術，特別な羽根，改善された駆動系である（U.S. DOE 1997）．

再生可能エネルギーは，発電のほんの小さな割合を供給するにとどまっている．2000年時点で，米国のエネルギー総生産の約10%である．この主たる理由は，従来型発電方式のコストも同時に，過去数十年の間下がっていたことである．このコスト低下は，化石燃料技術で起きた継続的なイノベーションのおかげでもある．従来型発電方式のコストは，連邦全体で1984年のキロワット時あたり6.3セントから1995年のキロワット時あたり3.6セントまで下がった．この40%のコスト削減は，風力などもっとも有望な再生可能エネルギー技術のコスト削減の割合ほど大きくはないが，従来型発電方式が発電総容量に占める絶大なシェアを保持するには十分大きいものであった．従来型発電方式のコスト低下を導いた要因として考えられるのは，より競争的な電力供給市場の出現，石油と天然ガスの探査および石炭生産における生産性の向上，鉄道の規制緩和（石炭輸送コストの主因），そして，従来型技術の進歩である（McVeigh et al. 1999；Darmstadter 2001）．従来型技術もまた，連邦政府の助成と優遇租税条項を受けている．従来型発電方式に期待されるさらなる技術進歩（主に，次世代コンバインドサイクルガスタービン関連）のため，そして，将来燃料価格についての仮定のもと，エネルギー省は，再生可能エネルギーは全米の発電に占めるシェアを減らしていき，2020年にはおよそ8.5%に落ち込むであろう，と見ている（U.S. DOE 2000）[2)]

### 汚染削減：許可証取引と新技術開発の補完性

汚染削減における政府介入は，エネルギーの場合よりも良い実績となっている．しかし，イノベーションよりはむしろ技術の採用において良い実績となっている．もっとも有名な例としてふたつ挙げられるのは，ガソリンからの鉛の除去，電力会社による二酸化硫黄の排出削減である．どちらのケースも，排出権取引制度が成果をあげたのである．それは，もし企業が汚染管理戦略を選択をすることが許されるなら，彼らは新技術を経済効率的に利用して政策目標を達成することが出来ると主張する，理論家の予測に基づくものであった．

米国の有鉛ガソリンの段階的廃止は，自動車による大気汚染を管理する市場に基づいた環境政策として最も成功した例の一つであると一般的に考えられている．ケールとニューウェルは，計量経済的な手法で政策介入のタイミングが石油精製設備の運用の変化と関連していることを示した（Kerr and Newell 2001）．彼らは，段階的廃止期間の後半年次に実施された許可証取引制度は，段階的廃止の初期の年次に課せられた無鉛ガソリン使用の義務付けよりも，むしろ，石油精製業者が鉛低減技術を採用することに大きなインセンティブを与えた，ということを見出している．彼らの研究が焦点を当てたのは，イノベーションそれ自体ではなく，むしろ技術の採用であった．そしてその研究は，もし新しい技術が既に親鳥の羽根の中で巣立つときを待っているのであれば，その技術を後押しする政府の影響力は大きいということを示唆しているのかもしれない．ケールとニューウェルはイノベーションへつながる要因については特定していない．

1990年全米大気浄化法修正法の第IV編は，発電設備からの二酸化硫黄の排出を規制する排出許可証プログラムを制度化した．Burtraw（2000）は，イノベーションとは，特許化できる発見よりも，むしろ企業と市場レベルでの組織的なイノベーションを意味することを見出している．この法律は同時に，発電事業者と上流燃料供給者によるプロセスの革新につながった．この変化の多くは，許可証プログラムとは無関係にすでに存在していたが，このプログラムがその利益の享受を後押しする形となった．

### 周波数帯域の割当と衛星技術のイノベーション：政策誘発的希少性

周波数帯域（電波）は通信信号が伝播する媒体であり，テレビジョン，携帯電話，レーダー，ガレージのドア開閉にさえも使われるものである．他の公共財と同様に，周波数帯域は「人類共通の遺産」であると考えられている．しかしこうした考え方は，多くの議論を経て，周波数帯域の希少性，周波数帯域の政府による一元的な配分，そして，それを利用する産業への技術的な運用基準の強制につながった．異なった周波数帯域はそれぞれ違う伝送容量を持っているため，周波数帯域は極めて差別化された資源である．ある周波数帯域は降水やその他の気候条件によって減衰してしまうし，また別の周波数帯域は，ビルのような物理的な構造物によってブロックされてしまう．こうした意味で，周波数帯域はちょうど，土地のようなものであり，肥沃性とその他の特性によって決まる広範囲で集約的な周辺領域を持っているものである．

世界の周波数帯域の政府規制は，競合するサービスのなかでその利用を行政側から割り当てるというものである．たとえば，AMとFMのダイヤルに沿った独自の領域に対してラジオ局を割り当てることである．政府が周波数帯域を効率的に割り当てることは出来ないということは，過去多くの，そして今も増え続けている経済学文献のなかで論証されており，再編を提案する対象となっている（ラジオ周波数帯域規制の非効率性はコースの定理につながる示唆を与えた）．非効率性が続いているという点には，研究者達は一様に同意している（Levin 1971；Hazlett 1998；Cramton 1998；Macauley 1998）．こうした資源の不適当な固定配分が，衛星技術のイノベーションの速度と方向性について，どのような動的な影響があったかを研究することにつながった．

規制誘発的イノベーションの理論研究（Kamien and Schwartz 1969；Smith 1974，1975；Okuguchi 1975；Magat 1976）に基づいたモデルを用いた実証研究の結果から，政府によって1999年まで利用された割当体制は周波数帯域の真の希少性について誤ったシグナルを出していた，ということがわかる（Macauley 1986a, 1986b, 1998）．結果として，周波数帯域の異なった領域の潜在価値は歪められ，相対的な希少性に基づいて周波数帯域とその他のインプット（通信機器の中に使われるハードウェアとソフトウェアの形で）の組合わせを調整するための通信会社によるイノベーションは，間違った方向に向けられてきた．たとえば，周波数帯域が無料であったときには，より大出力の送受信機や分極信号のように，より高密度の周波数帯域利用（単位周波数帯域ごとのより多い通信容量）を可能にし資本の利用効率を高めるようなイノベーションには，通信機器メーカーとサービス運営者は見向きもしなかった．より柔軟な割当であれば，効率的なイノベーションの速度と方向性をより良くシグナリングしたであろう．あるいは，周波数帯域が価格付けされたなら，イノベーションによって経済的に可能で社会的にも望ましい形で社会的利得が実現されたに違いない．そのようなイノベーションの機会は，工学系の学会と技術専門誌のなかでのみ議論されていた．1999年になって，連邦政府は周波数帯域のいくつかの領域について再販売の機会を設定して，周波数帯域市場と抽選による割当の実験を始めた．これによって出現してきた新しい周波数帯域効率利用技術の多くは，その後，実際に開発・実用化されたのであった．

こうした研究で用いられたモデルでは，合成燃料の研究でコーエンとノルが行ったような，政治経済的な影響を厳密に検証することはできないが，オークション賛成派と反対派の利益団体のパターンは見出されている．全米放送協会のような十分組織化された利益団体をふくむ現行周波数帯域保持者は，行政による割当をこれまで通り行うことを要望した．そして，周波数帯域利用の効率向上のためのイノベーションはいかなるときもすぐには達成不可能であったということを主張した．あまり組織化されていない新規参入企業は，オークションのような市場手順を通じての周波数帯域開放を主張し，新しくより効率的な周波数帯域利用技術の試作品についての議論を支持した．

### 漁業資源：政府漁獲割当量を回避するためのイノベーション

世界の主要水産国の多くで，政府は漁獲高管理のイノベーションを補助している．その方法としては，資源保全，漁船の近代化，漁業道具のイノベーション，養殖法の開発，そして国によっては，新しい規制実施技術（たとえば，衛星データの利用）の模索を後押しするため，技術に資金提供し検証すること，また，漁船と漁獲高管理における e コマースと情報技術を利用するように研究助成を行うことが挙げられる（Iudicello et al. 1999；Irish Sea Fisheries Board n.d.；National Marine Fisheries Service 2002）．

イノベーションへの政府の影響のうち，最もよく引き合いに出されるもののひとつは，漁業資源へのアクセスの規制に対する漁業従事者の反応である．ユーディチェロらは，1960年代まで，世界のほとんどすべての海洋水産はオープンなものであり，所有者もいなければ財産権を定義する体制も存在しなかった，と指摘している．時間と共に，規制のかかったオープンアクセスあるいは管理されたオープンアクセスが発達し，捕獲制限，漁業道具の制限，そして，時間と区域の制限を含むようになった．たとえば，ニューイングランドの漁業資源ストックが低下するにしたがって，地方政府の管理者は，水揚げする漁獲量と漁獲網を制限し，漁獲シーズンを短縮し，いくつかの漁業許可区域を閉鎖した．これに対して，ユーディチェロらは，規制強化のたびに漁船船長達は技術を変えるか，彼らの漁獲技術を改善するかする新しい方法を見つけ出した，と結論付ける．漁業資源ストックは低下し続けたのである．

従来型の技術のままでも過剰捕獲は排除されないが，規制に対応して導入した新しい技術（たとえば，綿や麻よりも合成繊維の網）は，単位漁獲労力あたりでさらに多くの漁獲高が得られ，過剰捕獲をさらに悪化させる．政策によって制限の対象となるような技術は，望ましくない効果を伴うイノベーションにもつながり得ると，ユーディチェロらは指摘する．彼らは「編込みより糸（twisted twine）」の開発を例に挙げる．それは，縮む網目を生み出すネット結びの技術で，大西洋において漁業資源保全の目的で義務付けられた網目サイズ増加に対抗して出てきたものである．

1970年代終わり頃に，ニュージーランドとアイスランドは，魚類種の管理のために個別移転可能漁獲割当（ITQ）を導入し始めた．ITQ 制度は，取引可能許可証制度のようなものである．漁民達には，政府による季節ごと漁業資源量の予測と持続可能な捕獲量の算定に基づいて，ITQ が割り当てられる．ITQ 制度のような私的財産権を通じたインセンティブの改善は，漁業資源量の予測が正確になされ水揚げ量が監視できるのであれば，ある種の水産ストックに対する解決策になるかもしれない（Newell et al. 2002）[3]

研究者のなかには，ITQ など管理方法の転換によって，アクセスと捕獲率の規制を改善することができるという可能性に疑問を呈する人もいる．Christy（1997）は，長期的な漁業資源ストックについて，懸念を示している．その理由として，ロシア，日本，ヨーロッパなど世界の漁船に多額の補助金が支払われていること，国家経済水域の範囲内で効果的な意思決定機関が欠落していること，分配されているか，複数の経済水域をまたがるか，あるいは公海上に位置づけされるかされる漁業資源ストックについて，制度と機関が欠落していること，が挙げられる．

### 水資源：管理手法のイノベーション

物理的な投入や生産プロセスの変化ではなくて，主として政府の後援のもとで組織された新しい管理手法であるということが，水資源でのイノベーションの特徴である．こうした変化への道のりは，困難なものであった．Frederick（1991，66）は，水資源政策の歴史を詳細に研究し，次のように述べている．

> 「高くつく水不足に対する懸念を正当化するのは，希少性そのものではない．水利権についての不確実性を生み出し，新しい利用に対して新しい供給源を用意するか，あるいは既存の供給源を再配分するかすることに対して障害を設け，資源保全へのインセンティブを全く与えない，そういった法律，行政，その他の制度の中にこそ，将来の不足に対する懸念の根源は存在するのである．価格体系を通してイノベーションに影響を与えるような政策の効果を観測する機会は別にして，価格を正しく設定する役割は水資源市場のなかでテストされてきた，と主張するような人は一人もいないであろう．」

天然資源を時系列的に研究することによって，Frederick and Sedjo（1991）は，各州が革新的な制度を生み出した背景には，米国独自の経緯があったと観察している．東部では，水は十分にあり，沿岸権（水流に接する土地の所有者に与えられる，その水を利用することのできる権利）という英国の制度が採用された．西部ではしかし，沿岸権の制度はすぐに不適当なものとなり，専有する権利の体系（前からの利用者に優先権を与えるもの）が発達し，19世紀と20世紀初頭に法制化された．1970年代と1980年代の間，西部水資源法は流れの引き込みを保護し，水利権の移転を容易にするよう発達した．事実上全ての西部の州は，引き込み水利権に関するなんらかの条項を持っている．1970年代と1980年代に極めて高い水資源コストに直面してもなお，上手に灌漑を行い続けた農民達は，より効率的な水管理業務とより水集約性の低い穀物と種子植物を含めて，さまざまな水保全技術を採用していた．

1980年代初頭の制度的なイノベーションのもうひとつの例は，いくつかの水供給システムを統合管理するものである．ワシントンDC地区に給水する3主要給水業者の貯水・配水施設は1982年に共同運営を開始した．インフラへの新しい投資という要素はほとんどなかったが，新しい管理体制は日照り状態での水供給量を3割以上増加させた．Frederick（19991）は，このタイプのイノベーションは他の地域にとっても有望なものと考えた．しかし同時に，そこには根本的な制度上の障害，具体的には施設の分割所有，複数の州に渡る司法権，水に関する州法，があると指摘している．

1972年の連邦水質汚染管理法の開始と共に，議会は，当時利用可能だった汚染削減機器類を使って達成可能な管理方法に基づいて，技術ベースの排出基準を設定した．基準設定を，水質の目標ではなく，技術的な措置に基づかせたことによって，この法律は水域ごとの浄化作用や個々の排水と水質の関係について，規制当局が推定をする必要性を拭い去った．会計検査院がこの法律を評価した結果わかったことは，排水を行っていた者は近代的な機器を取り付けたが，許容できる排出水準に従わない者が広い範囲に渡って存在したということであった．つまるところ，なんらかの方法によって全米の水質は1972年以来改善してはきたが，水質が悪化した水域もたしかにある．よりコスト効率的な技術を開発・採用して汚染排出を減らすようなインセンティブを与えるため，損害を近似する排水課徴金あるいは市場取引可能排水許可証を利用することも出来たのではないか，ということを昨今多くの研究者が議論している（Frederick 1991；Freeman 2000）．

### 森林資源：政府生産物研究からと経営イノベーションからの異なった結果

林業部門におけるイノベーションに政府政策が及ぼした影響をもっとも総括的に分析したもののひとつとして，政府の計画が全体の実績を改善するという直接的な証拠はほとんど見当たらないと結論付けている分析がある．Hyde et al.（1992）は，産業の生産関数をモデル化し，林業の投入価格（資本，労働，原材料）と1950年から1980年までの政府部門と民間部門の研究費についてのデータを用いた詳細な計量経済分析を行った．彼らは，増大する生産物の純現在価値，便益費用比率，そして，内部収益率という測度に対して，政府出資の研究がどれだけ寄与しているのかという影響を測定した．

彼らの分析の一部は，製材工場，パルプ，木材用防腐剤の各産業における木材製品のイノベーションの分析に費やされている．製材工業の業界では，米国林業サービスの林業製品研究所（FPL）における政府出資研究は，構造的パーティクルボードとトラスの骨組みの両方の開発に役立っていた．これらの開発は軟材のベニヤ材を代替することになり，木材生産での除草剤の利用にかけた制限と，自然保護指定区域からの収穫にかぶせた上限制約を緩和するのである．FPL におけるそのほかの研究は，のこぎり切断装置の操作のためにコンピュータ化されたプログラムにつながり，さらにはそれが木材資源のより完全な利用につながった．生産をコンピュータ化することを選んだ企業はすべて，追加コスト無しでそのソフトウェアを使うことができた．ハイドと彼の同僚たちは，そうしたイノベーションのすべてが産業の業績を改善したことを見出した．

製紙業において，木材パルプの生産性を向上させるために繊維の短い木材を用いる，といったような低品質木材種に関する FPL の研究は，あまり生産性が高くはなかった．Hyde et al.（1992，99）は，繊維の短い木材種を有する州からの連邦議会議員によって，不適切に政治的に押し付けられているような研究投資もある，と書いている．

木材用防腐剤についての研究も同じくあまり効果的ではなかったようである．研究の多くは，石油関連の環境面で有害な残渣物を減らすことに重点が置かれた．これについては，ハイドと彼の共同研究者達は，彼らのモデル化方法が潜在的な環境の質の向上をとらえきれていないと指摘している．

彼らの同じ分析によれば，木材成長と管理に関する公的研究はうまく行ってはいなかった．これには，米国林業サービス試験場，州の森林研究組織，森林拡張組織におけるプロジェクトが含まれる．連邦政府の研究は主として，森林調査と測量，生産性の低い伐採済みマツ林の再生，昆虫，病気，火事の管理，といった，経営管理に集中していた．彼らの分析のこの部分は，４つか５つの木材生産サーベイに限られており，そのことが彼らが分析した30年間の公的研究支出のデータの説得力を弱めている．この注意書きを心に留めた上でのことであるが，彼らは公的投資の便益がマイナスか，あるいはせいぜい良くてもなんらかのモデル設定のもとで大変小さい純現在価値であったということを見出した．この理由は主として，森林と林業の資源がつねに労働とその他の資本の形態に比して相対的に十分な供給量があり，木材価格はつねに相対的に安い状態にあるからである，と彼らは推論している．古い原野は製材用の樹木に自然に転用されてきた一方で，そのほかのところでは，アクセスしにくいところにあれば，樹木のままである．そのため，土地と資本は希少とは言えなかった．成長する立木のコストを超えて価格が上昇する場合にのみ，研究は製材用樹木の生産に寄与する，と彼らは予測した．

**研究開発税額控除：広範囲な財政アプローチからのどちらとも言えない結果**

これまで議論された多くのエネルギー関連税制は資源産業への直接的な補助の典型となっている．基礎研究・実証研究に対する税額控除の形態を取るもので，広範な助成として，もうひとつ挙げられるのは，あらゆる産業の研究開発に広がっているものである．税額控除はつねに税制の「暫定」措置であった．すなわち，政治家は1981年経済復興税法によってその控除がはじめて法制化されて以来，９回の延長と，５回の抜本的な改正を行った．

控除措置の現在の形は，研究集約度（収入に占める割合として表される）の，過去の基準値と比べた増加分に結び付けられた比例控除か，あるいは売り上げの１パーセントを超える全ての研究開発支出に対するより小さなパーセント控除のどちらかを企業に認めることによって，認定された研究開発活動の限界費用を引き下げるものである．特別措置のひとつである基礎研究控除は，大学と民間企業の共同研究パートナーシップの誘発が意図されている．すなわち，教育機関と特定のその他の非営利機関による契約にもとづいて行われる基礎研究に適用されるものである．この控除は，いかなる「特定商業目的」も無しで実施される契約研究に対して支払われる追加的な支出（1981年から1983年までの物価調整された固定基準期間にわたるもの）に適用されるものである．

控除措置は研究開発への誘引としては弱い，という批判もある．こうした措置は恒久的ではない．控除は，投資税額控除，減価償却，キャピタルゲインなどの他の税制条項と相互関連するため，その限界実効控除率は法定控除率を下回ってしまっている（Guenther 1999）．もし，プラントと装置への投資が研究開発実施の主要部分で，投資税額控除のためプラントと装置がより安価となるなら，研究開発に対する控除の限界実効控除率はより小さくなる．税制体系の中で，研究開発コストの支出は（構造物や設備に含めるのではなく）「実験段階あるいは実験室内部のもの」に含めることが認められている．そこに費やされる研究開発費についての制約のため，それに相当する価値は費やされるコストの一部分に過ぎない上，研究開発総支出で見てみるとそれよりもさらに小さな部分となっている．加えて，投資への控除適用は支出目的によって左右されるので，どちらにせよ実施したであろう研究開発活動として「ラベルの貼り直し」をするインセンティブがあるのである．

控除の分析からははっきりしたことはわからない．研究開発に対する私的収益と社会的収益の間にあるギャップを縮めることにおいて，この有効性を評価することは「ほとんど不可能」である．そのひとつの理由は，控除の条項が頻繁に変わり，恒久的ではないことである．控除の導入があってから，企業は企業活動のいくつかを研究開発として定義しなおしてしまう，という批判には十分な証拠が見て取れる．

またこれまで多くの研究が，控除によってもたらされた正味の追加研究開発支出（政府に対して損益を差し引いたあとのもの），あるいは結果的な研究開発支出の弾力性（企業にとっての研究開発に関わるコストが1パーセント減少したことによる研究開発費のパーセント増加）を評価している．控除体系がより寛大だった1980年代の研究が示した結果は，控除は税支払い1ドルごとに追加の研究開発を2ドル程度誘発するというものであった（Hall 2002）．最近の研究すべてがこうした結果を肯定しているわけではない．控除は，過去の政府収入よりも大きく，しかし，それ以前の研究で見られたような効果よりも小さい社会的価値を伴って，追加の研究開発を誘発する，という分析結果も見られる．一方で，それをもっと小さく見積もる分析もある（Mamuneas and Nadiri 1996）．

研究開発税額控除に関する多くの研究のなかで，天然資源が見過ごされてきたことは驚くべきことであり，残念なことでもある．研究開発に従事する企業に対する税額控除の影響で，天然資源と環境に特に関連しているものはなにであったか．産業区分をひとまとめにしたものを用いた研究によれば，控除の大部分は，2億5千万ドルを超える資産を持つ大企業のメーカーによって申請されているとのことである．そのなかで，申請された控除の約6割はコンピュータ，電子部品，医薬，自動車の企業である．このことからわかることは，天然資源産業への影響は小さいということである．しかし，今後の研究はこの点にもっと光を当ててほしいものである．

## 結論

ここで考察した事例研究は，公共政策誘発的イノベーションのさまざまな効果と一様ではない実績をよく表している．その中のいくつか，具体的には林産，電波，いくつかのエネルギー市場では，意図するしないに関わらず，資源の希少性を軽減するためには十分な量と質のイノベーションを引き出すものであった．電波の割当と汚染管理のための許可証取引の利用といった事例では，よりイノベーションと相性の良い戦略と管理体制へ向けて，政策はシフトした．周波数帯域の一部は，いまやオークションにかけられている．汚染管理のいくらかは許可証取引という方法によって達成されている．水産と水資源の場合には政策に急速な前進がいまだ必要とされる．

残念なことに，なぜある戦略はうまく行って，別の戦略はそうではなかったかの理由を述べることは不可能である．ここに挙げた研究のいくつかは，うまく行ったもの，うまく行かなかったものを分析するものであった．しかし，いまだ全部をカバーするパターンを発見した人はいない．より体系的な評価の潜在的有用性は明白である．成功への条件をより詳しく理解することができれば，いろいろな疑問に答えることができるようになるだろう．もし，政府が追加的な百万ドルを天然資源と環境管理におけるイノベーションに費やすとすれば，それはどうするべきか．

・国立研究所を作るか
・百万ドルの追加的支出に等しい研究開発税額控除を行うか
・あるひとつの産業内の全ての企業の間で作る共同研究事業を支援するか
・新技術の利用を強制する標準規格の設定，管理，実施を助成するか

Jaffe et al.（2003）が（資源希少性を軽減するためのイノベーションから区別される）汚染管理のために実施される政策とイノベーションの間の関係について言及したように，イノベーションと，汚染あるいは環境投入の潜在価格あるいは帰属価格，そして，政策介入の間の関係を明らかにするのが，理想的な研究である．実際のところは，観測し難い潜在価格の代理変数は，汚染投入の価格あるいは汚染への支出となるだろう．ひとつにはそうした変数の計測の問題のため，誘発的イノベーションの影響の大きさは不確定なままとなっている．汚染抑制のための研究開発の生産性とそれに対する投資に及ぼす環境規制の影響（相対的な規制の厳しさや実施計画数の算定によって計測されるもの）についての研究から，誘発的イノベーションは小さいか，あるいは規制のほかのコストの陰に隠れてしまうこともある，ということを示す間接的な証拠がいくつか得られている（Jaffe et al. 2003の参考文献を参照せよ）．

政府介入を資源希少性の軽減に結びつけることはもっと難しい．ここで考察した事例の中で，もっとも詳細な計量経済分析研究は，林業における政府の生産物と管理の研究である．しかし，それでもなお，その筆者達は，データの欠落と研究開発活動という「ブラックボックス」をモデル化することの難しさを嘆いている．高度に知的なイノベーションである研究開発とそれに対する政策をモデル化することは，それ自体他に例のない研究であり，それができるならば，技術政策を取るべきか，あるいはイノベーションに間接的に結びついている他の規制制度の政策を取るべきか，どちらか決めることができるであろう．

この章で挙げた例のほとんどは，米国の実例である．公平を期するならば，ニュージーランドが取引可能漁獲割当の実施と周波数帯域のオークションを初めて行った国であるということを指摘しておかねばなるまい．ほかの国々，国連，非政府機関，そして，国際的科学組織は，上で論じたように，新しい管理体制に基づく代替的な水資源政策を検討し始めたところである（Boxer 2002）．チリは取引可能な財産権を設定する包括的な水資源割当制度を開始した（Rosegrant and Binswanger 1993）．先進工業国における研究開発計画は活発である．フィンランド，カナダ，

オーストラリア，香港，英国，多くの欧州国，日本，そしてイスラエルは皆，基礎研究（非軍事科学技術）の分野で主要な政府研究計画を持っており，過去20年の間，商業開発のための技術を進める研究計画を急速に増やしてきている．OECDは定期的に加盟国での政府と産業による研究開発活動を調査している．

ここでは触れなかったもうひとつのタイプのイノベーションは，ひとまとめにして「科学的理解の向上」と呼ばれるものであろう．我々はエコシステムのより深い理解と，物理的，生物的な世界の変化を検出し監視するより大きな能力を獲得しつつある．これに向けての研究は，社会の関心の高まり，科学的興味，そして，物理的にアクセスすることが困難な資源を遠隔で計測する能力（たとえば，衛星に搭載したセンサー）の向上に支えられている．

最後に，技術が諸刃の剣であることについて，結語をいくつか述べておこう（Austin and Macauley 2001）．

水産養殖，すなわち魚介類と海草の養殖は，2000年時点で世界の水産食品消費の3分の1を供給した．水産養殖の研究は，野生の種に危害を及ぼしかねない好ましくない海藻，魚，軟体動物，寄生動植物，病原体を生み出してしまう可能性もある．養殖研究の政府によるきめ細かい監視が必要であると主張する専門家もいる．彼らは，現行の管理は一貫性がなく，時としてあまりに手ぬるいと主張する（Naylor et al. 2001；Christy 1997）．

林業におけるバイオテクノロジーは諸刃の剣となる研究開発のもうひとつの先端領域である．林業においては，伝統的な交配と細胞および組織の培養を超えて，木材ストックの増加と病気と害虫に対する抵抗力の向上のための遺伝子工学へと，研究の取り組みは移っている．バイオテクノロジーの長期的な影響についての懸念は，林業とそのほかの部門（特に農業）では，広まっている．生物安全性に関するカルタヘナ議定書は，遺伝子操作された生物の国境を越えた移動の悪影響に対処するとして，130ヶ国の政府によって，2000年1月に調印された．多くの欧州の消費者達は，遺伝子操作食品に拒否反応を示した．2002年，欧州の各政府は，そうした食品にはラベル表示をつけることを要求し始めた．その結果，欧州での実地試験は1997年の239件から2002年の約35件まで落ちた（Mitchener 2002）．水産養殖の場合と同じように，そうした新しい技術開発に対するより体系的な政府管理が必要であるとする専門家もいる．

これらの例は，政府誘発的政策イノベーションの役割として，イノベーションを実施し，出資し，あるいは，そうでなければ直接補助する取組み，および，イノベーションに間接的に影響を及ぼす割当と規制の各種アプローチから，思いもよらぬ影響を回避するために新技術の監視をするという政府の役割までが一通り求められていることを示している．イノベーション，天然資源，そして政府という相互に関連するひとつづきのものについての今後の研究は，バーネットとモースによって提示された根本的な概念の上に成り立ち続けるであろう．

## 謝辞

トーニ・マールショーと2002年11月に未来資源研究所で行われた「Scarcity and Growth in the New Millennium」ワークショップの参加者達に，コメントを頂いたことを感謝する．

## 注

1）全米共同研究生産法は，ジョイントベンチャーに関連する，いくつかの反トラストの懸念を軽減する．全米共同研究生産法によって義務付けられたファイリングによれば，800以上の研究ジョイントベンチャー（RVJ）が1985年から2000年の間，全米で形成された．RVJの半分は電気電子機器，通信，輸送機器の会社であった（National Science Foundation 2002）．

2）この議論は，一次エネルギーの研究開発に焦点を絞っている．米国エネルギー省はまた，住宅用と産業用のエネルギーエンドユースへの研究開発を助成してきた．具体的には家庭の断熱，産業エネルギー消費の効率向上，および，ガスタービンの改善である．これらのなかで，もっとも大きな努力が払われたのは，輸送部門であり，エネルギー高効率自動車の開発を促進するものであった（U.S. DOE 1999）．

3）問題は，ストックデータの監視役としての政府の役割からも発生しえる．アイスランドでは，水産当局である海洋研究所が，問題なことに1990年代のタラのストックの大きさを過大に推定していた．その結果，アイスランドの漁獲量割当制度のもとであまりに高すぎる漁獲割当がなされてしまった．この制度は，季節ごとの総漁獲量を制限し，漁民達と事前に合意した量に基づいて総漁獲量の一定割合を漁獲割当として利用可能にするものである．小規模ボートは除外されていること，強制力が弱いことなどの，もともとの制度の弱点は改善されてきたが，過大見積りの問題は，乱獲につながったのである（George 2002）．

## 参考文献

Arrow, K. J. 1962. Economic Welfare and the Allocation of Resources for Invention. In National Bureau of Economic Research, *The Rate and Direction of Inventive Activity: Economic and Social Factors*. Princeton: Princeton University Press.

Austin, D., and M.K. Macauley. 2001. Cutting through Environmental Issues: Technology as a Double-Edged Sword. *Brookings Review* 19(1)：24-27.

Banks, J.S., L.R. Cohen, and R.G. Noll. 1991.The Politics of Commercial R&D Programs. In *The Technology Pork Barrel* edited by L.R. Cohen and R.G. Noll. Washington, DC:

Brookings Institution, 53-76.

Barnett, HJ., and C. Morse. 1963. *Scarcity and Growth: The Economics of Natural Resource Availability.* Baltimore: Johns Hopkins University Press for Resources for the Future.

Binswanger, H.P., and V.W. Ruttan. 1978. *Induced Innovation: Technology, Institutions, and Development.* Baltimore: Johns Hopkins University Press.

Boxer, B. 2002. Global Water Management Dilemmas. *Resources* 146 (Winter) : 5-9.

Burtraw, D. 2000. Innovation under the Tradable Sulfur Dioxide Emission Permits Program in the U.S. Electricity Sector. Discussion Paper 00-38. Washington, DC: Resources for the Future.

Carey, J. , and D. Zilberman. 2001. Irrigation Technology Adoption with Stochastic Prices. *American Journal of Agricultural Economics* forthcoming.

Christy, F.T. 1997. Economic Waste in Fisheries: Impediments to Change and Conditions for Improvement. In *Global Trends in Fisheries Management,* edited by E.K. Pikitch, D.D. Huppert, and M.P. Sissenwine. Bethesda, MD: American Fisheries Society, 28-39.

Cohen, L. R., and R. G. Non. 1991. *The Technology Pork Barrel.* Washington, DC: Brookings Institution.

Cramton, P. 1998. The Efficiency of FCC Spectrum Auctions. *Journal of Law and Economics* 41(2) : 727-736.

Darmstadter, J. 2001 .The Role of Renewable Resources in U.S. Electricity Generation: Experience and Prospects. Testimony before the Committee on Science, U.S. House of Representatives, February 28. http://www.rff.org (accessed Fall 2002).

Frederick, K.D. 1991. Water Resources: Increasing Demand and Scarce Supplies. In *America's Renewable Resources: Historical Trends and Current Challenges,* edited by K.D. Frederick and R.A. Sedjo. Washington, DC: Resources for the Future, 23-71.

Frederick, K.D., and R.A. Sedjo (eds.). 1991. *America's Renewable Resources: Historical Trends and Current Challenges.* Washington, DC: Resources for the Future.

Freeman, A. M. 2000. Water Pollution Policy. In *Public Policies for Environmental Protection,* edited by P.R. Portney and R.N. Stavins. Washington, DC: Resources for the Future.

Freeman, C., and L. Soete. 1997. *The Economics of Industrial Innovation.* Cambridge, MA: MIT Press.

George, N. 2002. Strong Cod Stocks Are Proving Elusive. *Financial Times,* Jan. 25, 27.

Guenther, G. 1999. The Research and Experimentation Tax Credit. Congressional Research Service Report 92039.Washington, DC: Congressional Research Service.

Hall, B.H. 2002. The Financing of Research and Development. National Bureau of Economic ResearchWorking Paper W8773. http://papers.ssrn.com/paper (accessed Fall 2002).

Hazlett, T.W. 1998. Assigning Property Rights to Radio Spectrum Users: Why Did FCC License Auctions Take 67 Years? *Journal of Law and Economics* 41(2): 529-576.

Hicks, J. 1932. *The Theory of Wages*. London: Macmilan.

Hyde, WF., D.H. Newman, and B.J. Seldon. 1992. *The Economic Benefits of Forestry Research*. Ames: Iowa University Press.

Irish Sea Fisheries Board. No date. Towards Innovation and Sustainability in the Fisheries Sector, National Development Plan. http://www.isfb.org (accessed Fall 2002).

Iudicello, S., M. Weber, and R. Wieland. 1999. *Fish, Markets, and Fishermen: The Economics of Overfishing*. Washington, DC: Island Press.

Jaffe, A. B., R. G. Newell, and R. N. Stavins. 2003. Technological Change and the Environment. In *Handbook of Environmental Economics,* vol.1, edited by K.-G. Maler and J. Vincent. Amsterdam: North-Holland/Elsevier Science, 461-516.

Kamien, M.I., and N.L. Schwartz. 1969. Induced Factor Augmenting Technical Progress from a Microeconomic Viewpoint. *Econometrica* 37 (October): 668-684.

Kerr, S., and R. Newell. 2001. Policy-Induced Technology Adoption: Evidence from the U.S. Lead Phasedown. Discussion Paper 01-14. Washington, DC: Resources for the Future.

Levin, H.J. 1971. *The Invisible Resource: Use and Regulation of the Radio Spectrum*. Baltimore: Johns Hopkins University Press for Resources for the Future.

Macauley, M.K. 1986a. Out of Space? Regulation and Technical Change in Communications Satellites. *American Economic Review* 76(2): 280-284.

————. 1986b. The Contribution of a Partnership between Economics and Technology. In *Economics and Technology in U.S. Space Policy,* edited by Molly K. Macauley. Washington, DC: Resources for the Future, 3-24.

————. 1998. Allocation of Orbit and Spectrum Resources for Regional Communications: What's at Stake? *Journal of Law and Economics* 41(2): 737-764.

Magat, W. 1976. Regulation and the Rate and Direction of Induced Technical Change: Comment. *Bell Journal of Economics* 6 (Autumn): 703-705.

Mamuneas, T.P., and M.I. Nadiri. 1996. Public R&D Policies and Cost Behavior of the US Manufacturing Industries. *Journal of Public Economics* 63: 57-81.

Mcveigh, J., D. Burtraw, J. Darmstadter, and K. Palmer. 2000. Winner, Loser, or Innocent Victim? Has Renewable Energy Performed as Expected? *Solar Energy* 68(3): 237-255.

Mitchener, B. 2002. Europe Has No Appetite for Modified Food. *Wall Street Journal,* Sept. 27, B5.

Moreno, G. 2001. Factor Price Risk and the Diffusion of Conservation Technology:

Evidence from the Water Industry. Working Papers in Economics, Dec. 19. Claremont, California: Claremont College.

National Marine Fisheries Service. 2002. U.S. Department of Commerce: Aquaculture Policy. In *Mission Statement and Vision for US. Aquaculture.* http://www.nmfj.noaa.gov/trade/ DOCAQpolicy.htm (accessed Fall 2002).

National Research Council. 2001. *Energy Research at DOE: Was It Worth It?* Washington, DC: National Academy Press.

———. 2002. *Effectiveness and Impact of Corporate Average Fuel Economy* (CAFE) Standards. Washington, DC: National Academy Press.

National Science Foundation. 2002. *Science and Engineering Indicators.* Arlington, VA: National Science Foundation.

Naylor, R.L. , S.L. Williams, and D.R. Strong. 2001. Aquaculture—A Gateway for Exotic Species. *Science* 294 (Nov. 23) : 1655-1656.

Newell, R.G., A.B. Jaffe, and R.N. Stavins. 1999. The Induced Innovation Hypothesis and Energy-saving Technological Change. *Quarterly Journal of Economics* 114 : 941-975.

Newell, R.G., J.N. Sanchirico, and S. Kerr. 2002. Fishing Quota Markets. Discussion Paper 02-20. Washington, DC: Resources for the Future.

Okuguchi, K. 1975. The Implications of Regulation for Induced Technical Change: Comment. *Bell Journal of Economics* 6 (Autumn) : 703-705.

Parry, I. W. H., W. A. Pizer, and C. Fischer. 2000. How Important Is Technological Innovation in Protecting the Environment? Discussion Paper 00-15. Washington, DC: Resources for the Future.

Perry, H., and H. H. Landsberg. 1981. Factors in the Development of a Major US Synthetic Fuels Industry. *Annual Review of Energy* 6 : 233-266.

Reinganum, J. 1982. A Dynamic Game of R&D: Patent Protection and Competitive Behavior. *Econometrica* 50 : 671-688.

Rose, N. L. 1986. The Government' s Role in the Commercialization of New Technologies: Lessons for Space Policy. In *Economics and Technology in U.S. Space Policy,* edited by M. K. Macauley. Washington, DC: Resources for the Future, 97-126.

Rosegrant, M. W., and H. P. Binswanger. 1993. *Markets in Tradable Water Rights: Potential for Efficiency Gains in Developing Country Irrigation.* Washington, DC: International Food Policy Research Institute.

Schurr, S. H., J. Darmstadter, H. Perry, W Ramsay, and M. Russell. 1979. *Energy in America's Future.* Baltimore: Johns Hopkins University Press for Resources for the Future.

Simpson, R.D. (ed.). 1999. *Productivity in Natural Resource Industries.* Washington, DC:

Resources for the Future.

Smith, V.K. 1974.The Implications of Regulation for Induced Technical Change. *Bell Journal of Economics* 5（Autumn）：623-632.

———. 1975.The Implications of Regulation for Induced Technical Change: Reply. *Bell Journal of Economics* 6（Autumn）：706-707.

Smith, V.K., and J.V. Krutilla. 1979. Summary and Research Issues. In *Scarcity and Growth Reconsidered,* edited by V.K. Smith. Baltimore: Johns Hopkins Press for Resources for the Future, 276-290.

Stauffer, T. 1975. Liquified and Synthetic Natural Gas—Regulation Chooses the Expensive Solutions. In *Regulating the Product: Quality and Variety,* edited by R.E. Caves and M.J. Roberts. Cambridge, MA: Ballinger Publishing Company, 171-198.

Stokes, D.E. 1997. *Pasteur's Quadrant.* Washington, DC: Brookings Institution.

Tirole, J. 1988. *The Theory of Industrial Organization.* Cambridge, MA: MIT Press.

U.S. Department of Energy. 1997. Renewable Energy Technology Characterizations. TR-109496. Washington, DC: Department of Energy.

———. 1999. *Federal Financial Interventions and Subsidies in Energy Markets 1999: Primary Energy.* SR/OIAF/ 999-03. Washington, DC: Energy Information Administration.

———. 2000. *Annual Energy Outlook 2001.* DOE/EIA-0383. Washington, DC: Energy Information Administration.

U.S. General Accounting Office. 1999. *Renewable Energy: DOE's Funding and Markets for Wind Energy and Solar Cell Technologies.* Report GAO/RCED-99-130. Washington, DC: U.S. General Accounting Office.

Zimmerman, M.B. 1982. Learning Effects and the Commercialization of New Energy Technologies: The Case of Nuclear Power. *Bell Journal of Economics* 13（Autumn）：297-310.

第12章

# 現代主義の驚異と危険

## 一つの見解

シルヴィー・フォシュー

本章の目的は，資源の稀少性と技術革新についてしばしば持ち出される議論の基調をなしている哲学的，道徳的，文化的な前提について，批判的な考察をする力量を養うことの重要性を強調することである．よく知られた科学と技術革新の描写によれば，知識の進歩は，新しい発見とその応用による便益を人類にもたらすものであるとされる（第一義的に，あるいは本質的に人が信じる度合いに依存するが）．こうした便益は，新しい知識に対する投資がもたらすきわめて普通で自然な利得である．技術に破壊的な側面が本来備わっているわけではない．これらは，経験不足，もしくは不適切な使用（事故や汚染など），もしくは人間の悪意といったものの結果である．後者の場合，知識は「悪用される」ことになるかもしれない．つまり気まぐれで，倒錯した，破壊的な目的に供されることとなる．科学と技術は素晴らしいものだが，社会は非行を犯しがちかもしれない．科学や技術そのものではなく，この潜在的な非行こそが危険の源なのである．

私が思うに，我々はこの手の議論についてとても良く知っているし理解もしている．それは，知識や技術というのは，使われるにせよ使われないにせよ，社会のゴールや目的に左右される方法に過ぎないということを示唆している．こうしたことは長年にわたり広く議論されてきたし批判されてきた．我々は，時として恐ろしい帰結を招く非行の発生をどうすれば回避できるのか，少なくとも減らすことができるのか，という問題に直面しているのである．科学や技術のガバナンスの問題は，マッチを幼い子供や破壊者の手の届かないところに置いておくことに例えられよう．

ここで私が示唆しておきたいことは，科学の実践にせよ技術革新の実践にせよ，様々な社会的な価値体系も含めた社会・文化的な文脈から切り離して考えることは極めて困難であると強く主張することで，その手の議論とは異なった見方を，おそらくいくつかの非常に重要な見方を，引き出すことが出来るであろう，ということである．知識の生産というものは，その知識を可能とした特定の状況や習わしといったものから分離できるものではない．科学と技術がどのような様相を呈して現れるのか，害のないものなのか，素晴らしいのものなのか，厄介なものなのか，極悪非道なものなのか，ということは，社会的・文化的な価値が複雑に絡み合ったものに依存するのである．

「マッチを子供の手の届かないところに置く」戦略が，現実味のあるリスク管理政策であると信じるに十分な理由を我々は持っているのであろうか．我々は，監督者と非行を犯すものという役回り設定が十分だと確信を持つことが出来るのだろうか．おそらく，この役回り設定は問題の一部分なのである．現代の様々な状況から得られた教訓は，こういった形で技術リスクのガバナンスを捉えることは，誤った結果を生み出しがちである，ということである．「非行を犯すものたち」は，彼らは粗末に扱われていると感じているのだが，いらだちを覚え腹立たしくなり，非行を犯し続けようとするだろう．

我々はこのことからどのような結論を導き出すべきであろうか．悲しいことではあるが，我々はただこうした非行と共に生きていくしか無く，合法的権力（それが誰であれ）は様々な警察や安全保障サービスなどに対してもっと多くの投資を行うべきである，と強く主張するような見方もある．そうではなく，(a)技術は基本的には善良である（あるいは，少なくとも良くも悪くもない），(b)地政学は単純な善（倫理的に責任を持てる）と悪（非行を犯す）という二つの分類に基づいて築いていくことが可能であり，またそうすべきだ，という二つの社会通念について，再検討することも出来るであろう．

## 技術の驚異…そして，その「暗い側面」

西側世界では，技術と科学がもたらしうる多大な便益について疑念を抱く人は比較的少ない．いわゆる発展途上国の多くの部分では，「追いつこう」と騒いでいる．しかしながら，科学的な知識と技術革新が持つ善と悪との二面性について懸念を示す人々は世界中で増えつつある．この科学とイノベーションが潜在的に持つ相反する価値は，南北を問わず広まった懸念（狂牛病や，放射性廃棄物，クローン技術など）の原因である．

失敗（機械の故障や，橋の崩落など）によるリスクの存在は，比較的ありきたりなものとして知られてきた．「外の世界」に関する不確実性と認識不足から来るリスクを大きく取り上げることもまた良く行われてきた．しかしながらこうしたリスクは，部分的には我々自身の行動によって変化する複雑なシステムに関連しているという見方が広まりつつある．池に石を投げるとき，その影響のすべてを知ることは出来ない．波紋は我々の見えないところにまで波及し広がっていくだろう．短期的には，そして小さな規模においては望ましい結果であっても，長期的かつ間接的な結果として，もしくはそれが大規模に繰り返されたような場合には，災厄となりうる．小さな規模でならば自然や社会が対処出来るような生態系の攪乱や有害化学物質なども，それが蓄積して深刻な脅威となりうるのである．

技術の進歩と技術革新に関連したリスクの管理を含めた，イノベーションについての良いガバナンスに関してなされる提言は，この相反する価値を分析する際に用いる解釈上の枠組みに――その背景にある文化的，倫理的な前提を含めて――大きく左右されることになるだろう．ガバナンスにおける挑戦は次に示すようないくつかの面を持っている．

・それらは，南側における貧困の緩和と持続可能な発展のために便益とノウハウを移転し，キャパシティービルディングを行うという，既に頭を悩ませているものにとどまらない（手の届く価格で，信頼がおける，基本的な健康管理，水質管理や冷蔵のための機器）．
・それらは，システムの複雑性や不可逆性，長期的な不確実性といったものにおける知識と無知の間の境界領域について研究するという，経験的で方法論的な挑戦にとどまらない．我々の環境と，惑星の生命維持システムをよりよく理解するために，こうした課題と向き合わねばならない．
・それらは，健康，生物の健全性，生態系の安定性といったものに対する潜在的な長期的影響を含め，人間社会に大きな混乱を生じさせるために，故意に――単なる事故ではなく――優れた技術的能力を悪用するリスクを低減させるための，(今となっては非常に明白な)政治的，軍事的，道徳的そして経済的な挑戦でもある．

科学と技術の進歩は新たなサービスや生産物を生み出し，物理的な環境を開発し変化させる我々の能力を大幅に増加させる．イノベーションは，この能力が拡大し続けることを約束するものである．しかしながら，科学と技術革新を通じて社会的なゴールを追求することにリスクが伴わないわけではない．この点については，ほぼすべての人が合意しているように思われる．そこまで広くは合意されてはいないとしても[1)]，こうしたリスクのいくらかは科学と技術自身の可能性の中に本質的に含まれているという点については，科学的成果自身によってかなり強く支持されているように思われる．

・我々は，知識と科学的介入の最前線を押し戻そうとする永続的なプロセスによって，我々の知識や介入能力のどちらの限界にも新たな形で直面する．
・我々の知識の進歩は，生態系の機能や生命そのものの構成要素に対して，よりさらに洗練された形で介入することを可能にする．しかし，物理的な環境，および生命のプロセスと生態系に対する人間の活動のインパクトに関する我々の科学的な理解は極めて不完全であり，多くの場合我々の介入に比べてはるかに遅れている．

・科学に基づくイノベーションは，過去においては，生態系に対して局所的にもグローバルにも非常に破壊的であることが証明されている産業化のプロセスを助長してきた．新しい商業的に魅力的な技術のいくつかもまた，生態系の安定性や環境の質に関する我々のゴールと相容れないかもしれない．

・いくつかの形の商業的に生み出されたイノベーションと技術移転は，社会経済的な階層化を推し進め，恵まれない人々の貧困を軽減するどころかおそらく悪化させるであろう．

経済学者や政治学者が言う意味においての社会的選択は，物質的な豊かさや受給権，経済的な財や機会のみならず，リスクや負荷，損害といったものの分配にまで及ぶ．新しい形態の知識のいくつかは大規模なテロの可能性を上昇させ，またあるものはひどく独裁主義的な監視や強制の可能性を高めてしまうだろう．このテロと監視の及ぶ範囲は，数少ない特殊な状況が組み合わされた場合に限られるわけではない．むしろ，少数の良く狙いを絞った社会を動揺させる企て（化学的なもの，生物学的なもの，ないしは情報に関するものが顕著である）が電子通信と急速移動の技術と手を結ぶことによって，「より計画的な重大テロを起こす」（あるいは脅迫する）ための選択肢は非常に多いのである．そして監視勢力の方も，個人やネットワーク，人口の動きを追跡するための非常に広範囲に及ぶツールを持っているのである．

こうしたイノベーションの経路が我々をどこへ導くのかは分からない．計量経済学的な枠組みの中で生産性のトレンドを定量化したり推計したりすることに携わってきた産業経済学におけるいくつかの研究は，（ある種の資本ストックとしての）「知識の蓄積」を，ないしは「生産性の成長」の可視化された長期のトレンドにおいて知識の成長を明示する指標を追い求めている．問題は，「残差」を計量経済学的に正確に推定する必要性よりも根深い．かつてモーゼス・アブラモヴィッツは，計量経済学的な推定問題における「残差」とは，「我々の無知の測度」だと示唆したことがある．これは非常に賢明な示唆だが，次のような逆説的な疑問を投げかける．我々はどうして我々が無知だと知っている（あるいは，疑う）のだろうか．より正確に言うならば，残差の陰には何が隠れているのだろうか．進歩は長期的なトレンドなのだろうか，それとも符合の変化（上昇と下降）があるのだろうか．もしくは質的な意味づけや重要性における変化があるのだろうか．

200年ほど前，リカードやマルサスと同じ時期であるが，コンドルセ侯爵は1795年に *Sketch for a Historical Picture of the Progress of the Human Mind*（『人間精神

進歩の歴史』）という小論文を記した．その中で彼は次のようなすばらしい弁証法的な論陣を張っている．

> 自然は人間の能力の完成に対しては何らの限界も附していないということ，人間のこの完成の可能性は真に無限であるということ，この完成可能性の進歩は今後これを阻止しようするすべての力からは独立したものであり，われわれが自然によって投置された地球の持続以外には何らの限界もないということ．この人間精神の進歩の進度には速度の大小はあるだろう．しかし，少なくとも，この地球が宇宙系の中で同一の位置を占めている限り，またこの宇宙系の一般法則が全般的転倒や，もはや人類をしてこの地球を保持し，同一の能力を展開し，同一の資源をみいだすことを許さぬような変化を，この地球に対して生せしめぬ限り，人類は決して退歩することはないであろう．

この議論の中では，すべてのものが，この定式化の中で言うと「～する限り」と繰り返されるフレーズそのものである残差，によって捉えられている．同じことが，現在非常に多くの「外部効果」に関する文献の中で繰り返されている．こうした文献は，社会／環境費用の問題は「残差の不確定性」であると考えることができることを示唆しており，その不確定さの度合い（と不確実なプラスマイナス符号）は，もし破局を予言する人々が信じられるならば，市場の価格を適正化しようとするいかなる試みも国民経済計算の総和も上回るものになるかもしれない．

イノベーションを，一方では利益をもたらす（定量化することは難しいが）重要な機会を生み出すという側面と，他方では大きな（とはいえ不確定な）負の効果を生み出すという側面という，二面性を持ったものだとして明示的に描き出すことは，「残差」だとか「外部性」だとか言う言葉にたくし込まれてしまった技術進歩の複雑性を解きほぐす上で，役に立つものである．これを説明するために，我々が無知であることを知っているが，評価し比較することが困難なような便益と負の効果を併せ持っているようなことについて，いくつか例として挙げてみよう．

・有害廃棄物．偶然にせよ意図的にせよ汚染されてしまった現場の管理も含まれる．

・古い鉱山のずりや鉱山そのもの．そのいくつかは，大規模な水及び生態系の汚染のリスクを伴う（しかもその鉱山の場所は我々の記憶から失われてしまっている）．

・使用済み核燃料と放射性廃棄物の処分におけるディレンマ．これらは，今いくつかの国家で（特にヨーロッパで顕著だが，カナダでも）科学的な熟慮と社会の探究の対象である．放射性廃棄物保管における「可逆性」に関する議論は，安定物質化するまでに数百年，数千年とかかるような廃棄物の処分プロセスが安全である――封じ込めに関する技術的熟達および管理に関する社会としての保証というレベルにおいて――，と請け合うことに対して不安が存在することを明らかにする．

・土壌や水系，生態系の変化．これらは，人間の営為によってもたらされる今のところは使いこなすことも避けることも難しいような帰結を伴う．農業食品産業における生産性向上の「奇跡」の多くは，害虫駆除用の化学物質，肥料，ハイブリッドもしくは遺伝子組み換えストックや，その他の資本投入物の絶え間ない使用に依存している．この技術は，技術的，経済的な破綻および自然の破綻に対する食料生産システムの脆弱性を高めうる．また，集中的な農業生産は，多くの地域において土壌と水質に深刻なダメージを与えており，それは長期的に見れば生産性を低下させることになるだろう．

・京都における，温室効果ガスの安定化と最終的には削減へ向けた国際的な合意(1997年12月)．これは持続可能性へ向けた一歩として大々的に歓迎されてきた．それと同時に，その他の開発と環境の問題，例えば(a)原子力使用に関わるリスク，あるいは(b)産業化の過程から生じた便益の分配に関する南北間での非対称性という歴史的に根深い問題，などをより際立たせている．

・バイオテクノロジーのリスク．ここには定量化することはできないが，健康や生態系に対して不可逆な帰結を伴い（たとえば遺伝子組み換え穀物），潜在的には深刻かもしれないリスクが含まれる．また，そこからの便益の公平な分配については，多くの発展途上国の国民の中に無視できない疑念が残っている．

・漁業．洗練された探知技術とともになされる機械化によって漁獲効率の劇的な向上が可能になったとき，世界中の多くの海における漁獲高（捨てられる副産物も含む）によって食料資源としての漁場の持続可能性が危険に曝されている．遺伝子組み換えによる養殖は，生産性の制約を幾分緩和するが，種の生存能力と安定性，海洋生態系や消費者の健康と言ったものに対して新たな不確定性をもたらす．

## 技術ガバナンスに対する複雑な社会的要求

科学に基づくイノベーションの新しい形態の多くは，期待した結果が得られることを保証することがほぼ不可能なほど複雑な生物学的プロセスや，生態系に関するプロセス，あるいは社会文化的なプロセスと言ったものに介入する．産業の生産活動や，大量消費，また集約農業などは生態系と環境の質に対して望まざる効果を持ちうるということは，長きにわたって認識されてきた．今の批評家たちが強調するのは，いくつかの悪影響については非常に長期にわたるものであり，また制御が難しいものとなりうるという点である．

複雑な自然のプロセスに対する技術的な介入というものは，それ自身がコミュニティの生活，健康，経済の見通しなどを危うくするような問題を新しく生み出す原因の一部になることに，我々はそろそろ気付かねばならない．原子力発電産業や遺伝子工学に基づくバイオテクノロジーの実用におけるリスクについては，この点はほぼ全面的に認められている．また，現代社会が依存している食料生産と情報伝達の複雑でかつ脆弱なシステムについても然りである．しかし今や我々は，技術に仲立ちされた政治や人間関係における介入についても，それが地域規模であろうと国際的規模であろうと，等しく真実であると見なさなければならない．

現在の環境費用とリスクを，分けることも同じ基準で比較することもできない便益と厄介な結果の結合として（そして様々な意味で不確定なものとして），我々は認識せざるを得ない．そのような技術的な不確実性に直面して，一部のリスク分析家や経済学者は，こうした不確実性を取り扱うために必要であれば確率やベイズ学習，感度分析などを導入してでも正味の生産性を推計するために正味の結果を推計すべきであるというスタンスをとるであろう．これは従来の発想の一環であり，（例えば，異なった種類と規模の原子炉の事故に関する確率の推定），いくつかの問題においては有用である．しかしながらこうした専門家の手続きは，ヨーロッパやその他の場所においても多くの議論を呼んできた．そして，公共政策や企業のポリシーを正当化するためにこの手続きを使うことの正統性ははっきりしない．

こうした「テクノクラート的」なリスクアセスメントの不確かな正当性に対して，拙速にグッズとバッズを集計しない方が，社会的にはずっと納得がいくことだろう．人間の発展に対する科学と技術革新の潜在的可能性を評価する一つのオプションは，それら（および認識されたリスクと不確実性）を社会の受容性と福祉に関わる一連の基準に対して評価してみることである．言い換えれば，不可分である「善と悪」を，例えば複数のステークホルダー間の審議のプロセスを通して社会的な文脈で評価することを提案してみることによって，技術革新の持つ深刻な二面性に立ち向かうというような，科学と技術に対するガバナンスの見方を採用するということである．

これが現在ヨーロッパにおいて発展しつつある科学技術評価の実践が向かっている方向である．こうした評価を実践する上で必要な認識や見解，習慣などを養っていくことはガバナンス能力に関わる大きな挑戦である[2)]．この新しいガバナンスは，科学の実践は根本的には価値判断から自由なものではなく，また技術革新は社会に自動的に恩恵をもたらすものではない，という態度を取る．むしろ，科学とイノベーションの実践の正当性は，そのときどきの主要な社会の懸念に関連づけて明示的に示されねばならないのである．

もし科学と革新が普遍的に便益をもたらすものでも歓迎されるものでもないのならば，どのように認識されるのだろうか．社会的，文化的な文脈次第で，科学には社会的な価値と文化的な重要性に依存するような様々な役割が割り当てらるかもしれないということを，我々は経験的に知っている．三つの事例を示そう．

### 多様性と共存の理想——共通の未来のための科学？

議論を次のように進める．技術能力の近視眼的な開発は，たとえそれが善意になされる場合であっても，しばしば生態系や社会の崩壊へとつながってきた．もし持続可能性が達成されるべき目標であるならば，科学と技術の発展が公益のための潜在的な力となるように，倫理的，政治的そして認識論的な考えによって導かれなければならないだろう．公共政策と科学における社会的責任の新しい概念の探求が必要とされるだろう．

専門家から大衆への一方通行の情報伝達としての科学コミュニケーションの古い概念は，相互学習を通したパートナーシップという概念で置き換えられるべきであろう．もしそうなれば，政策立案者と大衆が科学と技術の革新に関する質の保証に関与することになる．科学者は教えると同様に学ばねばならず，政策立案者は自らのニーズを明確にするとともに不確実性を受け入れねばならない．一般大衆は文化的な，そしてコミュニティの価値にその基礎をおいている訳だが，彼らの科学に対する疑問について，その他の懸念についてと同様に識別力を発揮しなければならない．持続可能な発展のための科学にとっての大きな挑戦は，実のところ，そういったコミュニケーションにおけるギャップを埋めることで，すべてのグループの間で相互学習と信頼を確立することにある．

持続可能な発展というアジェンダは，この点において，科学的な研究と技術の応用を地域の生態系の復元力や，地球規模での気候変動の影響の緩和，エネルギー効率，食料確保，そして地域住民の問題解決能力の拡大などの根本的な持続可能性の価値を尊重するような革新へと導くことを意味するだろう．そのプロセスは，技術の実践においてその質を保証するための合意された社会的プロセスの設計と実践を伴わねばならない．これは品質保証機能を果たす新たな社会的制度の出現を伴うだろう．このスタイルの科学においては，地域コミュニティの場所特有の知識と資源は，伝統的な科学の実践に関する普遍的な知識を補うものとして統合されるべきである．

**歴史的な負債と「持続不可能性に立ち向かう科学」**

議論を次のように進める．科学コミュニティは，有害廃棄物，水質汚染，再生可能資源の枯渇，気候変動，大気汚染，そして水生，陸域生息地の崩壊と言った問題に対する認識の高まりによって引き起こされる「知識の不足」を埋めようと試みる，受け身の役割に自らが置かれていることに気づく．

このポジションは最初のポジションが変化したものだと考えることができる．我々は，科学的な活動は持続可能な発展というゴールにむけてデザインされるべきだ，という要求を耳にする（Lubchenco 1998）．しかしながら，この持続可能性のための科学は基本的には問題対応型である．つまり単に好奇心が生み出したものでもなければ，「目的指向型」でもない．過去の科学と技術によって生み出された，社会にとっては埋没費用であるような問題を取り上げる準備をしていなければならないのである．

ジェーン・ラブチェンコはアメリカ科学振興協会での会長としての所信表明の中で，環境の変化について次のようなことを述べている（Lubchenco 1998）．

> 陸地の３分の１から２分の１の間は人間の活動によって改変されてきた．大気中の二酸化炭素の濃度は産業革命が始まって以降30％近くも上昇した．人間によって固定された大気中の窒素は，その他のすべての陸域の吸収源が固定した量よりも多い．使用可能なすべての淡水の半分以上は人類によって使用されている．地球上の鳥類の４分の１程度の種は絶滅の危機に瀕している．そして主要な海洋漁場のおおよそ３分の２は，もう余裕がないか，乱獲されたか，既に枯渇し始めている．
>
> 人類による地球支配の度合いは現在増加しつつあり，科学には新しい種類の知識と応用が求められることになるだろう．すなわち，地球のシステムを改変するスピードを減らすための知識，地球の生態系を理解し，それらが人間が引き起こす地球の変化の様々な部分とどのように相互作用し合っているのかを理解するための知識，そしてこの惑星を管理するための知識，が求められるであろう．

その上で彼女は科学コミュニティに対して，科学者の責務に関する以下のような見解とともに「科学のための新しい社会契約を結ぶ」ように要求した．

> 科学者は，社会にとって最も緊急に必要なことを，その重要度の割合に応じて扱うべきであり，その知識と理解を個人や機関の意思決定に情報を与えるために広く伝えていくべきである．そして良い判断をなし，賢明でかつ謙虚でなければならない．

この「持続可能性のための科学」は，伝統的な解決法にどの程度見込みがあるかに関わらず，持続不可能に関わる主要な問題に取り組むことを余儀なくされるだろう．その中には，ときには我々の知識が不確実性，無知，あるいは相容れない価値観によって圧倒されるような，あるいは危険なプロセスをコントロールできないことについてのディレンマを克服することができないような，複雑で困難な問題も含まれることになる．我々はそのような問題を既に見てきた．恒久的な影響としては，土地の劣化，塩水の帯水層への侵入，農薬の残留，生態系と食物連鎖に蓄積されかねないような耐性のある有害廃棄物，原子炉からの放射性廃棄物，温室効果ガスによる気候変動などが含まれる．一度始まってしまったらそう簡単には支配することができない社会や経済，生態系のプロセスに対する介入には，地球温室効果の増大による水文学的パターンや地域的な気候パターンにおける変化もしくは増加した変動性，食料生産やその他の目的のための「遺伝子組み換え」生物の環境への放出，動物（とおそらく人間）のクローン技術，牛とそしておそらく人間の集団における狂牛病の存在，などが含まれる．

### 科学の悪魔化

持続可能性に仕える科学，そして文化的感性に富んだ（かつ持続可能な）発展の一要素としての科学，という二つのアジェンダは，科学的研究と技術の応用に際して，根本的な社会的価値（地域コミュニティの統合，生態系の復元力，気候変動の影響の緩和，エネルギー効率，食料安全保障，地域住民の問題解決能力の向上など）を尊重するようなイノベーションを指向することを強く求めている．これらのアジェンダを明示的に述べることで，こうした望ましい指向は科学の実践にもともと備わっているものではないが，努力さえすれば正しい軌道に乗せることができると思わせてしまう．

しかしながら，技術の「負の効果」を長年にわたって耐えしのぎ，広い範囲にわたる一連の現実の，あるいは想像上の技術的な破局[3)]を見続けてきた人々の中には，科学とイノベーションそのものこそが問題の真の原因であると考える人もいる．ひいては，科学と技術革新に対して，様々な種類の誤りや害悪と歴史的あるいは本質的に密接に関係していたという悪魔的な役割，すなわち支配，搾取，および攻撃の代理人，あるいは社会と文化，生態系の破壊の下手人，という役割が与えられることになる[4)]．

## まとめ

約半世紀にわたる現代化と「すべての人のための開発」というレトリックにも関

わらず，世界中の異なった社会で広くいきわたっている社会的な懸念が収束しそうな気配はない．科学と技術革新に何を期待でき，また予期できるのかに関する意見も収束するとは限らない．

はっきりした見解の相違が南と北の様々な派閥（環境に関する議論における「開発第一主義」，イスラム教とキリスト教の間の緊張など）を分け隔てるだけではなく，OECD 諸国の中でも旧世界と新世界との間での亀裂ができつつ（もしくはよりはっきりと見えつつ）ある．欧州と米国は，地政学的もしくは軍事的な緊張という最終ラウンドに行きつく前に，遺伝子組み換え生物や遺伝子工学の食料への侵入といった問題に関して見解が分かれている．

技術リスクガバナンスに対する社会的な展望のこのような分裂はどのような結果をもたらすのだろうか．この問題に答えるためには，我々は「アイディアの市場」におけるさまざまな説得力のあるモデルについて考えるべきである．ガバナンスに関する異なった見方を探求することは，知識人と社会のさまざまな階層との間での対話を活性化することができる．

少なくともヨーロッパにおいては，本源的な複雑性や大きな利害，あるいは技術リスク，国際保障，および持続可能な発展といったものの緊急性は，ご都合主義的政策のもとでの技術進化に任せておくことはできないと，多くの人が議論を提起している．この小さな星の上での文明的共存への希望は，異なった規模での連帯を確約するための協調的な努力を必要としている[5)]．

技術開発と技術リスクに対する公共政策は，疎外感とあきらめの状況にある人々による非行を抑えることで，問題の単なる緩和を追求することができる．もしくはダメージを受けたコミュニティを修繕し，新しい命を吹き込み，再建し，人々を彼ら自身の利益と未来に関する対話に従事させようとするかもしれない．いずれにせよ，技術と（化石）エネルギーは資源の希少性の問題全体の１％程度にすぎない．緊張の時代においては，ある社会の前途を評価するうえで象徴的で感情的な「残差」がすべてを支配してしまう．

信頼は，人やグループ，もしくはコミュニティの，他者との関係から得られる便益に対する期待と希望において自分自身を脆弱にしてしまうような意思である．政府に対する信頼は，商業的な企業に対する，あるいは科学と技術に対する信頼と同じように，有意義な便益への希望に依存するし，また，物質的にも象徴的にもそうした便益の分かち合いを保証してくれる社会のリーダーやイノベーションの担い手の能力と意思に対する確信にも依存するのである．

人々は物質的な意味での居心地の良さや安全だけを求めている訳ではない．彼らはまた見えないもの，例えば地位や名誉や尊厳といったものをも求めている．もし人々が自分は軽蔑あるいは蔑視されていると信じているのであれば，新しい技術の便益に対する疑念を見い出すこと，疎外感を示すために技術を「反社会的な」方向で利用する人を見つけること，あるいは権力構造に対して挑戦しこれを破壊するために技術が使われることを見ることなどは，驚くようなことではない．

それゆえに，新しい技術が古い技術が生み出してしまった問題を解決することはまれである．ほとんどの場合，技術だけが問題を生み出した訳ではない．その技術を動員するにいたった社会的な条件や目的などに焦点が当てられるべきである．資源の希少性は物質的なものであるだけではなく，同様に想像上の，そして倫理的かつ象徴的なものである．人類学者の多くが示唆するように，たとえ様々な形での対立が避けられないとしても，ある所与の社会において受け入れられる形式を規定する，因習や象徴的なシステムの発現こそが，人間の文化の特異性なのである．もしある公共政策の目的が，社会の中での，また複数の社会の間での暴力を減らすことにあるのならば，そこに求められる想像力の大半は，人間同士の関係の象徴的，文化的，かつ感情的な次元で「技術リスク」を解釈する新しい方法を開発することに使われるだろう．

この意味では，一般的に狭量，偏見，不公平などと呼ばれる，社会の非行を助長するような社会的および経済的な要素のいくつかについての調査および改善への投資に対するリターンは，大きいかもしれない．

人々は，社会の中で累積されてきた複雑な因果プロセスの中で絶望的になり，人を信用できず，攻撃的になる．ジョン・ケネス・ガルブレイスが（著書 *The Triumph* 邦訳『まぼろしの勝利——小説アメリカ外交』で）指摘したように(Galbraith 1968)，「ならず者国家」の出現は，少なくとも部分的には，他の国々が近視眼的であることと覇権に執着することの弁証法的な帰結である．アダム・スミスやジョン・スチュワート・ミル，ケインズといった偉大な経済学者の中に，人間を利己的な自動機械として描いたものはいない．スミスは，彼の見解によれば一種の虚栄心を中心に展開する，倫理的な感情について言及した．ミルは，文明化された自由社会の感情的な基盤として，ある種の共感があることを断言した．ケインズはアニマル・スピリットについて言及した．マクロな規模でいえば，アイデンティティおよび他者との関係は，財への集計需要の中で積算されている訳ではない．それらは，宗教や，正義に関する協定，部族のアイデンティティ，搾取と団結のためのインフォーマルなネットワーク，コミュニティへの帰属などといった，複雑な社会制度と象徴に体系化されている．環境と技術政策の問題に貢献したいと思う経済学者にとって，これらはすべて重要な領域である．

## 注

1）この整理はリスクガバナンス研究における私の仲間の何人かによるものである．（Funtowicz et al.（1998）； Gallopín et al.（2001））

2）複数の利害関係者による審議型でのプロセスを経ての評価は，科学コミュニティのみならず，政策立案者と一般市民を広く巻き込まねばならない非常に複雑な任務となる．そしてそこに，落とし穴もリスクもないなどと言うことはありえない．ヨーロッパにおける文献の出発点としては次のようなものがある．Baily（1998）； De Marchi & Ravetz（1999）； Fauchez & Hue（2000，2001）； Functowicz & Ravez（1990，1993），O'Connor（1999，2002，2003）

3）例えば善と悪の戦いにおいて，新世代の「小型」原子爆弾が使用されうると言ったことである．この武器による死の灰の直接的な健康と経済に対する帰結がいかなるものであれ，地政学や人間関係，ガバナンスレジームと言った文脈でその帰結（純費用や便益）を計算しようと試みることは危険をはらんだものに思える．

4）環境に対する副作用と「歴史的な負債」問題に関する国際的な一覧表には，一連の「累積的な原因」が載っており，そこには特に，豊かで発展し産業化の進んだ国々によって導かれた物質的な豊かさと「技術進歩」による恩恵に対する信仰が含まれている．南側における（西洋に追いつこうと望んでいる）一般消費者やその傍観者達は，単に西洋文化プロジェクトの中で彼らに割り振られた役割に従っているだけに過ぎない．しかしながら，こうした消費者や傍観者達がこれまでとは異なる人間性の可能性を支持して西洋的な解決策を拒絶することを決意したとしても，それほど驚くべきことではない．

5）複数の関係者による審議という精神は，これは異文化対話の精神も同様であるが，既存の英知を分かち合うのみならず，その叡智と目的意識を対話というプロセスそのものの中で，生み出しかつ新たなものにするためのものでもある．人々あるいは異なった文化が永続的に共存するための基礎を単に見つけることが出来ない，ないしはそうしたくないという状況は，明らかに存在する．ここで推奨している思慮深い審議というものは，それゆえ緊張関係を正しく理解することに焦点を当てるかも知れない．だからといって，それに終わりを告げる方法を見つけるとは限らない．

## 参考文献

Bailly, J.-P. 1998. *Prospective, Débat, Décision Publique. Avis du Conseil Economique et Social.* published as vol. 16（July 17）of the Journal Officiel de la République Française.

De Condorcet, A.-N. 1795. *Sketch for a Historical picture of the Progress of the Human Mind.* Translated from the French by June Barraclough（1955）. NewYork: Noonday Press.

De Marchi, B. , and J. Ravetz. 1999. Risk Management and Governance: A Post-Normal Science Approach. *Futures* 31(7)：743-757.

Faucheux, S., and C. Hue. 2000. Politique Environnementale et Politique Technologique: Versune Prospective Concertative. *Nature Sciences Sociétés* 8(3) : 31-44.

———. 2001. From Irreversibility to Participation: Towards a Participatory Foresight for the Governance of Collective Environmental Risks. *Journal of Hazardous Materials* 86 : 223-243.

Funtowicz, S. O., and J.R. Ravetz. 1990. *Uncertainty and Quality in Science for Policy.* Dordrecht: Kluwer Academic Press.

———. 1993. Science for the Post-Normal Age. *Futures* 25(7) : 735-755.

Funtowicz, s., J. Ravetz, and M. O'connor. 1998. Challenges in the Use of Science for Sustainable Development. *International Journal of Sustainable Development* 1(1) : 99-107.

Galbraith, J.K. 1968. *The Triumph: A Novel of Modern Diplomacy.* Boston: Houghton Mifflin.〔J・K・ガルブレイス『まぼろしの勝利——小説アメリカ外交』（松田銑訳, 日本経済新聞社, 1968年)〕

Gallopin, G., S. Funtowicz, M. O'connor, and J. Ravetz. 2001. Science for the 21st Century: From Social Contract to the Scientific Core. *International Journal of Social Science* 168 : 209-229.

Lubchenco, J. 1998. Entering the Century of the Environment: A New Social Contract for Science. Presidential Address to the American Association for the Advancement of Science, February 15, 1997. *Science* 279 (January 23) : 491-497.

O'connor, M. 1999. Dialogue and Debate in a Post-Normal Practice of Science: A Reflection. *Futures* 31 : 671-687.

———. 2002. Social Costs and Sustainability. In *Economics, Ethics and Environmental Policy: Contested Choices,* edited by D.H. Bromley and J. Paavola. Oxford: Blackwell publishing, 181-202.

———. 2003. Building Relationships with the Waste. In *Public Confidence in the Management of Radioactive Waste: The Canadian Context.* NEA Forum on Stakeholder Confidence, Workshop Proceedings, Ottawa, Canada, 14-18 October 2002. Paris: OECD, 177-190.

第13章

# 世代内衡平か世代間衡平か

## 南の国々からの見方

ラモン・ロペス

環境の希少性は，世代間衡平に関する問題として分析されるのが通例である．現在世代が将来世代に向けて残している環境資源が少な過ぎるために，将来世代の厚生の伸び，ひいては現在の生活水準を維持することさえ危うくなっているとき，現在の成長は持続不可能であると言う．こうしたことが起こっているかどうかについては誰も証明できないが，現在の成長パターンが特定の環境資源を急速なペースで減少させているかどうかということであれば，私たちは判断できるかもしれない．こうした希少性が増大すると，成長が持続不可能になる危険が，おそらくより高まることになるだろう．本書の他の章でも議論されているように，現在（と過去）の世代が作り出した希少性は，いわゆる環境アメニティ（生態系の健全性，大気，大気中の炭素濃度など）にはかなりの影響を与えているように思われる．他方で，環境コモディティ（食料，鉱物，エネルギーなど）の希少性は差し迫った問題とはいえない．総意としては，現在のトレンドが続けば，環境アメニティの希少性が今世紀中に将来世代の厚生と経済成長に影響を与える重大な危険がある，といったところであろう．

### 議論の切り分け

研究者は，世代間衡平を世代内衡平から切り離して分析を行うのが普通である．世代間衡平と持続可能性の問題が複雑であることを考えると，このように分けて考えることは議論を簡潔にする手段としてもっともらしい面が大きい．本書でもほとんどの章でこの伝統が踏襲されている．しかしながら，議論を切り分けることには重大な欠点があり，持続可能性に影響を与える公共政策の役割を評価する際には特にそうである．議論の切り分けは，とりわけ発展途上国の分析にはふさわしくない．発展途上国では，政治的な力を持った経済エリートを利するために，自然資源が公共政策によって極めて無駄に使われることが多いからである（Ascher 1999；

Myers and Kent 2001；López 2003）．第14章でダスグプタが指摘しているように，政府は，地域の資源を強奪することで，貧困層からの市民権剥奪を見逃す，あるいは促進するような場合さえあった．

### 衡平性と国家の統制

世代内・世代間の分析の統合が発展途上国にとって望ましいのは，世代間の社会・環境的不平等（持続不可能な成長）が，世代内不平等の存在に根ざしている可能性がかなり大きいからである．〔世代間と世代内という〕二つのタイプの不平等の共通項として，ほんの一握りの人々によって国家が独占されていることが挙げられる．このような国家は，社会の厚生を最大化するのではなく，自分たち自身のためになるように公共政策を誘導することができる（López 2003；Van Beers and de Moor 2001）．現在世代の大多数の厚生を構造的に軽んじているような政府が，まだ生まれぬ世代の利害を考慮に入れた公共政策を追求するだろうか．この問いに対する答えは，はっきりとはわからない．国家を独占するエリートが自分の子孫のためを思っているのであれば，こうした配慮が現在の公共政策に反映されるということは原理的には可能である．実際にそうなるかどうかは，エリートが公共政策に影響を及ぼす政治経済のメカニズムによって決まる．

### 公共政策と経済エリート

それでは発展途上国において公共政策が生み出される仕組みについて，いくつかの側面に着目してみよう．その前にまず，用語の使い方をもっと正確にする必要がある．「エリート」とは，影響力の拡大，政府の役人の腐敗，政治資金の献金などを通じて公共政策に影響を及ぼすことのできる人々のことである．彼らの政治的影響力は，彼らが持つ経済的影響力から生じるものである．しかしこれらは，エリート集団が公共政策に影響を与える方法の中でも，もっとも明白なものだけを挙げたに過ぎない．もっと微妙でわかりにくく，民主主義と民主的な制度が進化するにつれてより重要になっていくような手段もある．たとえば，「シンクタンク」や組織的な権力集団の資金を背景に持つその他の組織，同様の集団から統制と資金提供を受けているメディアは，ある特定のイデオロギーを促進する重要な手段である．そのイデオロギーとは，エリートのためになるものはすべて，経済発展のためにもなるという考え方である．

公共政策に影響力を及ぼすことのコストは，使われる手段が何であれ高くつく．

資本市場が通常は不完全であることを考えると，資本市場にアクセスできる富裕層，またはそのような投資を直接手持ちの資金を使ってできるほどの資産がある人が，主として公共政策に影響力を及ぼすことができることになる．公共政策を買収することは，他の一般の投資と同じような投資といえる．つまり，その投資が魅力的であるためには，他の投資以上の収益率である必要があるのである．お金のある人にとって，公共政策に影響力を及ぼすことへの潜在的投資収益率は，貧しい人にとってのそれよりもずっと高いと考えられる．貧困層の利害も集計すれば豊かな人々の利害よりさらに大きくなるかもしれないが，Olson（1965）が指摘したように，政府に影響を及ぼす集合的行為は，ロビー団体が小規模で均一的であるときに大きな効果を持つ．貧しい人は多数いるが富裕層は少ないという事実は，貧困層の側が公共政策に影響力を及ぼそうという集合的行為がまれであり，富裕層による集合的合意が通例になることを意味する．

エリートによる統制のために政府が誘導され，エリート層に私的財と補助金を与えるために，環境保護を含む公共財の供給が過小になってしまうことが多い（López 2004）[1)]．さらには，直接の金銭的な補助金――信用補助金，灌漑補助金，直接的な金銭の移転など――の他にも重要な補助金の仕組みがある．私的財産権が適用されていないことの多い漁業資源，水の利用，その他の資源の用益権を富裕層にただで与えることである．権力を持つ経済的利益集団に対して，ほぼ無制限に汚染できる権利が与えられることもあり，政府当局による監視がより困難である農村部では特にその傾向がある（Ascher 1999；Myers and Kent 2001）[2)]．

### 政策の罠

富の集中が大きくなると，他の条件が同じであれば，国家の独占が集中し，少数派エリートにとって都合の良い政策にさらに偏るようになる．偏った政策は，富裕層の経済的利益を増やすことによって，歴史的に続いてきた富の集中を不滅のものにし，それが今度は政策の偏りを固定させることになる．こうして，政策の罠が出現するのである．イデオロギー上は富の再分配にコミットしているかのように見える政府であっても，歴史的な富の分配を変えることはおろか，昔からの政策を大きく変えることはできていない．ここ10年のチリとブラジルは，資源に恵まれた国における政策の罠の例として重要である．民主的で見かけ上は「進歩的な」レジームが，独裁政権に端を発する古い政策を大きく変えることにことごとく失敗してきているし，同時に世界でも最悪の部類に入る富の分配を改善することもできていないのである．

### 天然資源の賦存と政策について

天然資源に乏しい国よりも，天然資源に恵まれた国においてこそ，富は偏在しやすい．ラテンアメリカやアフリカの資源に恵まれた国，産油国，アメリカ合衆国は，一般的にアジアやヨーロッパ，日本などの資源に乏しい国よりも所得の偏りがずっと大きい[3)]．（貧困層が利用することが可能な）資源の財産権が明確に定義されていないことで生じたレントは，幅広く拡散してしまうか，原油，鉱物，森林，大農園の開発などの極めて資本集約的な――そして財産権が明確に定義されていることの多い――資源採取活動の支配権を握るごく少数の者に完全に吸い上げられてしまうかのどちらかである．天然資源に恵まれた国は，世界でももっとも顕著な自然の生育地の宝庫でもあることが多いのだが，このようにして環境に悪い（さらには一般的に貧困層にも望ましくないことが多い），あまりにひどい政策が取られやすい国になっていくのである．また，上記で議論した政策の罠によって，こうした政策を改革する機運が訪れることがもっともなさそうな国になる[4)]．

## 持続可能性と経済エリート：代替の役割

経済エリートが押し付ける公共政策アジェンダによって，環境の持続可能性に，またそのために世代間衡平が実現する可能性にも，影響が生じる．環境面では持続不可能な成長の（短期的）便益は，ほとんどが経済エリートに向かう．一方で，環境悪化の（中期・長期的）負担の大部分は，それ以外の全員が背負うことになる．一般的には，ある個人が汚染をして自然資源を採取する能力は，その人が持つ資本の賦存状況に単純比例する．従って，ユーザ・コストや汚染税が課されると，資本をより多く保有している者ほど比例的にコストを支払うことになる．これと同じことではあるが，環境の悪化を許容すればするほど，その便益は富める者に帰すことになる．環境の悪化の費用が富裕層にとってより低くなるのは，彼らは自然資源のサービスを人工サービスで（たとえば防御的支出によって）代替する余裕があるのに対して，貧困層はそうしたことを一般的にはできないからである（Antoci and Bartolini 2002）[5)]．さらには，代替の費用は，環境サービスを人工サービスで代替しようとするのが社会のごく一部に過ぎないときのほうが，社会の大半がこぞってそうするときよりも安くて済む．失われた自然のサービスを代替する人工サービスに対する需要を社会の多くの人が持つとき，そうした人工サービスの対価は高くなる．そのため，富の分配が偏っている国では，人口の大半は〔環境悪化から自らを守るために防御的支出によって購入する〕防御財の市場から排除されたままになる．これは，代替の費用は，捻出できる者にとっては安くあり続ける傾向があるということである．

こうした議論を総合してわかる正味の含意として，エリートの家計にとっての（私的に）「最適な」汚染と環境悪化は，その他の人々にとってのそれよりも大きくなると考えられる．環境の「持続不可能性」の程度は，経済エリートに公共政策を牛耳る力があればあるほど大きくなると考えられる．富裕層の子孫もやはり富裕になる確率が（発展途上国のほとんどと，先進国でも少なくとも一つの大国がそうだが，「死への課税」が存在しない，もしくはあっても容易に脱税できるような場合には特に）高いという意味において，世代間のことを考慮に入れたとしてもこの結論は変わりそうにない．豊かな者は，自分の子どもたちも自分たちと同じように優位になる，あるいはおそらく技術の変化があるためにさらに優位になること，そして自然環境が作り出すサービスの喪失をより多くの人工サービスで代替し続けることができるということを知っている．

## ガバナンスと民主主義

内生的な政策に関する文献は，昔のものも新しいものも，公共政策に影響力を及ぼそうとして集団間で競争が行われることを強調している（Grossman and Helpman 1994）．エリートの中でサブ集団同士の利害が対立しており，それがきっかけとなって彼らの間で公共政策を操ろうとする競争が起こることは確かではあるのだが，一方で彼らには協調して行動できるような共通の目標がかなりの程度あることも事実である．真の対立は，富めるエリートと社会のその他の人々との間にあるのであり，エリート内部のサブ集団間にあるのではない．きちんと確立された民主主義的な規則や，エリートのイデオロギーに汚されていない知識階級（文筆家，科学者，社会科学者などがそれに当たるが，通常，経済学者はほとんど該当しない）の人々の影響力や，非エリート層の政治的組織化こそが唯一，（主流派の経済学者を自分たちにとってもっとも価値のある知識人の仲間と考えていることが多い）経済エリートの強大な力を，少なくとも部分的には相殺するかもしれない潜在的なメカニズムなのである．

民主的な制度を尊重することは何よりも重要である．より幅広い市民社会が政治的権力の選出と監視に参加してはじめて，少なくとももっとも原始的な形式でのロビー活動，とりわけ，賄賂や他の非合法戦術による公共政策への影響力行使の活動には，対抗できるようになる．残念ながら，エリート層が世論への影響力行使に使うメカニズムが進歩したものであるほど——完成形により近づいた民主主義に適応したメカニズムであるほど——，市民的参加を通して対抗するのは難しくなる．メディアや他の重要な制度に対する統制は，比較的進展した形の民主主義の下であってもなお，経済エリートが自分たちの政治的影響力を引き出し続けるために用いる，効果的なメカニズムである．政策の罠から抜け出すためには，完成された民主主義制度だけでなく，外部の援助か，かなりの幸運（偶然にも振り子が政策改革側に劇的に振れる場合）が必要である．

経済的な影響力を持つ集団は，それとは逆向きの民主主義的条件の強さによっては譲歩せざるを得ないこともあるが，一般的には前者が勝つことが多い．結果として，ほとんどの発展途上国の政策，そして場合によっては工業国経済の政策は，多数派に資する政策よりは経済エリートが要求する政策に近いものになる可能性が高い．

## 含意

政策とは内生的に決まるものであるのにもかかわらず，ここで挙げたような問題をこの議論の場に持ち込む意味などあるのだろうか．しかも，ここで提示された考え方はかなりシンプルで，おそらくは火を見るより明らかなことばかりであるにもかかわらず，である．しかし，私が言いたいのは，私たち経済学者はこうした問題をあまりにも長い間無視し続けてきたという点である．それどころか，経済学者自身がこの問題の元凶の一部であることも多かったのである．環境政策と，経済全体に及ぶいくつかの政策の背後に，どのような政治的意図があるのかを経験的・実証的に理解することによって，私たち（経済学者）は，力を持つエリートによる公共政策の支配を暗黙に支持し続けるのではなく，国民の大多数のためになる方に，形勢を少し（あるいはかなり）傾けることができるかもしれない．私たちは世代内衡平と世代間衡平の両方に貢献し，持続可能な環境を作っていく可能性を増すことができるのだ．思うに，社会や政治のことを考えずに持続可能性について研究するのはばかげている．また，政府の政策の失敗を「間違い」と無知のせいにして，政府が社会全体でなく経済エリートに奉仕しているときにはそうした失敗は論理的に起きて当然であることを認識しないというのも，ばかげた話である．

### 注

1）López（2004）が示した実証研究の証拠によると，ラテンアメリカのいくつかの国では農村部の総支出の50％以上が非社会的補助金に割り当てられている．この研究によると，そうした補助金は環境破壊をさらに進めているだけでなく，農村人口の一人あたり所得の減少と農村部の貧困増加を招いている．非道な補助金も同然といえる．

2）自然資源の用益権を富裕層に与えると，衡平性には影響があるかもしれないが，環境の持続可能性を必ずしも損なうものではないと議論する向きもある．しかし，政府に影響力を及ぼす手段を持てる者に資源の用益権が割り当てられると，彼らはそのような資源の環境規制を緩和するように政府に対して圧力をかけると考えられ，さらにひどい場合には賄賂や他の手段を使って法の支配を忌避しようとする．するとどういう結果になるだろうか．環境破壊の拡大と社会的衡平性の悪化である．

3）国の間で比較可能な所得分配のデータがある先進国16カ国の中では，〔各国の経済規模で〕重み付けしていない平均所得のジニ係数は，1990年代後半で30.7であった．この国には，オーストラリア，オーストリア，ベルギー，カナダ，デンマーク，フランス，ドイツ，イタリア，日本，オランダ，ノルウェー，スペイン，スウェーデン，スイス，イギリス，アメリカ合衆国が含まれる．これらの国の大半は明らかに資源に恵まれていない国であり，その例外がオーストラリア，カナダ，アメリカ合衆国，そして場合によってはノルウェーも含まれるだろう．この4カ国を除いた資源に恵まれない12カ国の平均ジニ係数は27.6であり，資源に恵まれた先進4カ国では33.3であった．この平均はアメリカ合衆国の数値（40.8）の影響にかなり引っ張られてはいるが，オーストラリア（35.2）とカナダ（31.5）のそれぞれのジニ係数も，資源に恵まれない先進国の平均よりかなり悪く，そして先進国全体の平均よりも悪い．唯一，ノルウェー（25.8）だけがこの状況を免れている．後発発展途上国（LDC）について同じように平均値を計算してみるとやはり同様の結果が出される．LDCの数値は，データの規模がずっと大きくなり，またジニ係数の推定を行う際の方法論が不均一であるため，信頼性が低い．

4）アメリカ合衆国は，資源に恵まれた国の例として興味深い．富の集中度が相対的に高く，他の工業国の大半に比べて分配への配慮がずっと少なく，かつ一貫して環境に反する政策を取り続けているのだ．米国が京都議定書を批准しなかったのも偶然ではない．

5）よく言われることだが，環境とは正常財，もしくは「奢侈」財（ぜいたく品）であるために富裕層は貧困層よりもより良い環境に対する需要を持ちやすいという議論がある（McConnell 1997は環境が奢侈財であるという前提を棄却している）．しかしながら，富裕層は環境の悪化がもたらす多くの影響から（たとえば住む場所を選択することで）自分を守ることができるが，貧困層はそのようなことができないという事実によって，上記の議論の有効性は一気に弱まる．環境の質に対する需要というだけでは，方程式の左辺しか言っていないに等しい．富裕層が環境の悪化という費用を払って自分たちの所得を増やせる程度は，貧困層のそれとは比べ物にならない．いわゆる環境クズネッツ曲線――汚染は当初増加するが，所得がある一定の閾値を越えると低減する――の実証的な証拠は，奢侈財の仮説を支持するものとして解釈されるかもしれない．しかしながら，こうした曲線の導き方や解釈の仕方をめぐって多くの反論があることを別にしても，どんな重要な汚染物質に対しても，推定されている閾値を超えた一人あたり所得を持つ発展途上国はほとんどないのである．*Environment and*

*Development Economics* 誌1997年のサーベイ特集号に収録されたさまざまな論文を参照.

## 参考文献

Antoci, A., and S. Bartolini. 2002. Defensive Expenditures and Economic Growth in an Evolutionary Model. Unpublished Paper. University of Florence.

Ascher, W. 1999. *Why Governments Waste Natural Resources—Policy Failures in Developing Countries*. Baltimore: Johns Hopkins University Press.〔ウィリアム・アッシャー『発展途上国の資源政治学——政府はなぜ資源を無駄にするのか』(佐藤仁訳, 東京大学出版会, 2006年)〕

Grossman, G., and E. Helpman. 1994. Protection for Sale. *American Economic Review* 84 : 833-850.

López, R. 2003. The Policy Roots of Socio-Economic Stagnation and Environmental Implosion: Latin America 1950-2000. *World Development* 31 : 259-280.

López, R. 2004. *The Structure of Public Expenditures, Agricultural Income and Rural Poverty: Evidence for Ten Latin American Countries*. Washington, D.C. : World Bank.

McConnell, K. 1997. Income and the Demand for Environmental Quality. *Environmental and Development Economics* 2 : 383-399

Myers, N., and J. Kent. 2001. *Perverse Subsidies: How Tax Dollars Can Undercut the Environment and the Economy*. Washington, D.C. : Island Press.

Olson, M. 1965. *The Logic of Collective Action: Public Goods and the Theory of Groups*. Cambridge, MA: Harvard University Press.〔マンサー・オルソン『集合行為論——公共財と集団理論』(依田博・森脇俊雅訳, ミネルヴァ書房, 1996年)〕

Van Beers, C. and A. de Moor. 2001. *Public Subsidies and Policy Failures*. Northampton, MA: Edward Elgar.

第14章

# 今日の貧困世界にとっての持続可能な経済発展

パーサ・ダスグプタ

米国で実践されている環境資源経済学は，貧しい国々の経済の疲弊と人口増加の問題にこれまであまり関心を示してこなかった．環境資源経済学を概説したKneese and Sweeney（1985-1993），Cropper and Oates（1992），Oates（1992）のいずれもが，悲惨な貧困，人口増加，そして自然資源基盤の劣化の間に存在する連関を無視している．北（といっても，現在の地政学的意味での北）の経済学者の間では自然をアメニティとみなすことが慣例であることを考えれば，彼らは当然のことをしたといえる．環境経済学において環境価値評価の実践が注目を集めているが，これはこのような見方の表れである．極端な場合，国は経済成長をとげて貧困から脱却してからでないと環境に配慮するようにはなれず，しかも「貿易は環境を改善する．なぜなら貿易によって所得が増えるが，人々は豊かであるほど，生活空間をきれいにするために資源を振り向ける意思が高まるからである」（*The Economist* 1999）とさえ信じられているのである．

上の引用文は，自然環境は贅沢品であるという見方を反映しているが，これは第三者的な見方である[1]．自然環境をもう少し身近なものとしてとらえると，物事は違って見える．実際には，自然資源は多くの生態系サービスを作り出しているのであり，自然資源が我々に提供してくれるものの大部分は生活必需品なのである．いくつかのサービスは地球規模に及ぶが，多くのものは地域規模である．貧しい国々の湿地や森林が（農業，都市拡張，または商業伐採のために）破壊されると，伝統文化は痛めつけられる．こうした地域の人々にとっては――しかも彼らは社会ので中でも最も貧しいわけだが――代替物が存在しない．他の人々（例えばエコツーリスト）には，他の何か，または他のどこか，というものが存在する，すなわち代替物が存在するのである．さらに言えば，必需品と贅沢品との間の領域が非常に広く，しかも必需品と贅沢品の区別は状況に左右される．ある人にとって贅沢品であるものが，別の人にとっては必需品かもしれない．所得が重要なのは，所得によって，代替物を使えるかどうかがある程度決まるからである．ミクロ経済学的論考によって，途上国の自然資源使用に伴う有害なスピルオーバー効果が，当惑するほど多様であることがわかっている．こうしたスピルオーバー効果は，制度の失敗の表れを示すものであるが，このメカニズムによって，経済活動の公的な記録（例えば国民総生産（GNP））が，最も貧しい人々の生活を犠牲にして成長することが可能になってしまうのである[2)].

## 成長会計と技術変化

マクロ経済学的な考え方では，地球上の資源の分布が不均一であり，またその資源のある地域内外の人々による資源利用の仕方が様々であることがうやむやになってしまう．経済成長に関する現代の理論は，新しいアイデアを進歩の源泉として強調しており，自然環境によって無限の経済成長に対して制約が生まれるとしても，アイデアが発展することでうまく回避できると仮定する．また，このようなモデルは，ある種の投資（例えば研究開発）は，便益が永続的で共有可能であることから，累積的収益を上げられると指摘する．さらに，人口増加が財とサービスの需要の増加につながると仮定する．アイデアの需給が拡大することは，長期的には一人あたり産出の成長率が，それ自体人口成長率の増加関数になると考えられることを意味する（人口増加がゼロである場合のみ，長期的な一人あたり産出の成長率がゼロになる）．このようなモデルによると，無限の人口増加は有益であることになる[3)].

現代の成長モデルは，もっとも単純なモデルの場合，アイデアの創造（技術進歩）と人口増加の間に正の相関を仮定しており，そこで想定されているのは自然資源が不変の，破壊されない生産要素であるような世界である（Kremer 1993）．しかし後者の仮定は間違っている．自然環境は劣化する資源（土壌，河川流域，漁場，淡水水源）で構成されているのである[4)]．自然資源の制約が存在しなかった時代を研究するのであれば理にかなった仮定なのかもしれないが，今日の貧しい地域の人々に開かれている発展の可能性を研究するのであればそうはいかない．

現代の成長理論は，技術進歩の結晶である新製品の性質について明示的にはモデル化していないにもかかわらず，将来の技術革新によって産出は無限に成長できるようになり，自然資源基盤への需要は限られた分だけ追加的に生じるに過ぎないと仮定する（Jones 2001）．私はこの仮定を支持する証拠については知らないが，この仮定と対立する証拠なら数多く知っている．経済成長（GNP の成長）を持続させるには，資本蓄積と技術進歩が資源基盤の減少を埋め合わせる必要がある．しかし資源基盤の消滅は，生命がよって立つところである多様な生態系サービスの先細りを意味する．

おそらく成長モデルで想定されている技術進歩は，自然資源基盤とは無関係にGNPの長期的な成長をもたらすような性質のものなのであろう．しかしこの仮定の一つの問題点は（他にもより根本的な問題点がいくつもあるが），環境資源に対する所有権の定義が曖昧である，あるいは十分に実効化されていないため，環境サービスが市場においてしばしば安値をつけられていることである．かくして，新しい技術は自然資源を強欲に使うようになると考えられる．民間部門の発明やイノベーションの担い手にとっては，自然資源の利用を節約するような発見を追求する理由がほとんどないのである．新しいアイデアは地域の資源に十分な代替をもたらさないことになり，しかもそれが，耐え難い農村の状況から逃れるような移住が不可能であるような世界で起こるのである[5]．

いずれにせよ我々は，たかだか200年間にすぎない経験にそこまで依存するような理論に対しては，懐疑的でなければならない（Maddison 2001）．過去に外挿を行うと，目の覚めるような結果が出てくる．歴史上の長期間にわたって（たとえば200年前までの5000年間），現在の富裕国の経済成長率は，平均するとゼロとたいして変わらなかったのである[6]．貧困，人口動態，人間の制度と自然資源基盤双方の性質・働きの間にあるフィードバック・ループに関する研究は，現在までのところ現代成長理論の研究テーマとしてとりあげられていない．

## 環境・開発経済学

貧困国における人口・貧困・資源の結びつきは，開発経済学においても焦点になっていない．この主題は，サブサハラ（サハラ砂漠以南）アフリカおよびインド亜大陸の半乾燥地域に関する研究でさえ，ほとんど触れられていない．例えば，貧困国の人口増加に関する権威ある研究であるBirdsall（1988），Kelley（1988），およびSchultz（1988）は，環境問題に触れていない．主流派の人口学と農業経済学もまた，こうした地域における貧しい共同体が直面する環境制約をないがしろにしている（例えばJohnson 2000）．さらに貧困国における貧困に関する主流派の学問も，やはり人口増加と生態学的制約が開発に重要な影響を与えるとは考えていない（例えばStern 1989，Drèze and Sen 1990，Bardhan 1996）．経済発展に関するほとんどの教科書は，産業革命以降の西洋の経験を参照して，マルサスは完全に間違っていたと結論付けている．

研究者はこのような状況に当惑してしかるべきである．開発経済学の理論的支柱は，貧困国はとりわけ制度的失敗に苦しんでいるという考え方である．しかし制度的失敗は，それ自体が外部性の兆候である．貧困国の研究において人口増加と生態学的制約を無視することは，人口に関する決定と資源利用に重要な外部性が起こらないと仮定することになろう．さらにそれは，制度的失敗による外部性が，資源利用と人口動態に対し無視できる程度の影響しかもたらさないと仮定することにもなろう．これらの仮定を正当化するような実証的研究を私は知らない．

## 研究の動機

このように人口・貧困・資源の結びつきが無視されていることを考えると，経済発展の測度が今でもあの旧態依然とした社会福祉指標，すなわち一人あたりGNPであることは驚くことではない．もっとも，最近それに人間開発指数（HDI）が追加されはしたが[7]．問題は，GNPもHDIも短期的関心事を反映しているのに対し，現在の開発パターンが持続可能であるのかという質問に答えるには，将来を見通さなければならないことである．

よく聞かれる一つの質問を考えてみよう．我々が地球の資源を利用することで，我々の子孫に開かれている経済的可能性が減少しているのだろうか．

実際，この問題に関しては，紛れもない肯定からにべもない否定に至る，驚くべき意見の相違が見られる[8]．そのような質問は，資源対立が「我々」と将来の「彼ら」の間のみに存在するかのような印象を与えるが，実際には全体として豊かさを増しつつある世界における多数の極貧層の存在によって現世代内での資源対立が確実になっているとされるので，誤解を招くという意見も聞かれる（Dasgupta 1993, 2000）．

このような理論的緊張の根底には，貧困国と先進国における現代の経済発展の持続可能性について，実証から得られる見方が違うことから生じる，洞察の対立がある[9]．一方では，市場で取引される資源価格の歴史的趨勢，あるいは現在の富裕国の経済進歩を表す従来型指標の成長記録を調べてみると，資源の希少性はまだ影響を与えていないように思われる[10]．他方，特定の資源やサービス（例えば淡水，炭素吸収源としての大気）を見るならば，加速度的に増加している現在の資源利用率は持続可能ではないという証拠がある[11]．

近年，少数の研究者がこのように対立する見解を調和させることをめざし，一歩進んだ理論的枠組みを開発した（Serageldin 1995, Pearce et al. 1996, Dasgupta and Mäler 2000, Dasgupta 2001a, 2001b, Arrow et al. 2003a, 2003b）．この理論は，マクロ経済的会計は，正しく用いれば，ミクロ経済的な理由付けと世界の最貧層のローカルな経験のどちらとも矛盾しないことを示している．たとえ（資源の生産利用に伴い上昇する環境コストや地域資源の強奪による貧困層の権利剥奪により）計算価格が上がりつつあったとしても，非再生資源の市場価格は（採掘コストおよび精製コストの低下，追加的埋蔵資源の発見などにより）低下しうる．さらに，マクロ経済的会計のレベルでは，たとえ経済の長期的見込みが縮小しつつあっても，一人あたり GNP や平均寿命といった現在の福祉の指標は改善を記録することがあるのである．

これ以降，実際的および知的な理由により，経済の集計的な統計量について述べる．実際的理由としては，そうすることによって本章を妥当な長さに留めることができるからである．知的理由としては，異なる所得階層の社会的重み付けを使えば，絶対的貧困と所得不平等の双方を GNP に取り込めるからである．GNP の真の欠点は，絶対的貧困と経済的不平等という現象を扱えないことではなく，将来を適切に考慮に入れることができないことである．この章のテーマは持続可能な発展なので，世代間にわたる生活水準の分布に焦点を当てる．

## 富と福祉

経済の長期的な見通しは，制度によって形作られる部分と，資本資産の規模と分配によって形作られる部分とがある．制度と資本資産は生産的基盤の中身であり，これが福祉の源泉となる．制度をも資本資産とみなす誘惑（しばしば社会の「制度的資本」という言い方がされる）に駆られるが，制度は資本資産と違って，資源の配分を導くものである（資本資産そのものも資源に含まれる）．一国の制度改善は，よりよい資源配分につながる．それは，生活水準を向上する一つの経路となる．もう一つの経路は資本の蓄積である．

経済の資本資産の価値に対しては，古くから確立された名前がある．**富**である．私がここで使用する富の概念は包括的なもので，資産の一覧表には人工的に作られたもの（道路や建物，機械・設備，電線や港湾）だけではなく，人的資本（知識と技能）および幅広い自然資本（石油・天然ガス，漁場や森林，生態系サービス）が含まれる．富が増加したということは，総計として見れば，資本資産が蓄積されたということである．以下では，この資本の蓄積を**ジェニュイン・インベストメント**と呼ぼう．これは投資の統計データの記録とは対照的である．国民経済計算では，資本資産から得られるサービスが欠けているので，ジェニュイン・インベストメントが負であっても，投資の統計データの記録は正となることもありうる．

一国の制度を所与とすれば，富（より正確には以下で詳しく述べる，富のような指標）は，現在および将来の社会を考慮に入れた，社会福祉の測度であることを示すことができる．つまり，人口変化を考慮して修正すれば，ジェニュイン・インベストメントが正である限り，現在世代と将来世代の福祉の合計は増加する．一国における富の時間にともなう変化を，発展パターンが持続可能かどうかを判断するのに使えるのである．こうした結果は，経済に関する特別な仮定に依存していないこと[12]，あるいは政府が市民のために最適化するという仮定を必要としてもいないことは，どれだけ強調しても足りないほどである．したがって，これらの結果は我々の知っている世界に適用可能なのである[13]．

富と比較して，GNP を考えてみよう．GNP は，総消費と粗投資の合計であり，資本資産の減耗に対して鈍感である．したがって，経済のジェニュイン・インベストメントが負であり富が減少していても，GNP が増加することはありえる．これは，GNP の増加が資本資産の取り崩し——例えば生態系の悪化や石油・鉱物資源の消耗——によってもたらされ，収益の一部を人的資本といった代替資本に投資しなかった場合などに起こりうる．したがって，GNP が富と連動すると期待する理由はほとんどない．この教訓は，平凡ではあるが，重要である．GNP は，持続可能な発展政策を見出すためには使えないのである．またすぐに確認するように，HDI も同様である．アダム・スミスの古典は，国々の富についての探究であって，国々の国民総生産についての探究でも，国々の国連開発計画人間開発指数についての探究でもなかったのである．

## 資本資産としての自然

前段では自然資本を強調したが，これはたまたま選んだものではない．国民経済計算は，今日では高度に洗練されているが，多くの自然資源ストックが経済活動によって変化することのみならず，自然がもたらす無数のサービスを我々が利用することについても，相変わらず見落としている．自然がもたらす無数のサービスには，遺伝子目録の維持，土壌の保全と再生，窒素および炭素の固定，栄養塩循環，洪水制御，汚濁物質浄化，廃棄物の同化，作物の受粉，水循環，大気の気体組成維持などがある．国民経済計算からこうしたサービスがしばしば欠落しているのは，これらにはたいてい値札がついていないからである．値札をつけられないのは，自然資本に対する所有権の実効性を持たせることはおろか，所有権自体を確立することが不可能なことが多いからである．さらに，所有権の確立が困難なのは，自然資本がしばしば移動性を持つからである（鳥，昆虫，河川水，そして大気はその典型である）．しかしこうした理由があるからといって，自然によるサービスに，それらの希少価値を少しでも反映させたような，概念的な価格を割り当てることが，たとえ努力をしても不可能であるということにはならない．しかし現状では，様々な形態の自然資本が相互に結びつくことの影響は，経済取引には記録されていないことが多い．そのため，損害（例えばエビの養殖のためのマングローブ林破壊や，上流域での森林伐採など）を引き起こした者が，損害を被った者（マングローブに生活を依存する漁民や，下流域の農民や漁民）への補償を求められることはない．

貧しい国の農村共同体は，自然がもたらすサービスに深く根をおろしているこの問題にずっと前から気付いており，地域の資本資産について，この問題を克服する制度メカニズムを作り上げた．池，貯水槽，脱穀場，放牧場，森林は，移動性の資源を保有しているため，私的所有にはなじまない[14)]．近年，人類学者，生態学者，経済学者，そして政治学者が，農村共同体において自然のもたらすサービスに関する経済取引を仲介する，多様な非市場的制度を見出している．これらの制度はしばしば共同体的であり，さらに，管轄される自然資本の特徴に対応した制度になっている．例えば，沿岸漁場のための共同体的制度は，地域の灌漑システムを管理する制度と，設計がかなり異なっている[15)]．

残念ながら，最近は世界の最も貧しい地域の多くにおいて共同体的制度は徐々に失われつつある．その理由はいくつもある．たとえば，国家による干渉は，特にサブサハラ・アフリカで最も顕著である．また，皮肉にも，市場で取引される財・サービスの成長も，それに貢献してきたようである．崩れつつある共同体的制度が存続するか，または他の制度によって適切に置き換えられなければ，しばしば最も貧しい者が最も被害を受ける．これは主に，かれらの地域的な環境資源基盤が劣化するからである[16)]．

経済政策を選択する際に，政策決定者は市場と非市場的制度との相互作用をよく考えなければならない．どんなシステムでも，人間のものであろうとそれ以外であろうと，撹乱が起きれば反応する．政策変更は，あらゆる種類の影響をもたらすが，何ら明白な公共のシグナルが伴わないために影響を受けない人には気付かれることなく，伝播していくことがある．あらゆる影響の跡を追っていくためには，非市場的相互作用と，それらが市場とどう連関するのかについて理解する必要がある．持続可能な発展政策を見出すことには，とりわけ，そのような影響に価値をつけること，したがって，自然のもたらすサービスに価値をつけることも含まれる．こうして，今日の国民経済計算の欠点には，現代の政策評価を実践する際の弱点が映し出されているということの意味が理解できる．現代の経済発展では，自然によるサービスが通常は過小評価されているために，自然資本が強欲に使われているのではないかという懸念は，もっともである．

## 貧しい国々への適用

以上のことから，ジェニュイン・インベストメントは，統計として記録される投資よりも少ないと仮定できる．では，どれくらい少ないのだろう．

世界銀行は，人工資本への投資に，人的資本および自然資本への純投資を加えることで，多数の国々におけるジェニュイン・インベストメントの推計値を提供してきた（Hamilton and Clemens 1999）．彼らが推計値に到達するために採用した過程にはある種のぎこちなさが見られる．また彼らの計算は不完全である．というのは，自然資本を構成するあまたの資源のうち，そこに含まれたのは商業林，石油と鉱物，二酸化炭素吸収源としての大気に過ぎなかった（水資源，炭素を固定してくれる森林，漁場，大気汚染物質，水質汚濁物質，土壌，生物多様性は含まれていない）．したがって推計値は，おそらくは著しく，過小評価であろう[17]．しかし，どこかから出発しなければならない．世界銀行の数字を使い，世界で最も貧しい地域の最近の経済発展について評価することは，有益なことだとすぐに判明するであろう．

表 14–1がまさにそれを示している．サブサハラ・アフリカ，インド亜大陸，中国がカバーされている．合わせると，世界の最貧層10億人のほとんどがそこで生活していることになる．最初の列は，1973年—1993年の世界銀行によるジェニュイン・インベストメントの推計値を，GNP に対する比として示している．バングラデシュとネパールが，資本を取り崩してきたことに注目しよう．この二カ国では，資本資産の総計は，対象期間に減少したのである．対照的に，中国，インド，サブサハラ・アフリカでは，「ジェニュイン・インベストメント」は正であった．したがって，これらの数字によると，後者の国々では期初に比べて期末ではより豊かになったことを示しているともいえる．しかし人口増加を考慮に入れると，構図は一変する．

第 2 列は，1965年—1996年の年間人口増加率を示している．中国以外のすべての国々が年率 2 パーセント以上の人口増加を経験しており，サブサハラ・アフリカとパキスタンではほとんど年率 3 パーセントで増加してきた．次に，先述した理論にしたがって，1970年—1993年の一人あたり富の年変化率を推計する．そうするために，GNP に対するジェニュイン・インベストメントの比率〔I/Y〕に，富に対する産出の比率の年間平均値〔Y/W〕を掛け合わせ，富に対する投資の比率〔I/W〕を求めよう．そして，後者の比率と人口変化率を比較しよう．

国民所得勘定では，多種多様な資本資産（例えば人的資本や，様々な形態の自然資本）が算定されていないので，富に対する産出の比率の公表推計値（伝統的には

**表 14-1　いくつかの地域におけるジェニュイン・インベストメントと富の蓄積，1970年—1993年**

| | I/Y (%)[a] | g(L)[b] | g(W/L)[c] | g(Y/L)[d] | g(HDI)[e] |
|---|---|---|---|---|---|
| バングラデシュ | −0.3 | 2.3 | −2.40 | 1.0 | + |
| インド | 10.7 | 2.1 | −0.50 | 2.3 | + |
| ネパール | −1.5 | 2.4 | −2.60 | 1.0 | + |
| パキスタン | 8.2 | 2.9 | −1.70 | 2.7 | + |
| サブサハラ・アフリカ | 4.7 | 2.7 | −2.00 | −0.2 | + |
| 中国 | 14.4 | 1.7 | 1.09 | 6.7 | − |

a）I/Y = ジェニュイン・インベストメントのGNPに対する比率（出典：Hamilton and Clemens 1999の表3と表4，および世界銀行ケイティ（キャサリン）・ボルトとの私信）．ジェニュイン・インベストメントは，世界保健機構（WHO）が提供するデータに基づき1983年から1993年までの平均として推定された全保健支出（すなわち公的支出・私的支出とも含む）を含む．

b）g(L) = 年平均人口増加率，1965年—1996年（出典：World Bank 1998，表1.4）．

c）g(W/L) = 固定価格でみた一人あたり富の年平均変化率．

d）g(Y/L) = 一人あたりGNPの年平均変化率，1965年—1996年（出典：World Bank 1998，表1.4）．

e）g(HDI) = 国連開発計画の人間開発指数の変化の符号，1987年—1997年（出典：UNDP 1990—1999）．年あたりの「産出／富」比＝0.15と仮定．

年0.3程度と考えられてきた）には偏りがある．以下では，伝統的推計値に見られる偏りを是正して貧しい国々に適用するため，年間0.15を使用する．しかしこの数値でさえ，ほぼ確実に高すぎる．

第3列は，先に述べた一人あたり富に相当する指数の年間変化率を推計したものである．これらの数値は，ジェニュイン・インベストメントの対GNP比〔I/Y〕に，産出の富に対する比率〔Y/W〕を掛け合わせ，その積から人口増加率を差し引いたものとして得られる．この方法は，人口変化の分を調整する粗いやり方である．より正確な調整を行うには，ずっと多くの計算が必要となる．

第3列の特筆すべきメッセージは，中国を除くすべての国々で，過去約30年間に資本が取り崩されてきたということである．このことは，サブサハラ・アフリカの場合には，多くの社会経済指標が後退していることが広く知られているのでそれほど驚きではないが，バングラデシュ，インド，ネパール，パキスタンの数値は驚くべきものである．進歩的な経済政策が高く評価されている中国でさえ，人口増加の中でなんとか資本蓄積を実現しているという有様である．いずれにしても，産出の富に対する比率をより正確に推計すれば，0.15よりずっと低くなるのがほぼ確実である．より低い数値を使用すると，中国の蓄積率は減少する．さらに，ジェニュイン・インベストメントの推計には，中国で特に問題となっている土壌浸食と都市汚染が含まれていないのである．

一人あたり富の変化は，従来使われてきた生活の質の指標の変化と比べるとどうだろうか．第4列は1965年―1996年の一人あたり GNP 変化率を，第5列は1987年―1997年の間で，国連人間開発指数の変化が正であったか負であったかを示している．

もし我々が一人あたり GNP の成長率を見ていたならば，インド亜大陸の長期的経済発展に関する評価がいかに誤ったものになったかに注目しよう．パキスタンの一人あたり GNP は，年率2.7パーセントで順調に成長したが，これは1965年から1993年の間にこの指数の値が2倍になったことを意味する．しかし他の数字は，平均的パキスタン人にとっての真の富が，同じ時期に約40パーセント減少したことを明らかにしている．

バングラデシュにおいても資本は取り崩されてきた．同国の一人あたり GNP は1965年から1996年にかけて年率1パーセントで成長した．しかし同時期の終わりには，平均的バングラデシュ人の富は期の初めの半分になっていた．

サブサハラ・アフリカの場合は特に悲惨である．年率2パーセントの一人あたり富の減少により，この地域の平均的住民の富は，35年毎に半減する．サブサハラ・アフリカの苦難については，新聞や雑誌に日常的に登場する．しかしその苦難は富の減少としては描かれていない．表14-1は過去30年にわたって，サブサハラ・アフリカが資本資産のとてつもない減少を経験してきたことを明らかにしている．

インドは一人あたり富の急速な減少を回避してきた．しかし同国は経済発展のがけっぷちにある．数値を文字通り受け取るならば，平均的インド人は1993年には1970年に比べて少し貧しくなっていた．

人間開発指数はどうだろうか．実は，一人あたり GNP 以上に誤った情報を与えている．第3列および第4列を見ると，HDI は貧しい国々の実績を判断する際に見るべきものとまったく逆の構図を描いていることがわかる．この指標は，1990年代のサブサハラ・アフリカでは成長し，中国では減少した．バングラデシュとネパールは HDI に関する模範生であった．しかし，どちらの国も資本資産を急速に取り崩してきたのである．

表に示した数字は間に合わせのものであり，我々の結論はあくまで仮のものにすぎない．しかしこれらの数字は，人的資本と自然資本を計算に入れることで，発展プロセスに関する我々の見方が大きく変わることを教えてくれる．その含意は気の滅入るようなものである．インド亜大陸とサブサハラ・アフリカ（世界で最も貧しい二つの地域であり，世界人口の約3分の1を擁する）では，過去数十年の間にさらに貧しくなり，いくつかの国ではずっと貧しくなったのである．こうした国々での富の取り崩しを，制度的変化や他の地域からの知識の輸入が補ったかどうかは，私は知らない．次節のデータは，その質問に対してさえ，悲観的な結論を示している．

## 持続可能な発展とその指標

IUCN（1980）およびWCED（1987）は，持続可能な発展の概念を導入した．後者は，持続可能な発展を「将来世代がニーズを満たす能力を損なうことなく，現在世代のニーズを満たすような発展」（p.43）と定義した．この言い方と一貫性を持った定式化の仕方はいくつかある[18]．しかし，根底にある考え方は十分に分かりやすい．ある経済の生産可能性集合が成長しているかどうかを判断する測度を，我々は求めているのである．経済発展が持続的でなければならないという条件は，その経済の生産的基盤が維持されなければならないという条件と同義であることを示すことができる（Dasgupta and Mäler 2000；Dasgupta 2001b; Arrow et al. 2003a）．

単に経済が「持続可能」であるという基準だけで，ある特定の経済プログラムが決まるわけではない．原則として，無数の技術的・生態学的に実現可能な経済プログラムがその基準を満たしうる．一方，もし資本資産間の代替可能性が大幅に制限されており，かつ技術進歩が起こりそうもないとすると，ある経済にとって持続可能な経済プログラムは存在しない．さらに，たとえ政府が社会厚生の最適化に没頭したとしても，将来の厚生を割り引く率が高すぎるならば，選択されたプログラムは持続可能な経路とは一致しないであろう．最適経路に沿って社会厚生が一定期間減少し，その後増えるということもありうる．このように，最適性と持続可能性とは違った概念である．持続可能性の概念は，経済プログラムの特徴を理解するうえで，特に不完全な経済の実績を判断するうえで，多いに役立つ．

### 生産性成長が測定するもの

エコノミストの中には，経済発展のしるしを，GNPや富とはまったく違った統計量に見出す向きもある．1990年代の米国経済の拡大を解釈しようとして，*The Economist*誌（2001）は以下の見解を声高に主張した．

> 経済見通しを判断する際に最も重要な測度は何か．GDP成長か，インフレか，財政黒字の規模か，株価水準か，そのいずれでもない．はるかに重要なのは生産性の成長であり，それ自体重要であるとともに，上に示したものを含む

すべてに影響するのである．

「生産性」は，「全要素生産性」(TFP) とも呼ばれ，その根底にある考え方はよく知られているが，しかしここで再び述べる価値はあるだろう．

ある経済の総生産は，労働投入，人工資本・知識・自然資源のサービスといった様々な生産要素を用いて生産される．したがって，観測された産出の時間変化を，その源泉毎に分解することができる．どれだけが労働力参加の変化に帰着するのか，どれだけが人工資本や人的資本の蓄積に帰着するのか，どれだけが研究開発支出による知識の蓄積に帰着するのか，どれだけが自然資源の使用量の変化に帰着するのか，などなど．もしも観測された産出の変化の一部が，これらの生産要素のどれにも帰着しない場合，その部分はTFPの成長と呼ばれる．TFPの成長は「残差」とも呼ばれるが，これは生産量の変化の中で説明できない部分という意味である．

この残差は何を測定しているのだろうか．先に引用した *The Economist* 誌の一節は，それが経済の将来見通しと密接な関係があるとしている．しかし本当にそうだろうか．

伝統的には，労働力参加，人工資本，そして市場に出回る天然資源が，経済計算に記録される生産要素であった．しかし近年になって，人的資本が付け加えられた．さらに研究開発による人工資本の質的変化について，補正しようとする試みもなされてきた．しかし，市場化されない自然資源や，ついでに言えば市場化されない労働については，ほとんどの場合いまだに国民経済計算に含まれていない．それは，市場化されていない自然資源に価格をつけるのが極めて難しいという，もっともな理由による．さらに言えば，記録されていない労働をどのように推計できるだろうか．さて，ここで経済がある期間にわたって，自然資源基盤，あるいは記録されない労働力の使用を増やしてきたと考えてみよう．残差は過大評価となるであろう．実際，残差を増やす単純な方法は，自然資源基盤を「取り崩す」率を増やしていくことだろう．しかし，もし我々が経済の見通しを測定しようとしているのであれば，これは道理に反している．

仮に，ある経済の総生産の成長を，すべての生産要素の成長に遡って，包括的に分解することができるとしたらどうだろう．残差が長期にわたってなお正であると仮定することは，その国が「フリーランチ」を享受していると想像することに等しい．

そんなことが可能なのだろうか．フリーランチにありつく方法が，少なくとも貧しい国々にとっては一つある．他の国々で起こった技術進歩を無料で使用することである．その場合，残差は自由に利用できる知識の増加を反映することになる．しかし，新しい技術への適応には費用がかかる．技術を現地の条件に合わせるためには，製品設計や製造工程を調整する必要がある．それには現地に適切な制度が存在することが必要だが，貧しい国々には往々にしてそれが存在しないのである．

豊かな国々にとっては，残差は予期せぬ知識の成長を反映するのかもしれない．しかしルイ・パスツールが述べているように，予期せぬ発見というのは，準備された頭脳の幸運なのである．準備には取り組み，時間，資源を要するため，結局，知識生産に必要な要素に立ち戻ることになる．もしこうした生産要素の寄与分を考慮に入れるならば，残差は取るに足らないものになるだろう．

経済成長の研究者は，TFP と「残差」の国ごとの違いが，過去二，三十年間の各国の経済実績の違いを（直接的に）説明するものであると，ますます主張するようになっている[19)]．しかし TFP が何を反映しているのかについて意見の一致は見られない．Easterly and Levine（2001，178）は，「理論によって，TFP の概念はバラバラである．技術（財やサービスの生産方法）の変化から外部性の役割，生産セクター構成の変化，そしてより安価な生産手法の採用にいたる広範囲にわたっている」と述べている．この論文は，経済取引をするときに人々が互いを信頼する度合いを規定する，様々な市民的制度については明示的に触れていない．「社会関係資本」の考え方をミクロ経済学的に拡張すれば，TFP は，技術，政府の政策あるいは公的制度のみではなく，市民的制度も反映していることがわかる[20)]．

私はこの章で，国ごとの経済実績の違いではなく，貧しい地域のそれぞれが直面する経済見通しの時間的変化に関心を示してきた．TFP は不完全な経済において短期的に急増することがある．例えば，ある政府が様々な公的，私的あるいは共同体的な所有権の実効性を高めること（つまり公的制度を改善すること）により，または輸入割当，価格統制などの中央集権的規制を緩和すること（つまりマクロ経済政策を改善すること）により，経済的非効率を減らしたと想像しよう．生産要素がより有効に使用されると期待できるであろう．要素がより生産的に再配置されるので，TFP は増大するであろう．

逆に，TFP は減少するかもしれない．政府の腐敗の悪化，あるいは内戦がその原因かも知れず，それらは資本資産を破壊するだけでなく，一国の制度に損害を与える．制度が損なわれると資産は以前よりさらに非効率に使用され，TFP は減少する．これはサブサハラ・アフリカで過去40年間に起こったことのように思われる（表 14-2参照）．

その名が指し示すように，残差は総生産の変化――それが正であろうと負であろうと――の原因に関する我々の無知を反映している．この概念の創始者達は，経済の将来見通しの測度と考えたわけではないし，ましてや長期見通しの測度であるなどとは決して考えなかった（Abramovitz 1956，Solow 1957）．彼らがそのように考

**表 14-2　経済成長の源泉，1960年—1994年**

| | g(Y/L)[a] | G(K)[b] | g(H)[c] | g(A)[d] |
|---|---|---|---|---|
| 東アジア | 4.2 | 2.5 | 0.6 | 1.1 |
| 南アジア | 2.3 | 1.1 | 0.3 | 0.8 |
| アフリカ | 0.3 | 0.8 | 0.2 | −0.6 |
| 中東 | 1.6 | 1.5 | 0.5 | −0.3 |
| ラテンアメリカ | 1.5 | 0.9 | 0.4 | 0.2 |
| 米国 | 1.1 | 0.4 | 0.4 | 0.4 |
| その他先進国 | 2.9 | 1.5 | 0.4 | 1.1 |

a）g(Y/L) = 一人あたり GNP の年間変化率.
b）g(K) = GNP のうち人工資本に帰着するシェアに，人工資本の年間変化率を掛け合わせたもの.
c）g(H) = GNP のうち人的資本に帰着するシェアに，人的資本の年間変化率を掛け合わせたもの.
d）g(A) = 全要素生産性の変化率（残差）.
出所）Collins and Bosworth（1996）

えなかったのは正しい.

表 14-2は，Collins and Bosworth（1996）から引用したもので，世界の様々な地域の一人あたり GNP の年間成長率と，その内訳として二つの生産要素（人工資本と人的資本）の推計値を示している．第１～３列にその推定値が示してある．期間は1960年—1994年である．第４列は，各地域での残差を示している．これは単純に，第１列の値と，第２・３列の値の和との差をとったものである[21)]．コリンズとボズワースは，自然のもたらすサービスは生産要素に含めなかった．もしそれらのサービスの使用がこの期間中に増加していたならば（かなりの確率でありそうなことだが)，残差は過大評価されていると言わざるを得ない．そうであってさえ，アフリカにおける残差は負（年率−0.6%）だったのである．真の残差がこれよりもさらに低かったのは確実である．世界でもう一つ，本当に貧しい地域である南アジアの残差は，年率0.8%であったが，これは疑いなしに過大評価であるため，一体この地域で全要素生産性が成長していたのかどうか，私には分からない．しかしながら，世界で最も貧しい二つの地域（インド亜大陸とサブサハラ・アフリカ）において，過去40年にわたり制度的能力は改善されなかったし，先進工業国で獲得された知識を自由に使用することで生産性が向上することもなかったと結論付けることはできる.

**謝辞**

過去数年間にわたり，ケネス・アローとカール・ヨラン・メーラーは本章で議論した問題に関する私の考え方に大きな影響を与えた．本章の理論的枠組は，彼らと共同で開発した．励ましとアドバイスをしてくれた彼らに感謝する．

**注**

1）この見方の起源は，クロスカントリー調査において硫黄酸化物の排出量と一人あたりGNPとの間に逆U字の関係が見られると報告したWorld Bank（1992）に遡ることができる（Cropper and Griffiths 1994，Grossman and Krueger 1995も参照のこと）．この逆U字の関係をすべての自然資源と一人あたりGNPとの関係に外挿することは，魅力的ではあるが間違っている．逆U字関係に関するArrow et al.（1995）のコメント，およびその記事をめぐって開催された一連のシンポジウムにおける反応については *Ecological Economics*（1995）15(2)，*Ecological Applications*（1996）6(1)，*Environment and Development Economics*（1996）1(1)を参照．さらに *Environment and Development Economics*（1997）2（4）特別号も参照されたい．

2）私は別のところでそのような経路について検討した．例えばDasgupta（1993, 1997，1998，2000，2001a, 2001b）を参照．「有害なスピルオーバー効果」とは「負の外部性」を，「外部性」とは影響を受ける人々の同意なしに起こる人間活動の影響を意味する．流域上流部での森林伐採は，水の流出によって下流部の農民や漁民に被害をもたらす．もし被害者が双方の同意に基づき補償されない場合，この被害は外部性である．外部性をもたらす活動のもう一つの例として，共有的資源へのただ乗りがある．前者は「一方向」の外部性に，後者は「相互的」外部性に関わる（Dasgupta 1982）．

3）現代の成長理論の知的先駆者はSimon（1981）．現代の成長モデルの解説としてはJones（2001）を参照．

4）Daily（1997）は生態系サービスの特徴に関する論文集である．生物多様性と，それが生産的な資産として果たす役割に関して現在分かっていることの要約を網羅的に集めたLevine（2001）も参照．

5）半乾燥地域における地方の貧困と資源減耗に関する素晴らしい実証調査についてはAgarwal（1986），Kalipeni（1994）およびChopla and Gulati（2001）を参照．

6）Landes（1969,1998），Fogel（1994,1999），Johnson（2000），そして特にMaddison（2001）を参照のこと．この主張は過去200年を含めても成り立つ．大まかな計算であれば簡単にできる．今日の世界の一人あたり生産は約5000米ドルである．世界銀行は，1日一人あたり1ドルを最悪の事態とみなしており，それを大きく下回ると人々は生存不可能であろう．したがって2000年前にも一人あたり収入は1ドル以下ではなかったということだから，1ドルであったと仮定しよう．これは2000年前の一人あたり所得が年間350ドルであったことを意味する．数字を丸めると，だいたい一人あたり所得が16倍になったことになる．すなわち一人あたり所得は500年ごとに倍増した勘定となり，平均の年間成長率は約0.14％，すなわちゼロとさほど変わらないことになる．

7）HDIは一人あたりGNP，出生時平均余命，識字率を組み合わせた指標である．国別のHDI推計値は毎年国連開発計画の『人間開発報告書』で公表されている．社会福祉指標としてのGNPの欠点はHDIにも共通することから，HDIについてはコメントしない．HDI固有の短所についてはDasgupta（2001b）参照．
8）Gore（1992）とLomborg（2001）はそれぞれ，生態学や経済学以外を専門とする著者による，こうした二つの観点を表した代表例である．
9）対立する洞察の分かりやすい例として，Myers and Simon（1994）におけるノーマン・マイヤーズと故ジュリアン・サイモンの論争を参照．
10）例えば，Barnett and Morse（1963），Simon（1981）およびJohnson（2000）参照．
11）例えば，地球規模の推計についてはVitousek et al.（1986），Postel et al.（1996）およびVitousek et al.（1997）を，特定の地域に特化した研究としてはAgawal（1986），Kalipeni（1994），Chopra and Gulati（2001）およびJodha（2001）を参照されたい．
12）専門用語で言えば，それらの結果は経済が「凸」，すなわちすべての生産可能性が収穫逓減であるという仮定に依存しない．
13）Dasgupta and Mäler（2000），Dasgupta（2001b）およびArrow et al.（2003a, 2003b）参照．
14）それ以外にも，それらが私的所有になじまなかった理由がある．本文では移動性だけに言及した．
15）今や，この点に関する文献は膨大である．参考文献についてはDasgupta（2001b）を参照．
16）それがなぜ，どのように起こるのかについては，Dasgupta（1993, 2001b）を参照．
17）Arrow et al.（2003a）は，様々な制度的背景のもとで，特定の資本資産の計算価格を推定する方法に関し，結果の一覧を作成した．
18）Pezzey（1992）には，初期における，しかし綿密な報告がある．
19）例えば，*World Bank Economic Review*（2001）のシンポジウム「成長に関する過去十年の実証研究から我々は何を学んだか」を参照されたい．
20）これらの考え方については，Dasgupta（1999, 2003）でずっと詳細にわたって論じられている．社会関係資本の問題について実証を行った古典はPutnam et al.（1993）である．しかし，過去二，三十年間のイタリアの20の州における経済実績の違いを説明するうえで，パットナムは市民的制度の働きと，実現されたTFPを関連づけてはいない．
21）数値を丸めているため，合計が一致しないことがある．

## 参考文献


Abramovitz, M. 1956. Resource and output Trends in the United states since 1870. *American Economic Review* 46（Papers & Proceedings）: 5-23.

Agarwal, B. 1986. *Cold Hearths and Barren Slopes: The Woodfuel Crisis in the Third World*. New Delhi: Allied Publishers.

Arrow, KJ., B. Bolin, R. Costanza, P. Dasgupta, C. Folke, C.S. Holling, B.-O. Jansson, S. Levin, K.-G. M?ler, C. Perrings, and D. Pimentel. 1995. Economic Growth, Carrying Capacity, and the Environment. *Science* 268（5210）：520-521.

Arrow, K.J., P. Dasgupta, and K.-G. Mäler. 2003a. Evaluating Projects and Assessing sustainable Development in Imperfect Economies. *Environmental and Resource Economics* 26(4)：647-685.

Arrow, K.J., P. Dasgupta, and K.-G. Mäler. 2003b. The Genuine Saving Criterion and the Value of Population. *Economic Theory* 21(2)：217-225.

Bardhan, P. 1996. Research on Poverty and Development Twenty Years after *Redistribution with Growth. Proceedings of the Annual World Bank Conference on Development Economics, 1995.* Supplement to *World Bank Economic Review* and *World Bank Research Observer,* 59-72.

Barnett, H., and C. Morse. 1963. *Scarcity and Growth: The Economics of Natural Resource Availability.* Baltimore: Johns Hopkins University Press for Resources for the Future.

Birdsall, N. 1988. Economic Approaches to Population Growth. In *Handbook of Development Economics,* vol. 1, edited by H. Chenery and T. N. Srinivasan. Amsterdam: North Holland.

Chopra, K., and S. C. Gulati. 2001. *Migration, Common Property Resources and Environmental Degradation.* New Delhi: Sage.

Collins, S, and B. Bosworth. 1996. Economic Growth in East Asia: Accumulation versus Assimilation. *Brookings Papers on Economic Activity* 2：135-191.

Cropper, M. L., and C. Griffiths. 1994. The Interaction of Population Growth and Environmental Quality. *American Economic Review* 84（Papers & Proceedings）：250-254.

Cropper, M.L., and W. Oates. 1992. Environmental Economics: A Survey. *Journal of Economic Literature* 30(2)：675-740.

Daily, G.（ed.）. 1997. *Nature's Services: Societal Dependence on Natural Ecosystems.* Washington, DC: Island Press.

Dasgupta, P. 1982. *The Control of Resources.* Cambridge, MA: Harvard University Press.

Dasgupta, P. 1993. *An Inquiry into Well-Being and Destitution.* Oxford: Clarendon Press.

Dasgupta, P. 1997. Environmental and Resource Economics in the World of the Poor. 45th Anniversary Lecture. Washington, DC: Resources for the Future.

Dasgupta, P. 1998. The Economics of Poverty in Poor Countries. *Scandinavian Journal of Economics* 100(1)：41-68.

Dasgupta, P. 1999. Economic progress and the Idea of Social capital. In *Social Capital: A Multifaceted Perspective,* edited by P. Dasgupta and I. Serageldin. Washington, DC: World Bank.

Dasgupta, P. 2000. Population and Resources: An Exploration of Reproductive and Environmental Externalities. *Population and Development Review* 26(4)：643-689.

Dasgupta, P. 2001a. Valuing Objects and Evaluating policies in Imperfect Economies. *Economic Journal* 111 (Conference Issue)：1-29.

Dasgupta, P. 2001b. *Human Well-Being and the Natural Environment.* Revised edition 2004. Oxford: Oxford University Press. 〔パーサ・ダスグプタ著，植田和弘監訳『サステイナビリティの経済学――人間の福祉と自然環境』（岩波書店，2007年）〕

Dasgupta, P. 2003. Social Capital and Economic Performance: Analytics. In *Foundations of Social Capital* edited by E. Ostrom and T.-K. Ahn. Cheltenham, UK: Edward Elgar.

Dasgupta, P. , and K.-G. M? ler. 2000. Net National Product, Wealth, and Social Well-Being. *Environment and Development Economics* 5(2)：69-93.

Drèze, J., and A. Sen. 1990. *Hunger and Public Action.* Oxford: Clarendon Press.

Easterly, W. , and R. Levine. 2001. It's Not Factor Accumulation: Stylized Facts and Growth Models. *World Bank Economic Review* 15(2)：177-219.

The Economist. 2001. Revisiting the "New Economy." February 10-16, 22.

Fogel, R.W. 1994. Economic Growth, Population Theory, and Physiology: The Bearing of Long-Term Processes on the Making of Economic Policy. *American Economic Review* 84(3)：369-395.

Fogel, R.W. 1999. Catching Up with the Economy. *American Economic Review* 89(1)：1-19.

Gore, A. 1992. *Earth in the Balance: Forging a New Common Purpose.* London: Earthscan. 〔アル・ゴア著，小杉隆訳『地球の掟――文明と環境のバランスを求めて』（ダイヤモンド社，1992年）〕

Grossman, G.M., and A.B. Krueger. 1995. Economic Growth and the Environment. *Quarterly Journal of Economics* 1 10(2)：353-377.

Hamilton, K., and M. Clemens. 1999. Genuine Savings Rates in Developing Countries. *World Bank Economic Review* 13(2)：333-356.

International Union for the Conservation of Nature and Natural Resources. 1980. *The World Conservation Strategy: Living Resource Conservation for Sustainable Development.* Geneva: IUCN.

Jodha, N.S. 2001. *Living on the Edge: Sustaining Agriculture and Community Resources in Fragile Environments.* New Delhi: Oxford University Press.

Johnson, D.G. 2000. Population, Food, and Knowledge. *American Economic Review* 90(1)：1-14.

Jones, C.I. 2001. *Introduction to Economic Growth.* 2nd edition. New York: W.W. Norton. 〔チャールズ・I・ジョーンズ，香西泰監訳『経済成長理論入門――新古典派から内生的成長理論へ』（日本経済新聞社，1999年）〕

Kalipeni, E.（ed.）. 1994. *Population Growth and Environmental Degradation in Southern Africa.* Boulder, CO: Lynne Rienner.

Keley, A.C. 1988. Economic Consequences of Population Change in the Third World. *Journal of Economic Literature* 26(4)：1685-1728.

Kneese, A., and J. Sweeney. 1985-1993. *Handbook of Natural Resource and Energy Economics,* Vols. 1-3. Amsterdam: North Holland.

Kremer, M. 1993. Population Growth and Technological Change: One Million B.C. to 1990. *Quarterly Journal of Economics* 108(3)：681-716.

Landes, D. 1969. *The Unbound Prometheus.* Cambridge: Cambridge University Press.〔D.S.ランデス［著］；石坂昭雄，富岡庄一訳『西ヨーロッパ工業史：産業革命とその後 1750-1968』（みすず書房，1980～82年）〕

Landes, D. 1998. *The Wealth and Poverty of Nations: Why Some Are So Rich and Some So Poor.* New York: W.W. Norton.〔デビッド・S・ランデス，竹中平蔵訳『「強国」論』（三笠書房，2000年）〕

Levin, S.A.（ed.）. 2001. *Encyclopedia of Biodiversity.* New York: Academic Press.

Lomborg, B. 2001. *The Skeptical Environmentalist.* Cambridge: Cambridge University Press.〔ビョルン・ロンボルグ，山形浩生訳『環境危機をあおってはいけない：地球環境のホントの実態』（文藝春秋，2003年）〕

Maddison, A. 2001. *The World Economy: A Millennial Perspective.* Paris: Organisation for Economic Co-operation and Development.〔アンガス・マディソン，金森久雄監訳『経済統計で見る世界経済2000年史』（柏書房，2004年）〕

Myers, N., and J.L. Simon. 1994. *Scarcity or Abundance. A Debate on the Environment.* NewYork: W.W. Norton.

Oates, W.（ed.）. 1992. *The International Library of Critical Writings in Economics: The Economics of the Environment.* Cheltenham:, UK Edward Elgar.

Pearce, D., K. Hamilton, and G. Atkinson. 1996. Measuring Sustainable Development: Progress on Indicators. *Environment and Development Economics* 1：85-101.

Pezzey, J. 1992. Sustainable Development Concepts: An Economic Analysis. World Bank Environment Paper No. 2.

Postel, S.L., G. Daily, and P.R. Ehrlich. 1996. Human Appropriation of Renewable Fresh Water. *Science* 271：785-788.

Putnam, R.D., R. Leonardi, and R.Y. Nanetti. 1993. *Making Democracy Work: Civic Traditions in Modern Italy.* Princeton: Princeton University Press.〔ロバート・D・パットナム著；河田潤一訳『哲学する民主主義：伝統と改革の市民的構造』（NITT 出版，2001年）〕

Schultz, T. P. 1988. Economic Demography and Development. In *The State of Development Economics,* edited by G. Ranis and T. P. Schultz. Oxford: Basil Blackwell.

Serageldin, I. 1995. Are We Saving Enough for the Future. In *Monitoring Environmental progress*. Report on Work in Progress, Environmentally Sustainable Development. Washington, DC: World Bank.

Simon, J. 1981. *The Ultimate Resource*. Oxford: Martin Robinson.

Solow, R.M. 1957. Technical change and the Aggregate Production Function. *Review of Economics and Statistics* 39(3)：312-320.

Stern, N. 1989. The Economics of Development: A Survey. *Economic Journal* 99(2)：597-685.

UNDP (United Nations Development Programme). 1990-1999. *Human Development Report*. NewYork: Oxford University Press.〔国連開発計画『人間開発報告書』〕

Vitousek, P., P.R. Ehrlich, A.H. Ehrlich, and P. Matson. 1986. Human Appropriation of the Product of Photosynthensis. *BioScience* 36：368-373.

Vitousek, P.M., H.A. Mooney, J. Lubchenco, and J.M. Melillo. 1997. Human Domination of Earth's Ecosystem. *Science* 277：494-499.

World Bank. 1992. *World Development Report*. Washington, DC: World Bank.〔世界銀行著，世界銀行東京事務所訳『世界開発報告』〕

World Bank. 1998. *World Development Indicators*. Washington, DC: World Bank.

World Bank Economic Review. 2001 . What Have We Learned from a Decade of Empirical Research on Growth. Symposium. 15(2).

World Commission on Environment and Development. 1987. *Our Common Future*. New York: Oxford University Press.〔環境と開発に関する世界委員会編『地球の未来を守るために』(福武書店，1987年)〕

# 監訳者あとがき

本書は，R. David Simpson, Michael A. Toman, and Robert U. Ayres eds., *Scarcity and Growth Revisited: Natural Resources and Environment in the New Millennium,* Resources for the Future, 2005 の全訳である．本書のタイトルは，原書のタイトルをそのまま訳すと，『希少性と成長：再訪――新ミレニアムにおける自然資源と環境』ということになるであろうが，資源経済学と環境経済学の境界的な領域を方法的にも新たに切り開いていこうとする本書の意図がイメージできるように，『資源環境経済学のフロンティア』と題することにした．

原書のタイトルが *Scarcity and Growth Revisited* となっていることからも明らかなように，本書の前に，希少性と成長（Scarcity and Growth）を扱った著作があった．Harold J. Barnett and Chandler Morse, *Scarcity and Growth: The Economics of Natural Resource Availability,* 1963（本書の訳では『希少性と成長』としている）および V. Kerry Smith ed., *Scarcity and Growth Reconsidered,* 1979（本書の訳では『続・希少性と成長』としている）である．実は，本書も含めこの3冊はすべて未来資源研究所（Resources for the Future）における研究成果ないし国際会議の記録であり，いずれも同研究所からの出版物である．未来資源研究所は，その名前のとおり，資源問題や資源政策のあり方を検討するために，1952年に設立された．自然資源の希少性と成長の問題は，未来資源研究所にとって設立当初からの主要研究テーマの一つということができ，研究成果としてこうした出版物が出されるのは自然な成り行きと言うことができる．同時に同研究所は，環境問題・環境政策に関して世界で最も早くから経済学的視点から研究に取り組んだ研究所の一つでもある．A.クネーゼらによる水管理政策研究など多くの研究成果を発信してきた伝統は今も生きており，現在も活発な研究活動を展開している．

本書は，自然資源の希少性と経済成長との間の関係を正面から扱った著作であるが，その基底にある問題意識は，1963年のバーネットとモースによる著作『希少性と成長』や1979年のスミス編『続・希少性と成長』から変わっていない．そもそも，自然資源の希少性が経済成長の制約要因になるのではないかという問題意識は新しいものではない．世界に大きな衝撃を与えたローマクラブのレポート『成長の限界』（1972年）はとりわけ有名であるが，それよりも早くこの問題を検討したバーネットとモースの炯眼は高く評価されよう．

むしろ，自然資源の希少性が成長を制約するのではないかという関心は，バーネットとモースも指摘しているように，経済学がその成立以来持っていた問題意識と言ってもよいであろう．例えば，T. マルサスは，土地からの生産物である食料の生産については，追加的な労働や投資を行っても，そのことによって得られる生産物は追加したのと同じ割合では増加しないと述べ，収穫逓減の法則を重視した．彼は『人口論』のなかで，「人口は制限されなければ幾何級数的に増加し，他方，生活資料は等比級数的にしか増加しない」とし，「この人口と土地の生産力との２つの自然的不均等，およびそれらの結果を常に等しくしておかねばならぬという自然に関する大法則は，社会の完成の途上において，克服が不可能と思われる大きな困難をなすものだ」と述べている．経済成長の絶対的制約条件としての資源制約という視点を提供したものである．類似の考え方はマルサス以後も繰り返し現れている．『成長の限界』はその代表的なものである．

同じく収穫逓減の法則を支持したD. リカードは，差額地代論を展開するとともに，利潤率低下を法則的なものとみなした．すなわち，資本蓄積は人口増大に，そして農産物需要の増大につながるが，相対的に劣等な土地を耕作せざるを得ず収穫逓減の法則が働くため，結果的に穀物価格は上昇することになり賃金の騰貴を招くことになる．結果として，利潤率の低下に陥るという因果が想定されているのであるが，ここでも土地資源の制約と収穫逓減の法則が重要な役割を果たしている．

これら古典派経済学者による，経済成長に対する資源の絶対的・相対的制約を強調する議論を，当時における自然資源に関する最新の調査（当時同じ未来資源研究所から，Neal Porter and Francis T. Christy, Jr., *Trends in Natural Resource Commodities: Statistics of Prices, Output, Consumption, Foreign Trade, and Employment in the United States,* 1870–1957. が出版されたところ（1962年刊）であった）と計測手法を使って検証したのが，バーネットとモースの著作『希少性と成長』であった．

バーネットとモース『希少性と成長』が導き出した結論は，きわめてシンプルである．「資源の希少性によって経済成長が止まることはこれまではなかったし，おそらく近いうちにもなければ，将来も止まることはないと考えられる」というものであった．その根拠は，検討の対象とした資源の価格が木材などごく一部の資源を除けば下落を続けてきたことにある．つまり，ある資源が希少化しているか否かを判定する指標は，その資源の価格の変化を見ればよい，とバーネットとモースは考えたのである．つまり，バーネットとモースは，効率的で持続可能なように資源を配分するという課題に適しているのは市場メカニズムであると考えており，価格が希少性を表すシグナルとして適切であるとみていたのである．

『希少性と成長』が発表されてからたった10年後にはオイルショックが起こったが，『続・希少性と成長』においても市場価格を信頼するという基調は大きくは変わらなかった．しかし，近年では原油価格の高騰があり，そこでは実需以外の投機的要因も大きかったと考えられるので，ことはそれほど単純ではない．石油の絶対的限界を主張するハバートのピークオイル論ももてはやされている．

しかし，本書は従来から議論されてきた自然資源の希少性――その検証ももちろん忘れていないが――よりも，新しい希少性に着目すべきだと主張する．本書が取り上げている新しい希少性とは，市場価格を見ることができる自然資源の希少性のことではなく，一言で言えば，環境容量や生物多様性など人間社会にとってのエコロジカルな基盤の希少性を指している．本書の副題に，自然資源（Natural Resources）だけでなく，環境（Environment）が加えられたのはそのためである．

地球温暖化防止を国際政治上の課題にせざるを得ない今日，我々は環境容量の限界を意識せざるを得ない．大気中の$CO_2$（換算）濃度は産業革命時には280ppmであったのが，現在のそれは430ppmになっている．地球上の人間活動が大気のもつ$CO_2$吸収容量を超えて大量に$CO_2$を排出しているからである．また人間活動は，多くの種を絶滅させるなど生態系・生物多様性を破壊しつつある．生態系・生物多様性は，人間活動の究極的な基盤であり，生命維持装置と呼ぶことができる．$CO_2$の排出量を環境容量の範囲内に抑え，生物多様性を維持・保全しなければならないとすると，経済成長の制約要因になるのではないか．

こうした環境のもつ新しい希少性が，資源問題という古い希少性と決定的に異なる点は，資源には価格というバロメーターがあるのに対して，大気中$CO_2$濃度や生物多様性には価格はついていないということである．しかし，これら環境という社会にとっての共通資産が希少化していることは間違いがない．新しい希少性を基軸に置いた経済学の構築が期待される所以である．

本書の特徴と意義はどこにあるだろうか．それは第一に，すでに指摘したように，希少性と成長という文脈において，新しい希少性の決定的意義を明確に指摘したことである．本書はまず，エネルギーや鉱物資源などの市場で取引される資源産品に関する古い希少性と，非市場性の高い環境アメニティーや生態系サービスなどに関する新しい希少性を対比し，その違いを明らかにする．そして，新しい希少性に対処するうえでのさまざまな問題点を指摘し，新古典派経済学的な市場メカニズムに頼る処方箋の限界を指摘する．それでは，オールタナティヴは何か．本書に明確な一つの対案があるわけではない．非市場財たる環境資源をどのように適切に管理していくかという本書を貫く根幹的問いに対して，公共政策の重要性を示唆するとともに，代替的な方法論を模索するという姿勢に本書は立っている．2009年度ノーベル経済学賞を受賞したE. オストロムによるコモンズ（オストロムはコモンプール資源と呼んでいる）のガバナンスに関する研究も，このような立場から生まれた研究の一つである．本書では，オストロムの研究について特に触れているわけではないけれども，進化経済学や制度経済学からの先端的アプローチが紹介され，生物学や生態学の知見を活用する必要性が指摘されているのはそのためである．この模索の過程が本書の特徴であるということもできる．方法論上の多様性は，本書の編者３人の経歴やこれまでの業績が異なった方法論に立脚していることからも理解することができる．

本書が取り上げたもう一つの重要な論点として，途上国における環境資源と貧困の結びつきの問題がある．希少性と成長というテーマは，従来ともすれば資源の希少性が先進国の成長を制約ないし阻害する要因にならないかという視点から議論されがちであった．近年ではそれにいわゆる新興国の経済成長が加わり，それに伴って資源の争奪戦状況が生じているという認識が一般的である．その側面も見ておかなければならないが，持続可能な発展が環境と開発を統合的に考える際の共通理念として位置づけられ，ミレニアム開発目標が国際的政策目標として定着するにつれて，途上国での貧困削減のための開発・成長のあり方を考えなければならなくなった．

本書は，途上国の貧困層にとって自然環境資源は代替物のない必需品であるという事実や，私的所有権になじまない自然資本を管理するための共同体的制度の役割に基づいて説得力のある議論を展開している．さらに本書は，このような視点の欠落が多くの貧困国が経験している資源配分メカニズムとしての共同体的制度の崩壊につながったことを指摘する．そして，自然資本も含む広い意味での「富」の蓄積を表す指標を貧しい国々に適用し，GNPが成長した国でも，広い意味での「富」が取り崩されている現状を明らかにしている．真の持続可能な発展を目指して環境と資源，そして貧困削減を統合した新しいパラダイムの方向性を模索する上で必読の書である．

さらに本書の特徴の一つは，きわめて実践的な志向を持っていることである．希少性と成長の問題，特に新しい希少性の問題を理論問題として提起するのに加えて，それに対処するための公共政策のあり方の問題としても検討している．特に，技術革新誘発政策と経済的政策手法を対象として，理論的背景について概説した上で，実際的な問題点について，制度的要因，政府機構内部の問題，社会認識と理解の問題，競争政策との関連など，包括的な議論を展開している．環境政策および資源政策に従事し，そのあり方に関して理論的指針を求めている実務者にとっても有益な示唆が得られるだろう．

最後に，本書を翻訳することに至った経緯について若干触れておきたい．本書を翻訳するというアイデアは，訳者の一人時松宏治氏を中心とする資源問題を研究する若い研究者の集まりから生まれた．

資源問題の社会科学的分析に関して何らかの指針が得られないかと考えていた研究会のメンバーが本書を一読し，その分析の包括性とアプローチの多様性に魅了されて，本書の翻訳を思い立ったのである．時松宏治氏は私が主催する研究会に参加していたこともあり，私が監訳者の役割を引き受けた次第である．翻訳は第一次の訳文を次のように分担したが，その後メンバー相互で訳文の検討を重ねた．

安達　毅（2章，3章），　小杉隆信（5章，8章）
小嶋公史（6章，14章），　時松宏治（1章，4章）
前田　章（10章，11章），　村上進亮（7章，12章）
山口臨太郎（9章，13章）

特に，前田章，時松宏治，山口臨太郎の各氏には訳語の統一等でとりわけ尽力いただいた．小嶋公史氏にも全体のとりまとめに貢献いただき，最終的には植田が監訳作業を行った．

また，訳書刊行にあたっては，日本評論社編集部斎藤博氏にひとかたならぬお世話になった，深く感謝の意を表する次第である．

2009年11月

植田和弘

# 索　引

## あ 行



## か 行

## さ　行

## た　行

## な　行



## は　行

## ま　行



## や　行



## ら　行



## わ　行



## 人　名

## 欧　文

# 訳者紹介（五十音順）

安達　毅（あだち・つよし）　2，3章担当
東京大学生産技術研究所・環境安全研究センター准教授．専門：資源経済学，地球システム工学．

小嶋公史（こじま・さとし）　6，14章担当
財団法人地球環境戦略研究機関（IGES）主任研究員．専門：環境経済学、持続可能な開発論

小杉隆信（こすぎ・たかのぶ）　5，8章担当
立命館大学政策科学部准教授．専門：エネルギーシステム工学，資源環境論

時松宏治（ときまつ・こうじ）　1，4章担当
財団法人エネルギー総合工学研究所主任研究員．専門：エネルギー技術評価論，エネルギー総合工学．

前田　章（まえだ・あきら）　10，11章担当
京都大学大学院エネルギー科学研究科准教授．専門：エネルギー経済学，金融経済学．

村上進亮（むらかみ・しんすけ）　7，12章担当
東京大学大学院工学系研究科システム創成学専攻講師．専門：産業エコロジー，資源循環論．

山口臨太郎（やまぐち・りんたろう）　9，13章担当
野村総合研究所コンサルタント．専門：環境・資源経済学，環境政策論．

**●編著者紹介**
デビッド・シンプソン（R. David Simpson）
米国環境保護庁（EPA）国立環境経済センター研究員
マイケル・トーマン （Michael A. Toman）
世界銀行開発研究グループ気候変動問題リードエコノミストおよびエネルギー環境チーム責任者
ロバート・エイヤーズ（Robert U. Ayres）
国際応用システム分析研究所（IIASA）研究員，フランスNSEAD名誉教授

**●監訳者紹介**
植田和弘（うえた・かずひろ） 1952年生まれ．1975年京都大学工学部卒業後．大阪大学大学院を経て，1981年京都大学経済研究所助手，1984年京都大学経済学部助教授，1994年同教授．現在，京都大学大学院経済学研究科および同地球環境学堂教授．工学博士，経済学博士．専攻は環境経済学，財政学．主な著作に，『循環型社会と拡大生産者責任の経済学』（共編著，昭和堂，近刊）『リーディングス環境（全5巻）』（共編著，有斐閣，2005-2006年），『環境経済学』（岩波書店，1996年）など．

**資源環境経済学のフロンティア**（しげんかんきょうけいざいがくのふろんてぃあ）
新しい希少性と経済成長

2009年11月30日 第1版第1刷発行

編著者――デビッド・シンプソン，マイケル・トーマン，ロバート・エイヤーズ
監訳者――植田和弘
発行者――黒田敏正
発行所――株式会社日本評論社
〒 170-8474 東京都豊島区南大塚3-12-4 電話 03-3987-8621（販売），8595（編集）
振替 00100-3-16
印 刷――精文堂印刷株式会社
製 本――株式会社難波製本
装 幀――林 健造
検印省略 © Kazuhiro Ueta, 2009
Printed in Japan
ISBN978-4-535-55610-2

# 環境経済学入門

バリー・C・フィールド【著】　秋田次郎・猪瀬秀博・藤井秀昭【訳】

地域・国際・地球レベルでの多様な環境問題と政策事例をとりあげながら環境経済学の基本を学ぶテキストブック。全編を通して環境を改善する制度や政策のありかたを考えてゆくのが特徴。予備知識や数学を前提とはしない。

◆ISBN978-4-535-55134-3　菊判／3675円（税込）

# 脱炭素社会と排出量取引

国内排出量取引を中心としたポリシー・ミックス提案

諸富 徹・鮎川ゆりか【編著】

京都議定書で定めた温暖化ガス排出量削減目標を達成するためには、排出量取引の導入が求められる。下流型排出量取引制度を提案。

◆ISBN978-4-535-55548-8　A5判／2940円（税込）

# テキストブック 環境と公害

経済至上主義から命を育む経済へ

泉 留維・三俣 学・室田 武・和田喜彦【著】

環境経済学・エコロジー経済学のエッセンスをイメージ豊かに理解していくために、現場の写真を可能な限り取り入れたテキスト。

◆ISBN978-4-535-55511-2　A５判／2730円（税込）

# 紙パック宣言

寄本勝美【監修】　猪瀬秀博・平井成子・全国牛乳容器環境協議会【著】

牛乳に用いられる紙パックは、どのように作られ、使用され、回収され、リサイクル製品へと再生されるのか？

◆ISBN978-4-535-58570-6　四六判／1575円（税込）

# 地域環境の再生と円卓会議

東京湾三番瀬を事例として

三上直之【著】

東京湾三番瀬の埋め立て計画が中止され、その環境をどう再生・保全するかで、円卓会議が始まった。新しい市民参加のかたちを克明にたどる。

◆ISBN978-4-535-58532-4　A5判／6405円（税込）

日本評論社